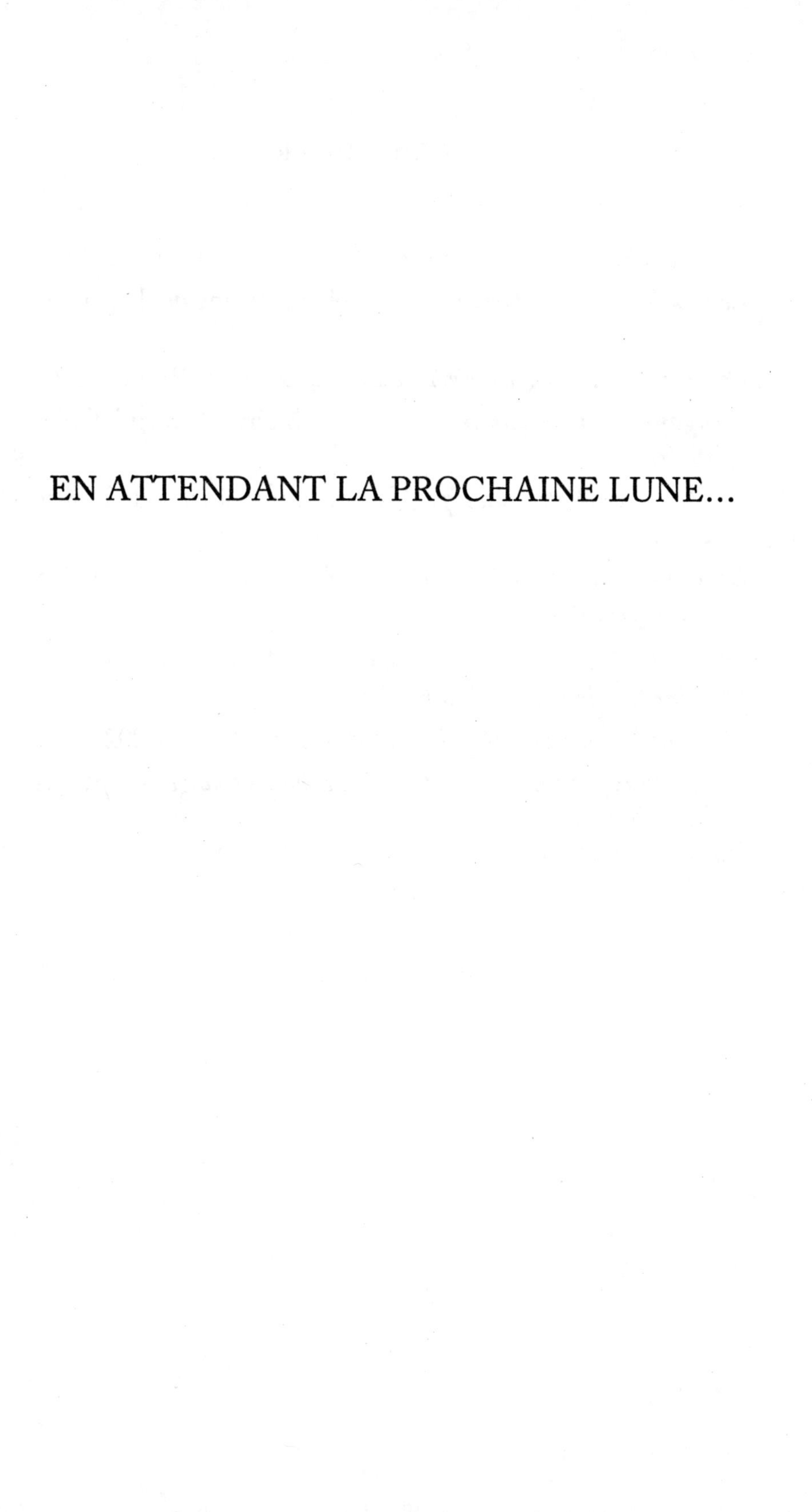

EN ATTENDANT LA PROCHAINE LUNE...

Du même auteur

Contribution à l'étude des ententes régionales, A. Pedone, 1949.

Le Problème du canal de Suez, Société égyptienne de droit international, 1957.

Contribution à une théorie générale des alliances, A. Pedone, 1963.

L'Organisation de l'unité africaine, Librairie Armand Colin, 1969.

Le Mouvement afro-asiatique, Presses universitaires de France, 1969.

Les Conflits de frontières en Afrique, Éditions techniques et économiques, 1973.

Le Chemin de Jérusalem, Fayard, 1997 (Prix Méditerranée).

Mes Années à la maison de verre, Fayard, 1999.

Démocratiser la mondialisation, Éditions du Rocher, 2002.

Paix, développement, démocratie. Trois agendas pour gérer la planète, A. Pedone, 2001.

Émanciper la Francophonie, L'Harmattan, 2002.

Boutros Boutros-Ghali

En attendant la prochaine lune...

Carnets 1997-2002

Fayard

Je tiens à remercier Ghassan Tuéni et Robert Solé – deux écrivains et éditorialistes –, qui ont eu l'amabilité de lire mon texte et qui m'ont prodigué de précieux conseils.

Introduction

À travers ces pages, je rends à la vie ce qu'elle m'a donné durant mes six années parisiennes. Ce journal s'ouvre le 31 décembre 1996 – à la fin de mon mandat de secrétaire général des Nations unies – et s'achève le 31 décembre 2002 – à la fin de mon mandat de secrétaire général de la Francophonie.

Il fut des jours sans écriture, il fut des jours avec. Il fut des jours où j'écrivais en témoin privilégié, des jours où j'écrivais en rêveur impénitent. Certains événements importants, ayant fait l'objet de symposiums, de publications, de comptes rendus dans la presse, ont été passés sous silence, alors que d'autres, apparemment insignifiants au regard de la petite ou de la grande histoire, ont fait l'objet de longs commentaires. C'est le propre du journal intime.

Tout au long de ma carrière politique et diplomatique, je me suis imposé un devoir de réserve. Je pense ne pas déroger à cette règle d'or dans le présent ouvrage, où la plupart des personnalités mentionnées l'ont été dans le cadre de mes fonctions officielles. S'il m'est arrivé, néanmoins, de commettre certaines indiscrétions, je voudrais m'en excuser auprès de ceux que j'ai cités, comme auprès de ceux que je n'ai pas cités.

Le temps éclaire parfois d'un jour nouveau et inattendu les événements. Il aurait pu être tentant de récrire certaines prédictions ou certaines analyses auxquelles je me suis livré dans l'instant, et qui se sont, après coup, révélées inexactes. J'ai choisi, par honnêteté intellectuelle, de les garder en l'état.

En attendant la prochaine lune...

De passage à New Delhi, voilà quelques années, on m'avait proposé de consulter un astrologue réputé. «Il est prêt, m'avait-on dit pour finir de me convaincre, à venir vous rencontrer discrètement à votre hôtel.» Rendez-vous fut pris pour le vendredi suivant : c'était le 9 septembre 1994.

Je m'attendais à rencontrer un fier vieillard portant barbe blanche, le visage sculpté par les ans – l'image que l'on se fait du sage. À ma grande surprise, l'homme qui se présenta ce jour-là était extrêmement jeune, respectueux, timide presque, n'eussent été des yeux de braise qui conféraient à son visage une autorité teintée de mystère. Il me demanda la date, le lieu et l'heure de ma naissance afin de déterminer mon signe lunaire. Sans lui laisser le temps de dérouler ses prédictions, je posai la question qui, à cette époque, m'importait le plus :

«J'ai l'intention de briguer un second mandat de cinq ans aux Nations unies. Quelles sont mes chances d'être réélu?»

Sa réponse, sur le moment, me déçut :

«Je ne crois pas, me dit-il, que vous réaliserez ce projet. Mais je pense, en revanche, que votre étoile brillera plus encore lorsque vous aurez quitté ces fonctions. Ce sera après votre millième lune. Et je peux vous assurer qu'elle brillera alors d'un éclat inégalé. Je ne vois rien d'autre pour le moment que la lumière extraordinaire de cette étoile...»

Je me suis souvent interrogé, depuis cette étrange rencontre, sur le symbolisme de cette lumière qui viendrait illuminer mes années crépusculaires. Et j'attends, comme une révélation, que se lève la lune des lunes…

1997

New York, mardi 31 décembre 1996

C'est aujourd'hui ma dernière journée au 38e étage du palais des Nations unies. Mon mandat prend fin ce soir, à minuit. Je me livre à des séances-photos avec les sous-secrétaires, les fonctionnaires internationaux égyptiens et mes gardes du corps. Je ne m'étais jamais rendu compte qu'ils étaient aussi nombreux.

Au moment où je franchis, pour la dernière fois, la porte principale de la Maison de verre, une foule de fonctionnaires m'attend, massée sur le parvis pour un ultime adieu. « Partir, c'est mourir un peu. » Il est des circonstances où ces adages, que l'on pense destinés à alimenter les conversations les plus banales, prennent une acuité qui vous force à l'humilité. Pris dans le tourbillon de ce bain de foule, au son des applaudissements, je me sens soudain gagner par une intense émotion. Mais je n'ai ni le temps ni l'énergie de m'abandonner à ces fervents témoignages de sympathie. Une longue soirée m'attend avant que je m'envole, dès demain matin, pour Paris.

Je dois encore recevoir des mains du révérend James Parks Morton le Peace Prize, dans la grandiose cathédrale St John the Divine. Je n'assisterai pas à cette cérémonie. En mon nom, Léa recevra ce prix et mon ami l'ambassadeur Joseph Reed lira un discours de remerciement. Je dois rassembler ou détruire les papiers confidentiels qui sont encore à la résidence, au 3, Sutton Place.

La vie continue, en ce soir de réveillon, et j'ai promis de me rendre à la réception que donne mon beau-frère Emmanuel. Tous mes amis new-yorkais sont présents. Je ne suis déjà plus qu'un spectateur au milieu de cette société insouciante : parfums, toilettes, rires, champagne. C'est une autre manière de prendre congé de ce monde qui aime s'amuser et qui m'amuse. Je décide de m'éclipser avant les douze coups de minuit pour éviter les adieux à l'année 1996 qui ne m'a pas été favorable... Ce qui me pèse le plus en cet instant, ce n'est pas tant de laisser derrière moi un poste, un mode de vie, une demeure, des amis, que de devoir, à soixante-quatorze ans, prendre un nouveau départ, sous d'autres cieux, avec d'autres responsabilités, dans un environnement qui m'est encore totalement étranger.

New York-Paris, mercredi 1er janvier 1997

Les fidèles parmi les fidèles ont tenu à me retrouver à Kennedy Airport en ce froid matin du 1er janvier 1997. Je ne suis que plus touché par leur présence, en ce lendemain de réveillon. Nous nous envolons avec Léa en Concorde pour Paris, où nous sommes accueillis, quelques heures plus tard, par le conseiller de l'ambassade d'Égypte, Seif el-Nasr, un brillant diplomate dont j'ai bien connu le père, des années auparavant, alors qu'il était ambassadeur à Libreville. Mon ami Hassan Fodha, directeur du

Centre d'information des Nations unies à Paris, est là lui aussi, comme toujours. C'est un homme qui, au premier abord, paraît bourru, à cause peut-être de son épaisse moustache, mais c'est un être généreux et un excellent diplomate, intelligent, vif, qui a un vaste réseau de relations en France et, surtout, dans son pays, la Tunisie. Contrairement à la grande majorité des hauts fonctionnaires onusiens, il continue à faire preuve de la même sollicitude et de la même amitié à l'égard de ceux qui ont perdu le pouvoir.

Je retrouve l'hôtel Meurice, qui me servait parfois de quartier général lors de mes séjours à Paris. La même suite, avec les mêmes fleurs, la même corbeille de fruits, le même plateau de mignardises, la même bouteille de champagne... Comme si rien n'avait changé, comme s'il n'y avait jamais eu d'avant, ni d'après. Cette continuité dans le décor a quelque chose de rassurant et d'apaisant qui m'aide à commencer à vivre l'après-ONU.

Paris, vendredi 3 janvier 1997

Le président Jacques Chirac m'accueille à l'Élysée avec cette chaleur, cette simplicité et cette amitié sincères dont il a le secret. Nous avons perdu, tous les deux, une bataille. Ces derniers temps, Jacques Chirac a été ma seule bouée de sauvetage, contre l'avis même de ses collaborateurs. Un témoignage d'amitié, trop rare dans les sphères politiques. Tous les États, dans une remarquable et tacite unanimité, ont préféré m'abandonner sous la pression de l'ouragan américain.

Nous avons un long entretien. Il me présente dans le détail les institutions de la Francophonie, ses enjeux, aussi, qui sont la défense du plurilinguisme et de la diversité culturelle, et ce que l'on attend du premier secrétaire général qui sera élu lors du sommet des chefs d'État et de gouvernement, à Hanoï, en novembre prochain. Il me propose d'entamer, à partir du mois de mai, une tournée en Afrique et en Asie pour préparer mon élection. C'est le début de l'aventure francophone.

En réalité, elle avait commencé quelque quinze ans plus tôt, en août 1981, à Tegucigalpa, capitale du Honduras. Alors ministre d'État chargé des Affaires étrangères d'Égypte, j'avais entrepris une tournée en Amérique centrale afin d'obtenir, hors du cadre des Nations unies, la participation de contingents latino-américains à une force multinationale, qui serait déployée le long de la frontière égypto-israélienne, dans le Sinaï, après le retrait des forces israéliennes, conformément au traité de paix.

Le hasard avait voulu que je fusse logé dans le même hôtel que le ministre des Relations extérieures de François Mitterrand, Claude Cheysson, lui aussi en tournée en Amérique centrale. Nous étions convenus de nous rencontrer après minuit, une fois que nous aurions satisfait à nos obligations respectives.

«J'ai deux demandes à formuler, lui dis-je ce soir-là. Que la France puisse participer, même symboliquement, à la force multinationale au Sinaï. Je souhaiterais, ensuite, que l'Égypte devienne membre de la Francophonie et qu'elle prenne part aux sommets France-Afrique.»

Ces deux requêtes formulées à brûle-pourpoint, à plus de minuit, à Tegucigalpa, désarçonnèrent, l'espace d'un instant, mon interlocuteur. Pourtant Claude Cheysson n'est pas homme à se laisser déstabiliser facilement. Il est volontiers agressif, caustique, et il a la repartie facile. En tout état de cause, il manie mieux le langage du politique que celui du diplomate.

«Je dois soumettre vos deux suggestions au président François Mitterrand», répondit-il dans un premier temps.

Puis, après quelques secondes de réflexion, il ajouta :

« Mais l'Égypte n'est plus francophone. On parle anglais aujourd'hui au Caire. Quelles sont les véritables raisons qui poussent l'Égypte à vouloir rejoindre la Francophonie ?

– J'en vois au moins trois, répondis-je. La première est que l'Égypte du président Sadate veut s'ouvrir au monde occidental, et particulièrement à l'Europe. Ce qui aurait aussi l'avantage, à mes yeux, de parer à une tentation de repli identitaire qui fait le jeu des fondamentalistes. La Francophonie peut nous y aider. En second lieu, vous savez que la diplomatie égyptienne est extrêmement active en Afrique et que la moitié des États africains sont francophones. La participation de l'Égypte aux institutions de la Francophonie viendrait donc utilement appuyer notre politique africaine. Je vois enfin dans le renforcement des relations entre Paris et Le Caire une troisième bonne raison, pour nous, d'entrer en francophonie. Nous rapprocher de la France et de l'Europe nous permettra de contrebalancer un peu l'influence américaine en Égypte. »

À question directe, réponse directe. Mais il se faisait tard et nous devions repartir tous les deux, très tôt, le matin même.

Quelque temps plus tard, la France participait à la force multinationale dans le Sinaï. En octobre 1981, l'Égypte assistait au sommet France-Afrique et, en 1983, faisait son entrée en Francophonie. En 1986, elle prenait part, à Versailles, au premier sommet de la Francophonie.

J'ai depuis lors assisté, en tant que représentant personnel du président Hosni Moubarak, aux différents sommets France-Afrique ainsi qu'à tous les sommets de la Francophonie. C'est ainsi que je me suis forgé, au fil des années, l'âme d'un véritable militant de la Francophonie.

En cette journée du 3 janvier 1997, Léa et moi sommes invités à déjeuner, au Quai d'Orsay, par Hervé de Charette et son épouse. C'est un couple attachant qui a gardé le cœur de ses vingt ans, et qui dégage une joie de vivre communicative. Les proches collaborateurs du ministre sont là. Léa ne tarde pas à mettre les pieds dans le plat – par ailleurs exquis. « La diplomatie française n'avait pas de stratégie bien établie pour appuyer la réélection de Boutros à l'ONU. » Les diplomates assis autour de la table laissent passer ce nuage avec mansuétude…

Le Caire, samedi 4 janvier 1997

Le président Hosni Moubarak me reçoit pendant plus d'une heure. Il porte un costume gris, impeccablement coupé, sur une chemise bleu clair. Il paraît très détendu, je lui trouve même l'œil taquin.

« Je t'avais pourtant conseillé de ne pas provoquer les Américains…, me dit-il, avant d'ajouter avec un sourire entendu : Si tu t'étais montré plus "gentil" avec Madeleine Albright, tu aurais été réélu… »

Il ne voit aucune objection à ce que je me présente au poste de secrétaire général de la Francophonie. Et il accepte de soutenir ma candidature.

(Dans la soirée…) Grande réception en mon honneur dans un club militaire de la ville, en présence du président Hosni Moubarak et de son épouse. Plus de quatre cents invités. Autour du président, le cheikh d'Al-Azhar, le patriarche Amba Chenouda III, tout chamarré d'or et d'argent, le Premier ministre Kamal el-Ganzouri, renfrogné comme à son habitude, l'ancien Premier ministre Atef Sedki, jovial et avec quelques kilos en plus, ainsi que l'ambassadeur des États-Unis, Edward Walker, qui parle couramment arabe.

Le président ne résiste pas au plaisir de se livrer à sa plaisanterie favorite sur mon manque de « hardiesse » à l'égard de la dame qui m'a évincé des Nations unies. Tout le monde rit de bon cœur, à l'exception de l'ambassadeur américain qui reste de marbre.

Le Caire, lundi 6 janvier 1997

Ce soir, nous fêtons le Noël copte orthodoxe. Je suis venu me recueillir dans l'église de la famille – la Boutrossiya –, sur les tombes de mes parents, de mes oncles et du grand-père. L'humidité gangrène la pierre jour après jour, et efface lettre après lettre l'épitaphe sur le tombeau de granit rouge du grand-père, livrant à la postérité ses derniers mots : « Dieu m'est témoin que je n'ai fait que du bien à mon pays. » Dans cette crypte froide, imprégnée d'eau et délabrée, je sens monter en moi une tristesse infinie. Mais je dois sacrifier au rituel de la fête. Après une rencontre avec le patriarche, j'assiste à la messe de minuit.

Deux heures du matin : c'est enfin fini. Je ne parviens pas à m'expliquer l'impression de mélancolie que me laissent ces cérémonies ancestrales.

Le Caire, vendredi 10 janvier 1997

Seul dans ma grande bibliothèque, avec une vue sur le Nil dont je ne me lasserai jamais. Ai-je raison de quitter Le Caire pour m'installer au 34, rue Guynemer dans un agréable exil parisien et, probablement, pour gérer une nouvelle organisation internationale ? Je serais certainement plus utile ici, sur cette terre d'Égypte où le destin m'a fait naître et où je serai enterré ; sur cette terre de mémoire et de légendes, de symboles éternels livrés à la poussière. Ma mission aura été, en quelque sorte, de lutter jour après jour contre cette poussière, née de l'alliance du désert et de la bureaucratie, qui se redépose sans cesse et submerge le sol d'Égypte au moment des premières grosses chaleurs, lorsque le soleil dessèche l'atmosphère, pulvérise le sable, effrite les pierres.

Je passe, cet après-midi, par une phase de découragement. Peut-être parce que la poussière a eu raison de ma bibliothèque du Caire, trop longtemps délaissée pour New York et maintenant Paris.

L'histoire montre qu'une nation ne peut vivre sans grands desseins. Au lendemain de la Seconde Guerre mondiale, le peuple d'Égypte s'était pris à rêver de tous les possibles : obtenir son indépendance et le départ des Anglais, œuvrer à la décolonisation du monde arabe et de l'Afrique. La création de la Ligue des États arabes au Caire, la conférence de Bandung, la nationalisation du canal de Suez, l'avènement du non-alignement, la création de l'Unité africaine à Addis-Abeba furent ressentis comme autant d'avancées, de victoires et de promesses, par un tiers monde réconcilié avec l'avenir.

La décolonisation est achevée, l'apartheid a été éradiqué, le non-alignement a perdu sa raison d'être depuis l'effondrement du mur de Berlin et la fin de la guerre froide, les Nations unies sont devenues une foire aux illusions. Aujourd'hui, vers quoi se tourner? Au nom de quoi se mobiliser? L'élan est brisé. Nous sommes incapables d'idées nouvelles. La poussière, dans mon pays, a enseveli jusqu'aux idées. Nous pataugeons, au jour le jour, dans la fange de la petite histoire, sans perspective du lendemain. L'unité arabe a été rangée au rayon des utopies. La Palestine colonisée, sacrifiée, est notre humiliation quotidienne, l'aveu de notre renoncement. Il ne reste que l'intégrisme islamique, ce wahhabisme importé d'Arabie et entretenu à coups de pétrodollars. De l'immobilisme à la régression, il n'y a qu'un pas. Retour au Moyen

Âge et à ces religions d'un autre temps qui avaient recours aux sacrifices humains et à la guerre. Tout est à recommencer sans cesse. Sisyphe : un mythe qui me hante depuis mon plus jeune âge.

Demain, je quitterai, une fois encore, cette terre millénaire habitée par le ciel et l'enfer à la fois. Mais partir ne parviendra jamais à dissiper ma passion pour l'Égypte que j'emporte partout avec moi.

Paris-Quiberon, lundi 13 janvier 1997

Nous sommes de retour à Paris. Pour peu de temps, puisque nous partons demain pour Quiberon, en cure de thalassothérapie. Je me suis résigné à prendre une semaine de repos et de méditation. Léa voudrait maigrir, pour ma part j'aimerais bien reprendre les kilos que j'ai perdus pendant les six mois qu'a duré la campagne pour ma réélection aux Nations unies. Mais je n'échapperai pas aux menus diététiques. Les longues séances quotidiennes de bains de boue, de massages et de douches sous-marines sont fort heureusement entrecoupées par mes conversations avec le prince Lobkowicz, ambassadeur de l'ordre de Malte au Liban, et Lord Rothermere, un magnat de la presse britannique. Des heures durant, nous parlons du Liban, de l'ordre de Malte. Je raconte les efforts qu'il m'a fallu déployer pour faire admettre l'ordre de Malte en qualité d'observateur auprès des Nations unies.

Quiberon-Paris, samedi 25 janvier 1997

L'isolement sanitaire que je me suis imposé prend fin. Je m'arrache sans regrets à la chaleur moite, aux effluves d'eucalyptus de ce lieu par ailleurs très beau, et aux embruns iodés de l'Atlantique.

Paris, dimanche 26 janvier 1997

Rencontre Ehud Barak et Jean Friedman chez mon ami Aly Samane que je surnomme le « fondamentaliste éclairé ». C'est un fervent défenseur du dialogue des religions. Discussion passionnée et passionnante sur la création d'une fondation destinée à favoriser le dialogue entre Arabes et Israéliens. Jean Friedman est d'avis que cela doit passer par le renforcement de l'action de la société civile, au Caire comme à Tel-Aviv. Je crains fort que cela ne soit difficile, dans la mesure où c'est justement la société civile égyptienne – syndicats de médecins, d'avocats, d'ingénieurs – qui est la plus hostile à une normalisation des rapports avec Israël tant que la Palestine n'aura pas obtenu son indépendance.

Paris, samedi 1er février 1997

Nous emménageons au 34, rue Guynemer. C'est dans ce même immeuble que j'avais loué un petit appartement, en 1968, lorsque j'étais l'un des premiers professeurs étrangers à enseigner à la faculté de droit de Paris.

Depuis les balcons, une vue fascinante sur le jardin du Luxembourg et, par-delà les arbres centenaires, le Panthéon, le Sacré-Cœur, la tour Eiffel. Paris est à nos pieds.

Paris, mardi 4 février 1997

Je mets la première main au livre que j'ai décidé d'écrire sur mes cinq années à la Maison de verre. Charlie Hill, un chercheur américain, m'aide dans cette entreprise. Il veille à la correction de mon anglais et compulse pour moi la masse de documentation mise à ma disposition par les Nations unies : pas moins de soixante dossiers, et quelque quatre mille pages de *verbatim* des réunions tenues avec mes proches collaborateurs, des entretiens avec les ambassadeurs accrédités auprès des Nations unies et avec les chefs d'État et de gouvernement.

Je n'ai pas encore de plan précis en tête. Je choisis de commencer par ce qui m'est le plus présent à l'esprit. Le premier chapitre sera donc consacré à l'affaire irakienne « pétrole contre nourriture ». Pourquoi l'Irak, plutôt que la Yougoslavie ou le Mozambique ? Pour une raison toute subjective. Je viens de prendre connaissance d'un nouveau rapport détaillé sur la situation désastreuse dans laquelle se trouve le peuple irakien et sur les souffrances qui sont les siennes depuis l'instauration de ce blocus infligé, par les Nations unies, à l'initiative des États-Unis et de la Grande-Bretagne, avec ce qu'il faut bien appeler la complicité tacite et résignée des autres États membres du Conseil de sécurité. Les Nations unies, qui ont pour mission de contribuer au développement des peuples, s'emploient, de la manière la plus organisée et la plus méticuleuse qui soit, à réduire le peuple irakien à la misère !

J'écris de 17 heures à 3 heures du matin, avec une brève interruption, vers 20 heures, le temps d'une frugale collation. C'est à partir de minuit que je travaille le mieux.

Paris, dimanche 16 février 1997

Le chapitre « Pétrole contre nourriture » est terminé. J'entame un nouveau chapitre, mais cette fois, je commencerai par le commencement, c'est-à-dire par mon élection, en 1991.

Paris, lundi 17 février 1997

« La communauté internationale » : c'est une formule que j'utilise fréquemment dans mon nouveau livre et que je préfère à celle de « société internationale », parce qu'elle suppose l'existence d'une solidarité et d'une interdépendance entre les États. Une force nouvelle qui permettra de civiliser la mondialisation sauvage.

Quelle n'est pas ma déception de lire, dans un article académique tout ce qu'il y a de plus sérieux, que la « communauté internationale ne signifie guère autre chose que la cohorte des puissances que Washington mène comme un berger son troupeau » ! Ma déception est d'autant plus grande que je suis obligé d'admettre que c'est la réalité d'aujourd'hui, et que ce sera, pour longtemps encore, celle de demain.

Paris, mardi 18 février 1997

Claude Cheysson m'invite à déjeuner. La conversation tombe, bien évidemment, sur la Francophonie.

« La Francophonie politique, je ne sais pas si c'est possible, me dit l'ancien ministre des Relations extérieures, sceptique.

– C'est pourtant la dimension qu'il me faudra développer si je suis élu secrétaire général à Hanoï. C'est même la raison d'être de mon mandat. »

Tout est dit, tout au moins en ce qui concerne la Francophonie, car Claude Cheysson est bien plus intéressé par les dessous de mon éviction des Nations unies par la superpuissance que par l'avenir de la Francophonie.

« Je ne m'explique pas encore, me dit-il, la rage et la hargne des Américains à ton égard durant ces six derniers mois… Les Anglais pourraient peut-être nous aider à comprendre cette attitude irrationnelle…

– J'imagine qu'il s'agissait de donner une leçon et un avertissement aux futurs secrétaires généraux. Tu connais, sans doute, la blague qui circulait dans les pays du tiers monde ? Boutros disait "Yes" aux instructions des patrons américains, il aurait dû dire "*Yes Sir*". »

Paris, samedi 1er mars 1997

Coup de téléphone de Kofi Annan, de passage à Paris. C'est la première fois que nous nous parlons depuis qu'il est devenu secrétaire général des Nations unies. Il me doit son poste à la tête du département des opérations de maintien de la paix, qui lui a permis de développer ses relations avec l'administration américaine.

« Pourquoi l'avoir promu à ce poste ? m'a-t-on souvent demandé.

– Parce que je voulais qu'il y ait davantage d'Africains à des postes de responsabilité… »

« C'est d'abord le degré de fidélité ou plus exactement l'incapacité dans laquelle ils sont de vous trahir qui doit vous guider dans le choix de vos collaborateurs, me répétaient souvent les caciques de l'administration égyptienne. D'ailleurs, les sultans ottomans avaient pour coutume de recruter leurs plus proches conseillers parmi les ethnies minoritaires, par définition non musulmanes, ce qui annihilait d'emblée toute velléité de devenir calife à la place du calife. »

Paris, dimanche 2 mars 1997

Nous recevons une visite tout aussi inattendue qu'agréable. Celle d'Alain Dejammet, ambassadeur de France à New York, et de son épouse. Nous nous sommes connus au Caire, lorsqu'il était conseiller d'ambassade, il sera ensuite ambassadeur de France en Égypte. Il a vécu à mes côtés, durant les six derniers mois de l'année 1996, les trésors d'imagination et de bassesse déployés par la diplomatie américaine pour empêcher ma réélection. Il a toujours fait preuve d'un grand réalisme, et ses conseils se sont révélés judicieux et précieux. Il parle très vite, répétant parfois ses phrases, pour se faire plus persuasif.

Paris, mardi 4 mars 1997

Déjeuner en tête à tête, au Quai d'Orsay, avec Margie Sudre, secrétaire d'État chargée de la Francophonie. Il émane d'elle un charme tout exotique. Son visage évoque les îles lointaines et les mers chaudes. Elle aimerait connaître mes ambitions, non pas politiques, mais administratives. Quelle sera la taille du cabinet que je formerai si je suis élu secrétaire général à Hanoï? Je n'en ai, pour le moment, aucune idée. En revanche, ce dont je suis sûr, c'est que la Francophonie reste très mal connue en France comme sur la scène internationale. Il ne faut pas hésiter à la «vendre». Et lorsque nous nous séparons, elle me dit, avec un sourire radieux : «Merci pour la leçon de marketing.»

(Un peu plus tard...) Cérémonie de remise des *Mélanges* à Hector Gros Espiell, à l'Unesco. Une compilation d'une bonne centaine d'articles et d'études écrits en son honneur par ses collègues et amis.

Je connais Hector Gros Espiell depuis fort longtemps. Il est énorme, et se déplace avec difficulté. C'est un auteur très prolixe, qui a écrit d'importants ouvrages en français et en espagnol. Il appartient à la nomenklatura des juristes internationaux qui se partagent les arbitrages et les avis consultatifs aux États et aux multinationales.

Nos vies universitaires et diplomatiques se sont croisées à maintes reprises aux quatre coins du monde. Il est venu me voir au Caire, en 1988, en tant que représentant spécial du secrétaire général des Nations unies pour le Sahara occidental, dossier que j'aurai à traiter quelques années plus tard. Je l'ai revu à Montevideo, en 1992, lorsqu'il était ministre des Affaires étrangères de l'Uruguay. Et, chaque fois que nous nous retrouvons, c'est pour évoquer ce sujet qui nous tient tous les deux à cœur : celui des Droits de l'homme.

Ma contribution aux *Mélanges Gros Espiell* traite d'une autre question qui m'obsède littéralement depuis que j'ai occupé le poste de secrétaire général des Nations unies : la naissance d'un droit international de la démocratie. Les Nations unies doivent aider les États à se démocratiser. Démocratie et développement sont indissociables. Cela étant, je suis convaincu que la démocratie à l'intérieur des États est devenue insuffisante pour répondre aux défis de la société globale et qu'il faut aussi, désormais, promouvoir la démocratie au sein des Nations unies et, plus largement, dans les relations internationales.

À l'issue de la cérémonie, le professeur Karel Vasak lance l'idée de publier les « Mélanges Boutros-Ghali », sous la direction du directeur général de l'Unesco, Federico Mayor. Ce dernier accueille le projet avec enthousiasme. Je suis, pour ma part, beaucoup plus réservé. Mais Léa passe outre à mes réticences : « C'est un timide, ne tenez pas compte de ses hésitations. »

L'éditeur belge Émile Bruylant, qui a publié les *Mélanges Gros Espiell*, se propose de recommencer l'aventure avec moi. « Laissez-moi le temps de réfléchir », me suis-je contenté de répondre.

De retour rue Guynemer, je m'attelle à un nouveau chapitre de mon livre consacré à l'intervention de l'ONU au Mozambique.

Paris, mercredi 5 mars 1997

Federico Mayor offre un dîner en l'honneur de la première dame d'Égypte, qui accompagne le président Moubarak, en visite à Paris. Je retrouve avec plaisir le secrétaire perpétuel de l'Académie des inscriptions et belles-lettres, l'égyptologue Jean Leclant et son épouse. À notre table, également, l'ambassadeur d'Égypte auprès de l'Unesco, Mohsen Tewfick, et le ministre égyptien de la Culture, Farouk Hosny, un artiste peintre qui a réussi à donner une certaine consistance à ce ministère dont les missions sont longtemps restées très vagues et très marginales. On lui doit notamment la restauration des monuments du Caire.

Federico Mayor, qui est un homme brillant et séduisant, aime à jouer de son charme sans retenue. Se dégagent de lui un enthousiasme, un dynamisme et un optimisme qui masquent avantageusement la situation de déliquescence dans laquelle se sont enlisées, année après année, l'ONU et l'Unesco. Il est le maître incontesté de la soirée et monopolise avec brio la conversation. Je tente bien d'intervenir à quelques reprises, mais peine perdue. Suzanne Moubarak, avec beaucoup de finesse, s'adresse à moi et me pose une question. Je n'ai pas le temps d'y répondre. Décidément, Federico Mayor subjugue son auditoire, passant avec aisance de la culture de la paix à la protection des embryons.

Paris, vendredi 7 mars 1997

À mon arrivée dans le grand hall de l'hôtel Marigny, je suis accueilli par la garde rapprochée et les conseillers du président Moubarak. Nous nous embrassons avec effusion, suivant la tradition orientale qui semble se répandre dans le reste du monde.

Le président s'intéresse de près à ma candidature au poste de secrétaire général de la Francophonie. Il n'est pas d'avis que je mène campagne, ni que je fasse une tournée en Afrique et en Asie. « Laisse les Français, les Canadiens et tes amis africains s'occuper de ta candidature. Pendant ce temps, continue à écrire des livres et à donner des conférences.»

Nous évoquons, ensuite, les problèmes du monde arabe. Comme toujours, il fait une analyse très réaliste, très pragmatique de la situation, tout comme le président Sadate avant lui. «*Egypt first*» est sa devise. Alors que je m'apprête à prendre congé, je remarque qu'il scrute avec intérêt mon costume. «La coupe de ton costume est impeccable, et la veste te va très bien», me dit le président.

Paris, mercredi 12 mars 1997

Déjeuner de travail avec Federico Mayor à l'Unesco. Il me propose de présider une commission internationale sur le thème «Démocratie et développement». Il avait, précédemment, confié une commission du même genre à Javier Pérez de Cuéllar sur le thème «Culture et développement», et une autre à Jacques Delors sur le thème «Éducation et développement».

À moi de choisir les experts, avec, pour seule contrainte, une représentativité géographique équitable. Il met à ma disposition un budget qui nous permettra de tenir nos réunions dans différentes capitales et de commander un certain nombre d'études complémentaires auprès d'experts extérieurs. Nous convenons de nous retrouver dès que j'aurai dressé la liste des personnalités qui constitueront ce panel international.

Paris, mardi 18 mars 1997

Les vingt-deux membres du panel sont identifiés. Cela n'aura pas été sans peine, compte tenu de la notoriété des personnalités sollicitées.

La France sera représentée par Robert Badinter, le Maroc par Mohamed Bennouna, directeur de l'Institut du monde arabe à Paris. Federico Mayor m'avait, lors de notre déjeuner, suggéré pour l'Espagne le nom du professeur Juan Antonio Carrillo Salcedo, un ami commun qui est, sans doute, l'un des plus éminents juristes espagnols. Je porte également mon choix sur la princesse Basma Bint Talal, sœur du roi Hussein de Jordanie, qui a participé à de nombreuses commissions spécialisées à l'ONU et dispose d'une parfaite connaissance du terrain. Pour le Brésil, j'avais pensé à l'épouse du président de la République, Mme Ruth Cardoso, qui est une excellente sociologue ; mais on m'a fait remarquer qu'elle trouverait difficilement le temps de participer à nos travaux. Le Brésil sera donc représenté par Rosiska Darcy de Oliveira, que j'ai connue lorsqu'elle était réfugiée en Suisse, à l'époque de la dictature des généraux. Elle est, aujourd'hui, présidente du Conseil national du gouvernement brésilien pour les droits des femmes et joue un rôle actif dans la lutte pour leur émancipation. C'est une sociologue militante, qui a su trouver un équilibre harmonieux entre l'action et la réflexion. Pour la Tunisie, j'ai fait appel à Mohamed Charfi, ancien ministre de l'Éducation, et surtout militant engagé dans le combat en faveur des Droits de l'homme. Je ne suis pas sûr que ce choix satisfasse les autorités tunisiennes.

Federico Mayor m'a également soumis le nom de Pierre Cornillon, secrétaire général de l'Union interparlementaire, que je connais. Nous avions signé, en 1995, un accord de coopération entre l'ONU et l'Union interparlementaire. Pour l'Allemagne, on m'a suggéré Peter Glotz, recteur de l'université d'Erfurt. Pour la Grande-Bretagne, ce sera Sir Marrack Goulding, avec qui j'ai collaboré pendant cinq ans aux Nations unies. C'est un brillant chercheur doublé d'un excellent diplomate. J'ai souhaité faire appel, pour l'Afrique du Sud, à Nadine Gordimer, Prix Nobel de littérature, qui a joué un rôle de tout premier plan dans la lutte contre l'apartheid, et pour le Mexique à la ministre des Affaires étrangères, Rosario Green, une de mes anciennes collaboratrices à l'ONU.

L'Inde sera représentée par Abid Hussain, ancien vice-président et membre du conseil consultatif de l'Institut Rajiv Gandhi d'études contemporaines ; le Pakistan, par Attiya Inayatullah, présidente de l'International Planned Parenthood Federation d'Islamabad ; et le Japon, par Hisashi Owada, ambassadeur auprès des Nations unies. Il m'a fallu quelques efforts, et de nombreux coups de téléphone auprès de l'ambassadeur de Chine à Paris, ainsi qu'à Beijing, pour obtenir que la Chine soit représentée dans le panel. C'est Guo Jiading, ancien ambassadeur auprès des Nations unies, qui a été choisi.

Nicolas Valticos, ancien directeur du Bureau international du travail et juge à la Cour européenne des Droits de l'homme, siégera pour la Grèce ; Alexeï Vassiliev, directeur de l'Institut d'études africaines de Moscou, pour la Fédération de Russie ; Keba Mbaye, ancien vice-président de la Cour internationale de justice, pour le Sénégal ; et Bruce Russett, professeur à l'Université Yale, pour les États-Unis.

Une nouvelle aventure académique commence, et j'ai pleinement conscience du défi qui m'attend. Les deux commissions qui m'ont précédé ont produit des rapports remarquables, largement diffusés et commentés. Pérez de Cuéllar et Jacques Delors ont fait un excellent travail.

Poitiers, jeudi 20 mars 1997

Comme chaque année, la Francophonie fête, en ce 20 mars, sa Journée internationale. Margie Sudre m'a invité à célébrer l'événement à Poitiers, en compagnie de Moustapha Niasse, ministre d'État chargé des Affaires étrangères du Sénégal, et de

Jean-Pierre Raffarin, ministre français du Commerce et de l'Artisanat, président du conseil régional de Poitou-Charentes.

Un salon particulier a été réservé à notre intention dans le TGV. La conversation se déroule, rapide, au rythme du train. À notre arrivée, nous sommes « accueillis » par un comité de médecins en grève. Margie Sudre, médecin elle-même, engage le dialogue et parvient à calmer les esprits.

Nous sommes ensuite conduits dans une grande salle remplie à craquer d'étudiants. Nos interlocuteurs attendent, sans doute, autre chose que des discours ronronnants. Ne sachant à quel auditoire j'allais m'adresser, j'ai préparé un discours très « langue de bois ». Les questions qui suivent, et mes réponses, compensent fort heureusement un peu le côté empesé de mon intervention.

(Dans l'après-midi...) Visite du Futuroscope qui, en cette fin d'hiver, en attendant le retour des beaux jours, semble encore plongé dans une semi-léthargie. Un Disneyland à la française, mais plus intellectuel, plus scientifique, qui s'adresse aux adultes plus qu'aux enfants.

Paris, lundi 24 mars 1997

Lansana Kouyaté, de passage à Paris, vient me rendre une visite d'ami. Il a beaucoup forci, mais les kilos superflus se fondent aisément dans sa stature de colosse. Je l'ai connu bien des années auparavant, lorsqu'il était ambassadeur de Guinée en Égypte. Par la suite, il a été nommé assistant du représentant spécial du secrétaire général de l'ONU en Somalie.

C'est à ce titre que, de retour de Mogadiscio, il était venu me retrouver à Genève pour attirer mon attention sur la guerre interne que se livraient les généraux américains, ainsi que sur leur incompréhension quasi totale de la réalité somalienne. Nous courions, pensait-il, à la catastrophe. J'ai alors commis l'erreur de lui conseiller de s'adresser à son supérieur hiérarchique, qui n'était autre que l'amiral Jonathan Howe, l'un des protagonistes de ce conflit entre gradés.

Lorsque je suis entré en campagne pour ma réélection, Lansana Kouyaté a été l'un de mes plus fidèles soutiens, n'hésitant pas à braver la colère des Américains. Après mon départ de l'ONU, il a connu une véritable traversée du désert, le nouveau secrétaire général n'ayant pas pardonné à un Africain d'avoir fait campagne contre lui. Je ferai appel à cet ami, qui est un des meilleurs diplomates africains qu'il m'ait été donné de rencontrer, si je suis élu secrétaire général de la Francophonie.

L'après-midi se passe agréablement en compagnie de Robert Solé, journaliste au *Monde*. Un Égyptien pétri de cette sensibilité et de cette finesse propres à nos élites francophones. Il prépare un livre sur les rapports entre l'Égypte et la France, qui paraîtra à l'occasion du bicentenaire de l'expédition de Bonaparte.

C'est aussi un romancier de talent. Il a su dresser un tableau plein d'authenticité et de justesse de la société syro-libanaise, dont le rôle fut fondamental dans le développement culturel et économique de l'Égypte. J'ai vécu ma jeunesse au sein de cette société-là. Jeunesse dorée qui croquait la vie à belles dents et faisait preuve, en même temps, d'une assiduité au travail peu commune. Robert Solé, qui n'appartient pourtant pas à ma génération, a su parfaitement rendre les traits de caractère de cette minorité agissante et dynamique à laquelle l'Égypte doit tant.

(Le soir...) Dîner chez Élisabeth et Robert Badinter, qui sont nos voisins rue Guynemer. J'excuse Léa, retenue au Caire par le déménagement en provenance de New York. Laurent Fabius et son épouse sont là, ainsi que Jean Daniel. Discussion animée sur

l'intégrisme musulman. Je déplore que le gouvernement français ne soutienne pas plus l'islam modéré, en créant une autorité représentative, en encourageant la construction de mosquées, en nommant des musulmans français à des postes de commande. Il n'y a pas un seul ministre ni un seul député musulman. En marginalisant ainsi les musulmans, la France fait le lit des fondamentalistes qui viennent d'Égypte, d'Afrique du Nord, avec de l'argent saoudien. Françoise Fabius se montre très véhémente. Non seulement elle partage mon analyse, mais elle est aussi en faveur d'une action immédiate.

La conversation glisse sur la situation en Algérie. « Il faut, dis-je, soutenir le général Zeroual et son gouvernement, car si les "barbus" venaient à prendre le pouvoir, c'est toute l'Afrique du Nord, y compris la Libye et l'Égypte, qui risquerait de basculer. »

Jean Daniel se montre moins pessimiste. Mes interlocuteurs tentent de me démontrer qu'il n'est pas facile d'identifier ou de créer une institution ou une autorité représentative de l'ensemble des musulmans de France.

Je remercie Élisabeth Badinter pour son excellent dîner et décide de faire une marche sur le trottoir longeant le Luxembourg. La nuit est fraîche, l'odeur des arbres vivifiante. Ces membres de l'intelligentsia que je viens de quitter, sont-ils conscients du danger constitué par l'intégrisme qui sévit sur les rivages pauvres de la Méditerranée ? Il suffirait d'une centaine de fous de Dieu pour transformer la France en une nouvelle Irlande du Nord.

Mes interlocuteurs de ce soir semblent persuadés qu'ils pourront cohabiter ou coexister en toute tranquillité avec les fondamentalistes, en France, et hors de France. Il a fallu l'attentat sanglant perpétré par l'équipe du cheikh Omar Abdel Rahman au World Trade Center de New York en février 1996 pour que les Américains commencent à prendre conscience du danger. J'ai bien peur qu'il ne faille une explosion similaire au pied de la tour Eiffel ou sous l'Arc de Triomphe pour amener le gouvernement à un grand projet pour intégrer l'islam modéré et éradiquer l'islam extrémiste en France.

Paris, vendredi 28 mars 1997

Andreï Gratchev, un intellectuel russe qui s'est frotté au monde occidental, est venu m'interviewer. Il m'offre un exemplaire de *The Inside Story of Collapse of The Soviet Union*, le livre qu'il vient de consacrer à la chute de Mikhaïl Gorbatchev – dont il a été le porte-parole.

Il m'apprend qu'il y relate la visite du président Hosni Moubarak à Moscou en septembre 1991, visite à laquelle nous avions assisté lui et moi. C'est à cette occasion que Mikhaïl Gorbatchev s'était prononcé en faveur de ma candidature au poste de secrétaire général des Nations unies. Il devait recevoir, peu après le départ du président Moubarak, un coup de téléphone du Premier ministre britannique, John Major, sollicitant son soutien pour la candidature de Gro Harlem Bruntland, Premier ministre de Norvège.

« Nous nous sommes déjà engagés auprès de l'Égypte », lui répondit-il simplement.

Ce souvenir en appelle un autre : le déjeuner à l'ONU auquel j'avais convié les Gorbatchev. La conversation avait été extrêmement animée, Gorbatchev s'étant montré particulièrement disert, relayé en cela par son épouse Raïssa, ce qui n'avait pas laissé le moindre moment de répit au malheureux interprète, qui voyait défiler les plats sans avoir le temps d'y goûter.

Gratchev et moi continuons à parler de son livre.

« Il y a, dis-je, dans la perte du pouvoir, quelque chose de tragique. Et j'imagine les difficultés que vous avez dû éprouver à décrire de tels moments…

– J'ai choisi de rester très sobre et me suis bien gardé de laisser transparaître mes émotions », me répond-il.

Il m'est arrivé souvent de vivre de près le désespoir de ceux qui perdent brutalement le pouvoir. Certains fanfaronnent, projettent une nouvelle vie, évoquent un prochain retour. Mais la plupart sont incapables de dissimuler leur détresse face à la perte de responsabilités, leur peur du vide, leur angoisse de finir dans les oubliettes où le destin les a jetés.

Paris, samedi 29 mars 1997

Les vents ont été favorables. J'ai presque terminé le chapitre sur l'intervention de l'ONU au Salvador. Je ne suis pas sûr d'avoir suffisamment expliqué les enjeux et les missions de cet outil nouveau qu'est la Commission de la vérité. Dire que ce tribunal spécial – composé de magistrats étrangers dans la mesure où l'appareil judiciaire salvadorien, ébranlé par la guerre civile, est dans l'incapacité de remplir une telle mission –, n'a pas pour vocation de juger et de condamner, mais de reconnaître et d'enregistrer les crimes et les atrocités commis par l'armée ou la police. Dire que les coupables seront contraints à démissionner, mais pas condamnés ; dire que l'objectif est de faire éclater au grand jour toute la vérité, d'éliminer les doutes et les suspicions, de provoquer une catharsis : c'est un premier pas sur le chemin de la réconciliation, du pardon et de l'unité de la nation salvadorienne.

Comment faire comprendre qu'il faut parfois sacrifier la Justice à la paix ? Je me rappelle la réaction étonnée de Robert Badinter, fervent et brillant défenseur de la Justice internationale, lorsque je lui ai dit, un jour, que la compassion était plus importante que la Justice. Desmond Tutu, qui a présidé la Commission de la vérité en Afrique du Sud, a su incarner au plus haut point cette philosophie du pardon en faveur de la paix des cœurs et de l'authentique réconciliation nationale.

Paris, dimanche 30 mars 1997

Léa est de retour à Paris. Le déménagement est terminé. Meubles et bibelots ont retrouvé leur place dans l'appartement du Caire, à l'exception de quatre caisses de livres que les rayonnages, déjà pleins, ne peuvent accueillir. Il va bien falloir que j'aie le courage de faire don de mes collections à différentes universités. Je ne parviens pas à m'y résoudre. L'idée même de me séparer à jamais de mes livres est un déchirement. Je sais bien que je n'aurai jamais le temps de tous les lire, mais leur présence me rassure, me réconforte. Peut-être aurai-je besoin, un jour, de consulter l'un d'entre eux…

Paris, mardi 1er avril 1997

La BBC, qui prépare un grand reportage à l'occasion du vingtième anniversaire du voyage historique du président Sadate à Jérusalem, a réservé deux chambres à l'hôtel Lutétia pour le tournage. Je suis soumis au jeu des questions quatre heures durant, enchaînant les prises, répétant patiemment les mêmes réponses. Dire qu'il ne restera, au final, qu'une vingtaine de minutes d'interview…

Tout a été fait dans les règles de l'art. Voilà plus d'un an que les journalistes travaillent sur ce projet. Ils ont consulté l'ensemble des documents et des ouvrages sur le sujet, y compris le mien, pourtant encore sous presse. Ils ont recueilli les témoignages de tous les protagonistes, tant du côté américain que du côté israélien. Mais ils ont éprouvé quelques difficultés à s'entretenir avec mes compatriotes. Osama al-Baz, l'éminence grise du régime, a refusé de répondre à leurs questions. Mohammed Kamil, qui a démissionné à Camp David, est malade. Le général Kamal Hassan Ali est mort. Je comprends mieux qu'ils tiennent tant à m'entendre. Je suis très impressionné par leur connaissance parfaite du dossier. Décidément, l'information de l'écran est en passe de remplacer l'information de l'écrit.

Paris, dimanche 6 avril 1997

Voilà trois ans, jour pour jour, que l'avion qui transportait le président du Burundi, Cyprien Ntaryamira, et le président du Rwanda, Juvénal Habyarimana, s'est écrasé : événement déclenchant de la campagne d'extermination des Tutsis par les Hutus qui conduisit au génocide du Rwanda.

Le génocide du Rwanda a constitué le moment le plus pénible de mon mandat aux Nations unies. Je souffre, aujourd'hui encore, de mon échec. J'ai non seulement été incapable de convaincre les membres du Conseil de sécurité d'intervenir pour arrêter le massacre, mais je n'ai pas trouvé, non plus, la fermeté nécessaire pour m'opposer à la politique de non-intervention dans laquelle les États-Unis s'étaient enfermés depuis la mort de leurs soldats à Mogadiscio. Le télégramme du 11 janvier 1994 – devenu rétrospectivement sujet à polémique –, adressé par le général Dallaire au département des opérations de maintien de la paix et faisant état de rumeurs selon lesquelles les forces hutues préparaient un massacre de la population tutsie, ne fut porté à ma connaissance que trois mois plus tard.

Aujourd'hui encore, il reste bien des zones d'ombre, bien des questions auxquelles personne n'a jamais répondu, des questions que l'on n'a même jamais posées, malgré les enquêtes, les auditions, les rapports :

Qui est responsable de l'attentat du 6 avril 1994 contre l'avion des présidents hutus du Rwanda et du Burundi ?

Pourquoi les troupes françaises et belges venues évacuer, le 11 avril, leurs ressortissants et les ressortissants étrangers ne se sont-elles pas portées en renfort du contingent des casques bleus, préférant laisser les « indigènes » s'entre-tuer ?

Plus encore : pourquoi les Belges, qui se retirèrent le 13 avril, emportèrent-ils leurs armes, alors que j'avais supplié leur ministre des Affaires étrangères de laisser sur place l'armement lourd afin que les casques bleus puissent s'en servir ? Ces armes avaient-elles plus de prix que la vie des Rwandais ?

Le 3 mai 1994, alors que le massacre fait rage, Bill Clinton signe une « décision présidentielle » (*PPD* 25) qui rend presque impossible la participation des troupes américaines dans des opérations de maintien de la paix et paralyse ainsi le Conseil de sécurité. Désemparé, je demande aux États-Unis de brouiller au moins les émissions de la radio de Kigali, « Les Mille Collines », qui incite quotidiennement au génocide des Tutsis. On me répond que ce serait trop onéreux !...

Pourquoi la France ne décide-t-elle de lancer l'« opération Turquoise » que le 17 mai, alors qu'en intervenant dès le début elle aurait pu, si ce n'est arrêter, du moins atténuer l'ampleur des massacres ?

Ces questions, parmi tant d'autres, que je me pose encore aujourd'hui, trois ans après la tragédie, ne diminuent en rien ma responsabilité ni celle de hauts fonctionnaires onusiens qui ont obtempéré aux interventions de l'administration américaine, tenue par les directives de la « décision présidentielle ».

Il faudra, dans le chapitre que je vais consacrer au Rwanda dans mon livre sur les Nations unies, que je me montre plus serein ! Mais en suis-je capable ? Car le génocide rwandais est plus horrible que d'autres. D'abord parce que la communauté internationale, humiliée, meurtrie par le génocide juif, a adopté, en 1948, la convention sur le génocide par laquelle les États signataires s'engageaient à intervenir pour arrêter tout nouveau génocide. Aucun d'entre eux ne semble s'en être souvenu au Rwanda. Ensuite, alors que le génocide juif a été perpétré sans que l'on en ait, sur le moment, une exacte connaissance, le génocide rwandais s'est déroulé sous l'objectif des photographes, des caméras de télévision, et sous la plume des journalistes. Personne ne pouvait prétendre ignorer ce qui se passait.

Plus grave encore à mes yeux : le caractère éminemment discriminatoire de l'indifférence à laquelle s'est heurtée la tragédie rwandaise. Ce ne sont que des « nègres » ! Pour preuve de ce racisme à l'égard des Noirs que, malgré toutes nos déclarations, tous nos efforts, nous ne sommes pas encore parvenus à éradiquer, les instructions de ce jeune officier belge à ses soldats : « Laissez les bougnoules tuer les bougnoules ! » En bref, il n'y a pas de génocide pour les bougnoules !

Paris, mercredi 16 avril 1997

Edem Kodjo, ancien ministre des Affaires étrangères du Togo, qui avait été élu secrétaire général de l'Organisation de l'unité africaine au sommet de Khartoum, en 1978, ne me cache pas ses intentions d'occuper de nouvelles responsabilités dans le cadre de la Francophonie. Je lui annonce que j'ai obtenu l'accord et l'appui de mon gouvernement pour présenter ma candidature au poste de secrétaire général au sommet de Hanoï.

« Dans ce cas, je renonce à me présenter », me dit-il sans hésiter.

Je laisse entendre que, si je suis élu, nous aurons l'occasion de collaborer comme par le passé.

Paris, mercredi 23 avril 1997

Charlie Hill est arrivé de New York pour une semaine. La rédaction des cent premières pages de mon nouveau livre est enfin terminée. Il faut maintenant relire, corriger, supprimer certains passages, en ajouter d'autres. Nous recommençons le plan pour la quatrième fois.

Charlie Hill est le type même de l'« Américain tranquille ». Il a servi en Chine et au Moyen-Orient avant de devenir le proche collaborateur de George Shultz, secrétaire d'État de Ronald Reagan. On lui doit d'ailleurs le livre que George Shultz a publié lorsqu'il a quitté ses fonctions au département d'État. Charlie Hill a écrit mes discours en anglais aux Nations unies et m'a aidé dans la rédaction de mon dernier livre, *Egypt's Road to Jerusalem.*

Sous des dehors flegmatiques, Charlie Hill est un tempérament passionné, capable de sentiments extrêmes. Il voue à Warren Christopher et à Madeleine Albright une haine viscérale, qui s'explique peut-être par son appartenance au parti républicain. Une haine incontrôlable. Au point qu'il m'a fallu censurer certaines attaques particulièrement virulentes contre Madeleine Albright qu'il avait glissées à mon insu dans le manuscrit.

Tandis que nous travaillons, coup de téléphone d'Anne-Marie Lizin, une amie de plus de vingt ans, qui est sénateur-maire de Hue, en Belgique. C'est aussi une spécialiste de l'Afrique. J'avoue qu'elle pique ma curiosité. « Le colonel Willy Mallants, qui entretient des rapports étroits avec Laurent-Désiré Kabila, et qui connaît par ailleurs fort bien Mobutu, souhaiterait vous rencontrer à propos d'une mission urgente. »

Rendez-vous est pris pour le lendemain, 11 heures.

Paris, jeudi 24 avril 1997

À 11 heures précises, le colonel Willy Mallants est dans mon appartement. Il me tient les propos suivants :

« Vous avez la confiance de Mobutu. Kabila vous connaît et vous respecte. La guerre civile au Congo s'aggrave. Vous pouvez intervenir pour éviter un carnage et la destruction de Kinshasa, qui pourrait bien ressembler à celle de Berlin en 1945. Je peux mettre, quand vous le voulez, un billet d'avion Paris-Kinshasa-Paris à votre disposition. Une fois sur place, on vous facilitera tous les contacts. »

Tout en l'écoutant, je ne peux m'empêcher de penser à la réponse que m'avait faite mon représentant en Afrique du Sud, puis en Haïti, l'ancien ministre algérien des Affaires étrangères Lakhdar Brahimi, lorsque je lui avais proposé de conduire une mission de conciliation à Kinshasa : « Ma mission ne peut réussir que si les trois États impliqués au Zaïre – la Belgique, la France et les États-Unis – accordent leurs violons. » Je lui avais donc demandé d'aller consulter ces trois États. On aviserait ensuite. Lorsqu'il était revenu, quelques semaines plus tard, il m'avait annoncé qu'il n'y avait pas d'accord possible et que sa mission à Kinshasa n'avait donc plus aucune raison d'être.

Je rapporte au colonel Mallants les propos de Lakhdar Brahimi en son temps. Puis j'ajoute :

« Si j'obtiens l'accord de ces trois États, je suis prêt à accomplir cette mission, après en avoir bien sûr informé mon gouvernement et reçu son feu vert. »

Nous discutons plus en détail des enjeux de cette médiation : offrir à Mobutu une sortie honorable, freiner l'enthousiasme de Kabila. Je m'engage à donner une réponse définitive au colonel Mallants avant la fin de la journée.

Après son départ, je téléphone à Jean-David Lévitte à l'Élysée. Il me déconseille de me lancer dans cette opération, qui risque de compliquer mon élection au poste de secrétaire général de la Francophonie. De son côté, Charlie Hill se met en contact avec Washington. On lui apprend que les États-Unis s'apprêtent à envoyer une mission de même nature. Je n'ai pas de correspondant à Bruxelles, mais Anne-Marie Lizin et Willy Mallants m'ont assuré qu'ils avaient le feu vert du gouvernement belge.

Je rappelle Willy Mallants pour décliner son offre, dans la mesure où deux des trois protagonistes impliqués m'ont déconseillé d'intervenir. Mallants s'excuse de m'avoir dérangé, tout en me disant combien il regrette ma décision.

J'apprendrai, un peu plus tard, que le colonel Willy Mallants est propriétaire d'une mine de diamants dans la région des Grands Lacs. Je n'ai jamais su pourquoi son choix s'était porté sur moi. Parce que j'étais ancien secrétaire général des Nations unies, selon Anne-Marie Lizin. Quels intérêts défendait-il ? Ceux de Kabila, bien évidemment. Mais par-delà Kabila, quelles étaient ses véritables motivations ?

Paris, mardi 6 mai 1997

Youssef est à Paris. Youssef est mon neveu préféré, mon fils adoptif. Représentant de la cinquième génération, il perpétue brillamment la tradition familiale de grands commis de l'État égyptien. Il est ministre de la Coopération internationale.

C'est un grand garçon d'un mètre quatre-vingt-dix, supérieurement intelligent, travailleur et ambitieux. Après des études supérieures au Caire et un doctorat au Massachusetts Institute of Technology, il a commencé sa carrière au Fonds monétaire international. De retour en Égypte, il est devenu le conseiller économique du Premier ministre, Atef Sedki et, peu après mon élection aux Nations unies, il a été nommé ministre de la Coopération. Il n'avait alors que quarante ans. « Quinze ans avant toi, me fait-il souvent remarquer, avec malice. Tu avais déjà cinquante-cinq ans lorsque tu es devenu ministre. »

Il n'est jamais parvenu à se défaire de cette assurance abrupte si répandue chez les technocrates. Il lui manque cette chaleur désintéressée, ce sens du contact et du geste spontané qui font du technocrate un politique ou qui font parfois oublier le technocrate chez le politique. Cela lui vaut d'avoir plus d'ennemis que d'amis, à commencer par le Premier ministre, Kamal el-Ganzouri, qui ne manque pas une occasion de contrarier ses projets.

Je suis le confident et le conseiller. Le milieu politique cairote est un milieu que je ne connais que trop bien, « nourri dans le sérail j'en connais les détours ». Il m'a fallu, pendant plus de quinze ans, surmonter les rivalités entre ministres, et j'ai eu, moi aussi, ma part d'humiliations. N'est-ce pas le lot du pouvoir ? Mais voilà six ans que j'ai quitté Le Caire, et je ne suis plus au fait des dernières tribulations. Mes conseils ne peuvent rester que d'ordre très général.

Je le sens, aujourd'hui, préoccupé, saisi par le doute :

« Attends le prochain remaniement ministériel. Il sera toujours temps d'aviser. Mais si tu as dans l'idée d'abandonner la politique, il faut le faire avant la fin de l'année, et avec l'accord du président Hosni Moubarak. Après, il sera trop tard pour espérer trouver un poste dans le privé. Les multinationales veulent des cadres de plus en plus jeunes. »

Il semble que le jeune ministre préfère le pouvoir à l'argent. Je ne crois pas qu'il quittera le gouvernement malgré l'inimitié que lui voue le Premier ministre.

Paris, vendredi 9 mai 1997

C'est le nouvel an de l'Hégire 1418, une nouvelle lune qui me rapproche de la lune des lunes, tout à la fois attendue et redoutée.

Dans *Les Mille et Une Nuits*, les princes répondent au nom de Qamar el-Zamane, « lune de l'époque », et les princesses à celui de Badr el-Badour, « pleine lune des pleines lunes », ou encore Sit al-Badour, « dame des pleines lunes ». L'une des cousines de ma grand-mère se nommait Boudour, « pleine lune ». « Belle comme la pleine lune » se dit pour chanter la beauté des femmes de mon pays. Mais pour moi, la pleine lune évoque la fuite du temps, les quatorze jours qui me séparent de la prochaine lune.

Paris-New York, lundi 12 mai 1997

Départ pour New York. Léa, qui devait subir une opération de la cataracte, m'a précédé d'une semaine. Le Concorde est à moitié vide. Mark, l'officier de sécurité qui m'a suivi comme mon ombre durant mes années onusiennes, m'attend à l'arrivée, en compagnie des ambassadeurs Joseph Reed et Nabil al-Araby. Ce dernier considère ma candidature au poste de secrétaire général de la Francophonie comme une régression dans ma carrière politique. Il a tenté, à plusieurs reprises, de me convaincre de renoncer à ce poste « folklorique ».

« Ne t'inquiète pas, lui dis-je. Je transformerai ce poste en force politique avant la fin de mon mandat. »

New York, mardi 13 mai 1997

Je retrouve New York, après cinq mois d'absence, sans aucune espèce d'émotion. Je suis ici pour faire la promotion de mon livre *Egypt's Road to Jerusalem*. Nous sommes invités à dîner le soir même par Jason Epstein, l'un des directeurs de Random House, mon éditeur américain.

Léa et moi connaissons bien sa jeune épouse, Judy Miller, ancienne correspondante du *New York Times* au Caire. Félix et

Élizabeth Rohatyn sont là aussi. Ils sont tout émoustillés à l'idée d'aller s'installer à Paris, où lui vient d'être nommé ambassadeur des États-Unis. C'est un financier de talent, qui a sauvé New York de la crise. Je ne sais s'il est plus américain que français ou plus français qu'américain.

On évoque les réactions, parfois violentes, que mon livre a déjà suscitées. Un chiite libanais, du nom de Fouad Ajami, a même commis deux pages d'insultes en guise de critique.

« À quand le prochain livre ? me demande-t-on.

– Il est en cours et j'espère le terminer avant la fin de l'année. »

New York, mercredi 14 mai 1997

Mon éditeur a organisé une série d'interviews pour la radio et la télévision. L'attachée de presse de Random House, une belle et jeune New-Yorkaise, me pilote dans le dédale des studios. Elle semble connaître tout le monde. C'est à chaque fois le même scénario, les questions glissent rapidement sur la situation au Proche-Orient ou sur les raisons de l'échec de ma réélection. J'ai une réponse toute prête qui, me semble-t-il, résume assez bien le fond du problème.

« Je pense que le secrétaire général des Nations unies doit d'abord être le secrétaire des États membres, mais dès lors qu'une situation se détériore et compromet gravement la paix, il se doit d'agir en général. Les États-Unis voulaient un secrétaire, en aucun cas un général. »

New York, lundi 19 mai 1997

Cérémonie à l'ambassade du Japon où, après un discours élogieux, l'ambassadeur Hisashi Owada me remet le grand cordon du Soleil levant, la plus haute distinction au Japon, en présence de tous mes amis new-yorkais.

New York, lundi 26 mai 1997

Le Dr Kevin Cahill, qui a été mon médecin à New York et est aussi militant du tiers monde, me propose de devenir membre du directoire du Center for International Health and Cooperation, composé de Cyrus Vance, Lord David Owen, Lord Paul Hamlyn, du cardinal John O'Connor, de Jan Eliesson et Peter Tarnoff, qui a quitté le département d'État pour le secteur privé. Ce centre, qui délivre un diplôme en « assistance humanitaire », est jumelé avec les universités de New York et de Dublin. Il est question d'ouvrir une antenne à Genève, et Kevin Cahill souhaiterait que je développe le secteur francophone.

Après mon élection aux Nations unies, en 1991, j'ai dû démissionner d'une bonne demi-douzaine de fondations et sociétés savantes égyptiennes. Je m'étais bien juré de ne jamais remettre le doigt dans cet engrenage caritatif académique. Et voilà que je recommence. J'accepte non seulement la proposition du Dr Cahill, mais aussi celle de Roberto Savio, qui veut que je prenne la présidence de la Society for International Development, une des plus anciennes organisations non gouvernementales, spécialisée dans les problèmes du sous-développement, et qui a son siège à Rome.

New York, mardi 27 mai 1997

Aleco Papamarkou, qui gère les millions de la jet-set internationale, a décidément un sens grandiose de la fête. En 1992, il avait invité le Tout-New York à venir célébrer mon élection au Metropolitan Museum, aux pieds du temple de Dendérah. Ce soir, il a loué le restaurant Mortiner's, à l'occasion de la sortie de mon livre. Parmi les invités, Mme Salma Roosevelt, qui fut chef du protocole de la Maison-Blanche sous la présidence de Ronald Reagan. Elle laisse paraître un brin de mauvaise humeur. Elle regrette de ne pas avoir été décorée par le gouvernement égyptien, alors que son successeur, l'ambassadeur Joseph Reed, l'a été – avec mon appui s'entend. Je tente de lui expliquer avec douceur que je ne suis plus au pouvoir et, avec plus de ménagement encore, qu'elle ne l'est plus non plus.

« C'est justement quand on n'est plus au pouvoir qu'on a le plus besoin de décorations ! » me lance-t-elle avec un sourire chargé de reproches.

La soirée se termine par une séance de signatures. Aleco Papamarkou a offert un exemplaire de mon livre à chacun des invités.

New York, mercredi 28 mai 1997

Nouvelle interview pour la télévision. Le journaliste de l'Agence Bloomberg va droit au but :

« Vous racontez, dans votre livre, que lorsque vous avez rencontré le Saint-Père à Rome, il vous a dit : "Je connais bien la mentalité des dirigeants juifs avec lesquels vous négociez, parce que la plupart d'entre eux viennent de mon pays natal, la Pologne... Il n'est pas facile de coopérer avec eux, mais vous devez poursuivre vos négociations." Qu'entendait par là le Saint-père ? Pourquoi avez-vous jugé bon de mentionner ses propos ? »

Son ton péremptoire et inquisiteur me déplaît.

« Je ne peux vous éclairer sur les arrière-pensées du Saint-Père. En revanche, je peux vous éclairer sur mes pensées et sur mes arrière-pensées : les Israéliens sont des négociateurs très très difficiles et parfois retors. »

New York, jeudi 29 mai 1997

Les interviews se suivent et se ressemblent. C'est aujourd'hui Charlie Ross qui dénonce le terrorisme palestinien.

« N'oubliez pas, dis-je, le terrorisme israélien. Après tout Yitzhak Rabin a été assassiné par un terroriste israélien. »

Les réceptions, elles aussi, s'enchaînent. C'est au tour de mon ami Ezra Zilca, un grand financier d'origine irakienne, et de son épouse Cécile, une miniature persane, de fêter somptueusement la sortie de mon livre au Knickerbocker Club. Des douzaines d'exemplaires sur une table sont mis gracieusement à la disposition des invités, ce qui n'est pas du goût de l'éditeur Jason Epstein : « Je n'aime pas qu'on distribue les livres gratuitement. Il faut que les lecteurs l'achètent. »

(Un peu plus tard...) Nous dînons avec Jim Haagland, journaliste au *Washington Post*, et son épouse Jane Hitchcock, écrivain. Je leur avoue que je me serais volontiers passé de toutes ces réceptions, de ces séances de signature et d'interview. Ils tentent de me persuader qu'il faut consacrer autant, si ce n'est plus de temps, à la promotion d'un livre qu'à sa rédaction. Jane ajoute que j'aurais dû engager un agent littéraire.

Paris, mardi 3 juin 1997

Andreï Gratchev vient me rendre visite pour la seconde fois, rue Guynemer. J'aimerais qu'il trouve un éditeur russe qui accepte de traduire et de publier *Egypt's Road to Jerusalem*, d'ores et déjà traduit et distribué dans l'ensemble du monde arabe. Quant à l'édition française, c'est Fayard qui s'en chargera.

On en vient très vite à tout autre chose.

« Expliquez à vos amis américains, me dit-il, qu'ils devraient éviter d'humilier la Russie. C'est une très grande nation, dont il serait dangereux de sous-estimer la capacité de réaction. »

J'abonde dans son sens :

« Nous sommes en présence de fondamentalistes républicains qui préfèrent achever l'ennemi lorsqu'il a un genou à terre plutôt que de lui tendre la main, le relever et engager le dialogue. Ce qu'ils ne mesurent pas, c'est que le phénix peut à tout moment renaître de ses cendres. »

Paris, mercredi 4 juin 1997

Hamdy Kandil, journaliste vedette en Égypte, anime un débat auquel j'ai accepté de participer pour une chaîne de télévision arabe. J'ai en face de moi deux interlocuteurs d'envergure : Lakhdar Brahimi et Jihad el-Khazen, rédacteur en chef du quotidien *Al-Hayat* et l'un des meilleurs éditorialistes du monde arabe.

Tous deux avaient violemment dénoncé, en son temps, la « trahison » d'Anouar el-Sadate à l'égard du monde arabe et de la Palestine. J'aurais beau jeu de leur faire observer que les États arabes pratiquent, vingt ans après, ce qu'ils avaient dénigré alors. Ce serait une réponse trop facile.

Ils restent convaincus que la visite du président Sadate à Jérusalem est à l'origine de la crise actuelle du monde arabe. Pour ma part, je continue à penser que c'est le monde arabe lui-même qui en est responsable. Et on ne m'enlèvera jamais de l'idée que cette visite fut un véritable coup de génie, qui permit à l'Égypte de retrouver son intégrité territoriale et, dans le même temps, de renforcer sa position sur la scène régionale et aux yeux de la communauté internationale : autant d'éléments susceptibles d'aider le monde arabe.

Antibes, jeudi 5 juin 1997

J'ai été invité à donner une conférence devant un parterre de banquiers et d'hommes d'affaires venus de tous les horizons du monde arabe. Beaucoup de ressortissants des Émirats du Golfe.

J'ai choisi de m'exprimer sur trois des dossiers que j'ai eu à gérer aux Nations unies : la Palestine, la Libye et l'Irak. Un des participants me met en garde :

« Soyez prudent ! La plupart des gens, dans cette salle, sont profondément anti-irakiens, et si vous expliquez les efforts qui ont été les vôtres en faveur du peuple irakien, ils risquent de très mal le prendre. »

Je réalise, tout à coup, que j'ai mal évalué la nature de mon auditoire : des représentants du grand capitalisme arabe, réunis à l'hôtel du Cap, à Antibes, pour entendre parler finances et investissements, mais sans doute pas des souffrances et des misères d'un peuple maudit qui subit sans broncher son dictateur, Saddam Hussein.

Néanmoins, la conférence se passe bien. La discussion qui suit est très animée. Nous nous exprimons tous en anglais. Il y a, parmi nous, quelques hommes d'affaires américains et britanniques.

« Au-dessus du milliard de dollars, il faut parler la langue du grand capital, me fait remarquer mon interlocuteur de tout à l'heure, toujours aussi avisé.

– Vous possédez plus d'un milliard de dollars ? dis-je, faussement admiratif.

– Non, me répond-il avec une humilité feinte. J'appartiens, avec quelques autres ici, à un groupe qui possède moins d'un milliard de dollars, mais la plupart de ces messieurs sont à la tête d'une fortune colossale.

– Vous assistez souvent à ce genre de conférences ?

– Le président de notre société, Nemir Kirdar, tient beaucoup à ce que nous développions notre culture politique. »

Nemir Kirdar est un brillant homme d'affaires irakien, dynamique, cultivé, qui suit de très près l'évolution de la situation au Proche-Orient. C'est à lui que je dois ma présence ici.

Val d'Aoste-Paris, dimanche 15 juin 1997

J'entame mon initiation à la nébuleuse des institutions francophones. Je pars pour le Val d'Aoste en compagnie d'un groupe d'hommes d'affaires et de Stève Gentily, le président du Forum francophone des affaires.

Succession de discours et de communications qui me rappelle furieusement la logomachie onusienne. Visite guidée de la ville, inauguration du nouveau siège du forum, discours improvisé dans l'unique café de la ville.

De retour à Paris, je suis fêté à l'aéroport de Roissy par un chauffeur de taxi tunisien :

« Notre grand homme. Celui qui a dit non aux Américains et qui a sauvé l'honneur arabe. »

Il insiste pour prendre des photos avec d'autres chauffeurs maghrébins qui abandonnent leur taxi momentanément. Le trafic s'en trouve légèrement perturbé, mais la police se montre indulgente.

En chemin, il me passe une cassette de musique arabe. Croyant bien faire, je commets, en réalité, une erreur fatale :

« C'est bien la voix d'Abdel Halim Hafez ? »

Le chauffeur s'arrête.

« Comment pouvez-vous faire une erreur pareille ? Confondre Abdel Wahab avec Abdel Halim Hafez ! »

Tout mon prestige s'écroule d'un coup, d'un seul. Le « grand homme » a révélé ses limites. Une telle ignorance de la musique de son propre pays...

J'avance de plates excuses :

« Je n'entends plus très bien après un voyage en avion. »

Arrivés rue Guynemer, il refuse, tout d'abord, que je lui règle la course, mais finit par accepter. Avant de lancer, le ton lourd de reproches :

« S'il vous plaît, ne confondez plus jamais la plus belle voix du monde arabe avec celle de Abdel Halim Hafez. »

Rome, mardi 17 juin 1997

Mes nouvelles fonctions de président de la Society for International Development (SID) m'obligent à me rendre à Rome. Léa et moi sommes accueillis à l'aéroport par l'ambassadeur d'Égypte, Nihad Abdel Latif, et son épouse. Des amis. Ils ont été tous deux mes étudiants, voilà presque quarante ans, et leur fils est déjà un diplomate chevronné.

Visite des locaux de la SID sous la férule du secrétaire général, Roberto Savio. C'est un vieil hôtel particulier délabré où les fresques centenaires ornant les plafonds s'accommodent tant bien que mal des ordinateurs qui trônent sur les bureaux. Une petite équipe de jeunes technocrates de toutes nationalités est en pleine effervescence. L'institution traverse une crise financière qu'il va me falloir rapidement endiguer.

Rome, mercredi 18 juin 1997

Entrevue avec le président de la République, Oscar Luigi Scalfaro, en qui j'avais trouvé un fidèle soutien en faveur de ma réélection aux Nations unies. Nous évoquons, entre autres sujets, la situation à l'ONU, l'hégémonie américaine, les élections législatives en France, avant que j'en vienne à la raison de ma visite :

« Votre pays s'est montré très généreux lorsque j'étais aux Nations unies, dis-je. Je vous demande de continuer à m'aider pour dynamiser la SID. »

Il me promet de saisir les services compétents.

Rome, jeudi 19 juin 1997

Je poursuis ma tournée des autorités italiennes en faveur de la SID. Ce matin, je rencontre le Premier ministre, Romano Prodi : même requête qu'au président de la République, la veille. Mais j'assortis ma demande d'une nouvelle exigence. Je souhaiterais que la SID obtienne le statut d'organisation internationale pour ne pas être soumise à l'impôt et pour pouvoir recruter des fonctionnaires internationaux. Romano Prodi me donne les meilleures assurances, mais je le sens bien plus intéressé par mon analyse des derniers développements de la situation irakienne que par le devenir de cette organisation non gouvernementale.

Paris, lundi 23 juin 1997

Nouvelle plongée au cœur des institutions francophones. Cette fois, je suis invité par l'Union internationale des journalistes de langue française, à l'hôtel Intercontinental. C'est Georges Gros, le secrétaire général, qui anime les débats.

« Que comptez-vous faire pour dynamiser la Francophonie ? Comment envisagez-vous le poste de secrétaire général ? »

Je suis frappé par deux choses. Tout d'abord la moyenne d'âge des membres de cette association, moyenne à laquelle j'appartiens moi-même, ce qui devrait me porter à plus de clémence. Par ailleurs, tous les participants sont des journalistes totalement inconnus. Je suis pourtant, depuis plus de trente ans, « l'intellectuel de service » au Caire, pour les nobles étrangers de passage ou en quête d'interview, et j'ai rencontré presque tous les journalistes français.

Paris, mercredi 2 juillet 1997

Déjeuner au Récamier avec le patron des éditions Fayard, Claude Durand, et sa collaboratrice Agnès Fontaine. La traduction française de *Egypt's Road to Jerusalem* est achevée, mais il reste à trouver un titre.

La traduction littérale, « Le chemin égyptien de Jérusalem », sonne mal. Claude Durand suggère, plus simplement, « Le chemin de Jérusalem ». Mais je tiens à ce que l'on retrouve, dans le titre, la dimension égyptienne de cette aventure diplomatique. Pourquoi pas « Mémoires d'un diplomate égyptien » ?

« Vous n'étiez pas un diplomate, vous étiez le chef de la diplomatie égyptienne, me fait remarquer Agnès Fontaine.

– Alors, que pensez-vous de "Mémoires d'un Égyptien" ? »

Cette proposition ne soulève pas davantage l'enthousiasme.

Au dessert, nous optons finalement pour « Le chemin de Jérusalem ».

« Tout le monde sait que Boutros Boutros est égyptien, inutile de le mentionner dans le titre », décrète Agnès Fontaine avec un sourire charmeur, plus convaincant que n'importe lequel des arguments.

Paris, jeudi 3 juillet 1997

Cherif el-Shoubashi, le correspondant du quotidien égyptien *Al-Ahram* à Paris, me demande de préfacer la version française de sa pièce *Tu ne tomberas pas, Jérusalem*, publiée en arabe, deux ans auparavant.

Nos rapports n'ont pas toujours été des plus cordiaux. J'ai eu à essuyer à maintes reprises ses critiques injustifiées lorsque j'étais aux Affaires étrangères. Mais je ne lui en tiens pas rigueur. Et j'ai toujours apprécié sa franchise et son amitié.

L'action de sa pièce se déroule en l'an 492 de l'Hégire, l'an 1099 du calendrier grégorien. Au premier acte, Jérusalem, assiégée par les Francs depuis quarante jours, est sur le point de tomber. Malgré les prédictions de l'astrologue, les renforts fatimides n'arrivent pas et la ville tombe.

Le second acte se situe à Damas, où un groupe de réfugiés est venu consulter le grand cadi pour obtenir l'aide du calife abbasside à Bagdad. Le calife se gardera bien d'intervenir et se contentera de constituer un «comité» de sages qui visiteront les régions sinistrées et lui feront rapport.

Je demande à El-Shoubashi s'il s'agit là d'un récit à clefs.

«Non, me dit-il vigoureusement, mais les attitudes, les réactions des héros de cette tragédie, leurs discussions ne sont pas sans rappeler les débats et les frustrations que nous avons connus depuis des années et que nous connaissons encore, en cette année 1418 de l'Hégire.»

Me vient, comme en écho, la fin du deuxième chapitre du *Chemin de Jérusalem*, lorsque Moustapha Khalil, qui deviendra Premier ministre, déclare :

«J'ai bien peur que Jérusalem ne soit perdue pour les Arabes…

– Même si c'est vrai, dis-je, nous devons croire le contraire. Autrement, tout est perdu... »

Paris, samedi 5 juillet 1997

Le président de la République de Côte-d'Ivoire, Henri Konan Bédié, est le premier à m'annoncer, dans sa suite du Plaza-Athénée, son soutien pour mon élection au poste de secrétaire général de la Francophonie.

«Je serai, en novembre, à Hanoï, et vous pouvez compter sur moi.»

Il a la même voix que Houphouët-Boigny. Il me suffirait de fermer les yeux pour entendre le «Vieux».

Paris, mardi 8 juillet 1997

Mon livre sur les Nations unies avance. Je communique par fax avec l'Université Yale où se trouve Charlie Hill : «*Page 70, troisième ligne, à partir du haut, le nom propre est mal orthographié – ligne 4, à partir du bas, supprimer tel qualificatif.*» Le volume des pages que j'expédie, simplement pour rectifier, supprimer ou ajouter certains mots, suffirait à remplir un chapitre.

Paris, mercredi 9 juillet 1997

Jacques Attali est une machine à idées originales. Je lui demande conseil pour le titre du livre que je suis en train d'écrire sur les Nations unies. Il me fait immédiatement deux suggestions : «*In and out the United Nations*», «*US* versus *UN*».

Notre amitié remonte à 1981. Je lui avais ménagé une entrevue avec le président Sadate. Quelques jours plus tard, Anouar el-Sadate était assassiné.

Paris, mercredi 16 juillet 1997

« Votre élection au poste de secrétaire général de la Francophonie ne fait aucun doute », me dit Michel Lucier, le délégué général du Québec à Paris.

Il met à profit notre déjeuner pour m'informer de la politique de son gouvernement, membre de la Francophonie. Militant de la première heure pour l'indépendance du Québec, il caresse le rêve de voir aboutir ce projet durant mon mandat.

« On a bien failli réussir lors du deuxième référendum, mais le troisième doit être le bon, et ce sera le bon. »

Il s'exprime avec fougue, véhémence : une voix de stentor tout au service de cette cause qu'il défend avec une ardeur de croisé. On m'avait prévenu : j'aurais à gérer avec beaucoup de doigté les relations entre Ottawa et Québec.

Hambourg, jeudi 17 juillet 1997

Je remplace Federico Mayor lors de la séance inaugurale d'une conférence sur l'enseignement, à Hambourg.

Atmosphère familière de ces grandes conférences internationales qui scandent ma vie depuis vingt ans. Il y a décidément quelque chose de pathétique à entendre toujours les mêmes ténors plaider toujours les mêmes causes. Vanité de la parole ? Inefficacité de l'action ? Fatalité de l'ordre du monde ? Le professeur Johan Galtung égrène avec constance, comme au premier jour, ses griefs à l'encontre des pays industrialisés. Et je l'écoute avec la même satisfaction inutile.

Paris, mardi 22 juillet 1997

Je rends visite au nouveau ministre français délégué à la Coopération et à la Francophonie, Charles Josselin. Casque de cheveux blancs, des yeux étonnamment clairs, comme souvent chez les Bretons.

Je le sens sur ses gardes. La France vient d'entamer une nouvelle période de cohabitation, et il n'est un secret pour personne que ma candidature au poste de secrétaire général de la Francophonie est poussée par l'Élysée. Mes fonctions d'ancien vice-président de l'Internationale socialiste et l'amitié que me portait François Mitterrand ne semblent pas suffire à dissiper ses soupçons. Au contraire : l'équipe de Lionel Jospin veut se démarquer des proches de l'ancien Président socialiste.

Ce doit être le sixième ministre français de la Coopération qu'il m'est donné de rencontrer. De ces rencontres, alors que j'étais ministre d'État des Affaires étrangères, il n'est jamais rien sorti de concret. J'ai pourtant essayé, durant des années, d'amener la coopération française à travailler avec la coopération égyptienne en Afrique, mais en vain. Aujourd'hui, mon objectif est de parvenir à un minimum de coordination entre la coopération bilatérale française et la coopération multilatérale francophone.

« Comment envisagez-vous le poste de secrétaire général de la Francophonie ? » me demande Charles Josselin.

Je suis tenté de lui répondre :

« Comment vous l'envisagez-vous, dans la mesure où vous êtes le principal bailleur de fonds ? »

Le budget que la France consacre à la coopération bilatérale est beaucoup plus important que celui qu'elle réserve à la Francophonie. On touche là le fond du problème. Par ailleurs, s'il y avait ne serait-ce qu'un minimum de concertation et de coordination entre les États donateurs et les organisations internationales avant l'octroi de subventions, la situation des pays en voie de développement serait sans doute meilleure. Cette coopération en amont éviterait l'accumulation de microprojets, voire le chevauchement de projets de même nature assortis de conditionnalités diverses et, en tout cas, privés de l'envergure que permettrait la mise en commun initiale des ressources. Il faut bien reconnaître, aussi, que les pays en voie de développement sont tentés de frapper à plusieurs portes à la fois, et que leurs différents ministères se livrent une concurrence farouche dans la course aux subventions.

Je quitte le bureau du ministre de la Coopération sans savoir comment s'articuleront les rapports de la Francophonie avec le principal État donateur.

Dîner avec l'ambassadeur du Canada, Jacques Roy, et sa charmante épouse, qui est suédoise. C'est un homme extrêmement courtois, posé, qui s'exprime d'une voix feutrée. Pour lui non plus mon élection ne fait pas de doute. Il anticipe même sur la formation de mon cabinet et me propose de mettre à ma disposition un diplomate canadien de carrière, Claude Boucher.

« Il est prêt à vous rencontrer… »

Je l'interromps.

« Il serait plus prudent d'attendre. Je suis, moi aussi, assez confiant, mais en matière d'élections, rien n'est jamais gagné d'avance. »

Paris, jeudi 24 juillet 1997

Entretien avec Hubert Védrine au Quai d'Orsay. Décor familier. Rien ne semble avoir changé dans ce bureau que j'ai fréquenté avec assiduité pendant vingt ans, jusqu'à la manière même dont on prend place auprès du ministre.

Je suis accompagné de l'ambassadeur d'Égypte Aly Maher. Il a été mon directeur de cabinet pendant plus de sept ans. C'est un de nos plus brillants diplomates, doté de qualités exceptionnelles d'intelligence, de perspicacité, de savoir-faire. Il intervient ici au nom de notre gouvernement pour témoigner du soutien de l'Égypte à ma candidature.

J'ai rencontré Hubert Védrine à plusieurs reprises lorsqu'il était secrétaire général de l'Élysée, mais je l'ai véritablement découvert à la lecture de son livre *Les Mondes de François Mitterrand*, qu'il m'avait envoyé dédicacé à New York. Une analyse lucide et objective de la politique mitterrandienne. Pas la moindre faute de goût.

Paris, vendredi 25 juillet 1997

Coup de téléphone de Rome. Stefano Prado, cheville ouvrière de la SID, me débite la liste des conférences et symposiums divers auxquels il me faudra assister en tant que président.

« Pour le moment, je dois mettre toute mon énergie dans la campagne que je mène pour obtenir le poste de secrétaire général de la Francophonie, dis-je. Choisissez de jeunes militants pour parler de la SID. Ils le feront avec moins d'expérience, mais certainement avec plus de ferveur. »

« Ferveur ». Ce mot m'évoque immanquablement *Les Nourritures terrestres* d'André Gide : « Nathanaël, je t'enseignerai la ferveur. » Je brûle toujours de la même ferveur : ferveur d'agir, de décider, de diriger.

Paris, lundi 28 juillet 1997

Déjeuner à l'ambassade d'Égypte. Il y a là Loufty el-Kholy, un militant de gauche emprisonné sous le régime de Nasser. Nous sommes de vieilles et cordiales connaissances. Nous avions notre bureau sur le même palier dans l'immeuble d'*Al-Ahram*. J'étais rédacteur en chef de la revue *Al-Siyassa al-Daouliya* (politique internationale) et d'*Al-Ahram Iktisadi* (économie). Lui dirigeait une revue d'extrême gauche, *Al-Talia* (L'Avant-garde). Il ne pouvait s'empêcher, chaque fois qu'il me croisait, de me lancer :

« Tu représentes la réaction éclairée. »

À quoi je répondais, invariablement :

« Et toi, la gauche dépassée. »

Je l'ai revu des années après, à Moscou, où j'étais venu en tant que président de l'Association d'amitié égypto-soviétique. Loufty el-Kholy, toujours aussi amicalement sarcastique, m'avait alors déclaré :

« Rien d'étonnant à ce que tu sois chargé des relations entre l'Égypte et l'Union soviétique, maintenant que le communisme est mort… »

Aujourd'hui, à l'ambassade d'Égypte, il se montre particulièrement brillant. « L'arabisme est mort… L'union du monde arabe est un rêve que notre génération ne verra pas se réaliser. » Autour de la table, les ambassadeurs des pays du Golfe s'insurgent tant bien que mal, et entonnent les sempiternels slogans en faveur de l'unité arabe. Loufty el-Kholy, impitoyable, leur assène :

« Vous ne comptez pas. Vous n'êtes pas des États, tout juste des principautés d'opérette. »

La tension monte, et l'ambassadeur Aly Maher intervient. Je ne vois d'autre solution, pour détendre l'atmosphère et faire dévier la conversation, que de chanter les louanges du dessert qu'on vient de nous servir et d'évoquer le prix exorbitant des cravates.

Paris, mardi 29 juillet 1997

Ce soir, j'ai relu d'un trait les cinq derniers chapitres corrigés par Charlie Hill. Le ton est violemment antiaméricain. Il est minuit à Paris, 18 heures à New York. Je décide de l'appeler sur-le-champ. Je le trouve à son bureau :

« Il faut absolument adoucir certains passages et carrément supprimer certaines phrases qui sont de véritables déclarations de guerre au département d'État.

– Vous n'imaginez pas à quel point cette équipe vous détestait et tout ce qui s'est tramé contre vous.

– Ça ne justifie pas une telle agressivité. D'autant plus que je n'éprouve aucun ressentiment à leur égard, quoi qu'ils aient fait. Il faut vraiment qu'on revoie tout cela ensemble lorsque vous viendrez à Paris... »

Tokyo-Paris, mercredi 30 juillet-jeudi 31 juillet 1997

Départ pour Tokyo. Je déteste ces vols interminables qui m'épuisent. Non seulement à cause du décalage horaire, mais aussi de cet air artificiel que l'on respire douze heures d'affilée, confinés dans un espace qui devient très vite insupportable. Idéalement, il faudrait renoncer à l'alcool, manger légèrement, et boire beaucoup d'eau. C'est en tout cas la résolution que je prends, chaque fois, avant d'embarquer. Jusqu'à ce moment terrible où l'on réalise que l'on est à peine à mi-chemin et où les heures restantes se mettent à compter double. C'est le début de la reddition. On commence par boire un whisky, puis un deuxième, et on finit par se laisser tenter par le foie gras. Autant d'écarts que l'on paie, dès le lendemain, à l'arrivée, physiquement mais aussi moralement : il n'est jamais agréable de constater que l'on a manqué de volonté.

Arrivé à Tokyo, visite, désormais rituelle, du temple shintoïste érigé en l'honneur de l'amiral Heihachiro Togo. Lors de ma première visite au Japon, en tant que ministre d'État des Affaires étrangères, j'avais eu l'occasion de dire au Premier ministre Yasuhiro Nakasone tout le rôle qui avait été celui du Japon dans l'histoire du nationalisme égyptien au début du XXe siècle. L'Égypte avait vécu comme un événement considérable la victoire de l'amiral Togo sur la flotte russe, en 1905, parce qu'elle y voyait le symbole de la revanche des peuples opprimés de l'Afrique et de l'Asie sur les puissances coloniales. La presse égyptienne de cette époque, comme la littérature, porte d'ailleurs témoignage de l'enthousiasme déclenché par cette victoire. Au point que beaucoup d'enfants, nés cette année-là, se sont vu prénommer Togo en l'honneur du grand homme.

« Togo le héros » a enflammé mon imagination d'enfant tout comme, quelques années plus tard, Hailé Sélassié Ier, empereur d'Éthiopie. Je me rappelle que l'annonce de sa défaite et de son passage par le canal de Suez, pour aller témoigner à la SDN de la trahison de la communauté internationale, m'avait fait pleurer.

Yasuhiro Nakasone, surpris et intéressé par cette révélation, m'offrit alors de visiter le temple de l'amiral Togo. De ce jour, je ne peux me rendre au Japon sans aller me recueillir dans ce sanctuaire. Je suis convié chaque fois à une courte cérémonie religieuse dans laquelle officie le grand prêtre shintoïste. Prière interrompue par des coups de gong et l'absorption de petits verres de saké.

J'ai, par la suite, entretenu une correspondance suivie avec le grand prêtre. Je lui ai également fait parvenir les vers de Hafez Ibrahim, notre grand poète, consacrés à l'amiral Togo. Ils ont été traduits en japonais et sont précieusement conservés dans les archives du temple.

Kanazawa, vendredi 1er août 1997

Nous quittons Tokyo pour Kanazawa, petite ville située en bordure de la mer du Japon. Je dois, le matin même, prononcer le discours d'ouverture de la cérémonie organisée pour le dixième anniversaire du Japan Tent. Cette institution réunit, une fois par an, les anciens et les nouveaux étudiants étrangers venus poursuivre des études de troisième cycle au Japon.

Inauguration, en présence de nombreux ambassadeurs, d'une exposition consacrée à la lutte contre les mines antipersonnel. J'avais eu l'occasion d'inaugurer une exposition similaire, à Genève, lorsque j'étais secrétaire général des Nations unies. Je remarque, avec envie, que les ambassadeurs de Grande-Bretagne et du Canada parlent parfaitement japonais. Nous n'avons aucun ambassadeur égyptien capable d'en faire autant.

Kanazawa, samedi 2 août 1997

Discours consacré aux opérations de maintien de la paix, suivi d'un échange avec la salle. Un public enthousiaste de jeunes étudiants venus de tous les coins du monde.

(Dans l'après-midi...) J'enregistre une interview d'une heure pour la télévision japonaise. Le tournage se déroule en plein air, dans un magnifique jardin. Végétation, cascades, bassins cristallins animés par le mouvement incessant de poissons aux couleurs vives. Il ne s'agit là que de la première partie du reportage, puisqu'il est prévu que l'équipe vienne également me filmer à Paris et au Caire. Je ne peux m'empêcher de penser à ce que cette opération va coûter. Je m'en ouvre au journaliste.

« Pourquoi ne pas réaliser l'intégralité du reportage ici, au Japon ? Cela vous reviendrait cent fois moins cher. »

Ma question ne semble pas être du goût du journaliste qui, dans un anglais parfait, me répond :

« Parce que nous tenons à vous filmer lors de votre séjour au Japon. Mais pour le reste du temps, vous vivez à Paris ou au Caire. Et c'est donc à Paris et au Caire que nous devons, aussi, venir vous interviewer. »

Il me laisse entendre que je n'ai aucun souci à me faire pour le budget, tout est prévu.

Tokyo, dimanche 3 août 1997

De retour à Tokyo, je retrouve avec plaisir, à l'hôtel Impérial, Yasushi Akashi, qui avait supervisé la mission de maintien de la paix au Cambodge, puis les opérations en Bosnie. À la manière de deux anciens combattants, nous évoquons nos souvenirs, mais aussi les images et les drames à jamais gravés dans nos mémoires.

Aux États-Unis, Yasushi Akashi est honni, on lui impute la défaite de l'ONU en Bosnie. Au Japon, c'est un héros national : il a été le premier Japonais à occuper un poste de cette importance.

« Plaisante justice qu'une rivière borne ! Vérité en deçà des Pyrénées, erreur au-delà. »

Paris, samedi 23 août 1997

Diane Marleau, ministre canadienne de la Coopération et de la Francophonie, est de passage à Paris. Elle part pour une tournée en Afrique. Elle a reçu des instructions claires du Premier ministre Jean Chrétien pour faire campagne en faveur de ma candidature.

Paris, lundi 1er septembre 1997

J'ai décidé de revoir dans le détail la traduction française du *Chemin de Jérusalem* avec Simone Dreyfus, ancien maître assistant à la faculté de droit de Paris. Nous avions publié ensemble, aux Presses universitaires de France, un livre sur le Mouvement afro-asiatique, qui était la reprise de mon cours de troisième cycle à la faculté de Paris, en 1968. Simone est très cultivée : méticuleuse, minutieuse, et respectueuse de l'emploi de l'imparfait du subjonctif.

Paris, mercredi 3 septembre 1997

L'ambassadeur Aly Maher gravit les marches du perron de l'Élysée à mon côté. On nous introduit dans le bureau de Jacques Chirac, où a également pris place Jean-David Lévitte.

« Si beaucoup de chefs d'État sont d'accord pour soutenir ta candidature, ce n'est pas le cas de tous les ministres des Affaires étrangères, me dit le Président. Ils n'ont pas tous reçu un mandat clair à ce sujet et cela risque de compliquer notre projet. Je te propose de faire une tournée en Afrique. Et si le président Hosni Moubarak n'assiste pas au sommet de Hanoï, je pense qu'il serait bon que tu le représentes. Ta présence sur place facilitera les choses… Je compte téléphoner au président Moubarak pour qu'il mette un avion à ta disposition pour faire cette tournée en Afrique.

« Je dois me rendre en Chine, monsieur le Président, mais dès mon retour, je partirai pour l'Afrique. »

Je quitte l'Élysée sceptique. Je ne partage pas tout à fait l'optimisme du président français. Je crains fort que le président Hosni Moubarak ne mette jamais d'avion à ma disposition. J'avais déjà le plus grand mal à en obtenir un pour mes tournées africaines lorsque j'étais ministre des Affaires étrangères. Aly Maher s'engage à informer Le Caire de cet entretien et à faire de son mieux pour que j'obtienne satisfaction.

Paris-Beijing-Dalian, vendredi 5 septembre 1997

J'éprouve le besoin de me rendre régulièrement en Chine pour m'y m'entretenir avec les dirigeants et les intellectuels. Cela m'aide à tempérer mon eurocentrisme et à mieux appréhender la civilisation de l'universel.

Dalian est une ville portuaire, située au bord de la mer Jaune, qui fera, selon son maire, une concurrence sérieuse à Hong Kong dans les prochaines années. Elle dispose, en tout cas, de toutes les infrastructures nécessaires : hôtels de luxe, terrains de golf, gratte-ciel, chantiers navals, universités, centres de recherches, hôpitaux.

« Nous sommes, ajoute le maire, à une heure de vol de Séoul et de Tokyo, et je ne doute pas que nous accueillerons dans les années qui viennent entre quatre et cinq millions de touristes, et particulièrement des joueurs de golf... »

Le maire de Dalian, Bo Xilai, est considéré comme l'une des étoiles montantes du régime, du fait de son dynamisme et de ses qualités de gestionnaire, mais aussi parce que son père, Bo Yibo, fut l'un des proches compagnons de Mao Tsé-toung. C'est une véritable force de la nature, dotée d'un physique d'acteur de cinéma. Il connaît ses dossiers sur le bout du doigt et fait preuve d'un enthousiasme persuasif.

J'ai un début d'épanchement de synovie au genou, doublé d'une sciatique qui me fait terriblement souffrir. Je traîne la jambe et j'ai le plus grand mal à gravir les escaliers. L'humilité : une des grandes leçons de la vieillesse que nous inflige ce corps qui nous lâche.

Dalian, samedi 6 septembre 1997

J'assiste pour la première fois à un défilé de mode… en Chine, en compagnie de l'ambassadeur d'Égypte Helmy Bedeir et de Josse Wahba, qui m'assiste durant ce voyage. Les grands couturiers européens et américains présentent leurs dernières créations. Ce qui, je l'avoue, me surprend :

« Avez-vous une clientèle locale pour tous ces superbes modèles ? »

L'un de mes guides m'éclaire :

« Nous visons essentiellement les futurs touristes. L'objectif est de faire de Dalian un centre touristique international. »

(Un peu plus tard…) Visite du musée de cire. Toute la délégation s'arrête soudain devant une statue que je devrais reconnaître : l'ancien secrétaire général des Nations unies. Le déclic n'est pas immédiat. La ressemblance non plus. À y regarder de plus près, c'est effectivement moi, mais avec une touche chinoise. On me présente au sculpteur, que je félicite. On prend beaucoup de photos, avec la statue, sans la statue, avec le sculpteur, sans le sculpteur.

On m'invite ensuite à une cérémonie solennelle à laquelle je me suis prêté dans beaucoup de pays à travers le monde. On me demande de planter un arbre. Je m'exécute avec plaisir. Et je ne peux m'empêcher de songer à tous mes autres arbres. Rien qu'à New Delhi, je me rappelle en avoir planté plusieurs et n'en avoir jamais retrouvé aucun. Ils ont dû succomber à la chaleur indienne. En revanche, je sais que l'arbre que j'ai planté dans les jardins du gouverneur général à Ottawa croît et prospère.

(Dans la soirée…) La réception offerte par le maire de Dalian est impressionnante. Tout se joue, ici, à une autre échelle. On me conduit dans un stade où ont pris place plus de cent mille personnes. Nous assistons à un spectacle grandiose. On me

demande de faire un bref discours en anglais. Je dois m'interrompre régulièrement pour la traduction en chinois. Tout à coup, le stade se trouve plongé dans la plus totale obscurité. Panne d'électricité. Le maire, à mon côté, écume de rage.

Je pose amicalement ma main sur la sienne et tente de l'apaiser de mon mieux :

« Ne vous inquiétez pas, ce genre d'incident arrive dans tous les pays du monde. Je suis sûr que la panne sera très courte. »

Je n'ai pas le temps d'achever mes propos que les projecteurs illuminent à nouveau le stade.

Inoubliable spectacle que celui de ces milliers de jeunes filles et de jeunes gens dansant dans la plus parfaite synchronie. Une manière d'exprimer avec fierté et conviction leur foi dans la grandeur de la Chine et leur certitude que ce pays, malgré des difficultés économiques, est appelé à devenir l'empire de demain. Une certitude que je partage. La Chine, de par sa puissance intrinsèque, sera amenée à jouer un rôle de premier plan dans les affaires du monde et à modifier l'équilibre des forces qui prévaut aujourd'hui.

Xi'an, dimanche 7 septembre 1997

Départ pour Xi'an, joyau de la Chine antique. Xi'an figure dans certains ouvrages sous son ancien nom : Ch'ang'an. Capitale de la dynastie des Tang, Xi'an a dominé l'Empire pendant plus de onze siècles. La cité est entourée d'une immense muraille et de douves. J'ai trop mal au genou pour faire la visite. J'en suis réduit à attendre Josse Wahba et l'ambassadeur Helmy Bedeir dans la voiture.

(Un peu plus tard...) Nous partons à une quarantaine de kilomètres de Xi'an voir l'armée de terre cuite. Fabuleuse et

saisissante illusion que cette armée enterrée du grand empereur Qin Shi Huangdi. Plus de six mille guerriers de terre cuite en ordre de marche. Les photos de cette armée d'argile ont beau avoir fait le tour du monde, on ne peut s'empêcher d'avoir le souffle coupé devant ce spectacle stupéfiant.

Le vice-gouverneur de Xi'an m'explique que le gouvernement a renoncé, pour le moment, à explorer le tombeau de l'empereur, qui repose sous un tumulus de quarante mètres de haut, ceint d'un mur de plus de deux kilomètres. Mais il compte construire de nouveaux hôtels (celui dans lequel nous sommes descendus est digne des grands palaces américains et européens) et faire de Xi'an la première ville touristique de Chine pour financer le déblaiement et la restauration de la sépulture de l'empereur.

Xi'an, lundi 8 septembre 1997

Mobutu est mort. Mort d'un « roi nègre ». J'exècre cette expression à forte connotation raciste et empreinte d'un relent de colonialisme, mais je dois reconnaître qu'elle rend parfaitement compte du personnage, que j'ai bien connu.

J'ai le souvenir d'une cérémonie insolite à Kinshasa. Mobutu avait exigé de la foule, rassemblée dans la grande salle du palais des Congrès, qu'elle entonne, pour une seconde fois, l'hymne national, parce qu'elle ne l'avait pas chanté avec suffisamment d'enthousiasme à son goût la première fois.

Il a essayé de créer une nation, ou tout au moins un État : le Zaïre. Il était tellement persuadé d'avoir réussi qu'il envisageait une alliance tripartite avec l'Égypte et le Nigeria, coalition qui présiderait à la destinée du continent africain. Il m'avait demandé d'étudier ce projet et de le soumettre au président Hosni Moubarak, qui m'avait écouté, sceptique, sans me donner d'instructions pour le suivi.

Mobutu mort, nous allons vivre une guerre de trente ans, pour peu que l'on soit optimiste, ou une guerre de cent ans, pour peu que l'on soit pessimiste.

Beijing, mardi 9 septembre 1997

Je retrouve Beijing et la Diooyutaï Guest House. C'est une véritable cité, composée d'une vingtaine de superbes résidences disséminées au milieu d'un parc luxuriant et de lacs artificiels. Les résidences vous sont attribuées en fonction de votre rang. Il y a celle réservée aux chefs d'État, celles réservées aux chefs de gouvernement, et celles réservées aux ministres. D'autres, plus petites, peuvent accueillir plusieurs délégations à la fois.

J'ai été hébergé à plusieurs reprises dans la résidence de catégorie 2, en tant que vice-Premier ministre d'Égypte, puis comme secrétaire général des Nations unies. Aujourd'hui, je réintègre la résidence de catégorie 3, celle que j'occupais lorsque j'étais ministre d'État.

Malgré ma préférence pour les chambres d'hôtel, j'ai insisté auprès de l'ambassadeur d'Égypte pour séjourner dans ce lieu hors du temps. Je ne me lasse pas des beautés de ce parc immense et labyrinthique, dans lequel j'aime à me perdre jusqu'à ce moment réconfortant où l'on voit surgir, au détour d'un bosquet, comme dans les contes pour enfants, la maison retrouvée, où vous attend une délicieuse collation.

Beijing, jeudi 11 septembre 1997

Les dieux ne sont pas avec moi. L'amphithéâtre dans lequel je dois prononcer ma conférence est au troisième étage, sans ascenseur. Au moment où je monte sur l'estrade, mon genou me fait tellement souffrir que je crains de ne pouvoir articuler le premier mot de mon discours. Je m'y résous dans un état quasi second. Je réponds ensuite aux questions d'une assemblée restreinte, mais extrêmement savante : Nations unies, opérations de maintien de la paix, démocratisation des relations internationales… Je reprends les idées-forces de mon discours politique depuis quelques années déjà, et qui le resteront sans doute pour de nombreuses années encore. Je suis réconforté par les réactions de mon auditoire chinois.

(Dans la soirée…) Dîner en petit comité. Il y a là le Premier ministre Li Peng, l'ambassadeur Li Zhaoxing, deux autres dignitaires chinois, l'ambassadeur d'Égypte, Josse Wahba et moi-même.

Federico Mayor m'avait demandé de remettre à Li Peng une lettre dans laquelle il exposait les raisons qui avaient conduit l'Unesco à décerner un prix à un dissident chinois. Dès le début du repas, Li Peng réagit à cette missive.

«J'espère que Federico Mayor ne commettra plus pareille erreur à l'avenir», lance-t-il d'un ton doctoral.

Le message est clair : «Passe pour cette fois, mais pour cette fois seulement.» L'incident est clos, on n'y reviendra plus.

Li Peng enchaîne sur la mort de Lady Diana. Quel crédit faut-il accorder à cette rumeur selon laquelle la princesse de Galles et Dodi al-Fayed auraient été «accidentés» pour éviter le mariage d'une princesse chrétienne avec un musulman ?

Je lui explique qu'il s'agit là du point de vue du père de Dodi, Mohamed al-Fayed, qui entretient des rapports difficiles avec le gouvernement britannique. Pour ma part, je ne crois pas à la théorie du complot, c'est un banal et tragique accident de voiture.

Li Peng a été le seul, durant mon séjour en Chine, à évoquer l'accident de la princesse Diana. Et alors que l'Europe et l'Amérique vivent en état de choc depuis l'annonce de cette mort, l'opinion chinoise semble ignorer totalement l'événement. On finirait par croire que la Chine ignore jusqu'à l'existence même de l'Europe.

J'informe Li Peng du panel international que je mets en place à l'Unesco sur le thème de la démocratie et du développement.

« Les peuples du tiers monde doivent éviter d'adopter les modèles de la démocratie occidentale s'ils veulent maintenir leur indépendance et se développer harmonieusement », me dit-il.

Nous abordons ensuite les problèmes onusiens, parmi lesquels la réforme du Conseil de sécurité. L'occasion, pour moi, de lui rappeler notre conversation après le premier sommet de ce conseil, le 31 janvier 1992. Je laisse transparaître, avec beaucoup de diplomatie, mon pessimisme quant à l'avenir des Nations unies. Li Peng écoute, mais ne fait aucun commentaire.

Le dîner touche à sa fin. Je remercie chaleureusement mon hôte :

« Votre invitation m'a d'autant plus touché, dis-je, qu'on est à la veille du congrès du Parti communiste, et que je n'occupe plus aucune fonction officielle. »

Li Peng marque un léger temps d'arrêt avant de répondre :

« Cela prouve que nous sommes bien organisés et que nous tenons l'amitié en haute estime. »

Paris, samedi 13 septembre 1997

Dîner chez l'ambassadeur Jean de Gliniasty.

« Votre élection au poste de secrétaire général de la Francophonie est loin d'être gagnée. Certains ministres africains font campagne contre vous. C'est du moins ce qui se dit au Quai d'Orsay… »

L'ambassadeur Aly Maher réagit. Il fait remarquer que le président Hosni Moubarak s'implique personnellement dans ma campagne, et qu'il compte intervenir auprès de tous les chefs d'État africains.

Paris, lundi 15 septembre 1997

Je retrouve Shimon Peres à l'Unesco. Après un déjeuner de travail, nous participons, sous la présidence de Jacques Delors, à un symposium sur le thème « Apprendre à vivre ensemble ». Comment dialoguer avec l'étranger, l'ennemi, en d'autres termes, l'« Autre » ? Alors que tous les intervenants s'efforcent d'avancer des propositions concrètes, Shimon Peres prend le parti d'appréhender le problème en visionnaire, en dehors de toute réalité. Est-il à ce point utopiste ? Ou n'est-ce là qu'une attitude étudiée qu'il affiche dans les réunions académiques où l'on débat d'idées sans lendemain ? Il reprend l'histoire du sage à qui l'on demande quelle est la différence entre la guerre et la paix : « En temps de guerre, ce sont les pères qui enterrent leurs enfants. En temps de paix, ce sont les enfants qui enterrent leur père. » Je l'ai entendu souvent répéter cette très belle maxime. Avec le temps, elle ne suscite plus en moi la même émotion.

Paris, vendredi 19 septembre 1997

Rencontre avec Charles Palm, de passage à Paris. Il dirige les Hoover Archives de l'Université Stanford aux États-Unis. Je lui ai déjà confié tous mes documents personnels. J'ai l'intention de lui remettre une copie des archives de notre famille. Le grand-père historien, Michaïl Charobim, le grand-père Premier ministre, Boutros Pacha, l'oncle Wacyf, ministre des Affaires étrangères, le cousin Mirrit, chargé des négociations entre les Église coptes d'Éthiopie et d'Égypte, la correspondance échangée entre mes oncles après l'assassinat de leur père.

« J'espère que vous viendrez voir par vous-même comment sont conservées nos archives », me dit-il.

Paris-Dublin, dimanche 21 septembre 1997

Départ pour Dublin avec Daniel Boyer, un millionnaire d'origine yougoslave qui a beaucoup aidé Cyrus Vance lorsqu'il était en charge du dossier de l'ex-Yougoslavie. Nous sommes tous les deux membres du directoire du Center for International Health and Cooperation. Nous en retrouvons sur place le président, le Dr Kevin Cahill, et son épouse, ainsi que Lord David Owen, Lord et Lady Paul Hamlyn.

Dîner chez l'un des patrons du Royal College of Surgeons in Ireland. Alors que la soirée touche à sa fin, ainsi que Lord David Owen me confie :

« Je voudrais vous dire combien j'admire votre courage d'avoir tenu tête à la superpuissance américaine. Je crois que si je n'avais pas été aussi détendu ce soir, j'aurais longtemps hésité à vous le dire. »

Dublin, lundi 22 septembre 1997

Conférence dans le grand amphithéâtre de l'université sur l'un de mes thèmes de prédilection : les rapports entre paix, développement et démocratie. Mon intervention est suivie d'un débat qui réveille fort heureusement l'intérêt d'un auditoire que ma causerie semble avoir passablement ennuyé.

Il y a là deux des trois candidates à la présidence de la République. Elles demandent à ce que l'on nous photographie ensemble, campagne électorale oblige. La photo paraîtra demain dans la presse. Les rumeurs donnent la troisième candidate favorite.

Paris, jeudi 25 septembre 1997

Federico Mayor a réuni l'ensemble des directeurs de l'Unesco pour les informer de la création du panel international Démocratie et Développement. Il insiste longuement sur l'importance de cette commission, puis me cède la parole. J'enfourche là un de mes chevaux de bataille favoris, celui de la démocratisation des relations internationales. Traiter de la démocratie à l'intérieur des États, à l'échelle nationale, ne suffit plus. Il faut aussi susciter une véritable démocratie à l'échelle mondiale, dans la mesure où le développement démocratique est de plus en plus dépendant du phénomène de globalisation de l'économie et des finances.

(Dans l'après-midi…) Entretien avec le Premier ministre Lionel Jospin. Nous nous sommes connus lorsqu'il était premier secrétaire du parti socialiste. Il se rappelle fort bien nos précédentes rencontres. Nous évoquons la question palestinienne. « Benyamin Netanyahu a détruit le processus d'Oslo », me dit-il.

Dans un tout autre ordre d'idées, il fera de son mieux pour m'aider à dynamiser la Francophonie, bien qu'il s'agisse là du domaine réservé du président de la République, Jacques Chirac. Je quitte Matignon satisfait. Le Premier ministre m'a laissé une impression d'intelligence et de modestie.

(Le soir…) Je dîne en compagnie d'Anne-Marie Lizin, qui m'a aidé dans ma campagne pour le poste de secrétaire général des

Nations unies. Elle me propose à nouveau son aide. Elle connaît bien la région des Grands Lacs. La dégradation de la situation serait due, pense-t-elle, à la rivalité entre les États-Unis et la France, par services secrets interposés. Toujours selon elle, le génocide rwandais relève de la seule responsabilité des généraux belges.

Paris-Lomé, lundi 29 septembre 1997

Je n'ai évidemment pas obtenu d'avion du gouvernement égyptien. J'ai décidé de limiter ma tournée africaine à une visite aux deux « doyens » des chefs d'État d'Afrique francophone, le président du Togo, Gnassingbé Eyadéma, et le président du Gabon, Omar Bongo, ainsi qu'au président du Bénin, Mathieu Kérékou, qui soutient la candidature de son compatriote, l'ancien président Émile Derlin Zinsou.

Il ne peut y avoir, par définition, qu'un seul doyen, mais les avis restant partagés quant à l'identité dudit doyen, je solliciterai mon investiture auprès de chacun d'entre eux. Deux doyens valent mieux qu'un…

Arrivé à Lomé, installation à l'hôtel du 2-Février, une tour défraîchie d'une vingtaine d'étages. Les moquettes sont usées, le laisser-aller règne partout, mais il faut dire que les clients sont rares. On m'attribue la suite 1719, au dix-septième étage, sans doute le seul qui soit restauré et occupé.

Lomé, mardi 30 septembre 1997

Coup de téléphone de l'ambassadeur Aly Maher qui m'annonce de bonnes nouvelles. L'Élysée et Matignon ont décidé de tout mettre en œuvre pour soutenir ma candidature.

Lomé-Cotonou, mercredi 1er octobre 1997

Mon entretien avec le président Eyadéma se révèle très constructif. Je le connais depuis 1978. Non seulement il s'engage à appuyer ma candidature à titre personnel, mais il se propose également de prendre contact avec les présidents du Bénin, du Burkina Faso et du Niger.

« Votre candidature, j'en fais mon affaire », me dit-il.

Je pars en voiture pour Cotonou, accompagné de l'ambassadeur Zekry Ramzy Abdel Chehid. Le voyage est agréable. À la frontière, nous retrouvons l'ambassadeur accrédité à Cotonou, Mohamed Naguib, venu prendre la relève. Au moment où je m'apprête à passer la frontière, on me fait savoir que le chef de poste togolais souhaite me rencontrer.

Étonnement teinté d'indignation des deux jeunes ambassadeurs, prêts à brandir l'étendard de l'immunité diplomatique. Je les dissuade d'intervenir. Je rencontre donc cet officier, qui après m'avoir salué me déclare :

« Je servais dans les forces de l'ONU au Sahara occidental lorsque vous êtes venu nous rendre visite en tant que secrétaire général. Ça a été un des plus beaux moments de ma vie. J'aimerais vous offrir un thé ou un Coca-Cola et vous exprimer mon admiration et ma reconnaissance. »

Nous dissimulons avec peine notre émotion et nous donnons l'accolade pour tenter de la surmonter. Nous avons combattu ensemble pour faire respecter un cessez-le-feu, pour construire la paix. Le destin a fait se croiser à nouveau nos chemins dans ce coin perdu d'Afrique, peut-être pour que nous puissions, tout simplement, réaffirmer notre solidarité d'anciens combattants.

Je reprends la route au côté de Mohamed Naguib, l'un des diplomates membres de mon cabinet en Égypte. Brillant, intelligent, rapide, il a fait ses études chez les jésuites, qui ont formé une partie des élites égyptiennes. C'est un francophone convaincu, pétillant d'esprit.

« Le président Kérékou vous est très favorable, mais il doit soutenir le candidat de son pays, le président Émile Derlin Zinsou, avec lequel il est, pour l'heure, en bons termes », me dit-il d'un air entendu.

Ce n'est en effet un secret pour personne que les rapports entre les deux hommes ont été, à une certaine période, pour le moins tendus.

(Dans la soirée...) Mohamed Naguib a convié à dîner, à l'ambassade d'Égypte, le président du Parlement béninois, l'ambassadrice de France, l'ambassadeur d'Allemagne, l'ambassadeur de Russie et plusieurs ministres. On évoque les problèmes de l'Afrique occidentale et le rôle d'équilibre du Nigeria. Tant qu'il connaît la prospérité économique et la stabilité politique, toute la région est stable. Qu'il soit sujet à des troubles, et tous les États voisins en pâtiront.

Étrange hasard. On m'a réservé la chambre d'hôtel que j'occupais, en décembre 1995, lorsque j'étais venu assister au VIe sommet de la Francophonie. Mon ami Jean-Pierre Péroncel-Hugoz, journaliste au *Monde*, avait alors fait courir le bruit, à mon grand mécontentement, que je serais le prochain secrétaire général de la Francophonie.

« Ce qui revient à dire que je n'ai pas l'intention de briguer un second mandat aux Nations unies, lui avais-je dit agacé.

– Vous avez déclaré, au lendemain de votre élection à l'ONU, que vous ne feriez qu'un seul mandat, m'avait-il rétorqué.

– C'est exact. Mais il se trouve que j'ai changé d'avis. Il n'y a que les imbéciles qui ne changent jamais d'avis. »

J'ignorais, en cet instant, que la diplomatie américaine allait élaborer toute sa stratégie pour parer à ma réélection, en arguant précisément du fait que j'avais déclaré ne vouloir faire qu'un seul mandat.

C'est aussi dans cette chambre que j'ai mené, dans le plus grand secret, de longues et difficiles négociations avec des envoyés du Nigeria pour obtenir la libération du président Olusegun Obasanjo, sans succès.

Cotonou, jeudi 2 octobre 1997

Le message que je délivre au Premier ministre béninois Adrien Houngbédji, avec lequel je m'entretiens dans la matinée, est clair :

« Je ne voudrais pas que la rivalité qui m'oppose au président Zinsou porte préjudice, de quelque manière que ce soit, aux excellentes relations qu'entretiennent le Bénin et l'Égypte. J'ai le plus grand respect pour le président Zinsou. S'il est élu secrétaire général de la Francophonie, je serai le premier à le féliciter. Si je suis élu, je ne doute pas qu'il sera, lui aussi, le premier à me féliciter. »

Le président Mathieu Kérékou, que je rencontre juste après, ne partage pas mon approche. Il m'écoute, me remercie de la confiance que je lui témoigne, et ajoute :

« Il faut que vous parveniez à vous entendre avec le président Zinsou. Il faut éviter que vous alliez tous les deux au vote lors du sommet de Hanoï. Ne vous fiez pas à la promesse des chefs d'État. Ils tomberont difficilement d'accord sur un candidat et risquent de renvoyer la décision au sommet suivant... »

Lomé, vendredi 3 octobre 1997

J'informe le président Eyadéma de ma conversation avec le président Kérékou. Contrairement à son homologue béninois, il n'est pas d'avis que je rencontre le président Zinsou. Il m'assure, une nouvelle fois, qu'il soutiendra ma candidature auprès des autres chefs d'État africains.

Libreville, samedi 4 octobre 1997

Arrivée à Libreville où je suis accueilli par notre ambassadrice Seham Rahmy. C'est son premier poste comme chef de mission. Elle est à Libreville depuis peu et n'a même pas encore présenté ses lettres de créance. Cette débutante, pleine de bonne volonté, est fort heureusement secondée par un conseiller débrouillard, intelligent et cultivé, en poste à Libreville depuis quatre ans.

L'ambassadrice, qui considère ma visite comme l'événement de sa carrière, me soumet son discours de ce soir, pour le dîner où seront présents le corps diplomatique et des ministres gabonais. Je lui fais remarquer que ce texte me nuit plus qu'il ne me sert.

« Il faut, lui dis-je, que vous mettiez l'accent sur les relations entre le Gabon et l'Égypte, entre le président Omar Bongo et le président Hosni Moubarak, et que vous n'abordiez que très brièvement ma candidature au poste de secrétaire général de la Francophonie. »

Je finis par rédiger avec elle un nouveau discours.

Le dîner se passe fort bien. Discours de l'ambassadrice. J'apprendrai, un peu plus tard, que c'est la première fois qu'elle se livre à cet exercice. Elle est, de toute évidence, intimidée, nerveuse, angoissée. Le professeur que je suis toujours resté ne peut s'empêcher de partager son anxiété. Et lorsque, à l'issue de son intervention, l'assemblée applaudit, je suis au moins aussi soulagé qu'elle.

L'ambassadeur du Canada m'informe des actions menées par le Premier ministre Jean Chrétien en faveur de mon élection et me propose de lui téléphoner pour l'en remercier.

Libreville, mardi 7 octobre 1997

Mon entretien avec le président Bongo se déroule dans un climat franc et amical.

« Monsieur le Président, vous m'avez aidé pour mon élection au poste de secrétaire général des Nations unies, en 1991. Je sollicite, aujourd'hui, votre appui pour mon élection au poste de secrétaire général de la Francophonie. »

Omar Bongo m'écoute dans un parfait silence, puis me fait remarquer :

« Vous n'avez nommé aucun Gabonais durant votre mandat aux Nations unies.

– J'ai nommé une dizaine d'Africains aux plus hauts postes de responsabilité.

– Les Africains, c'est une chose, les Gabonais, c'en est une autre ! »

La conversation glisse fort à propos sur la crise congolaise. Omar Bongo me fait part de la médiation qu'il mène entre Pascal Lissouba et Denis Sassou-Nguesso.

Je quitte Libreville à 23 heures, non sans avoir recommandé aux ambassadeurs arabes en poste dans la capitale gabonaise de bien vouloir prendre sous leur aile notre ambassadrice et de la considérer un peu comme leur fille.

J'ai toujours pensé qu'il fallait ouvrir largement les postes de responsabilité aux femmes dans tous les secteurs d'activité, ne serait-ce que parce que j'ai la conviction que l'émancipation de la femme égyptienne peut constituer le meilleur des remparts contre l'intégrisme islamique. Lorsque j'ai commencé ma carrière dans le département des sciences politiques de l'université du Caire, en 1949, il n'y avait aucune femme dans le corps enseignant. Lorsque j'ai quitté mon poste, en 1977, elles étaient devenues majoritaires. J'ai poursuivi cette politique au ministère des Affaires étrangères, et plus tard aux Nations unies.

Libreville-Paris, mercredi 8 octobre 1997

J'arrive le matin, à Paris, exténué.

(En fin d'après-midi...) Rencontre avec Bernard Pivot au bar du Plaza-Athénée. Le temps ne semble avoir aucune prise sur ce lieu que j'affectionne particulièrement. Cette permanence me procure un sentiment de sécurité. J'ai l'illusion que cette parenthèse dans le temps s'applique à moi-même et que le poids des années se fait tout à coup moins lourd.

Ce rendez-vous est destiné à préparer ma participation à l'émission *Bouillon de culture*. J'y présenterai mon livre, *Le Chemin de Jérusalem*, et Youssef Chahine son dernier film, *Le Destin*.

On m'a laissé entendre que Bernard Pivot, grand spécialiste de la littérature, goûtait moins le débat politique. L'entrevue est fort agréable. Bernard Pivot a la curiosité d'un enfant précoce et la modestie d'un adolescent assagi.

Paris, jeudi 9 octobre 1997

J'assiste seul à la projection du film de Youssef Chahine. Je suis ému aux larmes. Transposition cinématographique du combat entre les forces du progrès et le fondamentalisme musulman, entre l'amour de la vie et l'obscurantisme. À ces fous de Dieu qui veulent voir dans l'islam intégriste le remède à tous les maux, les héros de Chahine répondent par la musique, la chanson, la danse : la joie de vivre. La musique, la chanson, la danse repoussent l'obscurantisme aux frontières de son territoire : les ténèbres.

Paris, vendredi 10 octobre 1997

Passage à *Bouillon de culture* avec Youssef Chahine. Autant son film m'a bouleversé, autant sa prestation ce soir me déçoit. Il a choisi de forcer le trait. Il joue les provocateurs, le militant de gauche révolté, et s'en prend à plusieurs reprises au gouvernement égyptien. Lorsque nous nous sommes retrouvés, avant l'émission, je l'ai senti très nerveux. Il craignait que sa surdité ne lui joue de mauvais tours. Sitôt le débat commencé, je l'ai vu s'animer jusqu'à l'exaltation. Je me garde bien d'entrer dans son jeu. J'évite soigneusement la confrontation à laquelle il semble vouloir m'amener. Je joue, moi aussi, un rôle, celui du vieux septuagénaire qui supporte avec un sourire patient –, « diplomatique », dira Pivot – les pitreries du jeune étudiant dissipé, rôle qu'affectionne Youssef Chahine et que je lui envie. Il peut, lui, se permettre de critiquer le gouvernement égyptien. Le devoir de réserve me l'interdit.

Paris, samedi 11 octobre 1997

Conversation avec le président du Sénégal, Abdou Diouf et, un peu plus tard, avec le Premier ministre du Canada, Jean Chrétien. Tous deux soutiennent ma candidature à la Francophonie.

Paris, mardi 14 octobre 1997

Table ronde sur TF1 avec l'ambassadeur d'Israël, Avi Pazner, le grand rabbin de France Joseph Sitruk, et l'ambassadrice de Palestine, la brillante et séduisante Leïla Chahid. De nous trois, je suis le plus véhément. J'ai du mal à contenir mon émotion lorsqu'on aborde la question palestinienne. Je perds la retenue que l'on attend d'un participant à ce genre de débat. Plus de devoir de réserve qui tienne !

Deux millions de réfugiés condamnés à croupir dans des tentes depuis deux ou trois générations ! Un nettoyage ethnique que l'on reproche aujourd'hui aux Serbes ou aux Croates, mais passé sous silence lorsqu'il est commis par les Israéliens ! Des dizaines de villages entièrement rasés ! Le tout dans l'indifférence générale, pour ne pas dire avec la complicité de la communauté internationale. Comment ne pas être révolté ?

L'admirable ambassadrice de Palestine, tout comme le grand rabbin, sont très calmes, et abordent le problème avec une parfaite sérénité. Et pourtant, ce sont eux les plus concernés.

Paris, jeudi 16 octobre 1997

Réception au Bristol donnée par Jean-Luc Lagardère pour fêter la sortie de mon livre *Le Chemin de Jérusalem.* Claude Durand lit un très beau discours :

« Grâces soient finalement rendues à ceux qui nous ont fait, sans le vouloir peut-être, le cadeau de pouvoir vous compter parmi nous, ici, en France, donc chez vous comme vous l'êtes et le serez toujours partout où les mots de liberté et de culture se disent comme je viens de les prononcer… »

Pris de court, j'improvise une réponse bien faible dont le seul mérite sera d'être vite oubliée.

Paris-Le Caire, vendredi 24 octobre 1997

Les rues du Caire sont désertes, mais elles me sont si familières que j'ai l'impression de n'être jamais parti et de ne vivre, à Paris, qu'en illusion.

Le Caire, lundi 27 octobre 1997

Le président Hosni Moubarak est tellement convaincu de mon élection que nous n'abordons que très brièvement le sujet lors de notre entrevue de ce matin. Il me parle, en revanche, longuement de la crise palestinienne et du rôle néfaste de Netanyahu.

(Dans l'après-midi...) Suite du tournage commencé à Tokyo pour la Japan Broadcasting Corporation, avec le grand reporter Hatsuhisa Takashima venu me filmer à mon domicile et dans la Boutrossiya, l'église élevée à la mémoire de mon grand-père.

Le Caire, mardi 28 octobre 1997

Je retrouve Robert Solé, en compagnie d'un groupe de lecteurs du *Monde,* en visite organisée en Égypte. Il m'a demandé de donner une conférence sur la politique étrangère de l'Égypte, suivie d'un débat. Le lieu est pour le moins inhabituel, mais fort agréable, puisque nous sommes réunis dans un des grands salons du *Pacha,* un bateau-restaurant amarré aux berges du Nil.

Le Caire, jeudi 30 octobre 1997

Entretien avec le Premier ministre Kamal el-Ganzouri, un homme complexé, enclin à monopoliser toutes les activités du pays. Il n'est pas dans les meilleurs termes avec mon neveu Youssef. J'étais convenu avec ce dernier qu'il nous rejoindrait pendant l'entretien et que je tenterais d'améliorer leurs relations. Je ne suis pas persuadé que cette rencontre tripartite ait fait évoluer sa situation.

Le Caire, samedi 1er novembre 1997

Le cheikh d'Al-Azhar, la plus haute autorité musulmane en Égypte et le chef spirituel d'une des plus anciennes universités musulmanes, me reçoit chez lui. Il habite un petit appartement modeste, au cinquième étage d'un immeuble sans ascenseur. J'entreprends, avec mon ami Aly Samane, l'ascension d'un escalier étroit et mal éclairé. J'arrive à destination, essoufflé, pour recevoir la bénédiction du cheikh et écouter ses louanges.

Le Caire, dimanche 2 novembre 1997

Je rencontre le fils du premier président du Ghana après l'indépendance de 1957, Kwame Nkrumah. Il est journaliste à l'*Ahram Weekly*, hebdomadaire publié en anglais par *Al-Ahram*. Sa mère est égyptienne. Il semble que ce soit le marabout de Nkrumah qui ait suggéré à son père de se marier avec une Égyptienne. Le président Nasser avait lui-même béni ce projet d'union et rencontré la future épouse avant son départ pour Accra.

J'avais rencontré Madame Nkrumah à Accra, lors d'une visite officielle au Ghana. Elle était fort mécontente du traitement que lui réservait le gouvernement de Jerry Rawlings, qui lui allouait une allocation insuffisante. Elle avait, par ailleurs, reçu du président Nasser une villa sur le Nil, dans la banlieue de

Meadi, mais n'était en possession d'aucun document susceptible de le prouver.

Je me garde bien de poser trop de questions à son fils, de peur de raviver de vieux griefs. Je me contente de lui demander des nouvelles de la santé de sa mère.

(Un peu plus tard...) Débat, dans l'un des amphithéâtres d'*Al-Ahram*, avec les lecteurs du *Chemin de Jérusalem* qui a remporté un grand succès en Égypte et dans le monde arabe.

J'essuie les critiques d'un général me reprochant d'avoir écrit que le président Sadate avait choisi le monde occidental. Il incrimine ma culture française, responsable, selon lui, de cette vision tronquée de la réalité. Je lui oppose son ignorance de l'existence de toute une fraction de l'intelligentsia égyptienne qui œuvre en faveur d'une ouverture sur le monde occidental depuis des décennies. Je lui rappelle les propos du khédive Ismaïl : « Mon rêve est que l'Égypte fasse partie un jour de l'Europe. » Je cite, enfin, les grands écrivains Taha Hussein, Kassem Amin, Mohamed Hussein Heykal, Salama Moussa, Tawfik Hakim, Hussein Fawzy, pour qui l'avenir de la culture égyptienne passait par l'ouverture sur l'Occident.

Peine perdue. Mon général campe sur ses positions.

Le Caire, lundi 3 novembre 1997

Conversation à bâtons rompus avec un groupe d'intellectuels musulmans libéraux.

« Le monde arabe musulman est en crise et nos gouvernements sont dépassés, me disent-ils. Les fondamentalistes se montrent encore plus violents à l'égard des musulmans libéraux que des non-musulmans [les coptes]. Ils les qualifient d'apostats, de blasphémateurs. Il n'est que de voir, s'indigne un de mes interlocuteurs, la fatwa lancée par Khomeiny contre Salman Rushdie, l'assassinat, à Héliopolis, du penseur libéral Farag Foda, la tentative d'assassinat du Prix Nobel Naguib Mahfouz, ou encore le divorce forcé de Nasr Abou Zeid, cet universitaire frappé d'hérésie, qui a été obligé de s'expatrier pour sauver son mariage. L'islam libéral, l'islam modéré est en danger. »

« Assassinats, actes de violence et d'intolérance, inégalités entre les classes sociales, asservissement des femmes : autant de crises larvées qui minent notre société et l'empêchent d'entrer dans la modernité, poursuit un autre. Nos gouvernements sont trop faibles. Ils refusent d'aborder le fond du problème, ils sont incapables d'un discours politique en faveur d'une réforme et d'une modernisation de l'islam. Il existe pourtant une pensée réformatrice, depuis plus de cent ans. Il n'est que de voir les écrits de Mohamed Abdou et d'Ali Abdel Razek dès le début du XXe siècle, ou ceux de Farag Foda quelque cinquante ans plus tard. Que les fondamentalistes rejettent cette pensée n'a rien d'étonnant, mais que les pouvoirs en place ne la soutiennent pas est révoltant. Ceux qui nous gouvernent prétendent à la modernité sur le plan économique, mais s'en remettent à la vision des fondamentalistes sur le plan social. Ils procèdent certes à l'arrestation des intégristes militants, mais laissent se propager, dans le même temps, les symboles les plus voyants de l'intégrisme, avec l'illusion de le maîtriser. Cette contradiction permanente entre modernité et intégrisme est la cause de notre retard. Nous vivons une régression notoire de l'indépendance de notre droit national, inspiré du Code Napoléon – symbole du modernisme –, qui est de plus en plus menacée par la charia. »

La discussion s'est poursuivie très tard dans la soirée. J'ai remarqué que la plupart de nos beaux parleurs ne buvaient plus d'alcool. Il semblerait que même les libéraux aient été contaminés par l'intégrisme et qu'ils aient fait allégeance à ses symboles !

Le Caire, mardi 4 novembre 1997

À l'invitation d'Adel Kamel, mon avocat, je me rends dans les locaux de la Société El-Tewfick, dont il est le président. Cette association caritative, créée par mon grand-père maternel, a des activités très diversifiées : interventions dans les écoles, œuvres de bienfaisance, mais aussi un secteur de pompes funèbres.

Le mot « décadence » s'impose, ici, dans toute la richesse de ses acceptions : moyenne d'âge élevée des membres du conseil d'administration, bâtiments vétustes, murs décrépis. La poussière et les années, sous le regard sévère de mon grand-père dont le portrait orne tout un pan de mur, ont eu raison de cette honorable institution.

Adel Kamel doit lire dans mes pensées :

« J'essaie de rénover tout cela, mais c'est très difficile. Il y a cent ans, cette institution avait sa raison d'être, aujourd'hui elle est totalement dépassée. Et puis il y a les conflits entre les vieux administrateurs, sans compter nos difficultés avec le gouvernement égyptien. La nouvelle génération des notables coptes a perdu tout intérêt pour les œuvres caritatives. Mais nous n'avons pas, pour autant, de problèmes financiers. Les pompes funèbres nous assurent un revenu constant et confortable. En tout cas, nous attendons avec impatience votre retour pour que vous preniez les choses en main. »

Cette idée me terrorise :

« C'est un archéologue qu'il vous faut, pas un administrateur », lui dis-je à voix basse.

Adel Kamel, imperturbable, déclare devant l'assemblée :

« Le Dr Boutros-Ghali me disait toute son admiration pour notre vénérable institution. Je l'invite, maintenant, à signer notre livre d'or. Et je vous propose de le nommer président d'honneur de notre société. »

Alexandrie, mercredi 5 novembre 1997

Départ pour Alexandrie avec Ahmed Kochery, le président de l'Université Senghor. Nous convions le gouverneur d'Alexandrie à visiter l'université, installée au quatrième étage d'un immeuble moderne, la tour du Coton. Les jours se suivent et ne se ressemblent pas. Hier, au Caire, la décadence, aujourd'hui, à Alexandrie, la modernité. Des locaux clairs, fonctionnels, des ordinateurs partout, et une vue panoramique sur la baie du petit port. Le buste de Léopold Sédar Senghor trône majestueusement dans le bureau du recteur. Le gouverneur repart satisfait de sa visite. Je déjeune à la cafétéria avec les étudiants avant de reprendre le chemin du Caire. Nous empruntons la « route du désert », un nom désormais bien étrange. Tout n'est que verdure des deux côtés de la chaussée.

Paris, lundi 10 novembre 1997

Jacques Chirac est optimiste. Nous faisons ensemble le point de la situation, à quelques jours du sommet de Hanoï. Il m'informe des contacts qu'il a pris. « Tout devrait bien se passer », me dit-il.

Paris-Hanoï, mercredi 12 novembre 1997

Dans l'avion pour Hanoï, je retrouve le président de la Côte-d'Ivoire Henri Konan Bédié, auquel je présente mes respects. Je ne suis pour l'instant que le chef de la délégation égyptienne, et représente à ce titre le président Hosni Moubarak, qui n'assistera pas au sommet.

Hanoï, vendredi 14 novembre 1997

J'ai soixante-quinze ans aujourd'hui. Coup de téléphone depuis Tel-Aviv de Sylvana Foe, qui a été mon porte-parole à l'ONU et s'est livrée à une lutte acharnée contre le porte-parole de Madeleine Albright, un certain James P. Rubin.

Tandis qu'elle me parle, me revient à l'esprit la promesse d'une réception que l'on devait organiser à l'ONU pour mes soixante-quinze ans, à l'issue de l'année de prolongation que l'administration américaine avait prévu de m'octroyer en guise de pourboire. « Et vous serez reçu à la Maison-Blanche », avait ajouté Warren Christopher, des trémolos dans la voix.

Grand dîner, ce soir, à Hanoï. Pas moins d'une centaine de convives à la table. À mes côtés, le ministre des Affaires étrangères du Rwanda qui m'annonce que son pays soutient ma candidature. Aurais-je cessé d'être le complice passif des « génocidaires » ?

Hanoï, samedi 15 novembre 1997

Séance solennelle d'ouverture du VIIe sommet des chefs d'État et de gouvernement. Nous avons pris place sur un podium. Je taquine mon voisin, le Premier ministre du Cambodge Samdech Hun Sen, assis à côté de l'autre Premier ministre du Cambodge, le prince Norodom Ranariddh, formule politique originale adoptée dans un souci de compromis.

« Vous êtes le seul pays à avoir deux sièges. C'est incompatible avec le principe d'égalité des États. »

Hun Sen me fait remarquer que la présence de deux anciens secrétaires généraux des Nations unies compense la double représentation du Cambodge. C'est en effet Pérez de Cuéllar qui prendra la parole au nom des Nations unies, Kofi Annan ne s'étant pas déplacé.

La première journée de la conférence se termine vers 19 heures. Je regagne ma chambre où je suis assailli de coups de téléphone de la presse internationale, qui veut recueillir les premières impressions du futur secrétaire général de la Francophonie.

Ma synovite a repris de plus belle et j'ai le genou enflé comme un melon. Je me déplace avec peine. J'espère que je parviendrai à sauver les apparences lors de mon investiture, demain.

Hanoï, dimanche 16 novembre 1997

L'ordre alphabétique qui préside au placement des chefs d'État et de gouvernement autour de la table de la conférence fait que l'Égypte siège toujours au côté de la France. Lors du sommet de Québec, en 1987, j'étais près de François Mitterrand qui, m'observant avec curiosité, avait fini par me demander :

« Quel âge avez-vous ?

– Soixante-cinq ans.

– Je n'ai que cinq de plus que vous et j'ai l'air d'être votre père. »

Dix ans ont passé, et pourtant je me sens plus jeune qu'à Québec. Est-ce la présence à mon côté de Jacques Chirac qui éclate d'énergie ? Il se penche vers moi et me souffle : « Ton affaire est définitivement réglée. »

Au même moment, l'ambassadeur Samir Safouat, assis derrière moi, m'explique discrètement que je dois quitter la salle parce que les chefs d'État et de gouvernement vont maintenant procéder à l'élection du secrétaire général.

Est-ce l'émotion ou un malheureux concours de circonstances ? Toujours est-il que ma jambe me fait tellement souffrir qu'il me faut déployer des efforts surhumains pour me mettre debout. Il est clair pour tout le monde que j'ai du mal à me déplacer et deux officiers vietnamiens sont obligés de me soutenir pour que je quitte la salle. Les commentaires doivent aller bon train. « Il a soixante-quinze ans, il est perclus de rhumatismes, et il s'accroche encore au pouvoir... »

Je m'assois dans le hall, sous le regard compatissant des deux officiers. La sueur perle à mon front. Quelques instants plus tard, des applaudissements nourris me parviennent de la salle. Je viens d'être élu à l'unanimité.

Il va falloir refaire le chemin en sens inverse. J'évite, autant que possible, de boiter. Et les mauvaises langues diront que mon élection a guéri comme par miracle ma crise de synovite.

Je lis le discours préparé à Paris. Puis je demande à Jacques Chirac de consulter son médecin personnel, qui me prescrit des comprimés et une pommade anti-inflammatoire, et me conseille vivement d'aller voir un spécialiste dès mon retour à Paris.

Ce n'est pas fini. Il est prévu que je donne une conférence de presse et que je préside le Conseil permanent de la Francophonie, qui doit nommer l'unique candidat au poste d'administrateur général de l'Agence intergouvernementale de la Francophonie, un Belge, Roger Dehaybe.

Il était venu me voir au Caire, en 1989, afin que l'Égypte soutienne sa candidature au poste de secrétaire général de l'Agence de coopération culturelle et technique à un moment où chacune des institutions de la Francophonie vivait en parfaite autonomie. J'avais également reçu le candidat du Canada-Québec, Jean-Louis Roy. Je m'étais informé auprès du conseiller chargé du dossier de la Francophonie pour savoir qui, de la Communauté française de Belgique ou du Québec, versait la plus forte contribution. Le Québec. Par ailleurs Jean-Louis Roy m'avait fait plus forte impression que Roger Dehaybe. J'avais donc donné instruction pour que l'Égypte votât en faveur du candidat québécois, qui fut élu en 1989.

Je suis dans l'incapacité physique d'assister à la conférence de presse, ce qui sera interprété dans *Le Figaro* et *Le Monde* comme une manifestation de mauvaise humeur de ma part, « l'Afrique ayant montré peu d'enthousiasme pour mon élection ».

Lorsque je m'en entretiendrai plus tard avec Franz-Olivier Giesbert et Robert Solé, tous deux me fourniront la même explication. « Les journalistes vous ont attendu, vous n'êtes pas venu, et vous ne vous êtes pas même excusé. » Avant d'ajouter : « Mais c'est déjà oublié… »

Hanoï-Paris, lundi 17 novembre 1997

Départ pour Paris. Pendant l'escale à Bangkok, j'apprends l'assassinat de touristes suisses et japonais à Louxor. Je suis anéanti. Toutes les satisfactions que le destin m'a si généreusement octroyées ces derniers jours s'évanouissent d'un coup.

Je ressens au plus profond de moi le désarroi de mon pays. L'Égypte ne sera jamais un nouvel Iran ou une nouvelle Algérie. De cela je suis sûr. Mais c'est tout un pan de l'économie égyptienne qui s'effondre aujourd'hui. En effet, le tourisme rapporte plus d'un milliard de dollars par an. Il faudra attendre de longs mois avant que s'amorce une reprise.

Mon frère Raouf, à la tête d'une grande agence touristique, devra désarmer l'un de ses bateaux sur le Nil pour éviter de sérieux problèmes financiers. C'est devenu une triste habitude. Entre la guerre du Golfe et le terrorisme des intégristes, le tourisme égyptien paie régulièrement un lourd tribut.

Paris, mercredi 19 novembre 1997

C'est aujourd'hui le vingtième anniversaire de la visite du président Sadate à Jérusalem, l'événement le plus important de ma carrière politique et diplomatique.

Aujourd'hui, je veux me recueillir et prier pour Sadate, assassiné par un fanatique, tout comme mon grand-père en 1910. Sadate, tel Moïse, n'aura jamais vu la Terre promise. Il est mort avant la restitution du Sinaï, cette terre sacrée que tant de soldats égyptiens ont défendue au prix de leur vie.

J'ai fait la connaissance d'Anouar el-Sadate dans les années cinquante, lors d'une émission de radio à l'occasion de la Journée des Nations unies. Il était alors considéré par ses pairs comme la cinquième roue du carrosse. Et la bonne société cairote aimait à railler le paysan Anouar, celui que l'on surnommait ironiquement l'« âne noir » dans les salons lambrissés. On lui reprochait sa versatilité, son opportunisme : tantôt frère musulman, tantôt franc-maçon, tantôt pronazi. Il était pourtant, au sein de la junte militaire qui avait fomenté le coup d'État de juillet 1952, l'officier le plus cultivé. Celui qui aimait à s'entourer d'artistes, d'intellectuels, de journalistes.

Ce n'est qu'après sa visite à Jérusalem, en novembre 1977, qu'il s'est révélé aux yeux de tous tel qu'en lui-même. Un homme nouveau était né, une nouvelle étoile. Il a suivi, sans l'ombre d'un doute, sans l'ombre d'une hésitation, l'objectif qu'il s'était assigné : signer la paix avec Israël.

Un leader digne de ce nom, un homme d'État convaincu du bien-fondé de ses actions et peu soucieux de plaire à la multitude, refuse la dictature de l'opinion publique et sait passer outre aux hésitations de ses proches conseillers. Je dois reconnaître que j'appartenais à ce groupe de « prudents » qui craignaient que l'initiative du président Sadate n'échoue et qui pensaient discrètement à des solutions de repli. Mais la différence entre le politicien et l'homme d'État, c'est que le premier pense à la prochaine élection, le second à la prochaine génération.

En fait, hormis la horde des flatteurs qui l'entouraient tel un chœur de tragédie grecque, Sadate a mené son combat dans une rare solitude, honni par les mondes arabe et musulman qui lui reprochaient sa trahison, abandonné par l'Europe, condamné par l'Union soviétique. Les États-Unis eux-mêmes hésitèrent à intervenir jusqu'à la première réunion de Camp David en septembre 1977. C'est d'ailleurs à cela que l'on reconnaît un homme libre : au fait qu'il est attaqué simultanément par ses amis et ses ennemis.

J'ai assisté à ses colères : il élevait alors la voix, donnant l'impression de s'adresser à un immense auditoire. J'ai également assisté à ses moments de satisfaction : il vous félicitait alors, répétant à l'envi « Bravo, bravo… ».

Sadate était seul. Mais, à aucun moment, il n'a donné l'impression de vouloir battre en retraite ou de changer de cap, bien que le monde arabo-msusulman ait attendu avec ferveur ce revirement – le retour de l'enfant prodigue. Comme s'il puisait dans la retraite de sa solitude la force de sa détermination et l'évidence de sa certitude. Certitude qu'il obtiendrait le retrait des Israéliens de tous les territoires égyptiens. Certitude qu'il obtiendrait, dans une seconde étape, le retrait des Israéliens des territoires palestiniens occupés.

Sadate, parce qu'il admirait la civilisation occidentale, parce qu'il l'aimait et qu'il avait compris, comme les penseurs de la Nahda au début du XXe siècle, que l'avenir de l'Égypte passait par un partenariat avec l'Occident, a su conquérir l'amour des peuples occidentaux. Il avait un faible pour les artistes américains et européens, pour les écrivains, pour les représentants de la vieille aristocratie. Malgré sa passion pour les pays du dehors – *Bilad Barra* –, il restait foncièrement le fils d'un petit fonctionnaire égyptien, fier de ses origines, de son village, Mit Abou el-Kom. Il aimait porter la gallabeya du paysan, autant qu'il appréciait les costumes des grands tailleurs et les chemises à col blanc amidonné, prouvant ainsi qu'il avait réussi cette alchimie délicate entre monde islamique et monde occidental.

Vingt ans se sont écoulés : l'histoire retiendra cette visite exceptionnelle comme l'un des grands moments du XXe siècle.

Paris, vendredi 21 novembre 1997

Émission télévisée avec Hamdy Kandil. Je m'adresse au monde arabe pour expliquer ce qu'est la Francophonie, comment elle fonctionne, quels sont ses objectifs. Parler de la Francophonie en arabe : première entorse à la tradition qui veut que l'on ne parle de la Francophonie qu'en français.

Paris, vendredi 12 décembre 1997

J'accorde un long entretien à Volkhard Windfuhr, correspondant du *Spiegel* dans le monde arabe. L'interview, qui porte sur la Francophonie, se fait en arabe et sera traduite en allemand. Une opération plurilinguistique : c'est cela même que j'entends lorsque j'affirme que la Francophonie a pour vocation de défendre le plurilinguisme. Faire connaître la Francophonie auprès des non-francophones, c'est une manière détournée de capter l'intérêt des francophones. Il suffit souvent que d'autres apprécient ce que l'on possède, et qui nous laisse indifférents parce que terriblement naturel, pour que l'on porte soudain un regard différent sur ce que nous possédons.

Paris, vendredi 19 décembre 1997

Le président Denis Sassou-Nguesso, de passage à Paris, me reçoit au Crillon. Je trouve un homme amaigri et terriblement las. Je dois avouer que je suis distrait par la rénovation des chambres de ce palace que j'ai hanté pendant plus de vingt ans. Je suis avec difficulté les propos du président congolais.

Il souhaiterait que la Francophonie participe à la reconstruction de Brazzaville.

Quiberon, 21 décembre 1997-début janvier 1998

Nous passerons Noël et le Nouvel An à Quiberon. Ambiance soporifique et médicalisée. Il y a quelques compensations : la lecture et la correction du manuscrit sur les Nations unies, les longues marches sur la presqu'île lorsque le soleil parvient à percer les nuages, et la présence d'un groupe d'amis venus partager le régime que nous nous sommes imposé.

1998

Dakar, jeudi 15 janvier 1998

Le président Abdou Diouf est le premier chef d'État africain que j'ai souhaité rencontrer depuis mon élection à Hanoï. Un hommage indirect à Léopold Sédar Senghor, l'un des bâtisseurs de la Francophonie. Je le remercie pour le soutien qu'il m'a apporté à plusieurs occasions : de la création de l'Interafricaine des partis politiques jusqu'à mon élection à la Francophonie, en passant par la création de l'Université Senghor d'Alexandrie. Le président aborde un dossier qui a dominé mon action politique : l'intégrisme musulman. Dans un autre ordre d'idées, il m'annonce qu'il participera au sommet du G15, en mai, au Caire.

Conférence sur la Francophonie à l'université de Dakar. Dans le débat qui suit, les étudiants laissent éclater leur mécontentement.

« Nous avons les plus grandes difficultés à obtenir un visa pour la France. »

« Francophonie égale néocolonialisme. »

Décidément, la Francophonie n'est pas très populaire auprès de la jeunesse sénégalaise.

(Un peu plus tard dans la soirée...) Le ministre des Affaires étrangères, Moustapha Niasse, un ami de vingt ans, revient sur ce malaise étudiant dont j'ai été le témoin, sur la frustration de ces jeunes qui, leur diplôme en poche, ne parviennent pas à trouver d'emploi. Le professeur égyptien Samir Amin, qui a enseigné à Dakar, m'avait depuis longtemps alerté sur l'effondrement des universités africaines.

Dakar, vendredi 16 janvier 1998

Visite des locaux de l'Agence universitaire de la Francophonie en compagnie de Christian Valantin, le représentant personnel du chef de l'État. C'est un autre monde : air conditionné, Internet, et un petit groupe de chercheurs à l'œuvre. Une fenêtre ouverte sur la technologie moderne.

Dîner avec l'ambassadeur d'Égypte Mohamed Dagash, qui vient d'apprendre sa nomination à Buenos Aires. C'est une promotion à laquelle il ne s'attendait pas. Il est ravi. Chaque ministère des Affaires étrangères a son propre palmarès des capitales étrangères. En Égypte, Dakar a toujours été considérée comme la capitale africaine par excellence. Être nommé ambassadeur d'Égypte à Dakar est donc perçu comme une promotion devant logiquement en appeler une autre. En revanche, Khartoum ou Addis-Abeba, qui sont pourtant des postes infiniment plus importants d'un point de vue stratégique et politique pour l'Égypte, sont presque considérés par nos diplomates comme une rétrogradation.

Bissau, samedi 17 janvier 1998

Bissau, ancienne colonie portugaise, est en pleine décrépitude. Et la misère, omniprésente, devient plus pesante encore que l'humidité qui plombe le pays.

Entretien avec le chef de l'État, Nino Vieira. Je l'avais reçu au Caire, quelques années auparavant, le président Moubarak m'ayant chargé de l'accompagner durant sa visite officielle.

Nous évoquons les raisons qui ont poussé son pays à adhérer à la Francophonie. La Guinée-Bissau est encadrée par deux États francophones, le Sénégal et la Guinée. L'entrée de Bissau dans la zone franc, en 1997, avait pour objectif de faciliter les rapports commerciaux avec ses deux grands voisins. Cette main tendue à la Francophonie n'a pas été du goût des Portugais. Le président Mário Soares le lui aurait d'ailleurs vivement reproché.

L'ambassadeur d'Égypte m'invite dans sa modeste résidence, une minuscule villa sur la grand-place. Il est célibataire et constitue en cela une exception à la règle édictée par le président Moubarak, qui exige que les chefs de mission soient mariés.

« Ça m'a valu d'être nommé à Bissau, car il est difficile de trouver un diplomate qui veuille terminer sa carrière ici, me dit-il avec une tristesse résignée.

– Mariez-vous, il n'est jamais trop tard... »

Je sens qu'il est temps de changer de conversation.

« Quelle est la situation des rebelles casamançais ? Ils reçoivent toujours des armes de la Guinée-Bissau ?

– La Casamance, province excentrée du Sénégal, me dit l'ambassadeur, est peuplée de Diolas chrétiens et de Mandingues musulmans que l'on retrouve en Guinée-Bissau, ce qui offre une base de repli aux rebelles. La rébellion, déclenchée en 1982, a fait de nombreux morts. Et la prolifération de trafics en tous genres – armes, drogue, diamants – a plongé la province dans une totale insécurité.

– Il y a deux semaines, le président Vieira a démis le général Ansumane Mané de ses fonctions en l'accusant de trafic d'armes. La rumeur laisse entendre que ce serait sous la pression de Dakar. Pensez-vous que cela puisse déstabiliser le pays ? »

L'ambassadeur paraît confiant :

« Le président Vieira a l'appui de Dakar et de Paris. Vous l'avez rencontré ce matin. Il est fort. Il maîtrise la situation... »

Il n'en demeure pas moins que les rapports que j'ai lus semblent contredire cette analyse.

Mes inquiétudes ne sont pas partagées par les ambassadeurs avec lesquels je dîne, ce soir. Tout le monde est optimiste. Le pétrole off-shore va sauver le pays, en dépit du chapelet de conflits qui secouent les territoires voisins, le Libéria, la Sierra Leone, la Casamance.

Paris, mercredi 21 janvier 1998

Réunion du Conseil de coopération, où se retrouvent les responsables de l'Agence intergouvernementale, de l'Agence universitaire, de l'Université Senghor d'Alexandrie, de l'Association des maires francophones et de TV5.

On est en plein Moyen Age. Les seigneurs féodaux, qui se livrent une guerre feutrée et défendent jalousement leur parcelle de pouvoir, sont plus forts que le roi qui vient d'être couronné à Hanoï.

Je prends conscience qu'il sera très difficile de créer une synergie entre ces différents opérateurs, qui ont chacun leur spécificité, leur histoire et des intérêts propres. Mais si l'on parvient à dégager quelques projets communs, on pourra peut-être espérer les amener à travailler ensemble. C'est exactement ce que j'ai essayé de faire entre l'ONU et les agences spécialisées, notamment dans la préparation et le suivi des grandes conférences de Rio, de Vienne, du Caire, de Copenhague et de Beijing.

Dîner chez Michel Rocard. Dégustation de différents whiskies de fabrication artisanale. Chacun de ces alcools a été soigneusement localisé sur la carte de l'Écosse qu'il nous présente. Sont présents le ministre de la Défense Alain Richard et son épouse, le conseiller du roi du Maroc André Azoulay, également accompagné de son épouse, et Jacques Attali.

Conversation animée qui porte, en grande partie, sur le conflit arabo-israélien, qui profite heureusement de l'intérêt et de l'appui de l'opinion internationale. Malheur à ces conflits orphelins qui déchirent l'Angola, la Sierra Leone, le Libéria ou la Casamance dans la plus parfaite indifférence. On aborde le génocide du Rwanda, mais rétrospectivement, pour ainsi dire comme un cas d'école...

Paris, vendredi 30 janvier 1998

Charlie Hill est à Paris pour deux jours. Il m'a apporté la dernière mouture du manuscrit. Trente heures durant, nous allons travailler sur son texte. Cette boulimie de travail m'épuise, mais me laisse dans un état d'apaisement total. C'est une sensation difficile à décrire. Par analogie, l'état qui s'en rapproche le plus est cet assouvissement mêlé de fatigue que l'on éprouve après un exercice physique violent.

Paris, lundi 2 février 1998

Il faut commencer à préparer les manifestations pour la Journée internationale de la Francophonie, qui aura lieu le 20 mars. J'ai envie d'innover. Je suis bien décidé à échapper à la cérémonie ronflante à l'Hôtel de Ville ou au cocktail entre initiés.

J'aimerais inviter, à Paris, les secrétaires généraux des organisations internationales et régionales, notamment du Commonwealth. Ils pourraient prendre la parole au cours d'une courte cérémonie officielle avant que nous nous retrouvions en séance de travail, où nous envisagerions les moyens de tisser des liens de coopération entre la Francophonie et leurs différentes institutions.

J'y vois plusieurs avantages. Ce serait, d'abord, l'occasion de faire mieux connaître la Francophonie nouvelle, « version Hanoï », de la faire entrer dans la famille des organisations internationales, d'envisager de manière très concrète des projets communs de coopération. Sans compter qu'on en finirait, peut-être, avec cette idée aussi fausse que répandue d'une Francophonie partie en guerre contre l'anglophonie. Enterrer définitivement Fachoda.

Paris, mardi 3 février 1998

Dîner chez Bernard Kouchner et Christine Ockrent, rue Guynemer, en compagnie de Jean-Marie Colombani et de Jean-Maurice Ripert, conseiller politique du Premier ministre Lionel Jospin, accompagné de son épouse. J'avais collaboré avec le père de ce dernier, Jean Ripert, pour la préparation de la conférence de Rio, en 1992.

Bernard Kouchner m'avait reproché, quelques années auparavant, lorsque j'étais à l'ONU, d'avoir fait courir le bruit qu'il était « une fusée non téléguidée ». Ce sont effectivement les propos que j'avais tenus, lors d'une réunion de travail, en réponse à la proposition de l'un de mes collaborateurs, qui avait avancé son nom pour une mission ponctuelle. « Je ne tiens qu'à être guidé par le système onusien », m'avait rétorqué Bernard Kouchner.

Ce soir, nous en rions. L'amitié durable, fort heureusement, ne s'encombre jamais du superflu.

Christine Ockrent est une charmante hôtesse pleine d'attentions et de gentillesse pour ses invités. Elle est encore plus séduisante dans la vie privée qu'à la télévision.

Paris, jeudi 5 février 1998

Session du Conseil permanent de la Francophonie, qui réunit les représentants personnels des chefs d'État et de gouvernement. On distribue force documents. Les fonctionnaires de l'Agence s'agitent en tous sens. C'est leur moment de gloire. J'écoute et résume, de temps à autre, ce qui vient d'être dit. La séance se termine tard dans l'après-midi. Les discussions me rappellent beaucoup plus l'ambiance de l'Organisation de l'unité africaine, à Addis-Abeba, que celle de l'ONU à New York ou à Genève.

J'ai l'habitude, pendant ces réunions, de critiquer les différentes interventions et de leur attribuer des notes. Pour les plus mauvaises d'entre elles, j'écris mes remarques en arabe, au cas où mon papier viendrait à tomber entre des mains indiscrètes. Il ne faudrait pas humilier les dignes représentants des États, qui pour certains sont affligeants.

Paris, lundi 9 février 1998

Le Premier ministre Lionel Jospin a convié les représentants des chefs d'État et de gouvernement de la Francophonie à déjeuner à Matignon. C'est une première, me souffle-t-on, qui témoigne du soutien que la France entend apporter à la Francophonie nouvelle. Je suis assis à côté d'Hubert Védrine. C'est un homme de bonne compagnie, caustique, vif, clair dans ses analyses et doué d'une rare capacité de synthèse. Nous avons le temps de parler de l'Irak, du Rwanda et du Burundi.

(Le soir, tard...) Je reprends le manuscrit de mon livre. Je récris le chapitre consacré aux opérations économiques et sociales de l'ONU. Le concept et le terme même « développement » sont devenus archaïques. On leur préfère désormais celui de partenariat. Je me rappelle avoir abandonné le mot « désarmement », s'agissant des armes conventionnelles, au profit de la formule « microdésarmement », par opposition, dans mon esprit, au macrodésarmement, qui concerne les armes de destruction massive. Cette innovation sémantique a été fort mal accueillie par les juristes et les spécialistes. Et pourtant, il faut savoir, à certains moments, inventer des formules nouvelles si l'on veut mobiliser l'opinion et obtenir son appui.

La Haye, jeudi 12 février 1998

Léa et moi sommes accueillis à l'aéroport de La Haye par l'ambassadeur d'Égypte, Ibrahim Badawy el-Cheik. J'ai dirigé sa thèse de doctorat consacrée à la protection des Droits de l'homme, et me suis battu pour obtenir son élection à la Commission africaine des Droits de l'homme et des peuples, qu'il préside encore et dont le siège est situé à Banjul, capitale de la Gambie. Erreur fatale, d'ailleurs, que d'avoir choisi cette ville fantôme. Une organisation internationale, tout comme une université ou un centre de recherches, doit être implantée dans une ville dynamique, offrant un minimum d'infrastructures culturelles pour alimenter intellectuellement l'institution, pour nourrir, aussi, les femmes et les hommes qui la font vivre et prospérer. Une organisation internationale, c'est un peu comme une plante rare qui demande de l'eau purifiée et des soins continuels.

Je retrouve La Haye avec un infini plaisir. La Haye, c'est toute ma jeunesse. Plus encore. À cette ville sont attachés les souvenirs de différentes époques de ma vie. Comme auditeur à l'Académie de droit international, comme professeur, puis comme directeur du centre de recherches, et enfin comme membre du curatorium. Et la bibliothèque du palais de la Paix, ce lieu intemporel où tout n'est que calme et sérénité, ce lieu où j'ai effectué le plus clair de mes recherches afin d'écrire des études savantes dont les lecteurs se comptaient sur les doigts d'une main ! Je suis revenu, plus tard, en tant que ministre égyptien, puis en tant que secrétaire général des Nations unies.

La Haye déroule le fil de ma vie et me renvoie à la vieillesse. La vieillesse qui revient comme un leitmotiv dans tous les journaux intimes. Se regarder vieillir, ici, dans cette ville où j'ai fait la fête, dans cette ville où j'ai vécu de folles passions, dans cette ville où j'ai goûté les plaisirs les plus authentiques de la vie. Se promener au bord de la mer, flâner le long des canaux, croquer un hareng cru, écouter l'orgue de Barbarie, admirer ce ciel étrange qui hante la peinture hollandaise.

La vieillesse, c'est aussi la prochaine crise de synovite que j'appréhende. L'appréhension est parfois aussi pénible que la crise elle-même.

(Dans l'après-midi...) Je suis ici au titre de président de la SID. Je donne une conférence dans un grand amphithéâtre du ministère des Affaires étrangères. J'interviens en français. Les débats ont lieu en anglais : l'équilibre linguistique que j'ai voulu faire respecter durant cinq ans aux Nations unies, au grand dam des intégristes anglo-saxons.

Dîner en compagnie d'un groupe d'intellectuels. Une conversation brillante sur les enjeux de la mondialisation, le rôle de la superpuissance et la situation en Palestine.

De retour à l'hôtel, Léa me reproche d'avoir fait de l'anti-américanisme primaire.

«Je ne m'en suis pas rendu compte, lui dis-je.

– Ceci aggrave encore votre cas», me répond-elle, en passant soudain à un vouvoiement réprobateur.

Au fond de moi-même, j'ai toujours été foncièrement pro-américain. Ce qui ne m'a jamais empêché de dénoncer des comportements symptomatiques, à mes yeux, de l'hyperpuissance. L'hyperpuissance est somme toute, sur le plan de la politique extérieure, une forme de pathologie semblable à ces affections que l'on désigne, en médecine, par le préfixe «hyper» : hypertension, hypertrophie, hyperchromie… Le trop est toujours l'ennemi du bien.

La Haye-Rome, vendredi 13 février 1998

Avant de m'envoler pour Rome, je rends visite au maire de La Haye dans les nouveaux locaux de la mairie, modernes et fonctionnels. Il évoque avec chaleur la déclaration que j'avais faite deux ans auparavant, où je disais de La Haye qu'elle était la capitale juridique du monde. Il rappelle également mes efforts pour que sa ville accueille le tribunal contre les crimes commis en Yougoslavie.

(Départ pour Rome…) Dès mon arrivée à Rome, je tiens une réunion liminaire avec les membres du conseil d'administration de la SID. Je suis frappé par la présence d'une Pakistanaise, Khawar Mumtaz, qui rayonne d'intelligence. Il est rare que l'intelligence se livre de façon si immédiate, qu'elle prenne une forme quasi photographique et se décèle, pour ainsi dire, à l'œil nu. La plupart du temps, elle ne se révèle qu'au terme d'une longue conversation, voire de plusieurs entretiens.

C'est une femme d'âge moyen, le teint basané, un large front, de grosses lunettes. Se dégage de sa personne un charme indéfinissable. Elle a de longs cheveux noirs qu'elle noue et dénoue avec des gestes délicats. Elle s'exprime lentement dans un anglais teinté d'un léger accent. Ses analyses sont précises, ses recommandations pertinentes.

La réunion est suivie d'une réception. Une foule cosmopolite a envahi les locaux de la SID. On parle l'italien, l'anglais, parfois le français. Léa, qui pratique la langue de Dante avec dextérité, fait l'admiration de la gent italienne.

Rome, samedi 14 février 1998

Réunion du conseil d'administration de la SID, institution autrefois réputée, mais qui, avec le temps, a perdu de son lustre. Les différentes filiales internationales de la société ont progressivement coupé leurs liens avec le siège, à Rome. Les jeunes recrues sont certes très motivées, mais n'ont que très peu de contacts internationaux. Le secrétaire général Roberto Savio travaille à titre bénévole. Rien n'est plus dangereux, pour une organisation, que d'être dirigée par un bénévole, auquel on peut difficilement reprocher d'être trop peu actif et trop souvent absent.

(Dans l'après-midi...) Deux réceptions coup sur coup. L'une à l'ambassade d'Égypte auprès du gouvernement italien, l'autre à l'ambassade d'Égypte auprès du Saint-Siège. En fait, aux yeux de tous, c'est l'Égypte que je représente. C'est en son nom que je m'exprime. Mes interlocuteurs ont bien plus envie de m'entendre sur la politique égyptienne, la crise du Moyen-Orient, que sur la politique francophone ou sur la SID.

Vatican, lundi 16 février 1998

Ce doit être, aujourd'hui, ma dixième rencontre avec Jean-Paul II. Il est infiniment plus fatigué que lors de notre dernière entrevue. Il se déplace avec peine.

Je suis venu lui présenter la Francophonie. C'est la première fois qu'il entend parler de cette organisation. A-t-elle son siège à New York ou à Paris ? Je lui explique les objectifs que nous poursuivons : la solidarité Nord-Sud, la promotion de la diversité culturelle, le dialogue des cultures. Il m'écoute avec attention et intérêt mais, par un détour imprévu, la conversation tombe bientôt sur la Palestine et les conflits du moment. L'audience est terminée. Nous prenons quelques photos et il me remet une médaille.

Je retrouve, ensuite, son ministre des Affaires étrangères, l'archevêque français Jean-Louis Tauran. La Francophonie ne lui est pas étrangère, mais c'est encore la Palestine et le prochain voyage du pape en Égypte et au Proche-Orient qui alimenteront l'essentiel de notre conversation.

Décidément, la Francophonie est plus difficile à faire connaître que je ne le pensais.

Rome, mercredi 18 février 1998

Réunion au palais Farnèse, à l'invitation de l'ambassadeur de France Jean-Bernard Mérimée, avec un groupe de journalistes et d'écrivains italiens qui s'interrogent sur la possibilité pour l'Italie de rejoindre l'organisation francophone. Il y a, en Italie, bien plus de francophones que dans la plupart des États membres de la Francophonie. De plus, l'Italie et la France, riveraines de la Méditerranée, ont une histoire commune et un intérêt partagé pour les pays arabes francophones. Leur intérêt est réconfortant.

Je déjeune avec le sénateur Giangiacomo Migone. Il se montre, lui aussi, très intéressé par la Francophonie. Il est convaincu de la nécessité de s'ouvrir sur le monde extérieur, mais aussi d'œuvrer en faveur des pays en voie de développement. Il me propose de faire une communication devant le Sénat italien lors de mon prochain séjour à Rome.

De retour à l'hôtel, je tombe par hasard sur une émission de CNN, où Madeleine Albright, William Cohen, ancien secrétaire d'État à la Défense, et Sandy Berger, éminence grise de la Maison-Blanche, sont violemment pris à partie par un groupe de jeunes qui ne comprennent ni n'admettent la décision de bombarder l'Irak.

Pour une grande partie du monde arabe, l'analyse est claire : ce sont, en réalité, trois sionistes qui poussent l'Amérique à détruire Bagdad pour mieux asseoir l'hégémonie israélienne au Proche-Orient. Cette perception simpliste n'est pas faite pour faciliter le dialogue arabo-israélien.

Rome, jeudi 19 février 1998

L'attaché culturel de l'ambassade de France m'a demandé de faire une conférence devant huit cents professeurs de français du secondaire venus des quatre coins de l'Italie. Je me retrouve sur l'estrade d'un immense amphithéâtre, devant un auditoire en grande partie féminin. Après un bref exposé sur les objectifs et les enjeux de la Francophonie, je propose de répondre aux questions de la salle. Je m'attendais à un échange courtois. Erreur ! Je viens, sans le savoir, d'ouvrir la boîte de Pandore.

« L'enseignement du français est en train de mourir au profit de celui de l'anglais. Que faites-vous pour arrêter cette hémorragie ? »

« La jeunesse italienne se désintéresse de plus en plus de la langue et de la culture françaises. Quelles solutions proposez-vous ? »

« Comment comptez-vous intervenir auprès des autorités italiennes pour enrayer le déclin du français en Italie ? »

Je tente, tant bien que mal, d'expliquer que ces problèmes relèvent de la coopération bilatérale entre l'Italie et la France et que je n'ai aucune compétence pour intervenir auprès des autorités italiennes. En tant que secrétaire général de la Francophonie, je suis mandaté pour ne m'occuper que des États membres de notre organisation. Or l'Italie n'est pas membre de l'OIF.

Mes propos soulèvent une clameur impressionnante. Je crois que seule l'absence de pierres ou de tomates dans la salle m'évite à cet instant d'être lynché. Je ne vois d'autre solution, pour calmer cet auditoire déchaîné, que de reprendre la parole. Je suis obligé de forcer la voix pour me faire entendre. Je promets de transmettre le message des professeurs italiens aux autorités françaises. Je les remercie de leur soutien, qui facilitera grandement ma tâche…

Le président du congrès intervient à bon escient, expliquant que je suis attendu et dois m'éclipser, mais que les travaux continuent. Pour saluer mon départ, il se met à applaudir. La salle, bon enfant, répond à ses applaudissements. Je quitte l'amphithéâtre, l'honneur presque sauf.

Dîner chez les Fanfani. Maria Pia est une grande amie de Léa. Cette femme volubile, dynamique, arbore de multiples décorations, reçues en reconnaissance de son action inlassable en faveur des déshérités. Elle a fondé une association d'aide aux pays en guerre et s'obstine à secourir les damnés de la Terre. Elle s'est rendue au Rwanda après le génocide, en Yougoslavie et en Albanie. Elle est infatigable.

Addis-Abeba, vendredi 20 février 1998

Départ pour Addis-Abeba. Dans l'avion, je retrouve la princesse Noëlle Del Drago, qui m'accompagne en Éthiopie. Comme Maria Pia Fanfani, elle vient en aide aux pays du tiers monde. Mais alors que Maria Pia fournit une aide alimentaire, Noëlle soutient les artistes et organise des expositions d'art. Je la persuade que l'Éthiopie a plus besoin de médicaments et de produits de première nécessité que de promotion artistique.

Djibouti, samedi 21 février-dimanche 22 février 1998

Je m'envole pour Djibouti qui, avec la Guinée-Bissau, compte parmi les États membres les plus pauvres de la Francophonie. Djibouti appartient également à la Ligue des États arabes. Les deux langues officielles sont ici le français et l'arabe.

J'ai eu l'occasion de me rendre à Djibouti à maintes reprises en tant que ministre d'État égyptien, notamment dans le cadre du programme d'assistance technique que j'avais mis en place pour former des pilotes portuaires et envoyer des professeurs d'arabe et des médecins.

Je viens aujourd'hui pour envisager l'assistance sous l'angle de la Francophonie multilatérale. Je rencontre les jeunes coopérants français. Je suis frappé par leur militantisme. Ils animent l'Alliance française, le centre culturel et le lycée commercial et industriel, qui délivre aux jeunes Djiboutiens un diplôme, garantie insuffisante, malheureusement, pour trouver un emploi.

Le président de la République, Hassan Gouled Aptidon, me reçoit dans sa résidence. C'est le père de l'indépendance. Il est connu pour son franc-parler, son caractère difficile et irascible que l'âge excuse – encore que personne ne le connaisse exactement.

«J'espère que, en tant que secrétaire général de la Francophonie, vous serez plus attentif aux besoins de Djibouti que vous ne l'avez été comme secrétaire général de l'ONU, me dit-il sans détour.

– Monsieur le Président, vous oubliez la collaboration que j'ai mise en œuvre lorsque j'étais en charge des Affaires étrangères égyptiennes.

– Monsieur le Ministre, c'était il y a dix ans. Moi, ce qui m'intéresse, c'est le présent et l'avenir.»

Je m'engage à suivre de très près l'assistance de la Francophonie à Djibouti.

Addis-Abeba, lundi 23 février 1998

Entretien cordial avec le ministre éthiopien des Affaires étrangères, Seyoum Mesfin, à qui j'expose les objectifs de la Francophonie. J'annonce mon intention de tisser des liens étroits avec l'OUA et la Commission économique pour l'Afrique de l'ONU. Je suis d'ailleurs ici à l'invitation du secrétaire général de l'OUA, Salim Ahmed Salim, qui m'a convié à participer aux travaux du Conseil des ministres. J'ajoute que je souhaiterais, avec l'accord du Conseil permanent de la Francophonie, ouvrir une représentation permanente auprès de l'OUA. Il m'assure de tout son appui pour cette mission diplomatique à Addis-Abeba.

De retour à l'hôtel, je téléphone à Léa qui est au Caire. Sa mère, hospitalisée à New York, va beaucoup mieux. C'est Jacques Attali, je crois, qui a parlé de la société nomade. J'aurais beaucoup à dire sur la famille nomade.

Addis-Abeba, mardi 24 février 1998

Retrouvailles avec Ky Amoako, le secrétaire exécutif de la Commission économique pour l'Afrique, un Ghanéen dont j'avais obtenu le transfert à l'ONU alors qu'il travaillait à la Banque mondiale. Entretien en tête à tête suivi d'une réunion de travail avec ses proches collaborateurs sur le thème, bien sûr, de la Francophonie et d'une coopération à venir. Je reçois un accueil enthousiaste de la part des francophones de la commission, qui se sentent tout à coup « réhabilités ».

La commission dispose d'un budget de quarante millions de dollars et de locaux flambant neufs. 80 % du budget sont affectés aux dépenses de fonctionnement. Il est vrai que cet organisme se veut avant tout un centre de recherches sur l'économie africaine.

Addis-Abeba, mercredi 25 février 1998

Ouverture de la session du Conseil des ministres de l'OUA. J'insiste particulièrement, dans mon discours, sur la place privilégiée que tient l'Afrique en Francophonie, et sur la mission de notre organisation au service de la coopération Nord-Sud et Sud-Sud.

(Dans la soirée...) J'assiste à la réception qu'offre l'ambassadeur d'Égypte, Maroun Zaki Badr, en l'honneur des ministres africains présents à Addis-Abeba. Je suis assis à côté du ministre des Affaires étrangères de la République démocratique du Congo, Bizima Karaha, un jeune homme de vingt-neuf ans.

« Le président Kabila a le plus grand respect pour votre personne et pour le rôle que vous avez joué sur la scène internationale. En revanche, il est très déçu par la politique française, qui lui a été très hostile. »

Addis-Abeba, jeudi 26 février 1998

Audience avec le président Meles Zenawi, l'homme fort de l'Éthiopie. C'est dans ce même salon que m'avait reçu à plusieurs reprises son prédécesseur, Hailé Mariam Mengistu, surnommé « le Négus Rouge ». Il avait assassiné l'empereur et toute sa famille pour s'emparer du pouvoir et assouvir sa haine du régime impérial.

Je suis là pour parler de la Francophonie, ce que je fais. Le président, profitant de ce que je reprends mon souffle, intervient :

« J'espère que nous allons aussi évoquer les rapports entre l'Égypte et l'Éthiopie. Vous avez joué un rôle si important dans ces relations qu'il me paraît opportun que nous abordions le sujet. »

Il enchaîne immédiatement :

« Nos pays partagent deux objectifs communs : la lutte contre l'intégrisme musulman et la gestion des eaux du Nil. Pourtant, je relève de la part de l'Égypte une suite d'actions que je ressens comme clairement hostiles à l'égard de mon pays. »

Je me veux rassurant : nos intérêts stratégiques communs dépassent et transcendent les malentendus ponctuels qui peuvent compliquer, çà et là, nos relations bilatérales.

Notre entretien se prolonge deux heures durant. En sortant, j'insiste pour lui présenter les membres de ma délégation. Le président les salue, avant d'ajouter avec un sourire bienveillant :

« Ne faites pas trop travailler le vieux grand homme. »

Le Caire, samedi 28 février 1998

Retrouvailles familiales. Mes frères, leurs épouses, mes amis d'enfance, en un mot la tribu. Comme toujours, coups de téléphone, interview pour la radio et la télévision. Les équipes de télévision envahissent sans aucune gêne mon appartement, qu'elles semblent considérer le plus naturellement du monde comme l'un de leurs studios d'enregistrement.

Le Caire, lundi 2 mars 1998

Je fais part au président Hosni Moubarak de mon entretien avec le président Meles Zenawi, des efforts que nos deux pays devraient consacrer à la gestion des eaux du Nil.

« Que faites-vous du Soudan ? me dit le Président.

– C'est, à mon avis, une étape ultérieure qui nécessitera de très longues négociations et une préparation minutieuse pour obtenir, notamment, l'appui et l'expertise des institutions financières internationales… »

Le président Moubarak m'écoute avec attention, mais je le sens plus préoccupé par les problèmes à court terme. La question de l'eau semble demeurer, pour lui, un problème à long terme.

Il est vrai que pour moi, qui ne suis plus aux affaires, les eaux du Nil constituent une préoccupation majeure, une obsession. Mais je conçois que, pour celui qui est à la tête de la politique égyptienne, ce ne soit pas la priorité des priorités.

(Plus tard dans l'après-midi…) J'informe Omar Soliman, qui dirige les services de renseignements et suit de très près les relations entre Addis-Abeba et Le Caire, de mes conversations avec les présidents Zenawi et Moubarak. Il me promet de porter la plus grande attention à cette question qu'il considère comme cruciale.

Le Caire-Paris, mardi 3 mars 1998

Départ à l'aube pour Paris. Le désert autour de l'aéroport du Caire a été domestiqué et consciencieusement souillé par les myriades de papiers et de chiffons qui s'accrochent aux fils de fer barbelés bornant les pistes d'envol.

Pour retrouver le vrai désert, le désert de mon enfance, où je partais à la recherche de petits cailloux rouges, il faut désormais quitter le Grand Caire et sa pollution dont l'emprise inexorable gagne sur les sables qui étreignent la vallée du fleuve Dieu.

Paris, mercredi 4 mars 1998

L'ambassadeur de France accrédité à Maputo me confie son souhait de voir le Mozambique rejoindre la Francophonie. Il incrimine les ratés de la diplomatie qui ont empêché cette admission d'être entérinée lors du sommet de Hanoï. Le fait que le Mozambique, seul État n'ayant aucun lien avec la Grande-Bretagne, soit devenu membre du Commonwealth rend cet échec plus cuisant encore.

Paris, jeudi 5 mars 1998

Le président Pierre Buyoya du Burundi m'accueille avec chaleur dans sa suite de l'hôtel Raphaël. Nous nous connaissons depuis longtemps. J'ai soutenu, par l'intermédiaire du Programme des Nations unies pour le développement (PNUD), l'institut qu'il a créé pour favoriser le dialogue entre Tutsis et Hutus. Il est, à ma connaissance, l'un des rares chefs tutsis convaincus de la nécessité d'une cohabitation des deux communautés.

Il dénonce l'embargo imposé par les États voisins du Burundi. Il me demande d'intervenir auprès des Nations unies, de l'Union européenne et de l'OUA pour qu'elles fassent pression sur eux afin d'y mettre fin et pour qu'elles aident son pays à la reconstruction.

Jusqu'à présent les États donateurs lui ont tenu le discours suivant :

« Faites d'abord la paix, et on vous donnera alors l'aide requise. »

Et le président Buyoya de répondre, comme chaque fois :

« Mais pour faire la paix, j'ai besoin de cette aide. »

Je crains fort que cette dialectique inextricable entre paix et assistance internationale ne préside aux relations Nord-Sud pour les années à venir.

D'ailleurs, le problème se pose exactement dans les mêmes termes concernant la relation entre développement et démocratie. Depuis la fin de la guerre froide, la stratégie euro-américaine de démocratisation s'est appuyée sur l'idée que les démocraties sont les régimes les mieux à même de favoriser la paix, la bonne gouvernance et le développement économique, social et culturel.

Certes, il est généralement prouvé et reconnu que l'instauration de la démocratie permet de remédier à la corruption ou, pour le dire en d'autres termes : plus le degré des libertés civiles est élevé, moins les gouvernements sont corrompus. Il suffit de porter son regard sur les régimes les plus corrompus de ces dernières années pour constater qu'il s'agissait, dans tous les cas, de dictatures ayant dégénéré en « kleptocraties ».

Je suis le premier à reconnaître, aussi, que les institutions propices au développement économique ne peuvent s'installer et fonctionner que dans un environnement régi démocratiquement. Cela étant, il est présomptueux, je dirais même dangereux, d'affirmer ou d'ériger en dogme que le développement engendre la démocratie ou, à l'inverse, que la démocratie engendre le développement.

Regardons la situation de près : dans certains cas, le décollement économique a créé les conditions de niveau de vie et de bien-être propices à l'instauration de la démocratie, comme en Thaïlande, à Taïwan, ou en Corée du Sud. Dans d'autres, à l'inverse, l'imputation à un régime autoritaire d'une situation économique désastreuse a conduit à l'instauration de la démocratie. Ce fut le cas dans les pays d'Amérique latine, suite à l'incapacité des dictatures militaires à gérer la crise de la dette dans les années 1980. Tout comme en Indonésie et aux Philippines.

À ne pas tenir compte de la spécificité des situations, on prend le risque de voir les institutions financières internationales miser sur le « tout économique » au détriment du politique et du social, ou encore de voir les « amis pressés et excessifs » de la démocratie et des Droits de l'homme s'entêter sur les conditionnalités.

Paris, mardi 17 mars 1998

Jacques Diouf, le directeur général de l'Organisation pour l'alimentation et l'agriculture (FAO), dont le siège est situé à Rome, est tout à fait prêt à instaurer une coopération avec l'OIF. Ce qui, concrètement, se traduirait par l'élaboration et la signature d'un protocole d'accord, et l'identification d'un certain nombre de projets communs.

Cela dit, je crains fort que l'Agence intergouvernementale de la Francophonie, figée dans le carcan de ses habitudes, n'ait pas la capacité de collaborer avec une organisation internationale dans un domaine aussi spécialisé que celui de l'agriculture. Pourtant, cette stratégie pourrait se révéler extrêmement payante. J'avais obtenu, lorsque je dirigeais le Fonds africain pour le développement, que le Japon prenne en charge la formation, en Égypte, de spécialistes africains pour la culture du riz. Cette coopération tripartite – Égypte, Japon, Afrique – a donné d'excellents résultats. Ce qui démontre, une fois de plus, la nécessité d'une parfaite synergie, en amont, entre les différents donateurs, si l'on veut prétendre à une quelconque efficacité dans l'aide au développement en Afrique.

Paris, vendredi 20 mars 1998

Pari tenu ! Les secrétaires généraux ou les représentants de treize organisations internationales et régionales ont accepté de venir célébrer, à Paris, la Journée internationale de la Francophonie.

Après quelques mots de bienvenue, je cède la parole au premier orateur, le secrétaire général du Commonwealth, Chief Emeka Anyaoku, avec qui j'avais collaboré lors de la crise entre le Commonwealth et le Nigeria. Il souligne que « c'est la première fois qu'un secrétaire général du Commonwealth est invité à participer aux cérémonies de la Journée de la Francophonie », bien que sept États soient membres à la fois du Commonwealth et de la Francophonie (Cameroun, Canada, Dominique, Maurice, Sainte-Lucie, Seychelles, Vanuatu). Il conclut son intervention par un retentissant « Vive la coopération entre la Francophonie et le Commonwealth ! »

Le Dr Esmat Abdel Meguid, secrétaire général de la Ligue des États arabes, nous livre une brève présentation de son organisation, rappelant qu'elle a été fondée le 22 mars 1945, avant même l'Organisation des Nations unies, et qu'elle compte aujourd'hui vingt-deux pays, contre sept lors de sa création. Il développe une idée qui m'est chère : la contribution des organisations régionales à la démocratisation des relations internationales.

Ivan Korotchenya, le secrétaire général de la Communauté des États indépendants, qui regroupe la Russie et les anciennes républiques fédérales de l'Union soviétique, rappelle, en commençant, ma visite au siège de cette organisation, à Minsk, lorsque j'étais secrétaire général des Nations unies, et mes efforts pour que la CEI obtienne, en mars 1994, le statut d'observateur auprès de l'ONU. Il faut dire que le département d'État, convaincu d'être encore en pleine guerre froide, n'avait pas vu d'un très bon œil cette opération. Il souligne l'originalité de ce groupement régional, «unique en son genre, puisque les républiques souveraines qui le composent ont fait partie, pendant une longue période, d'un État fédéral unique. Les peuples de ces pays possédaient une langue nationale commune, le russe, restée pour eux la langue de la communication entre nations. Et leur éducation porte également l'empreinte d'une culture commune».

Leni Fischer se félicite de la coopération qui unit déjà de longue date l'assemblée parlementaire du Conseil de l'Europe, qu'elle préside, et l'assemblée parlementaire de la Francophonie.

C'est au tour, ensuite, d'Hédi Annabi, sous-secrétaire général aux Opérations de maintien de la paix, de lire le message de Kofi Annan, appelant au renforcement de la coopération entre l'ONU et la Francophonie, notamment en matière de prévention et de règlement pacifique des conflits, domaine de coopération également privilégié par le secrétaire général de l'Organisation pour la sécurité et la coopération en Europe, Giancarlo Aragona.

Henri Lopez, qui représente le directeur général de l'Unesco, insiste, quant à lui, sur la nécessité d'unir nos efforts pour préserver le patrimoine culturel des peuples.

Pour Marcelino Moco, ancien leader de l'Angola et actuel secrétaire exécutif de la Communauté des pays de langue portugaise, la diversité multiforme qui caractérise les organisations représentées aujourd'hui est le reflet d'une double réalité : d'une part, l'affirmation des identités spécifiques à chaque région constitue une nécessité vitale pour garantir le respect de la différence et de la contribution apportée par chaque peuple et chaque région au progrès du genre humain face à une mondialisation non maîtrisée; d'autre part, tout effort d'affirmation d'une identité implique l'ouverture vis-à-vis de l'autre, dans un esprit de tolérance, et la recherche permanente de dénominateurs communs susceptibles de donner corps à des intérêts partagés.

Le Dr Azzeddine Laraki, secrétaire général de l'organisation de la Conférence islamique, met fort à propos l'accent sur la stratégie culturelle et d'information développée par l'OCI afin de « projeter le vrai visage de l'islam, de corriger les images stéréotypées et d'éviter les amalgames hâtifs faits entre cette glorieuse religion et le terrorisme aveugle ». À cet égard, il précise que l'OCI a été la première organisation à adopter un code de conduite destiné à combattre le terrorisme international.

Mon ami Lansana Kouyaté, secrétaire exécutif de la Communauté économique des États de l'Afrique de l'Ouest, forme le vœu que nos deux organisations se rapprochent autour de la nécessaire coopération Nord-Sud. Il emploie, à ce propos, une très belle image : « Il en est du monde comme d'un losange avec ses sommets est, ouest, nord et sud. Lorsque vous rapprochez les sommets est et ouest, le nord tend à s'éloigner du sud. Œuvrons ensemble pour que la main qui a rapproché l'Est et l'Ouest soit une main fédérative qui embrasse les quatre points cardinaux avec la noble aspiration de rendre notre monde plus juste et plus équitable. »

Coopérer en faveur du développement et de la paix en Afrique, tel est aussi le message transmis par Saïd Djinnit au nom du secrétaire général de l'Organisation de l'unité africaine, Salim Ahmed Salim.

Le représentant de l'Association des nations du Sud-Est asiatique, l'ambassadeur Khamphan Simmalavong, salue « la politique d'ouverture adoptée par la Francophonie depuis le sommet de Hanoï, compte tenu de la pluralité linguistique et de la diversité culturelle dans le monde ».

Le dernier orateur à s'exprimer est le représentant de l'Organisation des États américains, Thomas Bruce. Il rappelle que le français est l'une des langues de travail de l'OEA, mais aussi la langue maternelle de millions de citoyens des Amériques.

Je remercie l'ensemble des participants et les convie à un déjeuner de travail au cours duquel nous esquissons les modalités d'une nouvelle concertation institutionnelle à l'échelle mondiale : échange de documentations, envoi d'observateurs qui participeront aux conférences respectives de nos différentes organisations.

(Dans l'après-midi...) Jacques Chirac nous accueille à l'Élysée. « Je ne suis pas surpris que notre ami Boutros Boutros-Ghali, dit-il dans son discours, ait eu l'idée de cette rencontre. Ouvrir la Francophonie au monde, c'est bien ainsi qu'il conçoit sa mission. Il veut exposer notre mouvement au vent du large pour lui donner du souffle, de l'envergure. »

Telle était effectivement mon intention, tel est le message que je reprends dans mon discours final : à travers le renforcement de la langue française, la volonté de défendre la diversité des langues et des cultures. Ouvrir la Francophonie aux non-francophones, aux autres communautés linguistiques : hispanophone, lusophone, arabophone, anglophone. À travers la Francophonie, mener, plus largement, un combat pour le pluralisme et pour la démocratisation de la vie internationale.

Le président Jacques Chirac passe de groupe en groupe, chaleureux et souriant. Il s'isole quelques instants avec les secrétaires généraux de la Ligue des États arabes et du Commonwealth. Il semble attacher une importance particulière à leur présence à Paris pour cette manifestation.

Cette journée aura été une grande journée : la Francophonie est sortie de son monde pour s'ouvrir au monde.

Paris, lundi 23 mars 1998

La Société française pour le droit international rend hommage, au palais du Luxembourg, à son président d'honneur, René-Jean Dupuy, récemment disparu.

J'ai connu René-Jean Dupuy au lendemain de la guerre, à la faculté de droit de Paris. Je l'ai retrouvé en 1953 à l'université du Caire comme professeur invité. En 1960, nous donnons, tous les deux, notre premier cours à l'Académie internationale de La Haye, sur des thèmes parfaitement complémentaires, puisqu'il avait choisi de traiter du droit des rapports entre les organisations internationales, et moi du principe d'égalité au sein de ces organisations. Nous ne nous étions pourtant pas consultés… Quelques années plus tard, nous formons, avec quelques autres juristes, un groupe d'études sur la réforme de cette académie, qui se réunira à Bellagio en Italie, puis à Bruxelles, et à La Haye.

Le hasard faisant bien les choses, nous sommes tous les deux nommés directeurs du centre de recherches, comme responsables, lui du groupe francophone, moi du groupe anglophone. Deux années durant, nous nous retrouverons pour six semaines à La Haye. Et c'est encore ensemble que nous ferons notre entrée au curatorium de l'Académie.

Lorsque, en 1988, je parviens à convaincre Maurice Druon que le million de francs, reçu de Giovanni Agnelli pour créer une chaire de droit à l'université d'Alexandrie, serait mieux employé dans une étude de prospective pour la fondation d'une université francophone, c'est tout naturellement vers René-Jean Dupuy que je me tourne pour prendre la direction de cette opération, qui aboutira à la naissance de l'Université Senghor d'Alexandrie.

Ce sont tous ces souvenirs qui affleurent à ma mémoire en cette journée dédiée à René-Jean Dupuy. La séance est présidée par le doyen Georges Vedel, qui fut mon professeur à l'Institut des sciences politiques. Hubert Thierry, président de la Société française de droit international, prend la parole le premier. Je lui succède pour rappeler, d'abord, que Jean et moi avons suivi, sur les mêmes bancs, les cours de notre maître, Georges Scelle, qui devait tant influencer nos carrières académiques respectives. Le point de départ de mon engagement en faveur d'une véritable démocratie globale, que ce dernier pressentait en ces termes : «La société internationale résulte non pas de la coexistence, de la juxtaposition des États, mais au contraire de l'interpénétration des peuples. C'est parce qu'il y a des liens familiaux, commerciaux, communautaires, intellectuels entre les peuples, qu'il y a une société internationale de fait et un ordre juridique international qui en naît pour réaliser une société de droit.»

C'est ce thème que j'ai souhaité développer, aujourd'hui, en la mémoire de René-Jean Dupuy. La communauté internationale sera démocratique ou ne sera pas. Je m'attarde sur ce paradoxe qui voit la diffusion, dans le même temps, de la démocratie à l'échelle nationale et d'un régime non démocratique à l'échelle internationale, dans la mesure où le processus de globalisation génère l'émergence de nouveaux pouvoirs supra-étatiques.

Mon intervention est suivie de celles des professeurs Gérard Cohen-Jonathan de France, Juan Antonio Carrillo Salcedo d'Espagne, Jean-Flavien Lalive de Suisse, Benedetto Conforti d'Italie. Une véritable Internationale venue rendre un dernier hommage à un éminent internationaliste et à un ami cher.

Christiane Dupuy est là, assise au premier rang. Émouvante. Elle qui a accompagné et soutenu Jean avec tant de constance dans son aventure académique, qui avait pour fin ultime de renforcer et d'institutionnaliser les rapports entre le nord et le sud de la Méditerranée, entre les pays possédants et les pays dépossédés de la *mare nostrum*, et plus largement de l'humanité.

René-Jean Dupuy qui écrivait : « Vous connaissez bien l'observation de Paul Valéry, qui nous disait en 1919 : "Nous, civilisations, nous savons maintenant que nous sommes mortelles."

Les civilisations mouraient, mais l'humanité se prolongeait et chevauchait les dépouilles des civilisations mortes, amassées les unes sur les autres. L'humanité durait et sa longévité était indéfinie, alors qu'aujourd'hui nous savons, et c'est là une découverte relativement récente, qu'elle peut mourir elle-même si elle ne réagit pas contre tout ce qui la menace : non seulement les armements, mais aussi les disparités économiques, les dégradations de l'environnement, les déséquilibres de la démographie, la multiplication de certaines maladies. »

Paris, jeudi 26 mars 1998

Cérémonie à l'Institut du monde arabe, à l'occasion de la sortie du livre de Cherif el-Shoubashy, *Tu ne tomberas pas, Jérusalem.*

Jérusalem la Très Sainte. Jérusalem, ville sacrée pour les trois grandes religions monothéistes. Jérusalem, que se disputent depuis des siècles des hommes avides de pouvoir et fanatisés par la foi, continue de me hanter. Sur elle, mon énergie et mon imagination focalisées.

Paris, vendredi 27 mars 1998

Très longue interview avec Ricardo Karam pour une chaîne de télévision libanaise. Il a soigneusement préparé ses questions, qui sont pertinentes. J'en retire beaucoup de satisfaction, dans la mesure où cela m'oblige à fournir un véritable effort de réflexion. Ce qui est loin d'être le cas dans la plupart des interviews que j'accorde, dans lesquelles je répète mécaniquement les mêmes réponses aux mêmes questions, dissimulant mon ennui derrière un sourire poli.

Paris, samedi 28 mars 1998

L'impératrice d'Iran, la Chahbanou, me propose d'écrire l'introduction à un petit ouvrage consacré à son époux, le Chah. Je n'ai rencontré ce dernier, de façon officielle, qu'à deux reprises, et je n'ai jamais eu l'occasion de m'entretenir avec lui.

Mes collaborateurs me conseillent de décliner l'offre. « L'Iran n'a aucun rapport avec la Francophonie. Inutile de vous attirer la vindicte des ayatollahs de Téhéran », me disent-ils.

Il m'est pourtant impossible de refuser. Je consacre la matinée à la rédaction de ce texte :

« Il importe de transmettre aux jeunes ce qui est souvenir pour les uns, histoire pour les autres.

« C'est le lundi 9 janvier 1978 à Assouan, en Haute-Égypte, que le président Sadate m'a présenté au Chah d'Iran [...].

« Le Chah et Sadate sont alors à la tête des deux États les plus puissants du Moyen-Orient. Ils vont conclure une "Sainte Alliance" pour lutter contre le communisme, pour faire de la région une zone de paix et de sécurité [...].

« Un an plus tard, le mardi 16 janvier 1979, même cérémonie officielle à Assouan. Le but de cette nouvelle rencontre n'est pas de gérer l'avenir de la région, mais de préparer le souverain à l'exil. Il mourra, un an plus tard, en terre égyptienne où il trouvera l'hospitalité que lui avait refusée la communauté internationale. »

J'éprouve, à la relecture de ce texte, une profonde satisfaction. Celle, d'abord, d'avoir répondu à l'invitation de la Chahbanou, cette belle impératrice qui endure son exil avec dignité et noblesse. Celle, ensuite, d'avoir contribué à rappeler ce qui ne doit jamais être oublié, à savoir que tous les États ont trahi le Chah, tous ayant refusé de lui donner asile. Un seul chef d'État, Anouar el-Sadate, a eu le courage et la grandeur d'âme de l'accueillir et de lui offrir l'hospitalité en terre égyptienne, où il repose pour l'éternité.

Paris, dimanche 29 mars 1998

Voilà bien longtemps que je n'ai écrit en arabe. J'ai du mal à formuler mes phrases. Il faut que je lise un texte classique pour retrouver le rythme et l'élégance de ma langue maternelle. J'avise, dans ma bibliothèque, un coran dans lequel je m'absorbe une demi-heure durant.

En fin d'après-midi, j'ai enfin retrouvé mon aisance d'antan et je ressens une joie tout enfantine à enchaîner les phrases et à écrire de droite à gauche. Il y a si longtemps que je n'écris plus que de gauche à droite. Je prépare ma prochaine conférence, qui doit avoir lieu à Beyrouth sur le thème de la démocratisation des relations internationales.

Paris, lundi 6 avril 1998

Jérôme Bindé, qui anime le cycle des « Entretiens du XXIe siècle », nous a invités, Jacques Attali et moi, à venir débattre à l'Unesco. Ne sachant pas exactement ce que l'on attendait de moi, je n'ai rien préparé et je décide de m'en remettre à l'inspiration du moment.

Les premiers mots de Jacques sont pour me demander si nous pouvons nous tutoyer. J'accepte sans hésiter. J'entame le débat. « Le préalable à la gestion de tous les défis qu'aura à relever l'humanité au XXIe siècle est sans conteste le problème de la paix et de la guerre. » J'ai choisi de me placer d'emblée sur un terrain familier.

Je poursuis sur la nécessité de trouver une solution aux deux grandes oppositions qui sous-tendent la société contemporaine, à la manière d'une ligne de faille. La première, entre le phénomène de mondialisation et la tentation du repli identitaire – ce que d'aucuns appellent la dialectique du satellite et du clocher, et qui, dans mon pays, devient la dialectique du satellite et du minaret. La seconde, entre le Nord et le Sud, entre les riches, toujours plus riches, et les pauvres, toujours plus pauvres.

Jacques Attali approuve presque tout ce qui vient d'être dit, puis ajoute que, lorsque les empires s'écroulent ou que les ordres mondiaux se défont, l'humanité dispose d'une toute petite fenêtre de temps pour réorganiser les institutions internationales. Le malheur a voulu qu'on ne le fasse pas au lendemain de la guerre froide. Pourquoi ? Parce que l'on a commis une erreur d'appréciation : on a cru que l'Occident avait gagné, que ses valeurs allaient s'imposer définitivement au reste du monde et constitueraient le remède à tous les maux. Selon lui, nous vivons une fiction selon laquelle le marché et la démocratie vont assurer un ordre irréversiblement stable au XXIe siècle.

Je partage cette analyse macropolitique, mais pense qu'il faut aussi prendre en compte des événements ponctuels : la défaite électorale du président Bush et une majorité isolationniste au Congrès américain ont contribué à ce que la superpuissance refuse de s'impliquer dans l'instauration de ce « nouvel ordre international » qu'avait appelé de ses vœux le Président sortant après la libération du Koweit. On a cru – ou plutôt, devrais-je dire, j'ai cru – que l'ONU serait en mesure de gérer l'après-guerre froide. Il est devenu très vite évident qu'elle n'en avait pas les moyens. Ce qui n'a fait qu'encourager, dans les différentes parties du monde, l'attitude du « chacun pour soi », particulièrement aux États-Unis. Nous sommes aujourd'hui dans la situation où les conflits Nord-Sud ne sont toujours pas réglés, et où la gestion de l'après-guerre froide est pratiquement devenue l'affaire d'un seul et unique État.

Que faire ? Je reviens à cette idée qui m'est chère de la démocratisation des relations internationales, qui passe par une participation effective des acteurs non étatiques à l'élaboration de la politique internationale. Il faut étroitement associer les organisations non gouvernementales, les universitaires, les médias, les maires de grandes villes, les parlementaires, mais aussi les multinationales, aux prises de décisions dont les répercussions se font désormais sentir à l'échelle planétaire. Quant au fossé Nord-Sud, il est appelé à se creuser toujours plus. Jacques Attali renchérit. L'aide au développement telle qu'elle est pratiquée depuis cinquante ans restera l'un des plus grands scandales des institutions internationales au XXe siècle. Elle se traduit aujourd'hui par un transfert annuel net de 35 à 45 milliards de dollars des pays du Sud en direction des pays du Nord...

L'aide au développement doit-elle être conditionnelle ?

Selon moi, non. Selon Jacques Attali, oui : « Les organisations financières internationales doivent poser des conditions, en particulier un minimum d'exigences démocratiques. Les institutions internationales devraient s'imposer un devoir humain d'ingérence : ce serait le pas vers une conscience planétaire. »

Je lui objecte que tout dépend de qui décide. Si la décision d'imposer des conditionnalités est prise à l'échelle globale, avec l'approbation de tous, je suis d'accord. Mais si cette décision est l'apanage de quelques États dominateurs, il est évident que ces conditions sont une manière déguisée de servir leurs intérêts immédiats. Et alors là, je dis non !

Nous en venons ensuite à l'idée d'une société planétaire divisée en classes. Jacques Attali considère qu'il y a trois classes. Une « hyperclasse » qui, disposant de tous les moyens de connexité et de création, forge et manipule l'information. Il l'appelle celle des « nomades volontaires ». Au bas de l'échelle, les « nomades de misère », qui subissent les technologies et se voient contraints à se déplacer pour trouver du travail ou, simplement, pour survivre. Et, enfin, une gigantesque classe moyenne, qui vit dans l'espoir illusoire d'intégrer l'hyperclasse et dans la crainte réelle de basculer dans le nomadisme prolétaire.

J'évoque la subdivision que j'avais établie, quelque dix ans auparavant, dans un ouvrage publié en Union soviétique, en collaboration avec Anatoly Gromyko, Robert McNamara, Richard L. Skar et Luis Echeverría. Une subdivision également tripartite, avec, dans un premier groupe, les habitants des pays développés, dans un deuxième, ceux des grandes villes des pays en voie de développement, et, dans un troisième, ceux des campagnes des pays du tiers monde. Avec l'idée que l'écart entre ces trois classes ne pouvait que se creuser, dans la mesure où, d'une part, les élites du deuxième groupe ont tendance à émigrer vers les pays développés et celles du troisième vers les grandes villes du tiers monde, condamnant du même coup leurs espaces respectifs à stagner sur le chemin du développement.

Cette subdivision géographique peut aisément se superposer à celle établie par Jacques Attali. Encore qu'elle soit en passe de se modifier avec l'apparition des technologies de l'information et de la communication.

La mondialisation suppose-t-elle l'existence d'un échelon régional fort ?

C'est tout le cours de Georges Scelle à la faculté de droit de Paris, dans les années 1946-1947. C'est ce fédéralisme dont j'ai été un farouche partisan durant des dizaines d'années, et que j'ai prôné dans mes cours à l'université du Caire et mes écrits. Voilà que cet après-midi je me surprends à tout renier ! Comment peut-on raisonnablement demander aux pays du Sud qui, pour la plupart, ne disposent pas même d'une structure nationale digne de ce nom, de se doter de structures à l'échelon fédéral, régional ou continental ? Il me vient à l'esprit une formule arabe que j'avais coutume d'employer avec mes étudiants : « faible + faible + faible = très faible ».

Il faut imaginer d'autres relais, d'autres structures de regroupement, qui ne soient pas dictées par la simple proximité géographique, mais exploitent, par exemple, les potentialités offertes par les nouvelles technologies.

Le débat s'achève. Nous remercions Jérôme Bindé et repartons satisfaits, un peu comme deux joueurs de tennis après un beau match.

Paris, mercredi 8 avril 1998

Le Chemin de Jérusalem s'est vu décerner le « Prix Méditerranée », ce qui me vaut un déjeuner à la Closerie des Lilas, où je lis un discours que personne n'entend, malgré le micro, tant le bruit du restaurant est assourdissant. Le seul qui semble m'avoir écouté, parce que assis près de moi, c'est Jean d'Ormesson, qui vient compléter, avec subtilité et talent, certaines idées de mon discours.

Rome, vendredi 17 avril-samedi 18 avril 1998

Deux jours à Rome, dans le cadre de mes activités à la SID. À l'ordre du jour, l'approbation du budget et l'examen du programme d'actions. Il y a un monde entre les jeunes chercheurs, tout à leurs travaux et publications, et les vétérans soucieux d'établir des contacts internationaux pour recueillir des fonds et d'organiser de grandes conférences pour rappeler l'existence de cette institution, victime d'une sévère concurrence. Les organisations internationales de ce type sont légion, et elles disposent pour la plupart de l'appui des gouvernements et de ressources régulières.

J'attends avec impatience la fin de mon mandat. Je n'ai pas le temps d'assurer mes fonctions de président. J'aborde avec le secrétaire général Roberto Savio le choix de mon successeur. Nous pensons à Martti Ahtisaari, l'actuel président de la République finlandaise, avec lequel je me mettrai en contact.

Rome-Le Caire, dimanche 19 avril 1998

Je quitte Rome à destination du Caire par un après-midi radieux. L'occasion de me demander s'il ne serait pas temps de renoncer à toutes ces réunions et de commencer à apprendre à vivre, à jouir de la nature, du spectacle des palmeraies et des couchers de soleil sur le désert ocre.

Au moment où j'atterris au Caire, encore et toujours cette même émotion, une sorte de vibration nostalgique, et le sentiment de trahir l'Égypte. Je me reproche, mes amis me reprochent, mes longues absences dans «les pays du dehors» – *Bilad Barra*.

Rester au Caire, travailler au Caire, aimer Le Caire.

Le Caire, lundi 20 avril 1998

Au milieu de ma bibliothèque, parmi mes livres. Une atmosphère d'abandon que je ne m'explique pas. Très peu de poussière. Aboudah, notre dévoué serviteur, a pris soin d'enlever les housses des fauteuils avant notre arrivée, et la vue sur le Nil est toujours aussi éblouissante.

Aujourd'hui, c'est Cham el-Nessim, la fête du printemps, littéralement « sentir le printemps ». Un jour de fête nationale, inspirée de la tradition pharaonique. Une journée plus lumineuse, plus limpide que les autres. Une invitation à flâner dans les jardins publics, à pique-niquer sur l'herbe, à parcourir la campagne. Lorsque j'étais enfant, mes parents fêtaient Cham el-Nessim à la campagne. Un petit déjeuner rituel suivi d'un déjeuner sur la terrasse de notre villa.

Je reste seul, enfermé, à ruminer mes souvenirs, à classer des papiers. Traîne, sur mon bureau, un courrier volumineux que l'on a oublié de me réexpédier à Paris.

Le Caire, mardi 21 avril 1998

Signature d'un accord de coopération entre la Ligue des États arabes et la Francophonie, au siège de la Ligue. Discours, congratulations, déclarations à la presse, interview à la télévision.

(Dans l'après-midi...) Chams el-Wakil, un collègue et ami, le major de notre promotion 1946 à la faculté de droit du Caire, est mort. Une cérémonie de lecture du Coran a lieu cet après-midi. Mes anciens collègues de la faculté sont là. De vieux messieurs, des vieillards, pour certains, au dentier mal ajusté, ce qui rend leurs chuchotements incompréhensibles, d'autres que je ne reconnais même pas tant ils ont changé. Nous attendons que le cheikh ait terminé de psalmodier les versets pour quitter la mosquée et présenter nos condoléances à la famille.

Je m'entendais très bien avec Chams el-Wakil. Nous avons fait ensemble nos quatre années de droit au Caire, puis nous sommes retrouvés à la faculté de droit de Paris, où nous avons passé nos diplômes supérieurs. La dernière fois que je l'ai vu, c'était au Koweit où j'étais venu en tant que secrétaire général de l'ONU. Il travaillait dans un centre de recherches. Le temps d'évoquer nos souvenirs d'étudiants, notre séjour à Paris, lui à l'hôtel Claude-Bernard, moi à l'hôtel Trianon, nos rencontres dans les petits restaurants du quartier Latin, nos aventures sentimentales.

Le Caire, samedi 25 avril 1998

Je me ressource dans la propriété de Kafr Ammar en compagnie de mes deux frères. Kafr Ammar… l'Égypte profonde, l'écrin de notre enfance, de notre jeunesse.

Il va bien falloir que nous nous décidions à partager la succession restée indivise depuis la mort de notre père. Cela demandera du temps et de l'énergie. Nous parlons beaucoup, mais personne n'a vraiment envie de s'atteler à cette tâche. J'ai bien l'impression que nos héritiers vont hériter, aussi, de ce problème-là. Égoïsme de notre part ? Lassitude ? À moins que ce ne soient tout simplement les renoncements de la vieillesse.

Beyrouth, dimanche 26 avril 1998

Plaisir de retrouver Beyrouth en pleine effervescence. Nouvelles routes, tunnels, immeubles en construction, mais, tout près de là, toujours, les ruines de la guerre civile, rappel du cauchemar du peuple libanais, quinze ans de malheurs et de souffrances. Et tant de mes amis qui se sont, ici, entre-tués.

Beyrouth, lundi 27 avril 1998

Séance solennelle d'ouverture de la conférence organisée par l'Agence universitaire de la Francophonie sur la mondialisation, en présence du président de la République, Elias Hraoui.

Je lis mon discours, les recteurs lisent leur discours, le président lit son discours, en français, puis, à ma grande surprise, me rappelle sur le podium. Sur le coup, je pense qu'il a oublié que je suis déjà intervenu. Un second discours ? Je le rejoins, sans trop savoir quelle contenance prendre. Il improvise :

« Permettez-moi de parler en arabe, bien que nous soyons réunis pour une conférence francophone. Je voudrais remettre au Dr Boutros-Ghali notre plus haute distinction pour le courage avec lequel il a toujours défendu le Liban. »

Il me couvre d'éloges pendant cinq bonnes minutes. Tout le monde pense au bombardement de Cana par les Israéliens et au rapport que j'ai publié, malgré l'opposition de la superpuissance. Audace qui a contribué au non-renouvellement de mon mandat.

Un long tonnerre d'applaudissements. La salle est maintenant debout. La surprise a laissé place à l'émotion. Je suis incapable d'articuler le moindre mot. Le Président me décore, me donne l'accolade, et nous quittons l'estrade sous les ovations du public :

« Au Liban, vous êtes un héros national, me dit-il en aparté. Et demain vous irez en pèlerinage à Cana. »

Dîner chez Ghassan Tuéni, à Beit Mary, un village qui surplombe Beyrouth. C'est déjà le climat de la montagne, un air mordant et vivifiant qui tranche avec l'humidité lourde et moite dans laquelle Beyrouth est perpétuellement plongée.

Ghassan Tuéni a mené, avec un égal talent, une carrière de journaliste, d'écrivain, d'ambassadeur et de ministre. Il est à la tête du grand quotidien libanais *An-Nahar*, que dirige aujourd'hui son fils.

Un seul sujet de conversation ou presque : la résolution 425 du Conseil de sécurité, qui demande depuis maintes années le retrait immédiat et inconditionnel des troupes israéliennes du territoire libanais.

Beyrouth, mardi 28 avril 1998

Le président Elias Hraoui aborde avec moi en toute franchise ses problèmes avec son Premier ministre Rafiq Hariri :

« Il a vécu vingt-cinq ans en Arabie Saoudite, me dit-il, où il a fait sa fortune et, depuis, il se conduit beaucoup plus en prince saoudite qu'en citoyen libanais. »

La première fois que j'ai rencontré le président Hraoui, c'était en 1996, à New York. Il m'avait dressé un tableau concis de la situation politique au Liban. J'avais été très impressionné par la clarté de ses propos, la langue choisie dans laquelle il s'exprimait et son art de la persuasion.

Hier encore, j'ai été frappé, dans le discours qu'il a improvisé, par l'élégance de son verbe. C'est un talent que je lui envie. Pendant plus de trente ans, j'ai pris la parole devant les publics les plus variés et, pourtant, je suis incapable de manier la langue arabe avec l'élégance qui est la sienne.

(Dans la soirée...) Nous sommes invités à dîner par le ministre des Affaires étrangères, Farès Bouez. À notre table, le président de la République des Fidji, Ratu Sir Kamisese Mara, venu inspecter ses troupes qui participent aux opérations onusiennes de maintien de la paix au Sud-Liban. Il a les manières d'un lord anglais. Lors du dîner qu'il m'avait offert au palais présidentiel, au cours de ma visite officielle aux Fidji, en 1996, je me serais presque cru à Buckingham Palace, tant le protocole était empesé.

Cana, mercredi 29 avril 1998

Poignant spectacle que celui de la population de cette petite ville, massée dans les rues. D'immenses banderoles me souhaitent la bienvenue. Dès ma descente de voiture, je suis encadré par une garde rapprochée. Bain de foule. On me conduit devant les tombes des victimes du bombardement israélien. Moment d'intense émotion.

Cana. « Une sorte de chœur de hurlements. » C'est en ces termes que le personnel des Nations unies, qui se trouvait à un peu plus de un kilomètre du camp de Cana, a décrit la tragédie de ce 18 avril 1996. Les obus de l'artillerie israélienne se sont abattus sur les bâtiments de l'ONU où femmes et enfants étaient venus se réfugier, pensant y être en sécurité. « Un accident », diront les Israéliens, « une tragique erreur de tir » selon Bill Clinton, la preuve que « les armes de haute technologie ne sont pas infaillibles » selon le *Washington Post*.

Ehud Barak, le ministre israélien des Affaires étrangères, m'avait téléphoné pour me demander de ne pas publier mon rapport avant d'avoir rencontré un général israélien, qui viendrait tout spécialement à New York pour m'exposer les circonstances de ce bombardement qui n'avait « rien de prémédité ». Les injonctions de l'administration américaine, plus discrètes, se firent d'abord par personnes interposées : « Si vous publiez ce rapport, cela risque de faire du tort à Shimon Peres, actuellement en pleine campagne électorale. Et il est de l'intérêt du processus de paix et des Palestiniens que le parti travailliste l'emporte. » Avant de devenir plus pressantes : « Ne publiez pas de rapport, contentez-vous d'un rapport oral devant le Conseil de sécurité. C'est un bon compromis qui donnera satisfaction à tout le monde. »

Quelque temps plus tard, lors d'une réunion, Kofi Annan, alors responsable du département des opérations de maintien de la paix, nous présenta, de sa propre initiative, une nouvelle mouture de ce rapport faite pour donner satisfaction aux Israélo-Américains. Je laissai éclater ma colère :

« *There's something rotten in the Kingdom of Denmark* », dis-je à l'adresse de l'équipe des collaborateurs. Et j'ajoutai : « Messieurs, c'est moi qui suis responsable de cette maison, et je compte bien, quoi qu'il en coûte, publier le rapport original qui m'a été présenté par les militaires que j'ai dépêchés sur place. »

Certains ont dit, après coup, que je savais déjà, au moment de la publication de ce rapport, que l'administration américaine et le lobby sioniste s'opposeraient de toute façon à ma réélection. Avec le recul, je peux dire en toute sérénité que, contrairement à ces allégations, j'étais persuadé, à l'époque, que la réélection de Bill Clinton modifierait la position des États-Unis à mon égard, sous la pression de nombreux chefs d'État favorables à ma candidature. Tout comme j'étais convaincu, en publiant ce rapport, d'annihiler définitivement toute velléité de revirement de la politique américaine. Pourtant je n'ai pas hésité un instant, malgré les conseils de prudence de mes proches collaborateurs. C'était mon devoir. Je le devais aux femmes et aux enfants assassinés par la soldatesque israélienne.

Je n'ai jamais regretté ma décision. Surtout lorsque je vois, comme aujourd'hui, les tombes des victimes de Cana et la souffrance toujours présente de ceux qui n'ont pas oublié. Et j'éprouve de surcroît l'égoïste satisfaction de pouvoir me dire que j'ai contribué un tant soit peu à faire connaître les souffrances du peuple palestinien.

Aujourd'hui, à Cana, je ne sais si c'est cette atmosphère chargée de drames, de souffrances et de mort, mais lorsqu'une vieille femme, pauvrement vêtue, m'aborde pour me remercier de « ce que j'ai fait pour Cana et le Liban », les larmes me montent aux yeux. Une émotion que je ne peux ni ne veux dissimuler. La vieille femme me regarde avec surprise :

« Que Dieu soit avec toi, que Dieu te protège », me dit-elle alors avec tendresse avant de s'éloigner d'une démarche lente et fatiguée.

La bénédiction de cette vieille femme a été pour moi l'un des moments les plus forts du drame de Cana.

Beyrouth, jeudi 30 avril 1998

Le Premier ministre Rafiq Hariri me livre une analyse réaliste et précise de la situation politique et économique du Liban. Il espère que le sommet de la Francophonie, en 2001, trouvera un Liban reconstruit et prospère.

Il me reproche, amicalement, de préférer le déjeuner auquel m'a convié aujourd'hui Walid Joumblatt à celui qu'il comptait lui-même m'offrir. Je lui fais remarquer, tout aussi amicalement, que Joumblatt m'a invité il y a de cela dix jours alors que j'étais encore à Paris, tandis que sa propre invitation ne date que d'hier. Il cite à maintes reprises Jacques Chirac, qu'il appelle son « grand ami ».

Départ pour le Chouf, fief des Druzes, dans la montagne, à une heure de Beyrouth. Walid Joumblatt est, aujourd'hui, le chef incontesté des Druzes. J'ai connu son père et sa mère, May Joumblatt, fille de l'émir Shakeeb Arsalan. Il a reconstruit et restauré avec soin le château de son père. La reine mère, May Joumblatt, a réuni, pour nous, tous nos amis. Paul Klat, Assem Saab Salam, Ghassan Tuéni et leurs épouses, Jeanine Débané...

Walid Joumblatt est membre du gouvernement, mais il ne semble pas être dans les meilleurs termes avec le Premier ministre. Les rapports de force au sein de la classe politique sont extrêmement complexes et difficiles à cerner. Sans oublier le rôle majeur que joue la Syrie dans la politique intérieure du Liban.

(En fin d'après-midi...) Conférence sur la démocratisation des relations internationales. Salle comble. Je commence par lire le texte arabe que j'avais rédigé à Paris. Mais je n'éprouve bientôt plus le besoin de regarder mon texte. Et je vais parler, une heure durant, sans papier. J'aborde avec la même forme physique le débat qui suit. L'adrénaline fait son effet. Est-ce l'accueil que j'ai reçu hier à Cana ? Le sujet, que je connais si bien ? La qualité d'écoute de mon auditoire ? La joie de m'exprimer à nouveau en arabe ? Je ne saurais dire à quoi je dois cette aisance et cette superbe.

Paris, vendredi 1er mai 1998

Paris sous la grisaille et la pluie. L'Égypte, le Liban, pays de mon enfance et de ma jeunesse – mon univers –, me manquent déjà. Je pense à ces exilés, sans espoir de retour, ayant pour seul réconfort le souvenir lumineux et obsédant des scènes de la vie antérieure.

Paris, lundi 4 mai 1998

Première réunion, à l'Unesco, du panel international Démocratie et Développement. J'ai élaboré un plan provisoire en deux parties : la première consacrée aux rapports entre le développement et la démocratie nationale, la seconde aux effets de la globalisation sur les rapports entre démocratie et développement à l'échelle internationale.

Se dégage un consensus sur le caractère universel des principes démocratiques fondamentaux, avec la nécessité, toutefois, de prendre en compte les spécificités historiques et culturelles de chaque société. En d'autres termes, après avoir insisté sur l'universalité du concept de démocratie, on a pris soin de ménager une porte de sortie qui permettra de justifier toutes les exceptions et toutes les « transitions nécessaires ».

Le concept de développement a soulevé moins de difficultés, dans la mesure où tout le monde, aujourd'hui, s'accorde à reconnaître que le développement ne se limite pas au progrès économique, mais qu'il a aussi une dimension sociale et culturelle. Pas de difficultés, non plus, sur les liens indissociables entre démocratie et développement, avec néanmoins des nuances d'analyse.

Pour certains, ce lien est du ressort de l'individu, directement motivé par ses aspirations et ses droits. Pour d'autres, il s'agit du droit au développement et à la démocratie, tels qu'ils ont été codifiés par les différents instruments juridiques définis par les Nations unies. Pour d'autres, enfin, le concept de développement démocratique va bien au-delà du cadre normatif et institutionnel, et doit s'incarner dans un état d'esprit marqué par la tolérance, la solidarité et le respect de l'autre.

Cela nous amène à de longs débats sur le concept de culture de la démocratie, par ailleurs difficile à expliciter, tout comme, dans le même ordre d'idées, le concept de culture de la paix, cheval de bataille de Federico Mayor depuis plusieurs années.

Après le déjeuner, nous débattons des obstacles au développement de la démocratie. Inégalité des revenus et des richesses, absence d'éducation et de formation, institutions juridiques défaillantes. Comment surmonter ces obstacles ? Les membres du panel conviennent que l'éducation reste la priorité des priorités et un préalable incontournable.

Je les sens pressés de lever la séance. Ils ont tous une soirée chargée en perspective et comptent bien mettre à profit leur bref séjour à Paris.

Paris, mardi 5 mai 1998

Seconde journée de travail. Aujourd'hui, nous abordons mon « dada ». Ce pour quoi j'ai accepté de présider cette commission : la démocratie à l'échelle internationale, la démocratie globale.

Très vite, certains membres du panel émettent des objections, au motif notamment qu'il n'y pas de commune mesure entre démocratie nationale et démocratie internationale, et qu'il est difficile d'établir un parallèle entre les deux. Par ailleurs, si tous les hommes sont, *de jure*, considérés comme égaux, c'est loin d'être le cas lorsqu'il s'agit des États et des acteurs non étatiques de la société internationale.

Je me garde bien d'intervenir. D'une part parce que je préside cette commission, de l'autre parce que je suis curieux d'entendre le point de vue de chacun. Cela dit, des arguments en faveur de mon analyse commencent à se faire jour. Tous les membres se retrouvent sur l'idée d'une insuffisance flagrante de démocratie dans les relations internationales.

Certains, se référant à l'exemple du Parlement européen, qui rend possible la représentation des peuples au-delà des frontières nationales, pensent qu'un des objectifs de la démocratie nationale est de promouvoir la démocratie internationale. Unanimes quant à la nécessité d'un contre-pouvoir à l'échelle mondiale, ils en viennent à la conclusion que la régionalisation constitue la forme la plus appropriée de ce contre-pouvoir. Les organisations internationales sont, pour le moment, les seuls instruments susceptibles de garantir un minimum de démocratie dans les relations entre États, et de contribuer à une gestion globale de problèmes de moins en moins faciles à résoudre à l'échelle de l'État-nation. Ce qui ne les empêche pas de reconnaître le caractère imparfait de la démocratie au sein de l'Organisation des Nations unies et de son Assemblée générale, dont les membres ne sont pas élus démocratiquement. Faut-il aller vers une représentation tripartite sur le modèle de ce qui se pratique à l'Organisation internationale du travail, où siègent les représentants des ouvriers, du patronat et des États ? Faut-il envisager une représentation bipartite, les parlementaires siégeant aux côtés des représentants des gouvernements ?

L'après-midi, nous traitons des relations entre la démocratie et la paix. Là encore, nous reconnaissons unanimement que le régime démocratique est le plus à même de réaliser la paix, car la démocratie tend à résoudre les conflits par la médiation et l'arbitrage. Ce qui revient à dire que beaucoup de conflits internationaux sont nés de situations d'instabilité interne. Néanmoins, si la démocratie favorise la paix, elle n'en constitue pas pour autant une garantie. Certains panelistes font remarquer que rien ne nous assure que, une fois un certain seuil de développement et de démocratie atteint, il n'y aura pas de risque de retour en arrière. Par ailleurs, rien ne prouve qu'un conflit entre deux démocraties soit impossible, à l'inverse de ce que prétendent les tenants de la paix démocratique, États-Unis en tête.

Paris, mercredi 6 mai 1998

Ce matin, je couche sur le papier mes premières impressions de la réunion d'hier : d'abord, rien n'est plus difficile que de diriger un groupe de superintellectuels. Chacun se présente avec sa vision des choses, qu'il tente, qui plus est, d'imposer aux autres. Pour le juge Keba Mbaye, du Sénégal, c'est la justice qui est au fondement de la démocratie. Pour Rosiska Darcy de Oliveira, du Brésil, il faut commencer par corriger l'inégalité entre les femmes et les hommes. Pour l'ambassadeur Guo Jiading, de Chine, c'est la défense de la spécificité nationale qui permettra le développement démocratique. Pour Mohamed Charfi, de Tunisie, c'est l'intégrisme religieux qui menace la démocratie…

Par ailleurs, j'ai constaté que les membres du panel aiment à rester, dans le débat, au niveau conceptuel et théorique. Ils sont moins intéressés par les conclusions d'ordre pratique que l'on peut en tirer et les recommandations que l'on pourrait formuler.

Enfin, la véritable faiblesse de ce panel tient à ce que nous sommes dans l'ignorance la plus totale de ce qui a déjà été fait par l'Unesco ou d'autres organisations internationales dans ce domaine. Le secrétariat aurait été bien inspiré de nous préparer une documentation pour nous éviter de répéter ce qui aurait déjà été dit et de préconiser ce qui aurait déjà été décidé.

Mais je dois bien admettre que ce dialogue entre juristes, parlementaires, sociologues, diplomates, venus d'horizons différents, dotés d'expériences différentes, de conceptions différentes, constitue un exercice intellectuel de haute volée. Cela aura eu le mérite, aussi, de me forcer à ne pas intervenir pour défendre ma perception des choses et à réapprendre à écouter. L'enseignement universitaire et les responsabilités politiques m'ont amené à m'écouter plus que je n'écoute les autres.

La Haye, samedi 9 mai 1998

Nous sommes une douzaine de juristes chevronnés à nous retrouver, deux fois par an, à Paris et à La Haye, au sein du curatorium de l'Académie de droit international.

L'occasion de nous observer mutuellement pour détecter les ravages opérés par l'âge. Des poches plus marquées sous les yeux, une démarche plus hésitante, un dos plus voûté, une surdité récente, un début de Parkinson. Il devient de plus en plus fréquent que nous commencions notre séance par une minute de silence en mémoire de l'un des nôtres, disparu. Je ne peux m'empêcher, durant cet instant de recueillement, de scruter le visage de mes collègues. « Qui sera le suivant ? » semble être la question que certains se posent.

La désignation d'un successeur fait l'objet d'interminables tractations bilatérales, d'innombrables coups de fil par-delà les océans. Il faut tout à la fois une représentation géographique équitable et un respect des différentes spécialités. Il faut, également, prendre en compte les relations que le postulant entretient avec son gouvernement, et les contributions financières qu'il sera susceptible de faire débloquer pour l'Académie.

Le curatorium est chargé de sélectionner les sujets qui seront traités lors des sessions à venir de l'Académie et de désigner les professeurs qui seront invités à donner des conférences. Là encore, de subtils équilibres à ménager. Entre sujets classiques, qui servent de toile de fond à la session, et sujets innovants, directement liés à l'actualité internationale. Entre juristes anglophones et juristes francophones, l'anglais et le français étant les deux langues de travail à l'Académie. Les membres du curatorium ont largement tendance à n'inviter que leurs collègues européens ou américains. Je me fais un devoir, à chaque fois, de plaider en faveur des professeurs du tiers monde.

Donner un cours à l'Académie de La Haye est, pour un internationaliste, une consécration. Dit autrement : ne pas avoir l'honneur de donner un cours à La Haye est aussi pénalisant et vexant que de ne pas avoir été élu membre du River Club de New York ou de l'ancien Club Mohamed Ali du Caire. Et, plus on est jeune, plus le prestige est grand. J'ai donné mon premier cours, en 1960, sur l'égalité des États dans les organisations internationales. Je n'avais pas quarante ans. Prestation moyenne, comme devait me l'expliquer un des caciques de l'Académie. Un tel, lui, n'en avait que trente. Tout cela pour expliquer les rivalités polies qui se cachent souvent sous les débats au sein du curatorium, chacun manœuvrant pour tenter d'imposer son protégé. Il n'en demeure pas moins que de tous les cénacles auxquels j'ai participé, le curatorium de La Haye reste celui qui concentre le plus grand nombre d'intelligences et qui suscite les réflexions, les explications et les analyses les plus brillantes.

Je propose à mes collègues que le problème des sanctions internationales fasse l'objet d'un cours ou, mieux, serve de thème de réflexion au centre de recherches de l'Académie. J'ai en tête l'Irak et les sanctions que la diplomatie anglo-saxonne impose à une population déjà meurtrie par un régime autoritaire et sanguinaire, et que ce blocus finit de rendre exsangue. Le curatorium prend bonne note de ma suggestion, mais semble peu enclin à la retenir. La séance est levée.

La Haye, dimanche 10 mai 1998

L'ambassadeur Ibrahim Badawy insiste pour nous inviter à déjeuner. Je lui propose d'aller jusqu'à la plage de Norwick, à une demi-heure de La Haye, qui m'évoque de brûlants souvenirs.

Nous nous installons à une terrasse, face à la mer. Deux petits garçons viennent me demander un autographe. Satisfaction d'amour-propre. Lorsque je me retrouverai les mains vides, à l'âge de la vieillesse et de la dépendance, ce seront ces petites satisfactions qui peupleront ma solitude. Pourquoi, en ce dimanche de mai, l'idée, soudain, de la vieillesse? Parce que Norwick est à jamais associé dans ma mémoire aux moments intenses de ma jeunesse. L'amour fou. Nous attendions que vienne le crépuscule et l'instant magique où le soleil s'abîme dans la mer, et qu'étincelle le rayon bleu, pour nous embrasser passionnément. Les caresses, l'érotisme, la jeunesse. Voilà ce que me rappelle Norwick.

Je repense à la phrase d'Aragon : «Un beau soir, l'avenir s'appelle le passé. C'est alors qu'on se tourne et qu'on voit sa jeunesse.»

Bamako, lundi 25 mai 1998

Depuis hier à Bamako, où doivent se dérouler les Assises francophones de la formation professionnelle et technique. Réveillés à l'aube, nous sommes conduits jusque dans une plaine, à une trentaine de kilomètres de la ville, puis les voitures se mettent à gravir, dans un nuage de poussière, une succession de petites collines. Une fois parvenus au sommet, on nous montre, gisant au fond d'un ravin, des centaines de mines antichars, que l'on s'apprête à faire exploser pour donner le coup d'envoi de la campagne nationale antimines lancée par le Mali. De retour dans la plaine, l'état-major malien au grand complet entoure le président Alpha Oumar Konaré. Succession d'ordres et de contrordres.

«Est-on sûr que la colline a été totalement évacuée?» demande l'un des militaires.

«Faites exploser les mines», ordonne un autre.

Attente fébrile. Le soleil est déjà haut dans le ciel. La journée s'annonce torride. Une explosion déchire soudain le silence. Et l'on voit s'élever vers le ciel bleu, si bleu, un petit champignon, pareil à celui d'Hiroshima. Après quelques minutes, une nouvelle explosion, et un nouveau nuage. Nous nous congratulons comme si nous venions de remporter une bataille. Effectivement, c'est bien une bataille que nous venons de remporter, une bataille contre les mines qui continuent de tuer et de mutiler les populations civiles, bien des années après que les hostilités ont cessé.

Je m'informe auprès du gradé qui semble diriger les opérations.

«Ce sont bien des mines russes?

– Oui.

– Des mines antichars ?

– Oui.

– Le Mali et les États voisins ont des bataillons de chars ? »

Mon interlocuteur marque un temps d'hésitation avant de me répondre.

« C'est ce que nous avons reçu des Soviétiques. Le Président a donné des instructions pour que nous détruisions toutes les mines appartenant aux forces armées maliennes. »

Le président Konaré vient me féliciter.

« C'est vous, en tant que secrétaire général des Nations unies, qui avez mobilisé l'opinion publique internationale en faveur de l'éradication des mines antipersonnel et du désarmement en matière d'armes conventionnelles. C'est pourquoi j'ai tenu à ce que vous assistiez, ce matin, à cette cérémonie. »

Bamako, mardi 26 mai 1998

Le président Alpha Oumar Konaré m'offre, en guise de présent, un bouc peu décidé, semble-t-il, à accepter son sort et que l'on doit lamentablement traîner jusqu'à moi.

L'ambassadeur d'Égypte, Essam Fath el-Bab, m'apprend que notre ministre des Affaires étrangères, Amr Moussa, s'était vu offrir lui aussi, lors de sa visite officielle, un bouc qui ensuite avait sévi plusieurs jours durant dans les jardins de l'ambassade. En bon serviteur de l'État, le ministre avait envoyé plusieurs télégrammes chiffrés au Caire pour savoir quel sort il convenait de réserver à cet hôte inattendu. Peine perdue. Le Caire ne répondit pas. Le ministre oublia son bouc et ne donna aucune instruction sur son devenir.

Je prie pour ma part l'ambassadeur de sacrifier l'animal et de distribuer la viande aux plus nécessiteux.

« N'étant plus votre ministre de tutelle, je ne peux vous donner d'instructions écrites, mais je fais appel à votre amitié pour que vous exécutiez cette mission extra-diplomatique… »

Tombouctou, mercredi 27 mai 1998

Je n'avais jamais eu l'occasion de visiter Tombouctou. Le président Konaré a mis un avion à ma disposition afin que je me rende dans cette ville historique, fondée au XIe siècle par les Touareg. C'est de Tombouctou que partaient les caravanes qui allaient chercher le sel à Touandenni, à l'extrême nord du Mali. J'ai gardé en mémoire la description, en arabe en 1353, des merveilles de Tombouctou, par Ibn Battuta, grand voyageur et historien, puis par René Caillié, en français en 1828.

Presque deux heures de vol dans un avion à hélice soviétique. Je suis accompagné du ministre de l'Éducation. Arrivés à destination, nous sommes reçus par le gouverneur de la région, un ancien pilote d'hélicoptère, et par le maire.

Visite des mosquées. La chaleur est impitoyable. Nous nous déchaussons et, au moment de traverser la cour, le sable semble des braises sous mes pieds. Le gouverneur insiste ensuite pour me conduire jusqu'au Jardin de la paix, qui commémore l'accord signé entre le gouvernement et la rébellion targuie. Nous avons remis nos chaussures, mais cela ne suffit pas à nous éviter le contact brûlant avec un sable chauffé à blanc.

« C'est là que nous aimerions que vous plantiez un arbre lorsque vous reviendrez… en hiver. » Me voilà rassuré !

Nous nous arrêtons dans le petit musée de la ville, qui abrite une collection de vieux manuscrits et de corans, avant de rejoindre la Guest House où nous attend un déjeuner : un mouton rôti à la broche dont nous arrachons les meilleurs morceaux avec les doigts. Ce n'est pas la première fois que je déguste le mouton de cette manière, mais jamais je n'ai goûté viande plus succulente. Première satisfaction de la journée, après ma déception du matin à la vue d'une ville abandonnée à la chaleur, à la poussière et à la misère, bien loin de la cité de légende décrite par Muhammad Ibn Battuta, et qui fut, en d'autres temps, le centre du monde musulman, entre le Maghreb et l'Afrique profonde.

Je suis désenchanté. Est-ce à cause de la chaleur obsédante ? De cette ville devenue l'ombre d'elle-même ? Du soleil qui oppresse les mosquées ? Ou peut-être ai-je trop longtemps rêvé de Tombouctou ?

De retour à Bamako, je n'ai que le temps de boucler ma valise. Le président Konaré m'a invité à dîner. Un dîner convivial, en compagnie de son épouse, très élégante. Nous abordons la crise du Congo-Brazzaville et du Congo démocratique, mais j'ai du mal à me concentrer : j'ai peur de manquer mon avion. Je fais part de mon appréhension au Président, qui m'assure que nous avons amplement le temps d'apprécier ensemble ce dîner.

C'est une crainte récurrente chez moi, et que je fais toujours partager à mes hôtes. Je me souviens d'un déjeuner, il y a bien des années, à Tunis, chez le président Habib Bourguiba. Craignant de rater l'avion qui devait me ramener au Caire, j'avais, là encore, alerté mon hôte qui, superbe, avait donné l'ordre que l'on retarde le départ de l'avion jusqu'à mon arrivée. « Comme ça, vous pourrez déjeuner tranquillement », avait-il simplement ajouté. Ce que je fis, effectivement, mais à mon arrivée à l'aéroport, je trouvai les passagers du vol à destination du Caire au bord de la mutinerie.

« Le départ de l'avion a été retardé simplement parce qu'un VIP est en retard. C'est un scandale ! » me dit l'un d'entre eux avec colère dans la salle d'embarquement.

De peur que les égards du personnel au sol ne me trahissent, je poussai l'hypocrisie jusqu'à lui demander s'il savait de qui il s'agissait.

« Non, me répondit-il exaspéré, mais voilà bientôt une heure que nous attendons ce monsieur qui se moque des horaires ! »

Cette fois, à Bamako, je suis arrivé à temps et l'avion a décollé à l'heure.

Paris, jeudi 28 mai 1998

Le voyage de nuit m'a terriblement fatigué. Je passe ma journée au lit, avant de retrouver, pour dîner, l'ancien Président chypriote George Vassilíou, qui a mené une brillante carrière d'homme d'affaires avant de se lancer dans la politique. À l'ONU, j'avais négocié avec lui et avec son adversaire turc, Rauf Denktash, durant des dizaines d'heures, pour tenter de trouver une solution provisoire au problème gréco-turc de Chypre. Le dialogue entre l'internationaliste Vassilíou et le provincial Denktash n'avait rien d'aisé. Plus tard, Vassilíou a perdu les élections. Il était pourtant persuadé d'être réélu. Son échec n'en fut que plus cuisant. Ce soir, il se montre pessimiste quant à l'issue de la crise chypriote. Mais il est vrai que lorsqu'on est loin du pouvoir, on a souvent tendance à sous-estimer la manière dont votre successeur gère une crise.

On dit que le pouvoir use, mais la perte du pouvoir use plus encore. Ce qui n'est pas le cas du président Vassilíou, que je trouve débordant d'entrain et de projets.

Paris, mercredi 3 juin 1998

Dîner chez Françoise Gallimard qui décerne chaque année un prix à un jeune écrivain francophone, en collaboration avec l'Unesco. Il y a là Federico Mayor, Ismaïl Kadaré, taciturne, Tahar Ben Jelloun, à la force de conviction communicative,

Ehsan Naraghi, volubile, comme s'il voulait effacer le silence qui lui a été imposé dans les prisons iraniennes.

Françoise Gallimard aimerait que la prochaine édition de ce prix soit organisée en collaboration avec la Francophonie, et non plus avec l'Unesco, d'autant que Federico Mayor arrive au terme de son second mandat.

Paris, jeudi 4 juin 1998

Mon poste de secrétaire général de la Francophonie me vaut de devenir membre du Haut Conseil de la Francophonie, une institution française présidée par Jacques Chirac.

Réunion à l'Élysée, où je présente brièvement les réformes adoptées à Hanoï et les priorités que je me suis fixées. Lors de la réception, plus tard, je retrouve Youssef Chahine, qui prépare un nouveau film avec, encore, l'intégrisme musulman pour cible. Bravo !

Paris, vendredi 5 juin 1998

Déjeuner au Club interallié avec mon neveu Youssef et le président Mário Soares, avec qui j'ai enregistré, le matin même, pour la télévision portugaise, un long échange sur le thème du pouvoir.

« Il faut savoir choisir le moment où l'on doit abandonner le pouvoir, me dit Mário Soares.

– Mais, monsieur le Président, le pouvoir, vous continuez à l'exercer. Directement, parce que vous êtes le Sage du Portugal, et indirectement parce que votre épouse est présidente de la Croix-Rouge portugaise et votre fils, maire de Lisbonne… Quant à moi, ma famille s'accroche au pouvoir depuis des générations.

Je me suis fait élire secrétaire général de la Francophonie à Hanoï et mon neveu Youssef est ministre égyptien de l'Économie. Cela dit, je ne crois pas que je sois capable d'abandonner le pouvoir. C'est devenu, pour moi, une drogue. J'ai, du pouvoir, une conception élargie. J'aime l'écriture, et je conçois très bien que le pouvoir puisse être intellectuel. Publier des articles, donner des interviews, participer à des colloques, c'est aussi une forme de pouvoir. Mais je dois reconnaître que le pouvoir politique est différent, c'est un peu comme un alcool à cinquante degrés qui vous brûle le palais et qui vous empêche par la suite de déguster ce grand cru qu'est le pouvoir culturel. D'ailleurs quel est l'universitaire qui n'a pas rêvé, à un moment ou un autre, de devenir l'éminence grise d'un homme d'État? Ce n'est qu'une façon indirecte et détournée de goûter au pouvoir politique.»

Paris, mercredi 10 juin 1998

J'ai décidé de nommer Alioune Blondin Beye, ancien ministre des Affaires étrangères du Mali, au poste de conseiller pour l'Afrique au sein de mon cabinet. Il a été, à l'ONU, mon représentant personnel en Angola. C'est lui qui a conclu, en novembre 1994, les accords de Lusaka entre le gouvernement de Dos Santos et l'Unita de Savimbi. Je compte sur lui pour m'aider dans la recherche de solutions aux conflits internes ou entre les États membres de la Francophonie. Nous sommes convenus qu'il démissionnera des Nations unies en juillet, afin d'atteindre les cinq ans révolus qui lui permettront de percevoir une retraite.

Dîner avec Benita Ferrero-Waldner, qui a été ma collaboratrice à l'ONU et qui est aujourd'hui le numéro deux au ministère autrichien des Affaires étrangères. Elle est tentée de se présenter à la succession de Federico Mayor à l'Unesco. Pour l'instant, elle prépare son pays à la présidence autrichienne de l'Union européenne. Je me permets de tenter de la dissuader de briguer l'Unesco. Il est peu probable qu'un Européen soit à nouveau élu au poste de directeur général. Ce sera vraisemblablement un représentant de l'Asie, probablement le candidat japonais.

Albiate, dimanche 14 juin 1998

Je suis en Italie pour recevoir le prix Colombo, qui m'a été décerné pour mon action en faveur de la paix et pour mon dernier ouvrage, *Le Chemin de Jérusalem*.

Plaisante cérémonie champêtre. Après les discours, on me remet le prix : une sculpture de mon ami Harry Rosenthal. Puis on s'égaille au son d'une fanfare dans les jardins de la mairie, qui accueille une exposition des œuvres de Harry.

J'ai fait la connaissance de Harry en 1936, à Velden-am-Wörtsee, en Autriche. Je n'étais alors qu'un adolescent. Il était le fils d'un riche industriel autrichien. Sa mère et la mienne devaient nouer une longue amitié. Nous nous sommes retrouvés à Paris, en 1946. Je préparais mon doctorat de droit et lui achevait ses études d'ingénieur chimiste. Lorsque je l'ai revu, des années plus tard, à Milan, il était à la tête d'une des plus grosses entreprises de fournitures pour les composants électroniques. Cette carrière en cachait une autre. Je l'ai, en effet, toujours connu passionné de sculpture, un art qu'il n'a cessé de pratiquer depuis son plus jeune âge. Et à l'occasion du cinquantième anniversaire de l'ONU, il nous a fait don de deux cents presse-papiers sculptés par lui. Il est, également, membre du jury du prix Colombo, et c'est d'abord à lui que je dois ma présence à Albiate aujourd'hui.

Paris, jeudi 18 juin 1998

Nous tombons d'accord, avec Charles Josselin et ses collaborateurs, sur la nécessité de lancer une évaluation des trois opérateurs de la Francophonie : l'Agence universitaire, l'Université Senghor d'Alexandrie et l'Agence intergouvernementale.

Dans un autre ordre d'idées, il semble que l'accord de coopération que j'ai signé avec la Ligue des États arabes les ait surpris. Le petit monde de la Francophonie a décidément quelque chose de très provincial, un tantinet frileux, et une tendance marquée à vivre en vase clos. Toute velléité d'ouverture sur le monde des non-francophones laisse ses apparatchiks désemparés et inquiets. Il faudra pourtant qu'ils comprennent que, à l'heure de la mondialisation, la survie de la Francophonie passe par une alliance avec les autres grandes aires culturelles et linguistiques. Il faudra aussi qu'ils admettent que, s'ils veulent une véritable organisation internationale, c'est d'un secrétaire général responsable et indépendant qu'ils ont besoin, pas d'un supplétif diplomatique chargé de l'outremer.

Paris, vendredi 19 juin 1998

Roland Dumas m'accueille au Conseil constitutionnel. Malgré les attaques incessantes qu'il subit dans la presse, il fait bonne figure.

Déjeuner avec l'ensemble des membres de cette institution, tous très respectueux à l'égard de leur président. Je retrouve avec plaisir Jean-Claude Colliard, qui a été mon étudiant en 1968, et Simone Veil, avec qui j'ai dû préparer, dans le plus grand secret, le voyage du président Sadate au Parlement européen, en février 1981, du fait de l'opposition des travaillistes britanniques. Un voyage auquel je n'ai pas assisté mais que j'avais défendu âprement. J'ai toujours pensé qu'il fallait renforcer le rôle de l'Europe et des Nations unies dans le conflit arabo-israélien afin d'éviter que le processus de paix ne s'enferme dans un huis clos entre Israël et les États-Unis d'un côté, et l'Égypte de l'autre. La certitude d'un dialogue par définition inégal et partial.

Bruxelles, lundi 22 juin 1998

Je parviens à grand-peine à faire adopter, lors du Conseil permanent de la Francophonie, une résolution pour appuyer le gouvernement légitime de Guinée-Bissau.

Il s'agit d'une première : la toute première résolution politique adoptée par le Conseil permanent depuis sa création. Un véritable tournant dans la politique francophone. Il fallait voir les craintes des membres du Conseil, leur farouche détermination à cantonner leurs décisions dans le domaine de la coopération culturelle et technique, se retranchant derrière les procédures ou la nécessité d'obtenir l'aval de leur gouvernement.

Soirée acadienne à l'ambassade du Canada. Un avant-goût prometteur de cette étonnante Acadie qui accueillera le prochain sommet de la Francophonie, en septembre.

Bruxelles, mardi 23 juin 1998

Léa et moi sommes invités à dîner par la reine Fabiola, qui occupe toujours le palais royal, en attendant que son déménagement soit terminé.

La reine nous confie qu'elle prie chaque jour pour son défunt mari, le roi Baudouin. À ce propos, je lui demande l'autorisation de mentionner dans mon livre sur les Nations unies le fait qu'elle m'ait avoué prier pour moi.

« Mais certainement, me dit-elle, puisque je continue à le faire. »

La foi de la reine Fabiola irradie et lui donne une force morale qui vous remplit l'âme. On la quitte exalté, grandi, avide de mysticisme, mais on retrouve vite les vicissitudes du quotidien.

Genève, mercredi 24 juin 1998

Je retrouve l'hôtel La Réserve, où j'ai vécu les moments les plus pénibles de mon combat contre la superpuissance pour ma réélection, au printemps 1996.

Mon neveu Fakry Abdel Nour, qui a fait sa fortune dans le pétrole, a invité à dîner, dans sa très belle propriété qui domine le lac, la Genève des affaires, qui m'est totalement étrangère. J'aurais préféré la Genève des idées.

Berne, jeudi 25 juin 1998

Rencontre avec les parlementaires francophones et les responsables des Affaires étrangères, avant de partir pour Crans-Montana, où j'arrive juste à temps pour faire, dans le cadre du forum, un exposé sur la Francophonie. Ma prestation terminée, je me mets au lit, épuisé et fiévreux.

Cette fièvre est ma sonnette d'alarme. Dès que je franchis les limites de ma résistance physique, elle se manifeste, accompagnée d'un mal de gorge, incitation à un repos forcé. J'en profite pour entamer la lecture du livre de Gilbert Sinoué, *Le Dernier Pharaon*, consacré à Méhémet-Ali. Une lecture difficile, mais qui me montre à quel point je méconnais l'histoire moderne de mon pays.

Crans-Montana, vendredi 26 juin 1998

Déjeuner officiel autour du président du Ghana, Jerry Rawlings, accompagné de sa jeune et ravissante épouse Nana, de Blaise Compaoré, le président du Burkina Faso, et du Premier ministre du Mozambique, Pascoal Mocumbi. Les chefs d'État africains semblent goûter la cour que leur font les hommes d'affaires helvétiques et cette atmosphère d'adulation occidentale, sur fond de montagnes apprivoisées.

Au cours de la séance de travail de l'après-midi, les différents intervenants présentent la situation économique de leurs pays respectifs pour tenter d'attirer les investissements étrangers. Leurs exposés n'ont manifestement pas été préparés, et l'improvisation, en la matière, tourne vite au désastre. Propos flous, souvent incompréhensibles : le meilleur moyen de dissuader les investisseurs présents dans la salle. Le seul à tirer son épingle du jeu est Alassane Ouattara, ancien Premier ministre de Côte-d'Ivoire, directeur adjoint du Fonds monétaire international, qui expose avec clarté et précision les problèmes économiques de l'Afrique et de la Côte-d'Ivoire.

(19 heures.) Cérémonie de remise des prix. Je compte parmi les lauréats et improvise un discours sur les rapports entre paix, développement et démocratie. Je m'empresse de regagner ma chambre pour poursuivre la lecture du *Dernier Pharaon*.

Crans-Montana, samedi 27 juin 1998

J'ai terminé la biographie de Méhémet-Ali. Ce fut un grand homme d'État, le fondateur de l'Égypte moderne. Il sut s'appuyer, comme le rappelle Christiane Desroches-Noblecourt, sur la

France dans presque tous les domaines pour « transformer une terre si longtemps et si lourdement asservie en une Égypte productive et consciente de son identité nationale ».

Crans-Montana-Paris, dimanche 28 juin 1998

Dans l'avion qui me ramène à Paris, j'apprends par le journal la mort d'Alioune Blondin Beye. Son avion s'est écrasé à une centaine de kilomètres d'Abidjan. Il n'y a aucun survivant. C'est un terrible choc pour moi.

Nous nous sommes connus lors du sommet de Monrovia, en juillet 1979. Il était alors ministre des Affaires étrangères du Mali, moi d'Égypte. Je fus immédiatement séduit et impressionné par sa culture juridique et son art de la diplomatie, qui trouvèrent à s'exprimer avec infiniment de talent et de finesse dans son analyse critique des accords de Camp David, lors de cette conférence.

Je l'ai retrouvé, un peu plus tard, à l'occasion de négociations bilatérales entre l'Égypte et le Mali, puis comme conseiller juridique auprès de la Banque africaine de développement. Au fil des ans, nous avons tissé des liens d'amitié et de respect qui n'ont fait que s'enrichir avec le temps. Devenu secrétaire général des Nations unies, et désireux de renforcer la présence de l'Afrique au sein de cette organisation, c'est très spontanément que je me suis tourné vers Alioune Blondin Beye afin de lui confier le dossier de l'Angola. Alioune Blondin Beye était plus qu'un collaborateur fidèle, c'était un ami, un frère.

La fraternité : valeur oubliée des continents américain et européen au seul profit des valeurs de liberté et d'égalité, mais que le continent africain a toujours su entretenir entre les siens, comme le plus puissant des talismans sur le chemin du développement et de la paix.

Paris, lundi 29 juin 1998

Mon compatriote Ismaël Serageldin, vice-directeur de la Banque mondiale, est candidat au poste de directeur général de l'Unesco. Je me suis engagé à l'aider dans sa campagne. Je crains que ses chances de l'emporter ne soient réduites. Le représentant du Japon, Koïchiro Matsuura, est favori. Il faut dire que son pays a mobilisé toute sa diplomatie. Rien de tel en Égypte, où l'on ne s'est jamais préoccupé de soutenir nos nationaux en quête de responsabilités internationales.

Paris, mardi 7 juillet 1998

Conversation téléphonique avec Jason Epstein, des éditions Random House, et Charlie Hill. Mon livre sur les Nations unies ne paraîtra qu'au début de l'année prochaine. Je suis à la fois déçu et contrarié. Je ne comprends pas les raisons de ce report. Le manuscrit est terminé. Il a été lu et relu. Ma culture égyptienne reprend le dessus et je m'imagine aussitôt être au cœur d'un complot. Il existe du reste, en arabe, une formule pour rendre compte de cet état d'esprit, et que l'on pourrait traduire ainsi : « le complexe comploïte ». Charlie Hill me promet d'investiguer plus avant. Il ne partage pas ma théorie du complot. Pour lui, c'est plus simplement un problème d'impression et de distribution, Random House sortant des dizaines d'ouvrages nouveaux chaque mois.

Paris, jeudi 9 juillet 1998

Déjeuner au Club interallié avec Cyrus Vance et son épouse.

J'ai toujours eu pour les Vance une profonde admiration. Ils appartiennent à cette « aristocratie américaine » ouverte sur le monde extérieur, fait rare aux États-Unis. Leur intérêt pour les damnés de la Terre n'est pas dicté par un quelconque professionnalisme, mais par un altruisme et un humanisme sincères.

(Dans la soirée...) L'ambassadeur du Japon m'informe, à titre tout à fait confidentiel, que je serai invité à déjeuner par l'Empereur lors de mon prochain séjour à Tokyo.

Paris, vendredi 10 juillet 1998

Nouvelle rencontre avec le colonel Willy Mallants. Lors de notre précédent entretien, j'avais cru comprendre qu'il était pro-Kabila, dans la mesure où il sollicitait mon intervention auprès de Mobutu afin que Kinshasa soit une «ville ouverte». Je le retrouve, aujourd'hui, foncièrement anti-Kabila, qu'il qualifie de «voleur, d'alcoolique, un véritable désastre pour le Congo et pour l'Afrique». Je me contente de l'écouter, et me garde bien de commenter ce virage à cent quatre-vingts degrés.

Je reçois, dans la foulée, la visite d'une représentante de la Banque mondiale, qui effectue une tournée auprès de différentes organisations susceptibles de coopérer avec cette institution. Après nous avoir exposé les grandes lignes de la nouvelle politique voulue par son directeur, Jim Wolfensohn, elle nous propose d'engager un partenariat avec la Francophonie.

«La Banque mondiale peut mettre à votre disposition des millions de dollars. Il suffit que vous nous soumettiez un ou plusieurs projets.»

Nous n'avons personne, dans nos institutions, capable de monter un dossier selon les critères requis, ni de négocier avec la Banque mondiale.

« Adressez-vous à un cabinet d'experts », conseillé-je à l'administrateur Dehaybe et au recteur Guillou.

(En fin d'après-midi...) L'ambassadeur d'Égypte à Tokyo, Nabil Ismaïl Fahmi, m'informe à son tour, sur un ton de conspirateur, que je serai invité à déjeuner par l'empereur du Japon, mais que cela doit rester confidentiel. J'imagine que l'« événement » va occuper pendant quelques jours les postes diplomatiques et que les supputations politiques vont aller bon train.

Tunis, lundi 13 juillet 1998

Cérémonie inaugurale du symposium sur les problèmes du droit constitutionnel à la faculté de droit de Tunis. Le ministre de l'Éducation, qui ouvre la séance, prononce un excellent discours. J'apprends qu'il a été professeur de droit à l'université. Son intervention est suivie par celle de Mohammed Bedjaoui, juge à la Cour internationale de La Haye. Une prestation plus classique, mais servie par l'éloquence coutumière de Bedjaoui. J'interviens à mon tour en essayant de me mettre au niveau de mes deux précédents orateurs.

Tunis, mardi 14 juillet 1998

Tour d'horizon politique avec le secrétaire d'État aux Affaires africaines Sadok Fayala. Je le connais depuis longtemps. Il a été le secrétaire de l'association des partis africains et nous avons préparé ensemble maintes conférences. C'est un excellent expert en matière de politique africaine, et nous évoquons successivement le dialogue intertogolais, la guerre civile en Guinée-Bissau, et la situation au Nigeria.

Je rencontre, dans la foulée, le ministre de la Défense, Habib ben Yahia, lui aussi une vieille connaissance, puisqu'il fut pendant de longues années mon homologue aux Affaires étrangères. C'est un diplomate aguerri qui sait négocier parce qu'il sait écouter et patienter.

Amman, mercredi 15 juillet 1998

L'Institut des Nations unies, dont j'avais choisi et nommé le directeur, Adel el-Safety, dépend de l'université des Nations unies, qui a son siège à Tokyo. C'est à la reine Nour que l'on doit sa localisation à Amman. Cet institut a pour vocation de former des cadres politiques. Adel el-Safety fait merveille pour ce qui est des relations publiques, mais il a moins d'intérêt pour la recherche académique. En fait, son rôle consiste à recruter, tout à la fois, les auditeurs et les conférenciers. Et il faut reconnaître qu'il a fait venir à Amman, lors de la dernière session, des personnalités de très haut rang. J'ignore, en revanche, quel est le niveau des auditeurs.

Je prononce une conférence, en anglais, avant de me livrer à un échange avec les auditeurs qui se révèlent excellents.

L'ambassadeur d'Égypte, Hani Riad Aly, offre un déjeuner auquel le prince Hassan, héritier du trône, nous fait l'honneur de participer. Le roi Hussein et la reine Nour ont dû partir précipitamment pour les États-Unis, l'état de santé du souverain nécessitant des soins urgents.

Le prince Hassan se montre très intéressé par la Francophonie. Il suggère l'idée d'une coopération entre les centres académiques jordaniens et les opérateurs de la Francophonie.

Amman-Paris, vendredi 17 juillet 1998

Ce cauchemar que je fais souvent, de l'avion que je rate, a bien failli se réaliser ce matin. La voiture qui nous conduisait à l'aéroport a dû griller tous les feux et nous aurions mérité une bonne douzaine de contraventions pour excès de vitesse.

Paris, lundi 20 juillet 1998

Nous quittons le 34, rue Guynemer pour nous installer au numéro 11 de la rue Saint-Dominique. Les spécialistes qui se sont penchés sur les épreuves ou les crises psychologiques qu'un homme est appelé à traverser durant sa vie prétendent qu'un déménagement est aussi pénible qu'un divorce. Cy de Brancovan, qui nous a aidés après notre départ de New York à emménager à Paris, nous aide une fois encore.

Paris, mercredi 22 juillet 1998

Durant le Conseil de coopération d'aujourd'hui, la guerre froide reprend entre l'administrateur de l'Agence intergouvernementale et le recteur de l'Agence universitaire. Incompatibilité de caractères ? Divergence de politiques ? L'un est un fonctionnaire de carrière très au fait des règlements, derrière lesquels il se retranche pour défendre jalousement son pouvoir. L'autre est un universitaire condottiere dynamique et entreprenant, qui n'hésite pas à transgresser les règlements pour parvenir à ses fins. Le dialogue entre ces deux opérateurs ne peut être que difficile.

Paris-Tokyo, lundi 27 juillet 1998

C'est un long voyage. À travers les hublots, les lacs et les fleuves de la Sibérie.

Tokyo, mercredi 29 juillet 1998

Déjeuner avec l'empereur Akihito et l'impératrice dans l'une des nombreuses petites résidences du palais. J'ai offert à mon hôte une édition numérotée et reliée de mon livre *Egypt's Road to Jerusalem.*

« Cette reliure a-t-elle été confectionnée en Égypte ? » me demande l'empereur.

Je dois avouer, à regret, qu'elle est *made in USA.*

Je n'ai jamais su s'il fallait, dans un cas comme celui-là, inscrire la dédicace sur la première page de l'ouvrage que l'on offre, comme on a coutume de le faire, ou s'il convenait plutôt d'y adjoindre une lettre.

Le protocole du palais a été incapable de me fournir une réponse claire. À moins que je n'aie été incapable d'interpréter sa réponse, pour le moins ambiguë. Je me suis demandé, aussi, à quoi je devais attribuer le grand honneur que nous faisaient l'empereur et l'impératrice en nous conviant, Léa et moi-même, à ce déjeuner privé. Était-ce dû au fait que j'avais reçu la plus haute distinction japonaise, le cordon du Soleil levant ? Était-ce une invitation en retour du déjeuner auquel j'avais invité l'empereur et l'impératrice aux Nations unies ? Ma question, là encore, est restée sans réponse.

La conversation, en anglais, est détendue. Nous évoquons le voyage du président Sadate à Jérusalem, puis les années passées aux Nations unies. Je reviens sur le rôle qu'a joué Yasushi Akashi au Cambodge et en Yougoslavie. Je mentionne également l'action de Mme Sadako Ogata, haut-commissaire des Nations unies aux réfugiés. L'Empereur est parfaitement au courant de leurs activités respectives.

Kanazawa, jeudi 30 juillet 1998

La matinée est consacrée aux visites de courtoisie : au gouverneur, jovial et chaleureux; au maire, ravi par avance de la conférence qui doit débuter cet après-midi; enfin aux journalistes, curieux de m'entendre sur les sujets les plus variés.

Ouverture de la conférence. Je prononce une brève allocution avant de me mêler à la foule. Séance d'autographes, sur des carnets ou à même les vêtements des auditeurs. Séance de photos, aussi. Chacun étant muni de son appareil, je ne peux refuser à certains ce que j'accorde à d'autres, et c'est pour des dizaines de photos que je pose avec bonne grâce, tant l'enthousiasme de cette jeunesse internationale est contagieux.

Les auditeurs du monde arabe viennent me saluer. Ce sont des médecins ou des ingénieurs venus achever leurs études de troisième cycle dans des universités japonaises. Les plus jeunes d'entre eux commencent leur cursus, après une année consacrée à l'apprentissage de la langue japonaise.

Kanazawa, vendredi 31 juillet 1998

(9h30.) Discours devant les auditeurs du Japan Tent, sur le thème de la démocratisation des relations internationales. Questions-réponses avec la salle. Un jeune auditeur me fait remarquer que j'ai omis de mentionner, dans mon exposé, la Cour internationale de justice, susceptible de jouer un rôle de premier plan dans ce

processus de démocratisation. La seconde partie de cet échange nous ramène aux difficultés qu'éprouvent les étudiants à s'adapter à l'enseignement universitaire japonais.

Visite à pied de la vieille ville de Kanazawa. Je vais à la rencontre de petites maisons dans des ruelles étroites, qui ont infiniment de cachet. Le jardin botanique est un véritable musée d'arbres nains et de fleurs. Les auditeurs que je croise m'abordent pour me demander, à nouveau, de leur signer des autographes ou de poser pour une photo.

Soirée à l'hôtel où nous retrouvons, Léa et moi, avec plaisir, la solitude et la télévision.

Tokyo, samedi 1er août 1998

De retour à Tokyo. J'effectue la désormais traditionnelle visite au temple shintoïste de l'Amiral-Togo où j'assiste à la prière.

Yasushi Akashi nous a invités à dîner dans l'un des restaurants de l'hôtel Impérial. Il a été informé de notre déjeuner avec l'Empereur. Il me confie que ce dernier l'a reçu en audience privée à maintes reprises. Akashi est désormais à la tête d'un institut de recherches à Hiroshima, mais il n'a pas totalement tourné la page sur son passé. Il a le projet d'écrire un livre sur son expérience onusienne.

Paris, jeudi 6 août 1998

Le ministre des Affaires étrangères du Togo, Koffi Panou, souhaiterait que la Francophonie dépêche une mission de bonne volonté pour tenter de trouver une solution à la crise que traverse son pays.

Cette crise remonte au 13 janvier 1963, date de l'assassinat du président Sylvanus Olympio. Gnassingbé Eyadéma, qui avait pris part au complot, est au pouvoir depuis lors.

Gilchrist Olympio, le fils de Sylvanus Olympio, s'est présenté contre Eyadéma, qui briguait un nouveau mandat, aux élections présidentielles du 21 juin dernier. La Francophonie a été sollicitée pour l'envoi d'observateurs, tout comme l'Union européenne et un certain nombre d'organisations non gouvernementales. Gilchrist Olympio a obtenu la majorité des voix à Lomé, et semblait arriver en tête dans le sud du pays, beaucoup plus peuplé que le nord, le fief du président Eyadéma. Avant que les résultats n'aient été proclamés, le président de la commission électorale nationale a démissionné. Le ministre de l'Intérieur a alors été chargé du décompte des voix. Le 24 juin, son ministère annonçait les résultats définitifs : 52,13 % des voix pour le président Eyadéma.

La Francophonie n'a pas avalisé ce résultat dans la mesure où la commission électorale n'avait pu assurer sa mission jusqu'au bout. Pour l'Union européenne, l'interruption de la procédure normale de décompte des voix vaut aveu de défaite de la part de Eyadéma. Quant à Gilchrist Olympio, il déclare qu'il est l'élu du peuple togolais.

Depuis ces élections, le Togo est en crise. La population organise des journées « Ville morte, Togo mort ».

Telle est la situation au moment où je reçois le ministre des Affaires étrangères. Je lui propose de téléphoner au président Eyadéma, que je connais depuis 1978, date de ma première visite officielle au Togo. Je suggère au Président d'étudier la possibilité d'une mission chargée d'établir un dialogue entre le gouvernement et les partis de l'opposition. Le Président ne fait aucun commentaire, mais m'assure qu'il s'en remet à ma sagesse.

Biarritz, vendredi 7 août 1998

Départ ce matin pour Biarritz, à l'hôtel du Palais, où nous avons décidé de prendre quelques jours de vacances.

Je me laisse apprivoiser par l'océan, cette mer qui n'est pas la mienne, ses vagues déferlantes, le mouvement des marées, son atmosphère iodée. Nous nous sommes fixé un régime très simple : piscine, massage, lecture.

Biarritz, dimanche 9 août 1998

Déjeuner au restaurant de la piscine avec Alain Decaux et son épouse. Quelle intelligence, quel charme… et une humilité authentique qu'éclaire un sourire de jeune homme en perpétuel émerveillement.

J'ai fait la connaissance d'Alain Decaux au sommet de Dakar, en 1989, où j'avais obtenu le feu vert des chefs d'État et de gouvernement pour la création de l'Université Senghor d'Alexandrie. Il était alors ministre chargé de la Francophonie. J'ai lu avec joie son livre sur la Francophonie, *Le Tapis rouge*, qui a contribué à m'initier aux arcanes de cette institution.

Biarritz, mercredi 12 août 1998

Nous sommes invités chez maître Jacques Tajan et sa charmante épouse japonaise. Plus de quatre cents invités. Roland Dumas et son épouse partagent notre table. Cette dernière confie à Léa qu'elle vit un véritable cauchemar, qui semble ne jamais devoir prendre fin. Roland Dumas, lui, ne laisse rien paraître, même si le microcosme parisien, qui assiste à cette réception, semble lui battre froid.

Biarritz, jeudi 13 août 1998

Rencontre avec Omar Zawawi, l'éminence grise du sultan d'Oman, qui a eu un parcours professionnel atypique : après des études de médecine au Caire, il s'est lancé dans la finance. Il est aujourd'hui à la tête d'un véritable empire qu'il gère avec sagesse et doigté. Il est accompagné d'une Japonaise, sa secrétaire. Je l'ai toujours vu entouré d'une pléiade de jeunes femmes ravissantes originaires des quatre coins du monde. Son avion privé, un Boeing 707, trône sur l'aérodrome de Biarritz. Il est venu retrouver son ami Claude de Kemoularia.

Paris, samedi 22 août 1998

De retour à Paris, pour une série de séances de travail avec Charlie Hill. J'avais envoyé le manuscrit à Marrack Goulding qui m'a adressé, en retour, plusieurs pages de remarques sévères mais pertinentes : « Il se dégage de votre livre un parfum d'amertume et de nostalgie. La complainte d'un mauvais perdant. »

Il faut absolument que je corrige cette impression, d'autant plus que je n'ai aucune rancœur à l'égard de ceux qui m'ont trahi ou de ceux qui ont tenté de me détruire. La politique est en cela très proche du sport. Il faut, bien sûr, essayer de gagner, mais il faut, aussi, savoir que l'on peut perdre, et l'admettre. Le pouvoir vous expose régulièrement aux jalousies, aux attaques, aux intrigues. La frustration, l'humiliation et la trahison sont indissociables du pouvoir.

Paris, jeudi 27 août 1998

Ce matin, longue réunion de travail avec mes barons féodaux en vue de préparer la journée de la Francophonie du 20 mars 1999, à Genève, sur le thème de la jeunesse.

Moustapha Niasse a accepté de jouer les facilitateurs dans la crise qui oppose le gouvernement togolais aux partis de l'opposition. Selon lui, l'armée togolaise aurait ressenti comme une provocation la défaite électorale de son chef, et un coup d'État, dans ces conditions, n'aurait pas été à exclure.

Paris, vendredi 28 août 1998

Léa repart pour New York où sa mère vient d'être hospitalisée. C'est une femme admirable qui lutte de toutes ses forces contre la maladie et la vieillesse. Elle veut vivre et elle sait vivre intensément.

Paris-Lisbonne, lundi 31 août 1998

Départ pour Lisbonne à l'invitation du président de la commission des Océans, Mário Soares, qui doit faire la présentation officielle du rapport final. J'ai contribué à la création de cette commission, qui devait achever ses travaux à l'occasion de l'Exposition universelle de Lisbonne consacrée à la mer.

Dans la voiture qui nous conduit à Sintra, dans la grande banlieue de Lisbonne, l'ambassadeur d'Égypte, Mohamed Riad Radi, m'expose la position du Portugal face à la guerre civile qui sévit en Guinée-Bissau.

João Bernardo Vieira, dit Nino, est au pouvoir depuis 1980. En 1997, la Guinée-Bissau, ancienne colonie portugaise, a intégré la zone franc, ce qui, aux yeux de Lisbonne, constitue une véritable trahison.

Dakar reproche à Bissau et au chef de ses armées, le général Ansumane Mané, de fournir des armes à la Casamance. Le président Vieira, soucieux de satisfaire Dakar, a démis le général Mané de ses fonctions, pour trafic d'armes. Ce dernier, qui a l'appui du Portugal, a tenté le 8 juin de renverser le président Vieira, lequel a aussitôt demandé l'intervention du Sénégal. Un millier d'hommes ont été envoyés à Bissau pour combattre les putschistes. Pour le Portugal, il ne fait pas de doute que la France est derrière l'intervention sénégalaise.

La population, dans sa grande majorité, s'est rangée du côté des mutins contre l'« occupant » sénégalais. La capitale a été le théâtre de combats acharnés. Le contingent sénégalais a subi de lourdes pertes. Voilà quelques jours, le 25 août, un cessez-le-feu a été signé sous l'égide de la Communauté des États de l'Afrique de l'Ouest (Cedeao) et de la Communauté des pays de langue portugaise (CPLP). Selon l'ambassadeur d'Égypte, l'analyse qui prévaut à Lisbonne est que la Cedeao est favorable à Nino Vieira, et les lusophones à Ansumane Mané et aux mutins.

Nous arrivons à Sintra. Je demande à l'ambassadeur de m'organiser un rendez-vous avec le ministre des Affaires étrangères. Il faut que je lui explique qu'il est dangereux de mettre en rivalité la Francophonie et la Lusophonie. Qu'il faut, au contraire, que ces deux organisations travaillent en parfaite intelligence et que l'accord de paix d'Abuja conclu, il y a quelques jours, entre Bissau-Guinéens soit le point de départ d'une nouvelle coopération.

(Dans l'après-midi…) Nous quittons Estoril en bateau pour Lisbonne, en compagnie d'Édouard Saouma, l'ancien directeur général de la FAO, de Federico Mayor, Mohamed el-Baradei, directeur général de l'Agence internationale de l'énergie atomique de Vienne, Jean Daniel, et, bien sûr, Mário Soares, notre hôte.

C'est la première fois que je vois la capitale portugaise depuis la mer. Le bateau dépose notre noble assemblée au port, où nous attendent des autobus. Dîner offert par le président de la République, suivi d'un spectacle sur le site de l'Exposition. Les chants et les danses expriment la proximité affective et la réelle fraternité qui relient le Portugal à ses anciennes colonies. Des rapports totalement atypiques entre colonisateurs et colonisés.

Sur le chemin du retour à Sintra, échange avec Jean Daniel de propos désabusés sur la vieillesse.

Lisbonne, mardi 1er septembre 1998

L'ambassadeur Mohamed Riad Radi n'a pu obtenir le rendez-vous souhaité avec le ministre des Affaires étrangères, actuellement en voyage.

Visite de l'Exposition universelle. En tant qu'ancien secrétaire général, je ne peux faire autrement que de m'arrêter dans le pavillon des Nations unies, où l'on m'offre une cravate bleue parsemée de poissons rouges, bleu ciel et bleu marine, griffée «*Balenciaga for United Nations – Expo 98*».

Lors du dîner, j'ai l'occasion de m'entretenir avec le Premier ministre, Francisco Fadul, auquel je fais part de mon inquiétude face à la détérioration des rapports entre la Francophonie et la Lusophonie.

Il se veut rassurant. Pour lui, il ne fait pas de doute que Nino Vieira et Ansumane Mané ont vendu des armes à la rébellion de Casamance et qu'ils ne s'intéressent que de très loin au peuple bissau-guinéen. En outre, il m'assure qu'il entretient d'excellents rapports avec le président sénégalais Abdou Diouf, qu'il a connu dans le cadre de ses responsabilités au sein de l'Internationale socialiste. Il ajoute :

« À ce propos, vous ne savez peut-être pas que lorsque vous avez démissionné du poste de vice-président de l'Internationale socialiste, après votre élection aux Nations unies, c'est moi qui vous ai succédé… Votre ami et ancien collaborateur Lansana Kouyaté a joué un rôle extrêmement positif en faveur de la signature du cessez-le-feu. Et je sais que vous êtes en contact régulier avec lui. Je voudrais vous dire que je compte sur vous pour établir un véritable partenariat entre la Francophonie et la Lusophonie. Certains médias portugais accusent la France d'interventionnisme en Guinée-Bissau. Mais je tiens à vous assurer que mon gouvernement ne partage pas cette analyse de la situation. »

Paris, mercredi 2 septembre 1998

Je reçois Henry Mova Sakanyi, ministre des Transports et de la Communication de la République démocratique du Congo, envoyé spécial du président Laurent-Désiré Kabila.

« Je suis chargé par le président Kabila de vous demander ce que la Francophonie est en mesure de proposer à mon pays. Contrairement à ce qu'a pu dire la presse à Hanoï de l'hostilité de Kinshasa à l'égard de la Francophonie, je puis vous assurer que la République démocratique du Congo veut vous aider à concrétiser la Francophonie politique. »

Je veux être sûr que le ministre a reçu un mandat de son président en ce sens, et je souhaite donc, avant de m'engager, m'entretenir de vive voix avec le président Kabila. Nous convenons de nous revoir le lendemain.

J'ai été favorablement impressionné par ce tout jeune ministre qui défend avec clarté et intelligence le revirement politique de son président.

Paris, jeudi 3 septembre 1998

Deuxième rencontre avec l'envoyé du président Kabila. Cette fois, il me demande d'intervenir auprès du président Moubarak pour obtenir un rapprochement entre Le Caire et Kinshasa.

Je m'engage à envoyer une mission de bonne volonté à Kinshasa, après que j'aurai parlé à Laurent-Désiré Kabila. Je joins le Président congolais sur son téléphone portable. Une conversation amicale et détendue. Laurent-Désiré Kabila a effectué de longs séjours au Caire, et l'hospitalité égyptienne facilite nos contacts. Je promets de lui envoyer une mission de bonne volonté.

Paris, vendredi 4 septembre 1998

Coup de téléphone au président Abdou Diouf pour l'informer de ma conversation avec le Premier ministre portugais et du souhait de son gouvernement de collaborer avec le Sénégal pour tenter de trouver une solution à la crise en Guinée-Bissau.

Paris, samedi 5 septembre 1998

Rencontre avec Gilchrist Olympio, le fils du Président togolais assassiné en 1963. Un homme d'affaires urbain, sachant manier la dialectique. Je dirais de lui qu'il est, contrairement à Gnassingbé Eyadéma, plus « européen » qu'africain.

Il m'assure, chiffres à l'appui, qu'il est le véritable vainqueur des élections de juin 1998. Il exige, comme préalable à tout dialogue intertogolais, sa reconnaissance, de fait, comme nouveau président du Togo. En d'autres termes, il veut le départ de Eyadéma.

Paris-Montréal-Moncton, dimanche 6 septembre 1998

Départ pour le Canada. Je sais qu'il va me falloir, durant ce séjour, affronter une nouvelle querelle entre Ottawa et Québec. Le gouvernement fédéral veut, en effet, que je sois accompagné de l'un de ses représentants lors de ma visite au Québec, tout comme il exige d'assurer ma sécurité. Québec s'oppose à une quelconque présence fédérale sur son territoire durant ma visite officielle, dans la mesure où le Québec est membre à part entière de la Francophonie. Ottawa de préciser que j'ai rang de chef d'État et qu'il revient, à ce titre, au gouvernement fédéral d'organiser mon voyage officiel au Canada. Québec m'a demandé, dans ces conditions, d'annuler ma visite. Je demeure confiant. Au dernier moment, Québec et Ottawa parviendront à un compromis.

À mon arrivée à Montréal, je suis accueilli par Diane Marleau, ministre fédéral de la Coopération et de la Francophonie, le consul général d'Égypte, Teymour Mustapha Sirry, et Léa, en provenance de New York, où elle a passé quelques jours avec sa mère. Nous prenons immédiatement un autre avion pour Moncton, où nous atterrissons très tard dans la soirée. Je vais être, durant quelques jours, l'hôte de la province du Nouveau-Brunswick, autre gouvernement membre de la Francophonie, qui a accepté de m'accueillir en dépit de la présence d'un représentant du gouvernement fédéral… La province du Nouveau-Brunswick n'affiche apparemment pas la même sensibilité souverainiste que la province de Québec !

Moncton, lundi 7 septembre 1998

Le ciel est gris. Une pluie triste enveloppe la petite ville de Moncton qui semble déjà se préparer à la froidure de l'hiver.

Réunion de travail avec Fernand Landry, responsable de l'organisation du prochain sommet de la Francophonie. Il regorge de dynamisme et d'enthousiasme, bien décidé à relever le défi et à faire de cet événement un grand succès pour cette petite province.

(En début d'après-midi...) Visite de la dune de Bouctouche, une zone aménagée et protégée qui abrite les espèces d'oiseaux les plus variées. Tout en écoutant les explications détaillées que l'on me fournit, je ne peux m'empêcher de penser, à la vue de ce vaste territoire, froid et vierge de toute présence humaine, à ces campagnes d'Égypte ou d'Inde surchauffées, surpeuplées, surexposées à la misère. Le Créateur ne s'est pas montré très équitable dans la répartition de ses dons.

Fredericton-Toronto, mardi 8 septembre 1998

L'avion mis à notre disposition par le gouvernement fédéral nous emmène jusqu'à Fredericton, capitale du Nouveau-Brunswick. Je suis reçu au Parlement, où je prononce un discours mi-anglais, mi-français.

La lieutenante-gouverneure de la province, Mme Marilyn Trenholme Counsell, médecin de profession, nous convie à un déjeuner. Elle semble, au premier abord, très réservée, mais, au fil de la conversation, elle s'anime et dégage un parfum de sérénité et d'intelligence. Dans un français teinté d'un fort accent britannique, elle m'expose les problèmes économiques et sociaux de sa province.

Nous quittons Fredericton pour Toronto, capitale de l'Ontario. Une ville « américaine » avec ses gratte-ciel et son effervescence. L'ambassadeur Claude Laverdure, représentant personnel du

Premier ministre du Canada, qui m'accompagne avec sa charmante épouse Suzanne durant ce voyage, m'annonce que les autorités du Québec comptent boycotter ma visite dans leur province. Ce durcissement est-il à mettre au compte des élections qui se préparent au Québec ? Il n'en demeure pas moins que je suis placé devant un dilemme. En renonçant à cette visite, je risque de mécontenter Ottawa. En n'y renonçant pas, alors que les autorités refusent de me recevoir, c'est le Québec que je mécontente.

En un mot, je suis piégé, otage de la « guéguerre » que se livrent fédéralistes et indépendantistes, pour reprendre la formule des Canadiens. J'opte pour une voie médiane, acceptable, me semble-t-il, pour les deux parties. Je me rendrai au Québec, où je me contenterai de visiter les institutions de la Francophonie : à Montréal, le siège de l'Agence universitaire et du Forum francophone des affaires, ainsi que les locaux de TV5 Amérique. À Québec, l'Institut de l'énergie et de l'environnement.

Toronto, mercredi 9 septembre 1998

Interview pour le grand quotidien canadien *The Globe and Mail*. Je m'attendais à parler de la Francophonie. Les journalistes préfèrent revenir longuement sur les événements du Rwanda. C'est une des rares fois où je vois la presse plus intéressée par le passé que par l'actualité. Il faut reconnaître, aussi, que la Francophonie est loin de faire l'actualité.

Déjeuner-débat à la chambre de commerce. Avant que le coq chante, j'ai renié trois fois la Francophonie : en prononçant mon discours en anglais ! en répondant en anglais aux questions en anglais !! et en répondant en anglais aux questions qui me sont posées en français !!!

Le ministre responsable des Affaires francophones de l'Ontario, que je rencontre un peu plus tard dans l'après-midi, souhaiterait que sa province devienne, à l'instar du Québec et du Nouveau-Brunswick, un gouvernement membre à part entière de la Francophonie. Dans l'avion qui nous conduit à Québec, l'ambassadeur Laverdure m'informe que ce souhait est loin d'être partagé par les autres ministres du gouvernement de l'Ontario.

Je retrouve Québec, la plus francophone des villes du Canada. Plus francophone que Montréal, qui s'est largement américanisée. J'occupe la même suite du Château Frontenac que lors de mon précédent séjour, comme secrétaire général des Nations unies.

Québec-Montréal, jeudi 10 septembre 1998

Toutes mes activités ont bel et bien été annulées par les autorités du Québec. Qu'on ne me parle plus de l'indépendance des universités ! L'Université Laval, qui m'a remis, quelques années auparavant, un doctorat *honoris causa* et dont je suis donc membre honoraire, a elle aussi annulé la conférence que je devais prononcer. Je me rends à l'Institut francophone de l'énergie et de l'environnement, dirigé par un Marocain, El-Habib Benessahraoui, avant un déjeuner sur l'île Saint-Joseph d'où l'on a une vue magnifique sur Québec.

Montréal-Québec, vendredi 11 septembre 1998

Interview à la télévision. Toujours la même question. Les journalistes me demandent de commenter la crise que ma visite a provoquée entre Ottawa et Québec. Toujours la même réponse. « On m'a souvent conseillé de ne jamais me mêler des querelles de famille. »

Il semblerait que cette réponse, qui a satisfait Ottawa, dans la mesure où elle tendait à relativiser l'importance de cette crise, ait fortement déplu à Québec, qui entendait bien donner une portée diplomatique à l'événement.

Visite du siège du Forum francophone des affaires et des locaux de TV5 Canada, suivie d'une rencontre avec les professeurs de l'Université McGill et de l'Université de Montréal. J'aurais dû, également, inaugurer les nouveaux locaux de l'Agence universitaire. Ce sera pour un prochain voyage, « guéguerre » oblige. Je me contente d'une simple visite des locaux, deux petits immeubles reliés par une passerelle.

(En fin d'après-midi...) Retour à Québec, où le gouverneur général Roméo Leblanc offre une grande réception dans sa résidence d'été, « La Citadelle ». Le Québec n'a pas le monopole de la Francophonie. Des francophones venus de toutes les provinces du Canada ont répondu « présent », ce soir, à l'invitation du gouverneur général, lui-même un francophone de l'Acadie.

Des personnalités québécoises viennent me présenter leurs excuses pour la manière cavalière dont j'ai été traité par leur gouvernement. Je ne peux m'empêcher de penser à des moments similaires, à New York, lorsque je faisais campagne pour un second mandat. Lors de mes interventions en public, des Américains demandaient la parole pour s'excuser publiquement de l'attitude de Washington à mon égard.

J'aimerais leur répondre que, depuis les critiques et les humiliations dont j'ai été l'objet dans le monde arabe après ma visite à Jérusalem et après la signature des accords de Camp David, je me suis forgé une véritable peau de crocodile africain qui me permet de rester indifférent à toutes les attaques. Il m'arrive quand même, parfois, d'en souffrir. Preuve alors que je suis fatigué.

Québec-Sudbury, samedi 12 septembre 1998

Nous prenons congé du gouverneur Roméo Leblanc. En cette matinée de septembre, « La Citadelle » offre une vue lumineuse sur le Saint-Laurent. Le soleil répand sur les berges du fleuve une douceur toute méditerranéenne.

Départ pour Sudbury, petite cité minière de l'Ontario et ville natale de la ministre de la Coopération et de la Francophonie Diane Marleau.

J'assiste à une fête champêtre et bon enfant destinée à rendre hommage au père Germain Lemieux qui, durant cinquante ans, a sillonné la province pour recueillir les chants et les légendes transmis, de génération en génération, en français.

L'assemblée entonne un hymne en son honneur : « *Oh! c'est dans notre ville / Nous avons un bon curé, mon ami / Il s'en va dire sa messe / Sans avoir déjeuné* », *avant de reprendre le refrain :* « *Allons fêtons, allons chantons / Allons fêtons le père Lemieux!* »

L'après-midi s'achève par une conférence que je dois prononcer à l'Université bilingue de Sudbury. Quelle n'est pas ma surprise d'y rencontrer un groupe de professeurs égyptiens qui y enseignent.

Sudbury-Ottawa, dimanche 13 septembre 1998

Retour à Ottawa où nous sommes hébergés dans la Maison des hôtes du gouvernement, en bordure du jardin du palais du gouverneur. Léa s'envole pour New York, où sa mère doit subir une opération du cœur. Le gouvernement d'Ottawa pousse l'hospitalité jusqu'à mettre à sa disposition un avion privé.

Je participe au Mondial de l'entreprenariat jeunesse. Une manifestation internationale destinée à favoriser les échanges et les partenariats entre jeunes entrepreneurs du monde francophone, que les États s'emploient, depuis l'effondrement du système communiste, à former. Ce soutien aux jeunes entrepreneurs est essentiel, sous peine de voir la privatisation du secteur public tourner au désastre.

(Dans l'après-midi...) Promenade dans le parc du palais du gouverneur. Je demande aux officiers de sécurité qui m'accompagnent de m'aider à retrouver l'arbre que j'ai planté quelques années plus tôt. Ce qui n'était qu'un amusement pour moi devient vite une mission des plus sérieuses pour ceux qui m'escortent. Nous le retrouvons finalement, robuste et en pleine croissance. Il a, contrairement à certains autres arbres plantés par des personnages bien plus importants, résisté à une terrible tempête. Ce qui est immédiatement interprété comme un signe de bon augure par l'un de mes gardes du corps. Décidément, les superstitions ne sont pas le monopole de l'Orient.

Paris, vendredi 18 septembre 1998

Le président Émile Derlin Zinsou accepte d'effectuer une mission de bonne volonté à Kinshasa, afin de rencontrer le président Kabila.

Paris, samedi 19 septembre 1998

Revu, trente ans après, en compagnie de Noëlle Del Drago, dans le même petit théâtre de la Huchette, *La Cantatrice chauve*. Rien n'a changé. Au point que j'ai le sentiment merveilleux de n'avoir pas changé moi-même, et d'avoir, ce soir, trente ans de moins.

Paris, jeudi 24 septembre 1998

Remise du prix Madanjeet Singh pour la promotion de la tolérance et de la non-violence à l'Unesco. Parmi les personnalités membres du jury, l'archevêque Desmond Tutu et un rabbin français, René Samuel Sirat. Je suis frappé par le raffinement de ces deux hommes de Dieu. L'urbanité, la sérénité, l'onctuosité de leurs attitudes renvoient à une autre forme d'intelligence. Desmond Tutu invite le rabbin à dire une prière avant que nous entamions nos travaux. Le prix est décerné de façon conjointe à l'association pakistanaise Joint Action Committee for Peoples Rights et à l'Indien Inder Kumar Gujral. Lors du déjeuner offert par Federico Mayor et avant que nous commencions le repas, c'est Desmond Tutu qui, à son tour, dit la prière.

Moustapha Niasse doit entamer, aujourd'hui, sa mission de médiation pour la Francophonie à Lomé. Il est convenu avec la déléguée aux Droits de l'homme et à la Démocratie, Christine Desouches, d'aborder, dans un premier temps, les trois points suivants : le contentieux né du scrutin présidentiel du 21 juin, préalable à toute négociation pour Gilchrist Olympio ; les actes de violence dénoncés par les différents partis politiques, qui se rejettent d'ailleurs mutuellement la faute ; enfin, la mise à jour des listes électorales.

Paris, mercredi 30 septembre 1998

Longue conversation avec l'ambassadeur du Canada à Paris, Jacques Roy. Il va falloir trouver, au plus vite, une solution à la querelle entre Ottawa et Québec, dans l'intérêt même de la Francophonie. L'une des formules consisterait à effectuer non pas une visite officielle, mais une simple visite de travail au

Québec. Ce qui ne justifierait plus la présence de forces de sécurité fédérales pour encadrer la police québécoise.

En tout état de cause, il faut éviter que les choses ne s'enveniment avant le prochain sommet, qui doit se tenir dans la province du Nouveau-Brunswick. Reste à savoir ce qui sortira des élections à venir au Québec. Apaisement ou durcissement des positions ? Victoire ou défaite des indépendantistes ?

Paris, jeudi 1er octobre 1998

J'annonce, lors du Conseil de coopération, mon intention de modifier le nom de notre institution. « La Francophonie » prête en effet à confusion, dans la mesure où se retrouvent sous ce label des activités ou des associations de natures très différentes, aussi bien commerciales, culturelles que caritatives, et n'ayant aucun lien avec notre organisation. Par ailleurs, depuis le sommet de Hanoï, la Francophonie n'est plus seulement une institution vouée à la coopération culturelle et technique. Elle a aussi désormais une dimension politique et économique qui lui donne vocation à entrer dans le cercle des organisations internationales. Je propose donc que l'on adopte la dénomination « Organisation internationale de la Francophonie » (OIF).

Je sens mes barons féodaux sur leurs gardes, pour ne pas dire suspicieux. Tout ce qui est nouveau ou pourrait modifier un tant soit peu la routine établie prend immédiatement l'allure d'une menace dirigée contre leur autorité ou leurs prérogatives. J'ajoute que, ce faisant, nous ne portons pas atteinte à la charte adoptée à Hanoï. Je mentionne, à ce propos, le précédent des Nations unies. Le libellé « Organisation des Nations unies » (ONU) n'apparaît pas dans la charte, qui ne stipule que l'intitulé « Nations unies ».

La bataille est loin d'être gagnée…

(Un peu plus tard...) Je m'entretiens longuement avec le président Émile Derlin Zinsou qui s'apprête à partir pour Kinshasa, porteur d'un message clair destiné au président Kabila. La Francophonie est tout à fait disposée à organiser une rencontre entre les différents protagonistes du conflit – le gouvernement en place, la diaspora congolaise, composée des anciens mobutistes, et les sécessionnistes. Cette rencontre informelle, qui pourrait être présidée par Émile Derlin Zinsou, aurait lieu dans une capitale africaine neutre ou dans une capitale européenne. J'ai Rome en tête.

Paris, vendredi 2 octobre 1998

Réception chez Karim Agha Khan en l'honneur de son second mariage. À notre table, son jeune frère Amin, l'infante d'Espagne, le prince héritier du Maroc, Javier Pérez de Cuéllar et Mme Giscard d'Estaing. Amin porte un toast aux nouveaux mariés et souhaite la bienvenue à la nouvelle épouse de son frère, une princesse allemande au sourire angélique.

Je profite du feu d'artifice tiré dans le jardin pour m'éclipser discrètement.

Paris-Bordeaux, samedi 3 octobre 1998

Départ à l'aube. C'est une véritable épreuve. J'appartiens à la race des noctambules qui trouvent le meilleur de leur dynamisme la nuit, mais qui, en contrepartie, doivent payer leur tribut au sommeil jusque tard dans la matinée.

J'ai été convié à prononcer une conférence dans le cadre des cérémonies du cinquantième anniversaire de la Déclaration universelle des Droits de l'homme. Une salle passablement clairsemée. Je retrouve, parmi les orateurs, Danielle Mitterrand. Nous déjeunons ensemble dans un des hauts lieux de la gastronomie bordelaise.

(Dans l'après-midi...) Je me rends dans les locaux de l'Institut francophone des nouvelles technologies, dépendant de l'Agence intergouvernementale. Un beau bâtiment, où les technologies de la communication et de l'information règnent en maîtres. Le directeur, un Camerounais, me fait l'impression d'être très décontracté. Mais je dois avouer que, bien que l'on soit samedi, l'ensemble du personnel de l'institut est là pour m'accueillir.

Paris, mardi 6 octobre 1998

Rencontre, dans la matinée, avec Edem Kodjo, un des leaders de l'opposition togolaise. « Le président Eyadéma n'est pas le vainqueur des dernières élections, et ce malgré l'arrêt rendu par la Cour constitutionnelle, dont on connaît les liens avec le pouvoir », me dit-il.

Comment sortir de cette crise ? Edem Kodjo n'a pas d'idée précise, mais il admet que l'opposition, dans son ensemble, est prête à s'asseoir à la table des négociations avec les représentants du gouvernement. L'essentiel est de veiller à l'organisation et au bon déroulement, sous contrôle international, des élections législatives prévues fin janvier, début février 1999.

À ma question de savoir si Moustapha Niasse est en mesure de régler seul cette crise, Edem Kodjo me répond qu'un seul facilitateur ne parviendra à rien. Il suggère de faire appel à des représentants de l'Union européenne et des États voisins, comme le Burkina Faso, le Bénin et le Ghana.

Je suis, personnellement, opposé à cette approche multilatérale, qui risque, je le sais d'expérience, de s'avérer compliquée et coûteuse. Mais je me garde de faire une quelconque objection à la proposition de Kodjo. En réalité, je pense que l'opposition togolaise n'a qu'une confiance limitée en la Francophonie, qu'elle perçoit comme pro-Eyadema. Faire appel à l'Union européenne, c'est un moyen de contrebalancer l'influence de la Francophonie au Togo.

Paris-Bruxelles, mercredi 7 octobre 1998

Entretien avec le président Zinsou sur la République démocratique du Congo, puis avec Moustapha Niasse sur le Togo, et enfin avec Anne-Marie Lizin pour préparer la conférence des Femmes de la Francophonie prévue à Luxembourg. Je retrouve mon rythme de travail du Caire ou de New York, où il me fallait passer sans transition d'un dossier africain à un dossier arabe ou au règlement d'un contentieux administratif, le tout entrecoupé d'appels téléphoniques urgents.

Je m'envole en fin d'après-midi pour Bruxelles, où je suis accueilli par notre représentant permanent auprès de l'Union européenne, Clément Duhaime.

Nous dînons chez Édith Cresson, très en beauté. Elle prend un plaisir coquet à dénigrer la façon dont l'Agence universitaire et l'Université Senghor d'Alexandrie sont gérées. Elle n'a pas tout à fait tort...

Bruxelles, jeudi 8 octobre 1998

Discours à la séance d'ouverture de la conférence des Ministres francophones de l'enseignement supérieur.

Dans l'après-midi, rencontre avec Marcelino Oreja Aguirre, commissaire européen pour la Culture et l'Audiovisuel, et avec

Emma Bonino, commissaire européen à l'Action humanitaire. Des amis de longue date. Ils sont prêts, chacun dans leur domaine respectif, à collaborer avec la Francophonie.

Bruxelles, vendredi 9 octobre 1998

Entretien avec João de Deus Pinheiro, en charge du dossier togolais à Bruxelles. Je sollicite la participation de l'Union européenne à la médiation entreprise par Moustapha Niasse, à travers l'envoi d'un observateur. Si symbolique soit-il, cet engagement permettrait à l'Union européenne de suivre au plus près l'évolution de la crise togolaise et d'accompagner le pays dans son effort de démocratisation.

João de Deus Pinheiro est convaincu du bien-fondé de cette participation, mais il doit auparavant se livrer à quelques consultations et s'assurer qu'il est en mesure de prendre une telle décision. Il partage aussi l'analyse selon laquelle il est difficile, désormais, d'annuler le scrutin du 21 juin et d'organiser de nouvelles élections présidentielles. Il faut aller de l'avant et se fixer comme objectif une bonne préparation des élections législatives qui prenne en compte les garanties réclamées par les partis d'opposition : assurer un contrôle des opérations électorales, assurer la sécurité, non seulement des chefs, mais aussi des locaux des différents partis politiques.

Nous nous rejoignons, également, sur l'idée que l'armée est directement impliquée, depuis des années, dans l'exercice du pouvoir au Togo, et que cette donnée ne peut être occultée. Mais il s'empresse de préciser que la Commission européenne ne partage pas cette analyse. D'une part, parce que les autorités togolaises ont critiqué sans retenue la mission d'observation dépêchée par l'Union européenne à l'occasion des élections du 21 juin, et d'autre part, parce que les consultations menées successivement auprès du Premier ministre et du ministre des Affaires étrangères du Togo n'ont pas permis à l'Union européenne de trouver des éléments nouveaux qui puissent satisfaire ses interrogations.

Notre entretien se conclut sur la promesse de Pinheiro de répondre à ma proposition avant une semaine.

Paris, samedi 10 octobre 1998

Je participe à un colloque organisé par le professeur Étienne Émile Baulieu, au Collège de France, sur le thème de la contraception dans les pays développés. Pourquoi m'inviter moi ? Le professeur Baulieu a su se montrer très persuasif, m'expliquant que la dimension politique de ce problème était essentielle. Pourquoi ai-je accepté ? Une occasion supplémentaire de faire connaître la Francophonie, mais aussi de revenir sur la problématique Nord-Sud.

J'entame mon intervention en rappelant que je n'ai aucune compétence en matière de régulation des naissances, qui plus est dans les pays développés, puisque je suis originaire d'un pays en voie de développement. J'insiste sur la nécessité d'inscrire la question de la régulation des naissances dans une perspective géopolitique mondiale, plus particulièrement dans une problématique Nord-Sud, dans la mesure où aucune réglementation des pays du Nord, si draconienne soit-elle, ne sera en mesure d'endiguer la pression migratoire en provenance des pays du Sud. Il s'agit là d'un paramètre fondamental que toutes les sociétés développées doivent désormais prendre en compte dans leurs politiques natalistes. Je conclus en rappelant que les femmes et les hommes doivent avoir le droit et les moyens de choisir leur avenir individuel et familial. Cette liberté de décision est une liberté fondamentale, qui doit être respectée et encouragée.

Paris, mercredi 14 octobre 1998

Enregistrement d'une émission télévisée animée par Paul Amar. Nous sympathisons immédiatement. On pourrait nous croire des complices de toujours. Au moment où il aborde l'assassinat de Sadate, je ne peux retenir mes larmes. C'est l'émotion, mais aussi la fatigue. Il va falloir que je songe à ralentir mon rythme de travail. Pour l'heure, je mets cela sur le compte d'une allergie au maquillage que l'on m'a imposé. Au moment de nous quitter, j'apprends que Paul Amar est un pied noir d'Algérie, et le cousin d'Enrico Macias. La fibre méditerranéenne a encore joué.

Paris, jeudi 15 octobre 1998

Invitation par le président de la République argentine à un ballet sur le thème du tango argentin. C'est la première fois que j'assiste à une représentation à l'Opéra de Paris. Dans notre loge, le ministre argentin de la Défense, l'ambassadeur Jean-David Lévitte et son épouse.

Dire que je vis à Paris et que je ne profite même pas des spectacles, des pièces de théâtre, des opéras, des ballets donnés chaque jour dans la Ville lumière ! À croire que je ne me suis jamais défait des habitudes de l'étudiant égyptien qui ne s'aventurait pas à franchir les limites du quartier Latin et prenait sagement tous ses repas dans le même petit restaurant familial de la rue Monsieur-le-Prince.

Paris, dimanche 18 octobre 1998

Coup de téléphone de Lansana Kouyaté. La guerre a repris en Guinée-Bissau. La rébellion gagne du terrain et ne va pas tarder à prendre le contrôle de la majeure partie du pays.

Paris, lundi 19 octobre 1998

Préside la cérémonie de remise des *Mélanges Hubert Thierry* à l'Unesco devant un parterre d'amis et d'admirateurs, qui ont, pour la plupart, dépassé la soixantaine. Les jeunes universitaires ne se montrent pas très friands de ce genre de prestation académique, qui reste, en revanche, pour les professeurs septuagénaires, une de leurs rares satisfactions. Doctorats *honoris causa*, remises de mélanges, symposiums entre spécialistes, et tous ces vieux souvenirs universitaires que l'on rabâche entre deux exposés. Une autre manière de se remémorer sa jeunesse, son savoir, et de continuer à exister.

J'enchaîne avec le prix Simon-Bolivar, remis par Federico Mayor à Mário Soares et à l'un de mes compatriotes, Milad Hanna, grand éditorialiste au quotidien *Al-Ahram*. Nous nous donnons l'accolade. Il exulte. Il est tellement fier de son trophée qu'il a l'intention d'inscrire ce nouveau titre sur sa carte de visite. Sa joie fait tellement plaisir à voir que je me garde bien de l'en dissuader.

Paris, jeudi 22 octobre 1998

Longue séance de travail avec Moustapha Niasse et Gilchrist Olympio, accompagné de son plus proche conseiller.

Moustapha Niasse se livre à une analyse plutôt optimiste de la situation, dans la mesure où le président Eyadéma se dit prêt à négocier avec l'opposition. Gilchrist Olympio a une vision beaucoup plus pessimiste des choses : les rapports avec la Banque mondiale et le Fonds monétaire international sont gelés. L'armée togolaise, avec douze mille militaires et deux milles paramilitaires, a la mainmise sur la politique intérieure du pays. Les deux unités opérationnelles, placées sous les ordres des fils de

Eyadéma, sèment la terreur. Il énonce un certain nombre de propositions précises destinées à réduire les effectifs de l'armée et, du même coup, son influence.

J'objecte qu'il s'agit là d'un problème qui ne peut se régler qu'à long terme. Or nous devons nouer le dialogue au plus vite. Nous tombons d'accord sur la rédaction d'un communiqué commun, où l'Union des forces de changement, l'UFC, à travers son chef Olympio, donne son accord de principe à un dialogue intertogolais, en soulignant l'urgence qu'il y a à régler le dossier de l'insécurité au Togo.

Paris-Luxembourg, mardi 27 octobre 1998

Départ en voiture pour Luxembourg sous une pluie battante. Le paysage défile, terne et monotone. Une succession de champs qui, à force d'être cultivés, finissent par ressembler à des planches botaniques.

Luxembourg, mercredi 28 octobre 1998

Léa et moi sommes reçus par la grande-duchesse, selon un protocole minutieusement réglé. Nous évoquons le voyage du président Sadate au grand-duché et la présence du grand-duc à ses funérailles.

La grande-duchesse accueille favorablement le projet de tenir une conférence des femmes de la Francophonie au Luxembourg l'année prochaine. Et elle accepte d'honorer de sa présence la séance inaugurale.

Je rencontre ensuite le Premier ministre et le ministre des Affaires étrangères, avant un très bon déjeuner arrosé de toutes sortes de vins, respectables pour certains, délectables pour d'autres. Ce qui n'est pas le meilleur moyen de me mettre en condition pour affronter l'interview que je dois encore donner à la télévision luxembourgeoise, et surtout la conférence publique que je dois prononcer un peu plus tard dans l'après-midi dans un château des environs de la capitale.

Ma conférence est précédée d'un intermède musical. Je parle pendant une bonne heure de la Francophonie, de sa dimension nouvelle. Les questions qui suivent laissent penser que mon auditoire est intéressé par le sujet.

Paris, samedi 31 octobre 1998

Mon ami Nail el-Assad, un homme d'affaires libanais versé dans les opérations financières en Afrique, a insisté pour que je déjeune avec Mahdi el-Tager, une des plus grosses fortunes du Golfe, l'homme qui a fait de Dubaï un port international, un nouveau Hong Kong.

Il nous reçoit dans son château des environs de Paris. Les grilles franchies, nous roulons dix bonnes minutes au milieu d'un parc d'arbres centenaires avant d'apercevoir, comme dans les contes de fées, au bout de l'allée, le château.

On nous introduit dans un immense salon donnant sur un lac. Mahdi el-Tager est là, entouré de sa cour. C'est un homme de taille moyenne, sans âge, l'œil vif et intelligent. Il m'accueille avec effusion.

« Voilà des années que je suis votre parcours. Je suis l'un de vos fervents admirateurs », me dit-il en préambule.

La conversation est interrompue par de fréquents coups de téléphone. Je suis transi de froid, malgré le feu qui brûle dans les monumentales cheminées. Nous passons dans la salle à manger, où il fait plus froid encore. À mon grand étonnement, et bien que le décor ne s'y prête pas, la pièce baigne dans une atmosphère arabe. Tous les plats ont été disposés sur la table, et l'on se sert soi-même, au gré de ses envies. Malheureusement, le vin rouge ne parvient pas à me réchauffer. Le froid s'insinue partout, jusque dans la nourriture, la conversation, et l'intérêt esthétique que l'on pourrait porter aux meubles et aux bibelots anciens.

Je me retire après le déjeuner, sans m'être réchauffé, mais en promettant à mon hôte de nous revoir. Nous ne quittons pas le château par la même allée que tout à l'heure. En arrivant, nous avions emprunté le grand circuit : il fallait que l'on prenne toute la mesure des splendeurs de ce domaine. En repartant, le petit circuit suffit : nous avons été suffisamment impressionnés.

Lisbonne, lundi 2 novembre 1998

De nouveau à Lisbonne, cette fois pour donner une conférence à l'université sur les rapports entre la Francophonie et la Lusophonie. Une initiative que je dois à mon ami José Manuel Durão Barosso, ancien ministre portugais des Affaires étrangères.

Lisbonne-Genève, mardi 3 novembre 1998

J'apprends, ce matin, que, dans la nuit du 1er au 2 novembre, un accord de paix a été signé, à Abuja, entre le président Nino Vieira et le général Ansumane Mané. L'accord prévoit le retrait de toutes les forces étrangères, l'instauration d'un gouvernement d'union nationale, ainsi que la mise en place d'une aide humanitaire à l'intention des trois ou quatre cent mille personnes déplacées.

Je prononce ma conférence devant un public de jeunes étudiants intimidés que je suis presque obligé de forcer à me poser des questions.

En quittant Lisbonne pour Genève, j'ai le sentiment d'avoir labouré dans la mer. Ce n'est pas une conférence de plus ou de moins qui permettra d'instaurer des relations entre la Francophonie et la Lusophonie. Ce qui est en jeu, dans l'immédiat, c'est plutôt la capacité à installer un *modus vivendi* entre les partisans de Vieira et ceux de Mané en Guinée-Bissau et, à long terme, la volonté d'établir des liens institutionnels entre les organisations francophones et lusophones.

Genève, jeudi 5 novembre 1998

Je préside le symposium organisé par la Francophonie sur le thème du plurilinguisme dans les organisations internationales. Le représentant permanent de la Francophonie à Genève, Xavier Michel, a fait du beau travail. La belle salle du centre de conférences de Genève est pleine : plus de quatre cents diplomates, fonctionnaires internationaux, experts et correspondants de presse de toutes les grandes aires linguistiques ont accepté de venir réfléchir aux moyens de promouvoir la symphonie des langues dans le concert des nations, et notamment au sein des organisations internationales, face à la tentation grandissante d'abandonner l'option plurilingue. Ce qui reviendrait, on le sait, à remettre en cause, non seulement la nature de la communication internationale, mais aussi le principe même du multilatéralisme et, à travers lui, la raison d'être d'une communauté internationale organisée. Car il y a dans l'ordre linguistique, comme dans l'ordre monétaire, des équilibres internationaux fondamentaux.

Genève, vendredi 6 novembre 1998

Séance de clôture du symposium. Mohammed Bedjaoui fait un très beau discours. Un plaidoyer en faveur de la langue française, triplement symbolique à mes yeux. D'abord, parce que cet Algérien s'engage clairement en faveur de la langue française, contrairement à l'attitude ambiguë de son pays. Ensuite, parce que c'est un fonctionnaire international qui prône le respect du plurilinguisme. Enfin, parce que c'est un juriste qui parle. On oublie trop souvent la contribution du droit français au rayonnement de la Francophonie.

Paris, mardi 10 novembre 1998

À l'invitation de l'Association France-Égypte, conférence sur la Francophonie et le monde arabe à l'Automobile Club, devant un auditoire de vieilles dames élégantes.

Si ces associations ont été, en d'autres temps, de précieux relais culturels, elles n'ont plus autant d'impact à l'heure des nouvelles technologies de la communication. Le plus brillant des conférenciers ne parviendra jamais à rivaliser avec l'image ou Internet pour faire découvrir l'Égypte aux Français et la France aux Égyptiens.

Ces sociétés d'amitié entre États ne doivent leur survie qu'à l'inertie de la bureaucratie ou au manque d'imagination de ceux qui sont en charge des relations culturelles.

Paris, dimanche 15 novembre 1998

Déjeuner chez Jacques Attali. Le Tout-Paris du spectacle, de la politique et de la finance se presse autour de petites tables. Je retrouve Jean-Claude Trichet, le gouverneur de la Banque de France, qui m'apprend l'existence de réunions entre les présidents des différentes banques centrales francophones.

Je découvre, chaque jour, une institution ou une association nouvelle œuvrant dans le cadre de la Francophonie. Comment expliquer cet intérêt, cette mobilisation autour de l'idée francophone dans les secteurs d'activité les plus variés, quand l'opinion publique française la boude encore allègrement ?

Bruxelles, lundi 16 novembre 1998

Le président de l'Union européenne, Jacques Santer, que je rencontre ce matin, dresse un constat inquiétant, mais lucide :

« Le recul de la langue française au sein des institutions européennes est très préoccupant. La Francophonie, mais aussi l'État français, doivent prendre conscience que ce phénomène est appelé à s'aggraver dans les années à venir. »

J'évoque les formations en français que nous proposons aux jeunes diplomates des États de l'Est, candidats à l'intégration. Il m'écoute d'une oreille distraite, peu convaincu par les efforts – certes modestes – que nous déployons.

Paris, mercredi 25 novembre 1998

Discussion animée sur la situation des coptes, lors du dîner offert en l'honneur du président Moubarak et de son épouse à l'ambassade d'Égypte. Le Président laisse bientôt percer son agacement. Pour lui, les coptes et les musulmans sont d'abord des Égyptiens. Le ministre des Affaires étrangères, Amr Moussa, fait néanmoins remarquer que dans certaines petites villes de Haute-Égypte, il existe bien des cas de discrimination entre les deux communautés. Le Président le dément fermement. Pour lui, il n'y a pas de discrimination.

Paris, jeudi 26 novembre 1998

Signature, au siège de la Francophonie, d'un accord de coopération avec le Fonds égyptien de développement pour l'Afrique. Le ministre égyptien des Affaires étrangères, Amr Moussa, s'est fait un devoir de signer cet accord dans les locaux de la Francophonie et de rappeler que je suis à l'origine de la création de ce fonds.

Déjeuner avec le président de la République de Gambie, Yahya Jammeh. Je l'ai connu au lendemain du coup d'État qui avait renversé le président Daouda Jawara. Il n'était encore qu'un jeune lieutenant dynamique, ouvert, portant la plus grande attention à mes propos. L'homme que je retrouve aujourd'hui est énorme. Il a la tête ceinte d'un turban et porte des bagues à chaque doigt. Un véritable marabout qui, outre son pouvoir temporel, se sent investi d'un pouvoir d'ordre divin.

Il m'expose son rôle politique dans le conflit qui oppose la province de Casamance au Sénégal d'une part, et le Sénégal à la Guinée-Bissau d'autre part. Je ne saurais dire ce qui, de sa suffisance ou des mimiques serviles des courtisans qui l'accompagnent, m'est le plus insupportable. Et pourtant, je n'en suis pas à mon premier chef d'État ayant de lui-même une opinion inversement proportionnelle au rayonnement du pays qu'il dirige. Mais je ne parviendrai jamais à m'habituer à autant d'outrecuidance. Je suis d'autant plus choqué que je ne peux m'empêcher d'évoquer, à la vue de ce marabout bouffi d'orgueil, le jeune officier d'antan. Que de chemin parcouru ! L'un de mes collaborateurs m'apprend qu'il a été élu avec une imposante majorité. C'est donc un potentat démocrate !

L'erreur dont ne peuvent se départir les grands prêtres de la religion des Droits de l'homme, c'est de croire que les élections constituent l'élément fondamental, pour ne pas dire le gage, d'un régime démocratique et de la protection des libertés fondamentales. Dans certains cas, il ne s'agit que d'un camouflage institutionnel digne de Potemkine, et d'abord destiné à satisfaire les États riches du Nord.

Je m'entretiens, aujourd'hui encore, avec deux autres chefs d'État, le président du Burundi, Pierre Buyoya, et le président de la Guinée-Équatoriale, Teodoro Obiang Nguema Mbasogo, qui ne répondent pas, dans leur façon de gouverner, aux critères de la démocratie, loin s'en faut. Mais quelle différence avec le gros bouffon dont j'ai partagé le déjeuner à midi !

Paris, vendredi 27 novembre 1998

Séance solennelle d'ouverture du sommet France-Afrique, auquel le président Moubarak assiste pour la première fois. Discours du président de la République française, Jacques Chirac, du président du Burkina Faso, Blaise Compaoré, et du secrétaire général de l'ONU, Kofi Annan, qui vient me saluer à l'issue de la séance.

« Je commence à rencontrer les mêmes ennuis que vous », me glisse-t-il à l'oreille.

Je ne le crois pas.

Dîner en l'honneur des chefs d'État africains au palais de l'Élysée. À ma droite, le Premier ministre de Tunisie, Hamed Karoui, qui me raconte sa dernière partie de chasse au sanglier. À ma gauche, l'épouse du président Sassou-Nguesso, belle, élégante et taciturne. Face à moi, le Premier ministre du Maroc,

Abdellatif Filali, qui, sous des dehors réservés, est un homme réaliste, intelligent, et d'excellente compagnie.

Rome, dimanche 29 novembre 1998

Préside une réunion de la SID. Sempiternel clivage entre les anciens, attachés aux traditions de cette vénérable institution, et les modernes, partisans d'une révolution numérique.

Rome, lundi 30 novembre 1998

Je donne une conférence dans une salle aux trois quarts vide à cause de la pluie. Cela m'est arrivé souvent. Pour avoir moi-même, en tant qu'organisateur, fait maintes fois appel à des appariteurs pour gonfler le public, je préfère de beaucoup une salle à moitié vide à une salle remplie artificiellement.

Rome-Paris, mardi 1er décembre 1998

À l'aéroport de Rome, je rencontre, par hasard, l'homme politique maltais, Guido de Marco, qui, à mon grand étonnement, me parle longuement et savamment de la nouvelle dimension politique de la Francophonie. Moi qui ai toujours pensé que la Francophonie était un club fermé, connu des seuls initiés !

Bucarest, jeudi 3 décembre 1998

Le Conseil permanent de la Francophonie a accaparé toute mon énergie durant cette journée, et le peu qu'il en reste est sacrifié sur l'autel des mondanités. Faire l'effort de sourire, savoir reconnaître tel ou tel, se rappeler son nom et ses fonctions. Toutes ces réceptions sont pour moi une corvée. Je ne suis véritablement moi-même que dans ma bibliothèque, entre lecture et écriture, ou dans les tête-à-tête.

Ce soir, j'ai passé trois heures avec le ministre québécois des Relations extérieures, Sylvain Simard. Il m'assure qu'il n'est pas, pour l'instant, dans l'intention de son gouvernement d'organiser un nouveau référendum. Le Québec est en revanche déterminé à jouer un rôle de premier plan au sein de la Francophonie. Quant à mon fameux voyage au Québec, il est prévu que l'on trouve un compromis avec Ottawa. Plusieurs solutions sont envisageables. Ma sécurité pourrait être assurée par une équipe conjointe Québec-Ottawa. Ma visite pourrait être considérée, soit comme une visite officielle, soit comme une simple visite de travail. Tout dépendra du compromis auquel Québec et Ottawa seront parvenus.

Bucarest, vendredi 4 décembre 1998

Longue conversation avec Diane Marleau, ministre canadienne de la Coopération et de la Francophonie. Elle ne partage pas l'optimisme de Sylvain Simard. Le Québec cherche manifestement la bagarre avec Ottawa. C'est une manière d'affirmer sa spécificité. L'année qui vient risque d'être difficile.

Bucarest, samedi 5 décembre 1998

Petit-déjeuner avec l'ancien président de la République, Ion Iliescu. Conversation chaleureuse, non protocolaire. Nos chemins se sont croisés en diverses circonstances : à Bucarest, à New York, à Maurice aussi, lors du sommet de la Francophonie. Il ne cache pas ses craintes. La situation de la Roumanie va en se détériorant. L'équipe au pouvoir se montre incapable de trouver des solutions aux problèmes de ce pays.

L'éloignement du pouvoir ne porte décidément pas à l'optimisme. Il est bien connu que lorsqu'on est aux affaires, l'adrénaline joue à plein. On a tendance à voir le verre à moitié plein et à occulter les «petits» problèmes, tout occupé que l'on est à poursuivre de grands desseins. Il arrive qu'un ami sincère se charge de vous ramener à la réalité, qu'effacent aussitôt les collaborateurs courtisans dont la raison d'être est de maintenir votre moral au plus haut.

(En fin d'après-midi...) Je prends la route du palais présidentiel, où m'attend le président Emil Constantinescu.

Le spectacle qui s'offre à nous est insolite. Les rues de la capitale sont totalement verglacées. Les véhicules circulent au pas, incapables de gravir la moindre côte. Si bien que l'on voit des files de voitures et d'autobus immobilisés au pied de chaque montée. Nous sommes obligés de faire un détour considérable afin de ne rouler que sur du plat.

Je retrouve le président Constantinescu, qui m'avait remis un doctorat *honoris causa* lorsque j'étais aux Nations unies. Jeanne Modelin, le porte-parole de la Francophonie, propose avec beaucoup de dextérité que nous fassions une interview télévisée conjointe, ce que le Président, surpris, accepte avec plaisir. La Roumanie a besoin de l'appui diplomatique et culturel de la Francophonie. Et elle entend bien s'investir activement au sein de cette communauté.

Paris, mardi 15 décembre 1998

Entretien avec Benita Ferrero-Waldner, dont le pays préside l'Union européenne. C'est à ce titre que je lui demande d'appuyer ma démarche pour que l'Union européenne ait, à l'égard du Togo, une attitude plus positive.

Paris, mercredi 16 décembre 1998

Entretien avec Henri Lopez, ambassadeur du Congo-Brazzaville à Paris. Écrivain et homme de culture, il essaie de sauver son pays d'un naufrage qui risque fort d'égaler le naufrage somalien. Il est en faveur d'une médiation de la Francophonie afin de mettre un terme aux luttes qui ensanglantent Brazzaville et le Congo. Les moyens de la Francophonie sont certes limités, mais elle jouit d'un certain prestige. J'envisage de confier cette médiation à Moustapha Niasse, déjà en charge du dossier togolais. Mais il a l'énergie nécessaire pour mener de front ces deux missions, de natures somme toute très proches, puisque nous sommes en présence, dans les deux cas, de conflits internes.

Paris, jeudi 17 décembre 1998

Grand-messe à l'Unesco. On me remet, aujourd'hui, l'ouvrage *Amicorum disciplicorumque liber*, deux pavés de plus de mille six cents pages, en hommage à ma production académique. La séance est présidée par le directeur général, Federico Mayor, qui donne, pour commencer, la parole au représentant du secrétaire général des Nations unies, Yves Berthelot, secrétaire exécutif de la Commission économique de l'ONU.

« Revenant à un amour de jeunesse auquel il consacra sa thèse de doctorat, il met sa vaste expérience et son inépuisable énergie au service d'une organisation régionale. Pas n'importe laquelle, une organisation régionale à vocation politique et culturelle qui place au premier rang de ses objectifs la promotion du développement, l'instauration de la démocratie et la prévention des conflits. Une organisation, donc, qui lui donne le moyen de poursuivre l'œuvre d'une vie consacrée à la paix et au progrès de l'humanité... »

Ces propos résument on ne peut mieux les motifs qui m'ont poussé à accepter le poste de secrétaire général de la Francophonie.

C'est au tour du ministre de l'Intérieur du Venezuela, Asdrubal Aguiar, d'intervenir, puis de l'ambassadeur Hisashi Owada, qui s'exprime, à mon grand étonnement, dans un français châtié et élégant, et qui évoque ma désormais traditionnelle visite au temple shintoïste de l'Amiral-Togo lors de mes séjours au Japon. Karel Vasak, qui est à l'origine de cette entreprise, souligne que quatre-vingt-onze auteurs, originaires de tous les continents, ont tenu à s'associer à l'ouvrage, en témoignage de leur amitié et de leur admiration. Hector Gros Espiell fait son discours en espagnol. Et, bien que je ne parle pas cette très belle langue, je me surprends à comprendre le sens général de son intervention. À croire que lorsqu'on fait votre éloge, vos capacités de compréhension sont décuplées. Qu'on le veuille ou non, nous sommes tous sensibles à la flatterie. Même si l'on sait que tout cela est dicté par les circonstances et les règles du genre, on n'en boit pas moins du petit-lait.

Federico Mayor rappelle, quant à lui, que le mot « démocratie » n'apparaît pas une seule fois dans la charte des Nations unies et qu'il me revient d'avoir introduit, à l'ONU, la pratique de l'observation internationale des élections, acte fondateur de toute démocratie véritable. Mais c'est sans doute le discours du juge Mohammed Bedjaoui qui m'a le plus touché, tant par la richesse des images que par la maîtrise de son analyse tout en arabesques. Et pourtant, nos relations ont été, à certains moments, fort tendues. Alors que je défendais les accords de Camp David entre l'Égypte et Israël, Mohammed Bedjaoui était le chef de file des États qui dénonçaient la «trahison», par l'Égypte, de l'unité arabe. La joute oratoire à laquelle nous nous sommes livrés lors du sommet africain de Monrovia, en 1979, restera, pour longtemps sans doute, gravée dans la mémoire des diplomates africains. Mais vingt ans plus tard, Mohammed Bedjaoui a décidé d'oublier la politique et de faire prévaloir l'amitié :

«Il y a, dans l'histoire de l'homme, des destinées qui donnent au grand livre de la Création ses meilleures pages. La vôtre, de destinée, mon cher Boutros, est de celles-là. Et puisque dans la tradition arabe on disait des hommes d'envergure qu'ils valaient vingt chamelles blanches et un poème sacré, ce sont ces présents qui vous reviennent ce soir. Acceptez-les de nous tous, car ce soir, de fête et de plaisir, nous allumerons la lune pour vous.»

Je ne peux m'empêcher de penser à la lune des lunes...

Ma belle-mère Pauline, du haut de ses quatre-vingt-dix ans, après avoir lu consciencieusement le premier tome de l'*Amicorum*, m'avait appelé de New York :

«Mais vous devez être aux anges lorsque vous lisez ces louanges dithyrambiques. Dépêchez-vous de m'envoyer le deuxième tome!»

Une femme étonnante, qui n'a pas hésité à se plonger dans la lecture, aride et fastidieuse, de ces longues études juridiques qui n'ont d'intérêt que pour les juristes, et encore, les juristes spécialisés dans cette branche bien particulière du droit des gens.

Paris-Hanoï, vendredi 18 décembre 1998

Léa s'envole pour New York, où elle passera Noël avec sa mère, très malade. Quant à moi, je pars pour Hanoï.

Hanoï, samedi 19 décembre 1998

Je retrouve la suite que l'on m'avait réservée lors de ma première visite au Vietnam comme secrétaire général des Nations unies. C'est le plus vieil hôtel de la ville, construit à l'époque de la colonisation et rénové depuis. La fenêtre du petit salon s'ouvre sur une place boisée qui évoque une petite ville de province française. Si la langue française est ici en déclin, l'urbanisme à la française est encore bien implanté dans certains quartiers.

Je n'ai que le temps de me rafraîchir et de me changer avant de me rendre au palais présidentiel, que l'on appelle la Maison des hôtes du gouvernement. La vice-présidente, Mme Nguyên Thi Binh, qui a présidé la conférence de Bucarest la semaine dernière, offre un dîner en mon honneur. Le voyage m'a beaucoup fatigué et j'ai la plus grande difficulté à alimenter la conversation. Fort heureusement mes collaborateurs, qui ont mieux supporté le décalage horaire, s'emploient à animer cette soirée.

Hanoï, dimanche 20 décembre 1998

Visite du bureau Asie-pacifique de l'Agence intergouvernementale, dirigé par un universitaire et diplomate africain, Moussa Camara. Il n'a aucun contact avec l'Agence universitaire, autre institution de la Francophonie, pourtant mieux implantée et plus active. Ce manque de coordination entre les différents opérateurs est décidément une des faiblesses de cette organisation.

(En fin d'après-midi…) J'accepte l'invitation de l'ambassadeur d'Égypte, Mohamed el-Sayed Taha, qui reçoit le corps

diplomatique dans sa résidence surchargée d'objets d'art hétéroclites collectionnés au gré de ses missions.

Sourire, écouter, reconnaître, évoquer des souvenirs, pour votre part oubliés depuis longtemps. Expliquer, aussi, les transformations opérées en Francophonie depuis le sommet de Hanoï. Les diplomates auront, au moins, de quoi transmettre un rapport un peu nouveau à leurs administrations respectives.

Hanoï, lundi 21 décembre 1998

Le ministre des Affaires étrangères, Nguyên Manh Cam, me parle avec enthousiasme de la conférence de l'Association des nations de l'Asie du Sud-Est (Asean) qui s'est tenue à Hanoï et a connu un grand succès. On y a adopté un plan d'action, qui court jusqu'à 2004 et prévoit la création, dès 2002, d'une zone de libre-échange entre cinq des États membres de l'Asean.

De mon côté, je reviens sur la préparation de la conférence des ministres francophones de l'Économie et des Finances, qui doit se tenir en 1999 à Monaco sur le thème « Commerce international et investissements étrangers ». C'est la première fois que la Francophonie organise une conférence économique et je me permets d'insister sur le niveau et l'importance de la participation de la délégation vietnamienne.

« La délégation vietnamienne sera d'un niveau qui reflétera tout l'intérêt que porte mon pays à cette conférence », me répond le ministre.

Rencontre avec le maire ou, plus exactement, le président du comité populaire de la ville de Hanoï, Hoang Van Nghien. Un homme dynamique qui s'exprime avec vivacité par le truchement d'un interprète. Je suis quelque peu étonné de le voir porter sans complexe ses cheveux blancs. Traditionnellement, en Asie, les hommes, dès l'apparition des premiers cheveux blancs, se teignent. Il s'agirait là d'une très ancienne coutume adoptée lors des combats guerriers, l'ennemi ayant pour réflexe d'abattre en premier les guerriers aux cheveux blancs, parce que supposés plus faibles ou plus expérimentés. Je ne sais quel crédit accorder à cette explication. Toujours est-il que le maire ne semble pas vouloir sacrifier à la tradition.

Il m'invite à participer aux festivités qui seront organisées en l'an 2000 pour commémorer les neuf cent quatre-vingt-dix ans d'existence de la ville de Hanoï. Je lui promets de faire mon possible pour répondre à son invitation. Je le convie, à mon tour, à participer à la prochaine assemblée de l'Association internationale des maires francophones, à Québec, en septembre 1999.

« Avez-vous visité Hué ? me demande-t-il. D'importants projets de restauration y ont été entrepris par l'Unesco dans le cadre de la protection du patrimoine culturel vietnamien. »

Je lui confesse ma parfaite méconnaissance du pays. À part Hanoï, mon hôtel et la Maison des hôtes du gouvernement, 12, rue Ngo Guyên, je n'ai en effet rien vu. Ce n'est pas propre au Vietnam. J'ai beau avoir fait le tour du monde, avoir séjourné dans la plupart des capitales, je n'ai souvent vu, dans tous ces pays, que les chambres d'hôtel et les salles de réunion et de réception des grands de ce monde. Et je n'ai connu que les négociations, les tractations, les conférences et les colloques.

Hoang Van Nghien m'écoute, un sourire malicieux et indulgent sur les lèvres, mais ne fait aucun commentaire.

Toujours dans l'après-midi, je rencontre Nguyên Ngoc Tran, député et vice-président de la commission des Affaires internationales. Cette fois, point d'interprète. Mon interlocuteur parle un français excellent, sans aucun soupçon d'accent. J'apprendrai, un peu plus tard, que ce mathématicien a fait ses études à Paris, à la Sorbonne. C'est le francophone de service :

les autres responsables ne parlent, comme langue étrangère, que l'anglais ou le mandarin.

Il est très fier de la composition de la nouvelle Assemblée nationale. Sur les quatre cent cinquante députés élus, plus du quart sont des femmes. Une proportion qui ferait pâlir d'envie bien des parlements en Europe ou ailleurs…

Nous abordons le dossier des classes bilingues, en particulier la lourdeur des programmes, du fait du dédoublement des cours. Il déplore, également, le mauvais niveau de français des professeurs. Mais le vrai problème reste l'insertion professionnelle. Quels sont les débouchés offerts à ces jeunes à la sortie de l'université ? Le recteur Guillou, qui assiste à l'entretien, s'empresse de mentionner les contacts qu'entretient l'Agence universitaire avec de nombreuses entreprises et les efforts qu'elle déploie pour sensibiliser les hommes d'affaires. Mais est-ce bien suffisant ?

Visite de courtoisie au président de la République, Tran Duc Long. Au moment où nous commençons notre entretien, une panne d'électricité plonge la salle dans une totale obscurité.

J'ai souvenir d'un incident identique, dans les années 1980, à Malabo, en Guinée-Équatoriale, avec le ministre des Affaires étrangères. Un lourd silence s'était abattu sur la pièce, rendant tout à coup l'atmosphère très pesante. Je m'empresse donc, aujourd'hui, de prendre la parole, malgré l'obscurité. J'expose brièvement au Président les nouvelles activités, notamment politiques, de la Francophonie depuis Hanoï. Et tandis que je parle, la lumière revient. Le Président me dit combien son pays entend s'investir dans la Francophonie, dans la mesure où il peut être un trait d'union naturel et précieux avec l'Asean, mais aussi avec d'autres groupes politiques, notamment celui des États non-alignés.

Le Président va plus loin. Il est prêt à mettre ses techniciens à la disposition des États francophones d'Afrique dès qu'il aura obtenu l'aide nécessaire pour développer cette coopération Sud-Sud. Le Vietnam intervient d'ores et déjà en Afrique en collaboration avec la FAO, collaboration fructueuse dont m'avait entretenu son directeur général, Jacques Diouf. Il me demande, en conclusion, de jouer de mon autorité pour soutenir cette coopération Sud-Sud qui lui tient tant à cœur et qui me tient tant à cœur.

Ma journée n'est pas terminée. La réunion la plus originale, sans aucun doute, reste à venir. L'ambassade de France a invité, à l'hôtel Sofitel Métropole, une dizaine d'hommes d'affaires, représentants de Paribas, Total, et même un grand bijoutier. J'arrive avec du retard. Ils ignoraient, en répondant à cette invitation, quel était l'objet exact de la réunion. Je leur explique que la Francophonie, depuis son dernier sommet, intervient dans le champ de l'économie et entend instaurer un véritable espace de coopération dans ce domaine. J'évoque mes entretiens avec les autorités vietnamiennes, notamment le problème de l'insertion professionnelle des jeunes qui ont choisi de suivre un cursus en français.

Le bijoutier, installé depuis quatre ans à Hanoï, me répond qu'il a recruté des gestionnaires vietnamiens parlant le français. Mais son entreprise est modeste. Il n'a qu'une soixantaine d'employés. Pour le représentant de Paribas, il ne fait aucun doute que la langue de communication par excellence reste l'anglais, qu'il utilise jusque dans sa correspondance avec Paris. Le représentant de Total tient à peu de chose près le même discours. Le conseiller d'ambassade insiste, néanmoins, et mentionne ces jeunes ingénieurs vietnamiens formés dans le secteur de l'aérospatiale et des télécommunications, qui suivent des cours intensifs de français durant quatre à six mois. Le recteur Guillou prend, à son tour, la parole pour présenter les formations dispensées à l'Institut d'informatique et à l'École de médecine. Il se fait tard. Je remercie chaleureusement les participants, qui semblent en cette fin de soirée mieux disposés qu'ils ne l'étaient en arrivant.

C'est tout le problème des classes bilingues qui se pose. Quel avantage ces jeunes, qui ont choisi d'apprendre le français en seconde langue, retirent-ils de leur apprentissage ? Aucun, si, au moment de trouver un emploi, on leur oppose que l'anglais est la langue requise dans le milieu des affaires et des multinationales.

Ne faudrait-il pas, dans ces conditions, limiter l'enseignement du français aux étudiants qui, en fin de cursus universitaire, choisissent de suivre une formation complémentaire dans des universités belges, canadiennes ou françaises ? Faut-il utiliser les fonds mis à la disposition des classes bilingues pour créer des bourses de spécialisation ? Nous n'avons pas encore suffisamment de recul pour en juger. Mais il est clair que l'expérience menée dans les classes bilingues mérite une évaluation objective et pragmatique.

Hanoï, mardi 22 décembre 1998

À la rencontre des étudiants de l'Institut de la Francophonie pour l'informatique de Hanoï. Amphithéâtre bondé. Énormes banderoles de bienvenue. Je me croirais presque en campagne électorale.

Des étudiants m'apportent la réponse aux interrogations qui étaient les miennes la veille. Ils me parlent de leur cursus, des motifs qui les ont poussés à s'inscrire dans les classes bilingues, de leurs débouchés : bourses d'études à l'étranger, stages de haut niveau, accès au premier emploi.

Je présente, pour la énième fois, la nouvelle dimension politique et économique de la Francophonie et les engage à me poser des questions. Eux n'hésitent pas. La politique semble les passionner.

«Avez-vous un rôle de médiateur dans le conflit des Grands Lacs ?»

«Quel rôle politique la Francophonie peut-elle jouer en Asie ?»

«En quoi consiste la coopération Sud-Sud ?»

Et une question plus personnelle.

«Quelle différence y a-t-il entre le poste de secrétaire général des Nations unies et celui de secrétaire général de la Francophonie ?»

Un échange animé, intéressant, fructueux. Quelle différence avec la rencontre d'hier soir, avec ces hommes d'affaires sceptiques, convaincus de l'inutilité des classes bilingues ! Je me dis que ce sont finalement les jeunes générations qui trouveront la solution à nos problèmes.

Vientiane, jeudi 24 décembre 1998

J'enchaîne les visites : classes bilingues, filières universitaires francophones, Institut de la Francophonie pour les maladies tropicales. Un rythme effréné, un accueil formidable. Partout de grandes banderoles colorées et des enfants qui me reçoivent en chansons. Succession de discours préparés ou improvisés, séances de photos, échanges de salutations. Le recteur Guillou et son équipe ont orchestré cette série de réceptions avec un grand professionnalisme.

L'enthousiasme des élèves, des étudiants, des professeurs est communicatif.

(En début d'après-midi...) Sieste réparatrice dans la résidence luxueuse qui nous a été affectée, avant ma rencontre avec le président de la République du Laos, Khamtay Siphandon.

Je parle de mes visites du matin au Président, de l'accueil chaleureux que l'on m'a réservé. «Donner encore plus de place à la

Francophonie, trouver des projets concrets et réalisables», tel est l'état d'esprit du Président, que je partage pleinement. Il y a beaucoup à faire, particulièrement, dans le secteur de la santé, où l'aide de la Francophonie peut se révéler précieuse.

L'entrevue s'est déroulée dans la plus grande solennité. J'avais pris place, dans un fauteuil, à la droite du Président. En arrière-plan, un énorme écusson de bois sculpté, emblème du Laos. Devant nous, une table basse agrémentée d'un bouquet «officiel».

Le Président me raccompagne jusqu'à la porte du palais présidentiel, où nous attend la traditionnelle photo, en compagnie de mes collaborateurs.

Dîner de réveillon à l'ambassade de France. Tout le monde a beaucoup bu, l'ambiance est gaie et détendue, jusqu'au moment où quatre de mes dents tombent dans mon assiette avec un bruit métallique. L'alcool aidant, personne ne semble s'en être aperçu – j'ose du moins l'espérer… Je m'empresse d'enfouir le bridge défectueux au fond de mon mouchoir, tout en maudissant copieusement le dentiste qui me l'a posé.

Phnom Penh, vendredi 25 décembre 1998

Je suis reçu par le prince Norodom Ranariddh qui, suite à l'accord d'union nationale, est devenu président de l'Assemblée et assure l'intérim du roi Sihanouk, en voyage en Chine. C'est la copie conforme de son père. Même petite taille, mêmes mimiques, même voix.

Il garde le souvenir d'un dîner offert, à New York, par le ministre français des Affaires étrangères Alain Juppé, en l'honneur de la Francophonie, et d'un passage de mon discours dans lequel je mentionnais que, déjà au XVIe siècle, on s'inquiétait du recul de la langue française. Mais le danger venait alors d'Italie.

Je lui rappelle quant à moi notre première rencontre, lorsqu'il était étudiant à l'université de Bordeaux.

Le prince revient sur la place de la Francophonie au Cambodge, le dynamisme de l'Institut de technologie et de l'École de médecine. Il souhaiterait créer une faculté de droit et un institut d'archéologie avec l'appui de la Francophonie. Le bilan des classes bilingues est plus nuancé. Les parents d'élèves ne sont pas toujours faciles à convaincre. Il mentionne, aussi, le terrible problème du sida. Le Cambodge est l'un des pays les plus touchés au monde. Les prévisions montrent qu'il y aura deux cent mille cas recensés, en l'an 2000, pour une population totale de onze millions d'habitants.

L'entrevue avec le prince est suivie d'une séance de travail avec le ministre des Affaires étrangères et de la Coopération, Hor Nam Hong, qui me dit sa satisfaction de voir le Cambodge devenu, depuis peu, le dixième État membre de l'Association des nations de l'Asie du Sud-Est (Asean). Avec l'entrée du Cambodge, c'est aussi l'introduction du français comme langue officielle de travail, statut jusqu'alors exclusivement réservé à l'anglais.

J'insiste sur l'importance de la participation du Cambodge aux prochaines grandes réunions de la Francophonie : en mars 1999, à Genève, pour le grand rassemblement de la jeunesse; en avril, à Monaco, pour la première conférence des ministres de l'Économie et des Finances; en septembre, à Québec, pour l'assemblée générale des maires, et à Moncton, pour le VIIIe sommet. Le ministre me donne toutes les assurances en ce sens. Il me reparle du projet de création, évoqué par le prince, d'un institut d'archéologie et souhaiterait l'ouverture de classes bilingues dès le primaire.

De retour à l'hôtel Cambodiana, le directeur m'annonce qu'il m'a obtenu un rendez-vous avec un dentiste qui a accepté d'ouvrir son cabinet spécialement pour moi. Nous retraversons la ville, déjà plongée dans l'obscurité. Arrivés à destination, mes gardes du corps me conduisent au fond d'une cour, où luit une unique petite lumière : le cabinet dentaire, installé dans ce qui me semble être un garage!

Le dentiste m'accueille avec effusion, m'installe sur le fauteuil et se lance dans un grand discours : il a fait ses études à Paris; voilà des années qu'il suit avec intérêt ma carrière; c'est un jour historique pour lui, le moyen de me témoigner sa reconnaissance : il n'oublie pas ce que j'ai fait pour rétablir la paix au Cambodge. Et tandis qu'il parle, j'attends, bouche grande ouverte, qu'il veuille bien examiner mes dents. Je commence à craindre le pire. Surmontant mon anxiété, je lui demande de bien vouloir me soigner. Il ne semble pas m'avoir entendu. Il continue son interminable monologue. Lorsque le directeur de l'hôtel lui a téléphoné, il n'a pas hésité une seule seconde à interrompre un dîner de famille pour venir ouvrir son cabinet; un événement pareil, ça n'arrive qu'une fois dans une vie! La présence de mes gardes du corps cambodgiens et de mon officier de sécurité, Claude Figuier, qui font les cent pas dans la cour, m'aide à calmer l'angoisse qui me gagne. Mon dentiste «fan» se décide, enfin, à intervenir.

«Combien vous dois-je? lui dis-je, une fois soigné.

– Vingt-cinq dollars.» J'avais pris la précaution d'emporter avec moi des cartes de crédit, des francs français... et des dollars.

Siem Réap, dimanche 27 décembre 1998

Nous partons de bonne heure pour Siem Réap, où nous sommes accueillis par le gouverneur Toan Chay, à qui le roi a donné instruction d'organiser pour nous une visite «royale» des temples.

Tout, ici, donne l'impression d'un combat sans relâche entre nature et génie humain. Un combat perdu d'avance. La beauté époustouflante de ces constructions centenaires s'étiole sous les assauts d'une végétation luxuriante qui envahit tout, se love autour des colonnes et s'insinue jusqu'entre les pierres disjointes.

Un remarquable travail de restauration effectué par les archéologues sur certains temples, tandis que d'autres, orphelins, se résignent à l'abandon. Et puis, le temple d'Angkor, majestueux entre tous, malgré la foule des touristes et des habitants de la région qui en ont fait leur lieu de promenade dominicale.

Le gouverneur nous explique que le Cambodge n'a pas les moyens de protéger ces douzaines de temples, encore moins de les restaurer. Il rêve d'un « son et lumière », mais les capacités hôtelières de Siem Réap sont encore bien insuffisantes.

Siem Réap-Phnom Penh, lundi 28 décembre 1998

Nous visitons d'autres temples, moins fréquentés du grand public. Le gouverneur nous invite à déjeuner. Il nous raconte ses efforts pour intégrer les Khmers rouges à la population, leur donner un travail dans les secteurs du tourisme, de l'artisanat ou de la fonction publique. C'est une province pauvre, essentiellement constituée de forêts, ce qui laisse peu d'espace pour l'agriculture.

Phnom Penh, mardi 29 décembre 1998

Ce matin, je rencontre le vice-gouverneur de la ville de Phnom Penh, qui a reçu l'assistance de la Francophonie dans un certain nombre de secteurs : installation du réseau téléphonique de la mairie, organisation de la gestion municipale, photos aériennes de la ville, mise en place du cadastre, conservation et rénovation du patrimoine. Cela dit, les salaires sont bas et les cadres municipaux, contrairement à ce qui se passe en province, n'ont pas la chance de disposer d'un lopin de terre à cultiver pour améliorer un tant soit peu l'ordinaire.

Visite à l'Université des sciences et de la santé, où je suis reçu par le ministre de la Santé, Hong Sun Hout. L'université abrite trois facultés – médecine, pharmacie et odontostomatologie. On y rentre sur concours. Plus de trois mille candidats pour quatre-vingts reçus. Le français est enseigné en seconde langue, la première étant le khmer.

Je poursuis cette série de rencontres par un entretien au ministère de la Culture avec la princesse Norodom Bopha Devi, la fille du roi, une ancienne ballerine, très intimidée par notre visite. Elle est fort heureusement épaulée par son secrétaire d'État, un de ses parents, Sisowath Panara Siriwudh. Décidément, Hun Sen s'est montré fort habile dans la répartition des portefeuilles ministériels. Aux membres de la famille royale les postes honorifiques, aux membres de son parti les postes de commande. La princesse m'avoue qu'elle n'a pas de budget, ce qui ne l'empêche pas de déborder d'enthousiasme et d'optimisme. Elle nous soumet toute une série de projets qu'elle veut réaliser lorsqu'elle aura obtenu les fonds nécessaires.

Hun Sen, l'homme fort du régime, me reçoit dans sa résidence privée, en dehors de la ville. Uch Kiman, secrétaire d'État aux Affaires étrangères, également en charge de la Francophonie, assiste à l'entretien.

« Votre arrivée coïncide avec la fin d'une lutte qui a duré vingt-huit ans et le ralliement au régime d'anciens dirigeants khmers, dont Khieu Samphan. »

Il profite de cette mention pour rappeler qu'il n'était pas encore né lorsque le mouvement des Khmers rouges s'est constitué. Il m'explique l'importance de la Francophonie pour contrebalancer l'influence d'autres grandes puissances au Cambodge. Il m'expose les premières mesures prises depuis qu'il est à la tête du gouvernement, sa politique de réconciliation nationale, sa volonté de donner au Cambodge toute sa place dans la communauté internationale, et son désir de mobiliser toutes les ressources humaines pour la reconstruction du pays. Il insiste pour que la Francophonie participe activement à la prochaine réunion, à Tokyo, des pays et des organisations internationales qui viennent en aide au Cambodge.

La journée se termine par une réception à l'ambassade de France. Le Tout-Phnom Penh est là. Après le départ des invités, l'ambassadeur me retient en compagnie du prince Ranariddh. Nous téléphonons au roi Sihanouk, à Pékin. Je le remercie chaleureusement de l'accueil qui nous a été réservé par le gouverneur de Siem Réap. Il me dit son regret de ne pas avoir été à Phnom Penh pour me recevoir, comme il l'avait fait lors de mes précédentes visites. Le prince prend à son tour le combiné pour présenter ses hommages à «Maman», la princesse Monique, avant de demander à parler à «Papa». La conversation se poursuit en khmer. C'est enfin à l'ambassadeur de France de parler au roi. Tout cela s'est passé dans une ambiance cordiale, presque familiale. Nous sommes tous ravis d'avoir pu converser avec le roi par téléphone. D'autant plus qu'il accorde rarement des audiences téléphoniques et que la ligne n'a pas été facile à obtenir.

On m'encourage de tous côtés à accepter la requête de Khieu Samphan, l'ancien porte-parole des Khmers rouges, qui a demandé à me rencontrer pour me délivrer un message de la plus haute importance.

Phnom Penh, mercredi 30 décembre 1998

Visite de l'Institut technologique du Cambodge, dont l'histoire se confond avec celle de la guerre froide. L'institut a été aux mains de l'Union soviétique de 1964 à 1975. Et la langue enseignée est restée le russe jusque dans les années 1980. Après trois années difficiles, malgré le soutien de l'Unesco, l'institut est repris, en 1993, par l'Agence universitaire de la Francophonie. Il compte aujourd'hui deux cents enseignants, dont vingt Français, diplômés de l'École polytechnique ou des Ponts et Chaussées. Il forme près de cinq cents étudiants, mais une vingtaine de jeunes femmes seulement.

Discours, puis dialogue avec les étudiants.

« Comment poursuivre des études à l'étranger ? »

« Pourquoi la France rend-elle l'accueil des étudiants cambodgiens si difficile ? »

Je m'efforce de répondre de mon mieux à toutes leurs questions.

Rencontre avec Khieu Samphan et Nuon Chea. Je m'attendais à un rendez-vous discret. Quelle n'est pas ma surprise de voir, à l'entrée de l'hôtel, une bonne douzaine de journalistes ! Il faut bien que quelqu'un les ait prévenus, je dirais même convoqués. Est-ce le fait de nos deux Khmers rouges ou du gouvernement de Hun Sen ?

Khieu Samphan a, en tant que représentant des Khmers rouges, signé les accords de Paris. Il avait été reçu officiellement par les autorités françaises, et j'avais dîné en sa compagnie à la table du prince Sihanouk. J'avais dû négocier avec lui, des heures durant, pour tenter d'obtenir la participation des Khmers rouges aux élections supervisées par les Nations unies. Il était donc naturel que je le rencontre, aujourd'hui, avec non seulement l'accord, mais l'appui des autorités cambodgiennes. Je félicite Khieu Samphan pour son retour à Phnom Penh. Mieux vaut tard que jamais.

« Si vous aviez participé aux élections, dis-je, vous auriez obtenu une représentation au sein de l'Assemblée nationale. Quel est votre message ?

– Nous sommes prêts à participer au processus de réconciliation nationale voulu par le Premier ministre, mais la constitution d'un tribunal international interromprait immédiatement ce processus. »

Je fais remarquer à Khieu Samphan et à son compagnon que j'ai quitté les Nations unies, et que je n'ai aucun pouvoir pour favoriser ou empêcher la création d'un tribunal international. C'est une décision qui relève du Conseil de sécurité et qui nécessite l'accord du Cambodge. Je promets, néanmoins, de transmettre son message.

Il me raccompagne jusqu'à la sortie de l'hôtel et me donne une chaleureuse poignée de main devant l'objectif des photographes, ravis.

Après le déjeuner, conférence de presse. Autant dire que la plupart des questions portent sur ma rencontre avec Khieu Samphan. Ils veulent me faire dire que je ne suis pas favorable à la création d'un tribunal international, alors que j'ai activement contribué à la création des tribunaux de La Haye et d'Arusha.

Le Caire, jeudi 31 décembre 1998

J'arrive au Caire au petit jour, après une nuit agitée par trop de fatigue et un vol turbulent. Je retrouve avec plaisir Léa, revenue quelques heures plus tôt de New York. Je me couche aussitôt pour être en forme en cette soirée du Nouvel An.

Nous passons la soirée en famille, avec mes frères Wacyf et Raouf. Les amis de toujours sont là, un peu plus âgés, mais le même bonheur d'être ensemble et de nous aimer.

1999

Le Caire, vendredi 1er janvier 1999

Coup de téléphone de Paris. L'ambassadeur Aly Maher m'informe que la presse française est déchaînée, suite à ma rencontre avec Khieu Samphan. Le plus virulent étant le journal *Le Monde* qui n'a jamais daigné, jusqu'à maintenant, publier la moindre ligne sur les activités de la Francophonie, mais qui, aujourd'hui, fait ses choux gras de cette rencontre dans un encadré fielleux signé Claire Tréan. Je n'ai rencontré cette journaliste qu'une fois, il y a quelques mois. Une femme sèche, chargée, au *Monde*, de suivre le dossier de la Francophonie, pour laquelle elle a un mépris souverain.

Le Caire, dimanche 3 janvier 1999

Le secrétaire général de la Ligue des États arabes, Esmat Abdel Meguid, souhaiterait se rapprocher de l'Union européenne et renforcer ses liens avec la Francophonie. Encore faut-il identifier un projet commun qui nous permette de concrétiser cette coopération. Nous discutons longuement de cette possibilité.

(Un peu plus tard...) Je fais part à Osama al-Baz, le conseiller politique du président Moubarak, de mes frustrations concernant la politique égyptienne :

« Vous négligez le dossier du Soudan et le problème des eaux du Nil. Vous avez abandonné toute présence active au sein de l'Internationale socialiste depuis que j'ai démissionné du poste de vice-président en 1991 », lui dis-je.

Lors de nos entrevues, Osama prend presque toujours des notes, qu'il doit d'ailleurs s'empresser de perdre. Aujourd'hui, il ne consent même pas à cet effort. Il se contente, comme à l'accoutumée, de hocher la tête et de prononcer de-ci, de-là quelques bribes de sa voix nasillarde.

Le Caire, lundi 4 janvier 1999

Je suis reçu par le président Moubarak. Je lui raconte mon voyage au Vietnam, au Laos et au Cambodge, et lui offre les deux gros volumes de l'*Amicorum*.

« C'est vous qui avez écrit tout ça ? » me demande-t-il.

Je lui explique que ce sont les contributions d'amis et de collègues à moi, et que certaines études portent sur mes propres écrits.

Il semble intéressé par l'élection du prochain directeur général de l'Unesco.

« Pourquoi Federico Mayor ne se représente-t-il pas ?

– La charte de l'Unesco le limite à deux mandats.

– Pourquoi n'essaie-t-il pas de la modifier ?

– Je pense qu'il n'aurait pas obtenu l'accord des États membres. »

Le Président conclut notre entretien par cette formule bienveillante, qu'il emploie depuis que j'ai été élu aux Nations unies : « Soyez fort, *Peter the great* ! »

Je poursuis ma traditionnelle tournée des autorités égyptiennes : entrevue avec le président de l'Assemblée du peuple, Fathi Sorour, un des responsables égyptiens les plus francophones, puis avec Moustapha Helmy, le président de la Choura (le Sénat), et enfin avec le Premier ministre, Kamal el-Ganzouri.

Il est bien décidé à voir l'Université Senghor déménager de la Tour du coton à Alexandrie :

« Nous ne pourrons jamais relouer cet immeuble, vide par ailleurs, tant que l'université n'aura pas libéré les cinq étages qu'elle occupe. »

Je lui rappelle que ces locaux nous ont été attribués conformément à un accord international signé entre l'Égypte et la Francophonie.

« Nous vous trouverons une superficie équivalente à Alexandrie », me rétorque-t-il.

Je me permets d'insister et il me promet de reconsidérer la question. Toujours est-il que j'ai bien l'intention de m'adresser directement au président de la République pour m'assurer que nous conserverons l'usage de ces vastes locaux.

Le Caire, mardi 5 janvier 1999

Contrairement à Osama al-Baz, Amr Moussa, le ministre des Affaires étrangères, reconnaît toute l'importance du dossier soudanais et de la gestion des eaux du Nil :

« Maintenant que la question palestinienne est en passe de se régler, nous devons revenir au problème du Nil et consacrer toute notre énergie à resserrer nos liens avec le Soudan, ce qui a toujours été la priorité de la diplomatie égyptienne. »

Il ajoute :

« Malheureusement, ce dossier relève de la compétence de plusieurs autorités : la présidence de la République, le Premier ministre, le ministre des Affaires étrangères, le ministre de l'Irrigation, et nous risquons de diviser nos efforts. »

J'aborde aussi avec lui le problème de l'Internationale socialiste, un instrument précieux que nous avons négligé depuis quelques années :

« Pourquoi ne pas nommer un diplomate qui assistera le représentant de notre parti politique lors des réunions et des conférences internationales ? »

Amr Moussa est un diplomate de carrière qui, comme tous ses congénères, ne s'intéresse que très peu aux organisations non gouvernementales et aux partis politiques.

Ma dernière visite est pour le cheikh d'Al-Azhar. Il me reçoit au nouveau siège de son institution. C'est un homme érudit, posé, réfléchi, qui sait écouter. Je suis accompagné, comme toujours, de mon ami Aly Samane, qui a su gagner la confiance d'Al-Azhar et de son chef spirituel, et qui est parvenu à nouer un dialogue entre cette institution, traditionnellement très fermée, et le monde chrétien. Le défi n'était pas aisé ; le résultat est celui d'un engagement entier et constant au service du dialogue entre les religions. J'ai une réelle admiration pour son combat, que j'ai toujours soutenu.

Le Caire, mercredi 6 janvier 1999

Nous sommes à la veille du Noël copte. Je ne me sens pas l'énergie d'assister à la traditionnelle messe de minuit, qui s'étire jusqu'à 2 heures du matin dans une cathédrale glaciale. Je décide de rencontrer, dès cet après-midi, le patriarche Amba Chenouda III, afin de lui souhaiter une bonne fête, d'obtenir sa bénédiction et de me faire pardonner mon absence de ce soir.

Il se plaint de mon neveu Youssef, qui est un bon ministre de l'Économie mais un mauvais gestionnaire de l'église Boutrossiya. Les relations entre les prêtres et les administrateurs de l'église – en l'occurrence notre famille – ont toujours été un sujet de discorde. Nous entendons bien continuer à administrer cette église, qui abrite notre caveau familial. Le patriarcat et les prêtres, eux, préféreraient voir leurs prérogatives élargies. Je promets au patriarche qu'à mon retour en Égypte je m'occuperai de l'administration de l'église et de ses œuvres.

Le Caire, jeudi 7 janvier 1999

Grande joie. La première partie du manuscrit de mon grand-père maternel, Mikhaïl Charobim, vient de paraître sous le titre *Al Kafi fi Tarikh Misr Al Qadim wal Hadith* – que l'on pourrait traduire par « Sommaire de l'histoire de l'Égypte ancienne et moderne ». Deux gros volumes de mille deux cents pages, reliés en cuir, et une édition annotée par l'historien Abdel Wahab Bahr, qui a fait un véritable travail de fourmi, vérifiant et corrigeant les noms propres, les dates et même les fautes d'orthographe. (Il semble que nous soyons fâchés avec l'orthographe dans la famille...) L'ouvrage, qui se présente plus comme une chronique que comme un livre d'histoire, couvre la période 1892-1900. Reste encore à publier la partie qui court de 1900 à 1914, date de la mort de mon grand-père. Ce devrait être chose faite dès l'année prochaine. J'honore là, avec certes trente ou quarante ans de retard, une promesse que j'avais faite à ma mère.

Longue discussion avec l'ambassadeur Samir Safouat, qui préside un groupe de travail sur la création d'une université francophone dans la banlieue du Caire. Il me convainc de devenir membre fondateur. Il faut bien donner leur chance à ces promoteurs de la Francophonie en Égypte !

Paris, samedi 9 janvier 1999

Réunion du curatorium de l'Académie de droit international de La Haye. Je propose le nom de Keba Mbaye pour le poste de vice-président de notre auguste assemblée. Les mêmes motivations m'animent que lorsque j'étais aux Nations unies. Nommer d'éminents Africains à des postes de responsabilité dans les académies, les universités, les organisations internationales me semble une manière de réhabiliter l'image de l'Afrique saignée par l'esclavage, meurtrie par la colonisation et aujourd'hui déchirée par des guerres intestines. Keba Mbaye, sénégalais, ancien juge à la Cour internationale de justice, est un de ces hommes de valeur qui font honneur à l'Afrique et tendent à faire oublier au monde l'empereur Bokassa, Idi Amin Dada ou autres potentats de la même espèce, honte de notre continent.

Paris, lundi 11 janvier 1999

Jacques Chirac, qui me reçoit à l'Élysée, se dit fort satisfait de la Francophonie. Il aurait pourtant préféré que ma rencontre avec les Khmers rouges soit plus discrète.

Certains médias continuent à baver sur ma poignée de main avec Khieu Samphan devant les photographes. Tout le monde semble avoir oublié que ce dernier, représentant officiel des

Khmers rouges, a été reçu avec tous les honneurs au moment de la signature des accords de Paris, que j'avais longuement négociés avec lui pour obtenir que les Khmers rouges participent aux élections. Amnésie ou mauvaise foi ?

Strasbourg, mardi 12 janvier 1999

Départ pour Strasbourg, où je dois prononcer, à l'invitation d'Antoinette Spaak, une conférence devant le groupe francophone des députés européens. Antoinette Spaak, fille de la grande figure politique belge Paul Henri Spaak, est une authentique militante de la Francophonie.

À l'issue de mon intervention, conférence de presse. Le lynchage médiatique continue. Un jeune journaliste exalté ouvre le feu :

« Serreriez-vous la main d'Hitler ? me lance-t-il avec agressivité.

– Si vous faites allusion à ma rencontre avec Khieu Samphan à Phnom Penh la semaine dernière, je dois vous dire que pour régler un conflit de manière pacifique il ne faut pas hésiter à discuter et à dialoguer avec votre pire ennemi. »

Ma réponse ne semble pas le satisfaire, mais je donne la parole à d'autres journalistes, tandis qu'Annie Dyckmans contacte mes autres collaborateurs à Paris afin que l'on rédige un communiqué destiné à mettre définitivement les choses au point. Antoinette Spaak se confond en excuses.

« Depuis plus de vingt ans que je pratique cet exercice, je suis régulièrement agressée par de jeunes journalistes qui ont besoin de se faire un nom et misent sur la provocation pour parvenir à leurs fins, me dit-elle.

– Il faut bien que jeunesse se passe », lui dis-je pour la tranquilliser.

À l'aéroport, on nous annonce que les avions sont cloués au sol à Paris par une tempête de neige. Il n'est pas sûr que l'on puisse repartir ce soir et, en tout état de cause, l'attente pourrait bien être très longue. On nous conseille de passer la nuit à Strasbourg, mais la plupart des hôtels sont complets. On nous propose de loger dans le centre ville, à la Maison rouge, un nom qui m'évoque notre maison de Fagalah aux murs ocre, ou plus près de l'aéroport, au château de l'Ill. Va pour le château de l'Ill !

Paris, mardi 19 janvier 1999

Une agréable surprise. Je viens de recevoir un exemplaire de l'édition en hébreu du *Chemin de Jérusalem*, avec une préface du président de la République israélienne, Ezer Weizman. Il va falloir que je trouve quelqu'un qui me traduise cette préface.

Ismaël Serageldin, qui brigue le poste de directeur général de l'Unesco, a entamé une campagne à l'échelle de la planète. Il se dépense sans compter, persuadé qu'il va l'emporter. Il est aussi certain de sa victoire que moi du caractère incertain de son élection. Ce qui ne m'empêche pas de lui apporter tout mon appui et mon soutien.

Niamey, jeudi 21 janvier 1999

Tournée diplomatique en Afrique. Suivant un programme désormais classique, je rencontre les membres du gouvernement, les universitaires, les ambassadeurs francophones, la presse et la radio locales. J'expose les enjeux de la Francophonie nouvelle, je reçois les doléances des uns et des autres.

Je ne parviens pas à m'habituer à la misère et à la détresse de ce pays écrasé sous l'immensité des problèmes.

Maradi-Niamey-Ouagadougou, vendredi 22 janvier 1999

Le président Ibrahim Maïnassara Baré séjourne dans sa ville natale, Maradi, à une heure d'avion de Niamey. Il me reçoit dans sa modeste demeure. C'est un homme qui sait écouter, mais on devine, à la dureté de son regard, le militaire impitoyable envers ses ennemis.

Déjeuner décontracté avec le gouverneur de la ville. Maradi, qui est située à cinquante kilomètres à peine de la frontière avec le Nigeria et à deux cents kilomètres de la ville de Kano, est, semble-t-il, un centre important de trafic de marchandises, qui s'accommode fort bien de la perméabilité des frontières.

(Dans l'après-midi...) Départ pour Ouagadougou. La ville est transformée. Un lac artificiel diffuse une fraîcheur apaisante. Les routes sont goudronnées et bien entretenues. Partout des immeubles neufs ou en construction. Une impression de prospérité.

L'entretien avec le président Blaise Compaoré se déroule dans une atmosphère cordiale. Il accepte d'appuyer la candidature de Serageldin au poste de directeur général de l'Unesco, tant comme président de la République du Burkina Faso que comme président en exercice de l'Organisation de l'unité africaine.

Le nouveau ministre burkinabé des Affaires étrangères Youssouf Ouedraogo m'assure de son total soutien, prenant par là le contre-pied de son prédécesseur, qui avait fait campagne contre mon élection de secrétaire général de la Francophonie.

C'est un comportement que j'ai maintes fois rencontré dans les conférences internationales. Dire non, lorsque la grande majorité des États disent oui – que ce soit d'ailleurs par lassitude, par indifférence, ou par désir de parvenir à un consensus –, c'est les conduire à douter, les encourager à un revirement; c'est surtout la certitude de se faire remarquer en se démarquant. Le moyen facile de se poser en chef de file quand on sait que ce leadership ne sera jamais assuré par le pays que l'on représente, parce que trop pauvre, trop marginalisé du fait de son histoire ou de sa position géographique.

J'ai bien connu ces ténors d'un jour, agitateurs patentés d'une interminable séance de nuit ou d'une session ronronnante, qui faisaient, à peu de frais, l'admiration de leurs collègues moins audacieux ou plus liés par les instructions de leur gouvernement. Ces héros éphémères mettaient la dose d'imprévu nécessaire au succès de la conférence, mais leurs propos étaient aussitôt engloutis par les sables du Sahara.

Ouagadougou, dimanche 24 janvier 1999

Visite d'un musée d'art traditionnel à une quarantaine de kilomètres de Ouagadougou, où l'on peut admirer une belle collection de bijoux et de sculptures. L'œuvre d'un homme seul. Au Caire, c'est un homme seul aussi, Morcos Smeika Pacha, qui a fondé le musée copte dont il a fait don à l'État. Ces mécènes admirables mériteraient de recevoir le prix Nobel.

Ouagadougou, lundi 25 janvier 1999

Courte halte à l'université, où je tombe sur un coopérant égyptien envoyé par le Fonds pour la coopération avec l'Afrique, que j'ai créé en 1978 et qui constitue, avec l'Université Senghor d'Alexandrie, l'une des premières institutions vouées à la coopération Sud-Sud.

Libreville, jeudi 4 février 1999

Tour d'horizon politique avec le président Omar Bongo. Il approuve la nomination de Moustapha Niasse comme médiateur de la Francophonie dans le dossier congolais pour tenter de réconcilier Denis Sassou-Nguesso avec Bernard Kolélas, d'une part, et Pascal Lissouba, de l'autre. Il souhaiterait aussi que la Francophonie poursuive sa facilitation diplomatique entre le gouvernement d'Ange-Félix Patassé et l'opposition en République centrafricaine. Il suit lui-même de très près la situation à Bangui. Dans un autre ordre d'idées, il se dit favorable à l'entrée de l'Angola dans la Francophonie. Les émissaires que j'avais dépêchés à cet effet auprès de José Eduardo Dos Santos sont revenus avec l'accord du Président angolais. Mais la diplomatie française n'a pas assuré le suivi. Omar Bongo est prêt à s'occuper personnellement de ce dossier.

Libreville, vendredi 5 février 1999

J'avais fixé rendez-vous à Moustapha Niasse, que je retrouve pour discuter de sa médiation au Congo-Brazzaville. Il est prévu qu'il rencontre le président Bongo pour obtenir son appui, appui dont le président lui-même m'a assuré la veille. Moustapha Niasse se rendra, ensuite, à Washington pour s'entretenir avec Bernard Kolélas.

Libreville, samedi 6 février 1999

Nouvelle série de rencontres avec de jeunes intellectuels, les ambassadeurs francophones, les journalistes et un groupe d'hommes d'affaires libanais, parties prenantes dans l'économie gabonaise. Ils me remercient du rôle que la diplomatie égyptienne a joué lors de la guerre civile au Liban. J'avais donné instruction aux ambassades égyptiennes de protéger les Libanais au même titre que nos ressortissants.

Je quitte Libreville sans Moustapha Niasse, qui attend toujours d'être reçu par le président Bongo.

Paris, dimanche 7 février 1999

Hussein de Jordanie a succombé à la maladie après avoir survécu, dans son « métier de roi », à des turbulences presque quotidiennes.

Ce qui me vient immédiatement à l'esprit, à l'évocation de ce brillant monarque, c'est son extrême courtoisie, les marques d'attention qu'il prodiguait à ses interlocuteurs – « Êtes-vous bien assis ? Êtes-vous sûr de ne pas vouloir un autre siège ? » –, et l'exquise politesse avec laquelle il vous écoutait. Je ne l'ai jamais surpris à hausser le ton, pas même en présence de son personnel, alors que j'ai connu beaucoup de chefs d'État qui se croyaient obligés d'élever la voix lorsqu'ils s'adressaient à leurs subalternes.

Par un étrange hasard, nous sommes nés tous les deux un 14 novembre, tous les deux natifs du signe Scorpion, et nous avons eu à porter, tous les deux aussi, le souvenir tragique de l'assassinat de nos grands-pères. Boutros Pacha, Premier ministre d'Égypte, est tombé sous les balles d'un extrémiste le 20 février 1910 au Caire. Le roi Abdullah Ier de Jordanie a été tué le 20 juillet 1951 alors qu'il priait, aux côtés de son petit-fils Hussein, dans la mosquée Al-Aqsa à Jérusalem. Et quelques années plus tard, en 1977, lorsque le président Sadate se rendra, à l'occasion de son voyage historique à Jérusalem, dans cette même mosquée, nous serons hantés, nous ses collaborateurs, tout le temps de la prière par ce souvenir.

Durant son long règne, qui a duré près de cinquante ans, le roi Hussein de Jordanie a eu à affronter bien des crises. Il a commis deux graves erreurs qu'il a su, certes, corriger, par une diplomatie habile.

Il s'est engagé, en 1967, aux côtés de l'Égypte et de la Syrie, dans la guerre des Six Jours, qui aura pour conséquence la perte de Jérusalem et de la Cisjordanie. Il abandonnera, dès lors, aux Palestiniens la responsabilité de recouvrer ces territoires.

En second lieu, il n'a pas dénoncé l'alliance qu'il avait conclue avec Saddam Hussein lorsque ce dernier a envahi le Koweit. Mais il a su, là aussi, faire rapidement oublier cette alliance, en jouant un rôle de conciliateur entre Le Caire et Bagdad.

Le président Moubarak m'avait chargé avec Osama al-Baz, en 1981, d'une mission de bonne volonté auprès de Saddam Hussein. Il s'agissait, notamment, de reprendre avec l'Irak les relations diplomatiques interrompues depuis la visite d'Anouar el-Sadate à Jérusalem. L'Égypte offrait à ce moment-là une importante aide militaire à l'Irak dans le domaine de l'armement.

Avant de me rendre à Bagdad, je m'étais arrêté à Amman afin d'y rencontrer le roi Hussein, qui m'avait écouté avec un intérêt évident lui exposer la teneur de ma mission, avant d'ajouter en toute simplicité :

« Passez donc me voir à votre retour d'Irak, quelle que soit l'heure de votre arrivée, à moins que vous ne soyez trop fatigué. »

À mon retour de Bagdad, où je m'étais entretenu avec Tarek Aziz et Saddam Hussein, j'avais donc fait part au roi Hussein du résultat de ma mission : l'Irak n'était pas encore prêt à reprendre les relations officielles avec Le Caire. Malgré l'heure effectivement tardive, le roi avait pris le temps de m'entendre et m'avait chaleureusement remercié pour mes efforts, convaincu que « ce ne [serait] que partie remise ».

Hussein de Jordanie, digne représentant des Hachémites, quarante-deuxième descendant du Prophète, a été un grand roi.

Il a su, tout comme le roi Hassan II du Maroc, allier avec bonheur la tradition islamique à la culture occidentale, et parvenir à une synthèse originale et harmonieuse entre ces deux visions du monde, ce que peu de responsables du monde arabe se sont montrés capables de faire.

Paris, lundi 8 février 1999

Je préside, à l'Unesco, la deuxième réunion de la commission Démocratie et Développement. Je fais part, en commençant, des regrets de ceux qui n'ont pu être des nôtres aujourd'hui : Nadine Gordimer, Rosario Green, ainsi que la princesse Basma Bint Talal, retenue en Jordanie suite au décès de son frère le roi Hussein. Je propose que nous lui adressions un télégramme de condoléances.

L'ordre du jour de cette réunion porte essentiellement sur les obstacles à la démocratie et au développement – inégalités sociales et économiques, repli identitaire, déficit de justice et carence en matière d'éducation. Je précise d'entrée de jeu qu'il nous faut également inscrire ces différents éléments dans une perspective internationale, et plus particulièrement dans le contexte de la mondialisation. En effet, les inégalités sociales et économiques existent tout autant à l'intérieur des États qu'entre les États. De même, le repli identitaire, s'il peut correspondre à l'attitude d'un groupe au sein d'un État, existe aussi à l'échelle internationale, sous forme, par exemple, d'isolationnisme de la part d'un État ou d'un groupe d'États. Quant au déficit de justice, il s'exprime, à l'échelle internationale, dans l'attitude du « deux poids, deux mesures ». Il en va de même pour les questions d'éducation.

Les travaux de cette journée ont mis l'accent sur le rôle de la justice, ce terme étant pris dans une acception très large. Pour l'ensemble des membres de la commission, la justice est l'élément catalyseur entre démocratie et développement. Point de démocratie sans justice et point de développement durable sans justice.

Autre thème largement débattu : les replis identitaires qui, selon les membres du panel, présentent tout à la fois des aspects positifs – promotion des cultures locales et régionales, résistance à l'uniformisation – et des aspects négatifs – micronationalisme, extrémisme, fondamentalisme. À cet égard, il faudrait recommander à l'Unesco de s'impliquer largement dans la lutte contre les valeurs négatives que charrient la culture mondiale et les différentes formes d'extrémisme et de fanatisme.

Paris, samedi 20 février 1999

Signature, avec Lansana Kouyaté, au siège de la Francophonie, d'un accord de coopération entre la Francophonie et la Cedeao, qui prévoit, notamment, un échange réciproque d'informations, une représentation, à titre d'observateur, dans les conférences et réunions tenues par chacune des organisations, des consultations sur les questions d'intérêt commun et la mise en œuvre de projets conjoints de coopération.

Genève, lundi 22 février 1999

Inauguration, dans le cadre solennel du palais des Nations de Genève, de l'exposition de sculptures de mon ami Harry Rosenthal. Il a fait venir ses œuvres, à ses frais, depuis Milan.

Discours de l'ambassadeur d'Autriche, Harry ayant la double nationalité autrichienne et italienne; discours de Wladimir Petrovsky, directeur général de l'Office des Nations unies à Genève; et enfin de Harry lui-même, ému comme un enfant, face au succès remporté par son exposition.

Genève, mardi 23 février 1999

Réunion de travail avec Bruno Lanvin, le collaborateur de Rubens Ricupero, afin de préparer la première conférence des ministres francophones de l'Économie et des Finances, qui doit se dérouler à Monaco, en avril.

Dîner avec Rubens Ricupero, son épouse et Léa. Rubens Ricupero, ancien ministre des Finances du Brésil, aujourd'hui directeur de la Cnuced, est un authentique militant « tiers-mondiste », qui puise sa foi dans un christianisme de gauche. Il passe avec brio de l'anglais à l'italien, du français au portugais. C'est un homme de convictions qui croit profondément dans la solidarité fraternelle entre les hommes.

Genève, mercredi 24 février 1999

Matinée dans les studios de la télévision suisse romande pour l'enregistrement de la très populaire émission *Zig zag café*, en compagnie de jeunes Suisses de retour d'un voyage qui les a menés à la rencontre d'autres jeunes francophones, au Bénin et en Haïti. Cet échange spontané d'impressions avec le porte-parole de la Francophonie constitue, en quelque sorte, un préliminaire au grand rassemblement de la jeunesse francophone qui se déroulera ici même le 20 mars.

Genève, jeudi 25 février 1999

Dîner avec les membres du directoire du Center for International Health and Cooperation. Cyrus Vance et son épouse, Léa et moi, sommes attendus chez Daniel Boyer, dans sa très belle résidence qui surplombe le lac Léman. Décoration de style koweitien, très chargée. Fauteuils dorés, tables recouvertes de napperons brodés, lustres ruisselants. Les goûts et les couleurs ne se discutent pas.

Cyrus Vance, cette superbe intelligence, qui a dirigé, en tant que secrétaire d'État aux Affaires étrangères, les négociations de Camp David, en 1978-1979, pour le compte du président Carter, est atteint de la maladie d'Alzheimer. Il a pris le parti de dissimuler cette infirmité sous un silence pathétique.

Genève, vendredi 26 février 1999

Séance de travail au château Boissy avec un groupe d'auditeurs du Center for International Health and Cooperation qui se destinent à l'assistance humanitaire. Série d'exposés de Lord David Owen, Peter Tarnoff, du Dr Kevin Cahill et de moi-même. La salle attend l'intervention de Cyrus Vance. Il renoncera à parler.

Genève, samedi 27 février 1999

Réunion du conseil d'administration du Center for International Health and Cooperation. Je suggère que l'on ouvre une antenne à Genève, un des centres phares de l'action humanitaire dans le monde, et que l'on adopte le français comme autre langue de travail. La grande majorité des pays africains ne sont-ils pas francophones ? Mes deux propositions reçoivent l'acquiescement du directoire, qui entend, par ailleurs, développer son action en Europe.

Paris, mercredi 3 mars 1999

Conversation téléphonique avec Chief Emeka Anyaoku, afin de préparer une conférence conjointe entre la Francophonie et le Commonwealth, au Cameroun, un État membre actif de ces deux organisations.

Paris, mardi 9 mars 1999

Une dispute en perspective avec mon éditeur américain, Random House. Il s'est mis en tête de m'imposer comme titre à mon ouvrage sur les Nations unies *An Inconvenient Man*, que l'on pourrait traduirc par « Un homme qui dérange », titre que je récuse totalement. Si je n'avais pas été l'auteur de ce livre, passe encore, mais que je me qualifie moi-même de « casse-pieds » me semble d'un ridicule achevé.

L'éditeur insiste lourdement, à l'américaine, au motif que ce titre sonne comme une autocritique et dénote un certain sens de l'humour que le lecteur américain adore.

Les amis que je consulte sont partagés. Certains trouvent ce titre « amusant », d'autres, comme moi, le jugent ridicule et carrément mauvais.

Jason Epstein pousse l'impertinence jusqu'à me menacer de renoncer à publier le livre si je ne lui propose pas de titres de rechange, titres qu'il récuse, bien évidemment, les uns après les autres. Qu'à cela ne tienne. Je ne suis pas disposé à me laisser intimider. « S'il le faut, je me contenterai de l'édition française et de l'édition arabe qui sont sur le point de paraître », dis-je en raccrochant sèchement le téléphone.

Paris, vendredi 12 mars 1999

Négociations téléphoniques entre Paris, New York et Washington. Je fais part à mon avocat, Glen Hartley, du litige qui m'oppose à Random House. La règle veut, en effet, aux États-Unis, que tout contrat signé avec un éditeur passe par l'intermédiaire d'un avocat qui perçoit 10% des sommes touchées par l'auteur.

Glen Hartley me rappelle, peu après, pour défendre le point de vue de l'éditeur :

« *An Inconvenient Man* est un titre qui nous assure de faire grimper les ventes.

– Êtes-vous mon avocat ou celui de Random House ? Vous êtes payé pour défendre mes intérêts et non ceux de l'éditeur. Je pense que ce titre me portera préjudice. Et je ne suis pas prêt à subir ce préjudice au nom de raisons purement commerciales. »

Je propose que l'on prenne l'avis d'une tierce personne, un écrivain ou un journaliste. Je mentionne le nom d'Abe Rosenthal du *New York Times*. L'idée est acceptée. Malheureusement, je découvre qu'Abe Rosenthal est en voyage en Chine. Je décide alors de m'adresser à Jim Haagland du *Washington Post*, que je parviens à localiser dans la capitale fédérale.

« Laissez-moi réfléchir, me dit-il. Je vais aussi consulter mon épouse [Jane Hitchcock], et je vous rappelle dans une vingtaine de minutes. »

Il est déjà minuit, heure de Paris. Jim Haagland me rappelle comme convenu.

« Ma femme comme moi pensons que ce n'est pas un bon titre. Le public américain n'aime pas beaucoup l'autocritique, surtout dans le titre d'un livre. Sans compter que ce titre a déjà été utilisé pour un roman, *An Inconvenient Woman.* »

Je téléphone aussitôt à mon avocat, qui me rappelle à une heure du matin. Nous avons gagné. L'éditeur renonce, de mauvaise grâce, à *An Inconvenient Man*, et accepte finalement ma proposition initiale : *Unvanquished.* Un titre à double sens, en forme de jeu de mots, puisque *un-*, équivalent anglais du préfixe français privatif *in-*, constitue aussi le sigle des Nations unies – UN. Ce qui suggère l'idée que je suis sorti invaincu de cette confrontation, à la différence des Nations unies, vaincues. Le titre peut paraître quelque peu arrogant, mais il est en tout état de cause plus proche de la réalité que le titre à résonance médiatique que voulait m'imposer l'éditeur.

Je ne saurai jamais les raisons profondes de l'acharnement et de l'obstination de ce dernier. N'y avait-il vraiment que des intérêts commerciaux en jeu ? N'était-ce pas, plutôt, une façon d'offrir une compensation au lecteur américain dans la mesure où, dans certains passages de mon livre, je dénonce avec vigueur l'oligarchie américaine et la politique hégémonique de la superpuissance ? Bien plus, je critique sévèrement l'actuelle secrétaire d'État, Madeleine Albright.

Genève, mercredi 17 mars 1999

Conférence de presse destinée à présenter le grand rassemblement de la jeunesse francophone, qui doit se tenir ici, à l'occasion de la Journée internationale de la Francophonie.

Une opération originale et inédite. Nous avons lancé un concours par voie de presse dans tous les pays de la Francophonie. Un jury international a procédé, parmi les dix mille candidatures qui nous sont parvenues, à la sélection de deux ressortissants par pays, âgés de dix-huit à vingt-cinq ans, en respectant, dans la mesure du possible, la parité homme-femme. Certains pays n'ont présenté que des candidatures féminines, que nous avons, bien entendu, retenues. En revanche, nous avons dû bloquer au dernier moment la candidature d'un fonctionnaire qui avait allègrement franchi le cap de la quarantaine, mais qui comptait sur un moment d'inattention de notre part pour se faire offrir ce séjour en Europe.

Les cent quatre lauréats sont attendus à Genève, cet après-midi même. Ils se réuniront, dès demain, au Centre international des conférences et se répartiront, en fonction de leurs préoccupations personnelles, dans les cinq ateliers de travail qui leur sont proposés sur « conflits armés », « formation et emploi, intégration », « développement et solidarité », « culture et nouvelles technologies » et « droits de la personne et vie politique ».

Ces cinq ateliers seront accessibles, en temps réel, sur le site Internet créé pour l'occasion, afin que tous les jeunes qui n'ont pas eu la possibilité de se rendre à Genève puissent émettre, eux aussi, des suggestions et des propositions. L'objectif final étant de présenter aux chefs d'État et de gouvernement, lors du sommet de Moncton, en septembre, les recommandations de la jeunesse francophone.

(Dans l'après-midi...) Je rencontre le nouveau directeur de l'Organisation internationale du travail, Juan Somavia, un personnage volumineux qui arbore une impressionnante barbe blanche. Sous un sourire ingénu et une allure de grand enfant se cache un homme à l'expérience et à l'efficacité remarquables. Il a notamment joué un rôle de premier plan dans la préparation de la conférence de Copenhague sur le Développement social, en 1995.

Nous nous retrouvons aujourd'hui avec plaisir, tous les deux en charge de nouvelles fonctions. Et la complicité qui nous lie devrait être l'occasion d'établir un partenariat entre l'OIT et l'OIF.

Genève, jeudi 18 mars 1999

Réunion informelle et sympathique avec les jeunes lauréats et leurs familles d'accueil genevoises. Séance de photos et d'autographes. La Francophonie est en train de prendre un sacré coup de jeune !

Genève, samedi 20 mars 1999

Journée internationale de la Francophonie. Les jeunes lauréats se sont réunis, ce matin, pour la dernière fois, afin de procéder à la synthèse de leurs débats, et ils ont désigné un porte-parole dans chacun des cinq ateliers, en attendant la séance finale prévue cet après-midi, au palais des nations.

Avant le coup d'envoi de cette réunion solennelle, je m'entretiens, dans une petite salle du palais des Nations, avec la présidente de la Confédération helvétique, Ruth Dreifuss. Je m'excuse de mon léger retard. J'aurais souhaité pouvoir l'accueillir à son arrivée dans le bâtiment des Nations unies.

« C'est moi qui suis arrivée un peu plus tôt que prévu », me dit-elle avec courtoisie.

C'est une femme d'une grande simplicité, d'un abord facile, qui sait vous mettre immédiatement à votre aise, ce qui, au premier contact, détonne et étonne, eu égard aux hautes responsabilités qu'elle exerce. C'est aussi ce qui la rend profondément attachante.

Nous nous dirigeons, ensemble, vers la salle du Conseil, de style Art déco et, en temps normal, à l'atmosphère désuète. Un spectacle impressionnant s'offre à nous. La salle du Conseil est pleine à craquer, l'ambiance est survoltée. Nos jeunes lauréats se sont transformés en diplomates chevronnés et enthousiastes, déterminés à réformer la planète.

Deux heures durant, ils vont nous faire partager, avec une ferveur, une authenticité, une sincérité qui soulèvent, parfois, une intense émotion, leur révolte, mais surtout leurs espoirs et leurs attentes. Le premier porte-parole donne le ton :

« Nous représentons des pays qui ont connu la guerre ou la connaissent encore. Nous sommes bouleversés, révoltés face aux atrocités commises durant ces conflits. Que peut-on faire ? Nous avons une arme, c'est la communication, c'est le français. »

Les recommandations se succèdent au fil des thématiques : équivalence des diplômes universitaires, mobilité des chercheurs, des professeurs et des étudiants, création d'un visa francophone, abolition de la dette des pays en voie de développement, création d'une taxe sur les spéculations financières, élaboration d'un statut de jeune volontaire de la Francophonie, assorti d'un droit de libre passage sur le territoire francophone, démocratisation de l'accès aux nouvelles technologies dans les pays du Sud…

Le dernier intervenant soulève un problème qui retient particulièrement mon attention :

« Après avoir entendu les différents témoignages, nous avons identifié un problème commun aux jeunes des pays francophones, à savoir le désengagement de la jeunesse, voire son dégoût pour la vie politique. » Il propose, notamment, la mise en place de comités de jeunesse dans chaque pays membre afin de sensibiliser les jeunes à la nécessité de s'impliquer en politique et d'encourager leur participation.

Nous en venons à la deuxième phase de cette réunion. Un échange franc et direct avec les participants. Je suis assailli sous les questions :

« Les jeunes sont sous-représentés dans les instances de la Francophonie, comment y remédier ? »

« Quelles garanties la Francophonie est-elle en mesure de nous apporter compte tenu des risques que certains d'entre nous ont pris en venant à Genève et en s'exprimant librement ? »

« Que peut faire la Francophonie pour créer une nouvelle université au Niger ? »

« Quelles mesures avez-vous prises pour lutter contre les sévices dont sont victimes les enfants et les adolescents ? »

« Comment mieux sensibiliser les jeunes aux problèmes de l'environnement ? »

« Comment nous aider à découvrir les cultures du Sud ? »

« Comment faire mieux connaître la Francophonie ? »

Une jeune Cambodgienne, mutilée par une mine antipersonnel, demande ce que peut faire la Francophonie pour l'aider, pour aider son pays à déminer le territoire cambodgien qui compte chaque jour de nouvelles victimes.

Et encore d'autres idées, d'autres propositions, comme la création d'une force d'interposition francophone pour le maintien de la paix, les « casques jaunes ».

Le mot de la fin revient à un jeune Polonais :

« Qu'attendez-vous des jeunes des pays dont le français n'est ni la langue maternelle ni la langue officielle, ni même la langue administrative ?

– Cette situation, dis-je, n'est pas propre à la Pologne. Elle concerne la grande majorité des pays membres de la Francophonie. Apprenez le français comme seconde ou comme troisième langue pour vous donner une ouverture sur le monde, pour aller à la rencontre d'autres jeunes. »

Tout se termine toujours par des discours, ici aussi. Mais l'enthousiasme semble avoir été communicatif et nos interventions, à Ruth Dreifuss et à moi-même, s'achèvent dans un tonnerre d'applaudissements. Tous ces jeunes ont joué le jeu. Ils se sont livrés sans détour. J'espère simplement que nous ne les décevrons pas...

Nous quittons la salle du Conseil et marchons en cortège jusqu'à la grand-place pour un lancer de ballons, les « ballons de la paix». Il fait un froid glacial. Les ballons s'élèvent avec difficulté dans le ciel bleu de cet après-midi de mars. Ils se détachent très vite les uns des autres et s'éloignent, en ordre dispersé, jusqu'à ne plus être que des petits points solitaires et fragiles.

Dans quelques jours, aussi, le grand rassemblement de la jeunesse francophone ne sera plus qu'un souvenir, et chacun repartira, seul, dans son pays, mais avec la satisfaction d'avoir noué une amitié nouvelle et la promesse, peut-être, de se revoir un jour.

Paris, lundi 22 mars 1999

Les jeunes lauréats du grand rassemblement sont à Paris. Ils sont reçus au palais de l'Élysée par le président Jacques Chirac, qui a cette belle formule : « La Francophonie gagne quand elle a le visage de l'avenir, c'est-à-dire le visage de la jeunesse. »

Paris, mercredi 24 mars 1999

Je reçois la visite de l'ambassadeur du Soudan à Paris, mandaté par les autorités de Khartoum pour s'enquérir des formalités que doit entreprendre son pays pour rejoindre la communauté francophone en qualité d'observateur.

Quelles peuvent être les dessous de cette requête, aussi étrange que surréaliste ? Le Soudan est arabophone et anglophone dans la partie sud du pays. Lorsque j'ai enseigné à la faculté de Khartoum, c'était en anglais. Personne ne parle français au Soudan ! Cette langue n'est enseignée dans aucune école !

L'ambassadeur m'explique, avec une parfaite assurance et un sourire enjôleur, que le Soudan, encadré par trois États francophones – le Tchad, la République centrafricaine et la République démocratique du Congo –, a un intérêt naturel à participer aux travaux de la Francophonie.

Je ne suis guère convaincu par ses explications. Je pense plutôt que cette démarche s'inscrit dans une vaste campagne diplomatique destinée à corriger l'image déplorable du Soudan sur la scène internationale. Un Soudan tombé aux mains des fondamentalistes. Un Soudan en proie à la guerre civile dans le Sud, de tradition chrétienne et animiste, et parti en guerre, avec le chef rebelle – le « général Garing » – contre la vague d'islamisation qui s'est emparée du pays. Un Soudan qui porte l'agitation et la subversion dans les pays voisins de l'Afrique au nom d'un islam pur et dur.

« Nous attendons votre visite à Khartoum, qui est un peu votre seconde capitale, me dit l'ambassadeur. Ce sera l'occasion d'examiner avec les responsables politiques les possibilités de coopération entre le Soudan et la Francophonie. »

Paris, mardi 30 mars 1999

Je suis ébloui par la culture encyclopédique d'Alexandre Adler. Je viens de découvrir la revue *Courrier international*, qu'il dirige : une compilation des meilleurs articles parus dans la presse internationale, traduits en français et répertoriés de façon thématique ou géographique.

Il n'est pas un conflit que je mentionne sans qu'il en dresse aussitôt un tableau complet : sources du conflit, dates des événements majeurs, enjeux, arrière-pensées et arrière-arrière-pensées des protagonistes. Décidément, son appétit intellectuel est à la mesure de son penchant pour les nourritures terrestres, qu'il déguste avec une évidente délectation.

Paris, mercredi 7 avril 1999

Dîner chez le professeur Bernard Debré, en compagnie du professeur Adolphe Steg, que je connais bien, puisque c'est lui qui m'a opéré à l'hôpital Cochin, il y a une quinzaine d'années. Ces deux hommes se ressemblent sur bien des points. Ils sont, tous les deux, de grands patrons, passionnés de politique. L'un est un fervent militant de l'Afrique et de l'africanisme, l'autre d'Israël et du sionisme.

Lorsque j'étais en charge de la politique africaine de l'Égypte, je me suis longuement penché sur les rouages de la politique française sur ce continent, pour en arriver à la conclusion que cet engagement en Afrique doit beaucoup à l'initiative privée d'une minorité agissante.

Il n'y a évidemment pas de commune mesure entre l'aide massive que dispense la communauté internationale lors d'une famine, d'une pandémie ou d'une catastrophe naturelle, et l'aide ponctuelle que peut fournir un médecin ou un industriel. Mais cette aide ponctuelle, motivée par les seules convictions personnelles, a une valeur symbolique et affective autrement plus forte et plus immédiate. C'est à travers de tels gestes que se forge la fraternité entre les hommes du Sud et les hommes du Nord.

Paris, vendredi 9 avril 1999

Selon mon ami Moustapha Niasse, Laurent-Désiré Kabila est prêt à me rencontrer à Paris.

La Francophonie peut utilement jouer un rôle dans le dialogue intercongolais. Je suis en contact régulier avec le représentant de la communauté de Sant'Egidio, le père don Matteo Zuppi. J'ai rencontré tous les chefs congolais, ceux de la diaspora à Paris et à Bruxelles, les anciens mobutistes, les chefs de la rébellion. Mais encore faut-il se mettre d'accord sur la date d'une rencontre informelle, à Rome, sous l'égide de Sant'Egidio, institution religieuse à vocation diplomatique. Le président Zinsou a accepté de présider cette réunion, don Matteo Zuppi en serait le rapporteur, quant à moi, je resterais en coulisses.

Le président du Niger, Ibrahim Baré Maïnassara, vient d'être assassiné par les membres de sa garde rapprochée. Une nouvelle régression pour l'Afrique. Indira Gandhi avait subi le même sort. Je me rappelle qu'Idi Amin Dada, qui s'était fait construire un bungalow avec trois portes de sortie, m'avait expliqué qu'il ne fallait faire confiance à personne, surtout pas à sa garde personnelle. Je m'étais fait un malin plaisir de rapporter ses propos à mon chef de la sécurité, le colonel Ahmed al-Hifnaoui, qui avait très mal pris la chose. Il n'avait pas le sens de l'humour…

Monaco, mardi 13 avril 1999

Monaco, la nuit, m'évoque Alexandrie. La brise marine, le crissement des palmiers qui ondulent doucement sous la caresse du vent de printemps. Alexandrie, où j'ai connu l'ivresse des amours clandestines, vouées au silence et à l'ombre des persiennes closes, fragile rempart contre l'impitoyable lumière d'été. Cette lumière qui dissout les couleurs, avale les ombres, chasse les nuages et écrase les passions. Et tandis que je me promène avec Léa et mon neveu Youssef dans les rues de Monaco, à la recherche d'un restaurant italien, ces images, ces souvenirs s'imposent à moi avec une force irrésistible. Pourquoi ce soir ? Je ne dois pas me laisser envahir par ce passé. Je suis ici pour présider la première conférence des ministres francophones de l'Économie et des Finances.

Youssef, la nouvelle gloire politique de la famille, ministre de l'Économie, représente l'Égypte. L'occasion, pour moi, de m'informer des derniers événements de la politique politicienne cairote. Oublier Le Caire de ma jeunesse militante, l'Alexandrie de mes amours.

En écoutant Youssef, ce soir, dans ce restaurant italien, je retrouve l'Égypte qui continue de me hanter, l'Égypte d'hier, mais surtout celle de demain. Youssef est imbattable lorsqu'il s'agit de chiffres et de statistiques, mais il est nettement moins intéressé par les dernières intrigues de palais qui constituent pourtant la toile de fond du pouvoir politique.

Monaco, mercredi 14 avril 1999

Nous sommes réunis devant l'hôtel pour accueillir le prince Rainier. Il arrive, comme toujours, charmant et attentionné. Il semble las et fatigué. Nous l'accompagnons jusqu'à la salle de conférence où il prend place sur le podium. Dans son discours, il lance un appel à la solidarité et à la protection des Droits de l'homme, avant de s'adresser directement à moi :

« Vous êtes venu maintes fois à Monaco. Chaque fois, vous nous avez apporté la voix de l'humanisme et de la sagesse. Pour la première fois, vous siégez à Monaco en tant que secrétaire général de la Francophonie. Vos éminentes qualités seront désormais au service d'une cause qui place l'homme au cœur du débat. Un petit pays comme Monaco ne peut que souhaiter que soit apportée à la confrontation des puissances une dimension humaine… »

Je prends la parole à mon tour, déclarant qu'il n'y a pas de petits États sur la scène internationale. La Francophonie entend désormais, poursuis-je, incarner une solidarité économique. Un pari réaliste, n'en déplaise à certains, parce que la Francophonie est riche de trente années d'expérience dans le domaine de la coopération Nord-Sud. Il est évident que l'OIF ne prétend pas faire seule ce que d'autres organisations, dotées de moyens plus importants, font déjà.

Elle doit agir en coopération avec ces organisations, notamment la Cnuced et le FMI, représentés à cette tribune. Je passe la parole à Rubens Ricupero, ce militant brésilien du tiers monde pour qui j'ai toujours eu la plus grande amitié. « Apporter une solution collective avec la Francophonie aux deux grands échecs du XXe siècle : la pauvreté et le chômage. » Tel est le thème de son intervention.

Alassane Ouattara, directeur adjoint du FMI, nous parle de l'intégration régionale en Afrique, étape essentielle sur le chemin de l'intégration mondiale. Il ajoute que les pays en développement n'échapperont pas à la mondialisation, et qu'ils ne devraient pas essayer de s'y soustraire.

(En fin d'après-midi...) Je signe un accord de coopération entre l'OIF et la Cnuced. Échange de documents, paraphes, photocopies. Combien de fois ai-je participé à ce cérémonial, à cette « pactomanie » pourtant nécessaire ?

Rome, lundi 19 avril 1999

Rencontre avec don Matteo Zuppi, l'ambassadeur itinérant de Sant'Egidio pour l'Afrique. La communauté de Sant'Egidio œuvre depuis plusieurs années dans le champ diplomatique. Ses « ambassadeurs » sont intervenus au Liban, en Albanie, en Irak, en Algérie, au Guatemala, au Kosovo, au Congo et au Burundi. J'avais eu l'occasion, lorsque j'étais à l'ONU, de collaborer étroitement avec ses membres, qui ont été, notamment, à l'origine de l'accord de paix conclu au Mozambique en 1992.

Don Matteo Zuppi revient d'une tournée dans la région des Grands Lacs, région déchirée par une guerre qui continue à faire des centaines de morts dans une indifférence totale. Il s'est longuement entretenu avec les principaux chefs congolais. Je le soupçonne de vouloir marginaliser la Francophonie pour mener, seul, la médiation en RDC. Je lui fais part, en toute franchise, de mes appréhensions, tout en lui souhaitant bonne chance. L'essentiel est de parvenir à instaurer un dialogue entre les différents protagonistes. S'il y réussit sans notre contribution, je serai le premier à l'en féliciter.

Il se défend de pareilles intentions. Il m'assure de sa parfaite loyauté dans le partenariat qui nous lie et de la nécessité de poursuivre, ensemble, notre action. « Le gouvernement italien, ajoute-t-il, qui suit de très près la situation, appuie d'autant plus fermement cette collaboration qu'elle a lieu sous votre présidence… » Faut-il prendre ses propos pour parole d'Évangile ?

Rome, mardi 20 avril 1999

Je suis reçu par l'archevêque Tauran au Saint-Siège.

« Pourquoi n'avez-vous pas demandé audience au Saint-Père ?

– Je sais qu'il est très fatigué et j'ai scrupule à le déranger chaque fois que je viens à Rome », dis-je.

L'archevêque Jean-Louis Tauran est le chef de la diplomatie officielle du Vatican. À Sant'Egidio le soin de conduire la diplomatie parallèle ou officieuse. C'est, pour ainsi dire, un diplomate de carrière, qui connaît parfaitement ses dossiers, s'exprime avec discernement et écoute plus volontiers qu'il ne parle. Dans cette atmosphère feutrée, dans ce salon qui mêle subtilement luxe, histoire et austérité, je retrouve tous les ingrédients de la diplomatie classique telle qu'on la décrit dans les livres d'histoire. L'archevêque Tauran nourrit une certaine méfiance à l'égard des initiatives parfois intempestives de Sant'Egidio. Il me conseille la plus grande prudence. Lorsque j'en viens à évoquer les activités de la Francophonie, la conférence de Monaco, la préparation du sommet de Moncton, je le vois avec plaisir s'animer et m'assurer de tout son appui en faveur de ce mouvement susceptible de jouer un rôle important dans la nouvelle organisation du monde.

Paris, samedi 1er mai 1999

Alors que Léa et moi déjeunons paisiblement dans le jardin du Club interallié en compagnie d'une amie d'enfance, Marguerite Peten, nous sommes littéralement agressés par le journaliste Mohamed Heykal et son épouse, qui viennent nous embrasser avec effusion et nous prodiguer force témoignages d'affection.

Il y a quelques semaines à peine, dans un long article venimeux consacré au *Chemin de Jérusalem*, le même homme me traînait dans la boue, n'hésitant pas à accumuler les mensonges ! Il a toujours gardé une haine farouche et tenace à l'égard du président Sadate, qui l'avait écarté de la vie publique. Il n'a jamais cessé de clamer que ce dernier avait trahi la Palestine, l'avait vendue pour récupérer le Sinaï. Il se considère comme le chef de file, le maître à penser des partisans de la ligne pure et dure du militantisme arabe prôné en son temps par Gamal Abdel Nasser.

Ces manifestations ostentatoires d'affection n'ont d'autre but que de pouvoir raconter à nos amis communs, au Caire, que je suis dénué de toute rancœur et que nos rapports sont excellents.

Je dois avouer que la hargne avec laquelle il me poursuit, dans ses écrits, depuis ce jour de novembre 1977 où le président Sadate m'a demandé de l'accompagner à Jérusalem, me laisse de marbre. Parce que ce voyage historique restera, jusqu'à ma mort, le point culminant de ma carrière politique.

Paris, mercredi 12 mai 1999

Ce matin, je reçois Alain Michel et Fabien Voyer qui ont décidé de consacrer un livre au problème des sanctions infligées à l'Irak, sous forme d'une série d'entretiens avec Claude Cheysson, Shimon Peres, Jean-Pierre Chevènement et bien d'autres personnalités.

Je suis enthousiasmé par ce projet qui a tout mon soutien. J'ai toujours dit que le blocus économique imposé à l'Irak, et plus tard les bombardements anglo-américains, constituaient de véritables crimes contre l'humanité, légalisés par une fausse interprétation des résolutions du Conseil de sécurité.

L'Irak, après dix ans de sanctions, a fait un bond d'un demi-siècle en arrière. C'est un véritable scandale dont j'assume, dans une certaine mesure, la responsabilité en tant que secrétaire général des Nations unies. J'ai bien tenté d'atténuer les effets du blocus économique en faisant voter la résolution « Pétrole contre nourriture ». Et il m'a fallu, pour cela, mener un combat politique sur deux fronts à la fois. Vaincre les résistances du gouvernement irakien lui-même, qui avait rejeté cette résolution, craignant qu'elle ne prolonge le blocus *sine die*. Vaincre l'opposition anglo-américaine, persuadée, à l'inverse, que l'application de cette résolution favoriserait le relâchement du blocus imposé à l'Irak.

Je me suis souvent demandé ce qui, de la mégalomanie de Saddam Hussein, de la passivité des États arabes, de l'indifférence de la communauté internationale ou de la volonté de vengeance américano-israélienne, avait pesé le plus lourd dans la balance. Ce que je sais avec certitude, c'est que c'est le peuple irakien qui souffre.

Paris, mercredi 19 mai 1999

J'assiste, au palais de l'Élysée, à la remise de la Légion d'honneur à Paulette Laubie. Il y a là une demi-douzaine d'heureux élus, sagement alignés. Le président Chirac retrace brièvement le parcours du récipiendaire qui s'approche, se voit accrocher au revers de sa veste la distinction tant convoitée, puis regagne sa place pour que son voisin reçoive, à son tour, sa part d'éloges et sa décoration.

La cérémonie est terminée. Les « décorés » et les invités se pressent autour du Président pour une inoubliable photo.

Jacques Chirac m'aperçoit dans la foule et vient, avec sa cordialité coutumière, me saluer.

« Pour qui es-tu venu ? » Et il ajoute, sans attendre ma réponse. « Pour Paulette Laubie, je pense... Elle est admirable, quel dynamisme ! »

Paris, jeudi 20 mai 1999

J'inaugure, avec Diane Marleau, la « boutique de la Francophonie » au Centre culturel canadien. Réconfortante affluence devant les vitrines, les panneaux d'exposition et les ouvrages consacrés à la Francophonie et au prochain sommet de Moncton.

La volonté du Canada de faire de la Francophonie une force culturelle et politique est pour moi une source d'inspiration et un précieux soutien. Quand on compare le dynamisme et la ferveur du gouvernement canadien à l'indolence du gouvernement français, on est obligé d'admettre que le salut francophone viendra du Nouveau Monde.

(Dans l'après-midi...) Sous les lambris dorés d'un salon du Sénat, je reçois le Prix franco-libanais pour mon livre *Le Chemin de Jérusalem*. Discours, photos, petits fours, assauts d'admiratrices libanaises appartenant à la génération de ma mère... La jeunesse libanaise, tout comme la jeunesse égyptienne, a choisi de parler anglais !

La Haye, vendredi 21 mai 1999

On remet cet après-midi au juge Mohammed Bedjaoui son *Liber Amicorum*. La cérémonie a lieu dans la grande salle de la Cour internationale de justice.

Je me retrouve plongé quelque quarante ans en arrière, en 1952. J'assistais pour la première fois à un débat devant la Cour. Je revois la scène dans ses moindres détails. Les quinze juges ont pénétré dans la salle d'une démarche lente et solennelle. Parmi eux, le juge égyptien Abdel Hamid Badawi. Puis le greffier a fait son entrée. Il a donné la parole à l'avocat de l'un des États. Ce fut pour moi, qui enseignais le droit international, un moment d'une rare intensité. J'étais persuadé, à cette époque, que la justice internationale était la solution idéale pour le règlement pacifique des conflits internationaux. Il suffisait que les États acceptent la juridiction obligatoire de la cour. J'ai appris, plus tard, que les juges n'étaient pas à l'abri des pressions politiques, que le droit international n'était pas le meilleur instrument pour régler un conflit, et que la politique – c'est-à-dire, dans une large mesure, la raison du plus fort – restait l'arme favorite des États dans la gestion de leurs différends internationaux. En bref, la justice internationale ne rentre en compte dans la politique des États que lorsqu'ils sont à force égale.

En cette année 1999, je suis assis sur l'estrade où siègent ordinairement les juges. Je m'apprête à lire le discours soigneusement préparé en l'honneur de Mohammed Bedjaoui. La joute oratoire est devenue une habitude entre nous, pour ne pas dire un jeu, et il s'agit, aujourd'hui, d'être aussi brillant qu'il l'avait été l'année précédente, à Paris, lorsqu'on m'avait remis à l'Unesco mon propre *Liber Amicorum* :

« Il existe deux catégories de juristes : les conservateurs et les perturbateurs. Je range spontanément Mohammed Bedjaoui dans la seconde catégorie. Il a réussi l'exploit d'être, sa vie durant, tout à la fois un parfait universitaire et un parfait homme d'action. Il a senti combien l'accélération de l'histoire et l'émergence du tiers monde avaient alors ébranlé nos valeurs, nos références, nos concepts, nos normes. Combien il était essentiel de repenser les règles de notre devenir collectif et de tenter d'insuffler une nouvelle morale démocratique à la conduite des acteurs de la vie internationale.

« C'est cette conception exigeante du droit qui a, à maintes reprises, amené Mohammed Bedjaoui à exiger l'inscription de l'idée démocratique dans l'ordre juridique international. Comment démocratiser un ordre composé d'États souverains ? »

Et je conclus sur ce vers d'un de nos poètes arabes, Abou Nawas :

« Offre à tes amis des rêves impossibles : la chaleur de la terre ou le coucher du soleil. »

« Permettez-moi, cher Mohammed, de choisir ce dernier cadeau : le coucher du soleil. Non seulement à cause du symbolisme pharaonique qui s'y attache. Non seulement en échange des vingt chamelles blanches que vous m'avez promises un jour, mais parce que, au-dessus de mon Égypte natale, la courbe du soleil relie éternellement le Machreq de nos rêves au Maghreb de votre enfance. »

Un discours inattendu, et qui tranche avec les propos juridiques qui ont émaillé les discours prononcés par les autres orateurs. Rosalyn Higgins, qui a été la première femme à siéger à la Cour internationale, me murmure avec un charmant sourire :

« On voit que vous connaissez bien Mohammed Bedjaoui. Votre portrait est celui d'un impressionniste. »

Durant la réception qui suit, l'ambassadeur de Bulgarie accrédité à La Haye m'apprend qu'il a en sa possession deux lettres originales écrites par mon grand-père Boutros Pacha, au début du siècle. Il me promet de m'en envoyer photocopie.

Paris, mardi 25 mai 1999

J'ai reçu, ce matin, l'édition russe du *Chemin de Jérusalem.* Il est intéressant, pour ne pas dire instructif, de comparer les couvertures des différentes éditions. La diversité culturelle s'exprime, ici, dans sa forme picturale. Les Russes ont choisi d'agrémenter ma photo avec Moshe Dayan, qui figure en couverture des éditions américaine et israélienne, d'une sculpture pharaonique et d'une branche d'olivier. Les Chinois n'ont pas cru bon de retenir cette photo. Ils l'ont remplacée par un buste de pharaon avec, en toile de fond, les pyramides. C'est d'abord l'Égypte ancienne qui intéresse le public. Ce qui n'est vraiment pas gratifiant quand on a servi l'Égypte moderne pendant près de cinquante ans ! On peut toujours se consoler en se disant que nous sommes les descendants des pharaons ! L'édition arabe, qui a fait le plus gros tirage, a repris ma seule photo, Moshe Dayan *exit.* Les leaders israéliens ne sont guère populaires auprès des lecteurs égyptiens...

Paris, lundi 7 juin 1999

Des extraits de mon nouveau livre sur les Nations unies ont été traduits en arabe et publiés par une douzaine de quotidiens dans différents pays. Les télévisions arabes ne sont pas en reste. J'ai accepté, cet après-midi, de faire une émission sur Al-Jazira, et de répondre en direct aux questions des téléspectateurs. Al-Jazira est une chaîne de télévision financée par la principauté du Qatar. Elle a la réputation de briser tous les tabous. Les grands et les très grands du monde arabe y sont régulièrement l'objet de critiques sévères et d'attaques virulentes.

Je suis reçu par le journaliste Sami Haddad dans le studio d'enregistrement qu'il a loué au centre de Paris. C'est un homme d'âge mûr, aux cheveux blancs, à l'apparence débonnaire. Il vous met immédiatement à votre aise, vous flatte avec intelligence, vous parle même de ses problèmes personnels sur le ton de la confidence. Au moment où l'émission commence, cet homme que l'on aurait pu croire timide, en tout cas obséquieux, se métamorphose en grand inquisiteur, et fait preuve d'une agressivité peu commune. Il y a de quoi vous désarçonner ! C'est évidemment le moment que choisit le cameraman pour faire un gros plan sur votre visage perplexe ou déconfit. Un moment, sans doute, très prisé des téléspectateurs qui voient l'invité d'honneur perdre de sa superbe. Je n'ai pas échappé à la règle. Je me suis moi aussi laissé surprendre, mais je me ressaisis très vite, et réplique, avec plus d'agressivité encore :

« Vous n'avez manifestement pas lu mon livre. Vous vous êtes contenté des extraits parus dans les journaux. Vos informations sont incomplètes et vos questions hors de propos. »

Une agressivité qui va croissant lorsque les téléspectateurs me posent, à leur tour, des questions provocantes qui ont été sans doute soigneusement sélectionnées et préparées. Durant la pause publicitaire, Sami Haddad, soudain radouci, me reproche mon ton cassant :

« Les téléspectateurs ne vont plus oser vous poser de questions. »

Je lui suggère de penser à des questions plus constructives. La réforme du Conseil de sécurité, le droit de veto, les problèmes du désarmement, les opérations de maintien de la paix en Somalie, à Chypre, au Mozambique, le bombardement israélien de Cana, par exemple.

J'apprendrai par la suite que cette émission est un numéro très au point. L'objectif est simple : faire sortir l'invité de ses gonds, le mettre dans l'embarras et, si possible, *knock-out*, pour offrir aux téléspectateurs le plaisir de voir le taureau mettre le genou à terre avant que le torero ne lui porte le coup fatal.

Les médias arabes sont tellement voués à la langue de bois que lorsqu'on leur octroie une semi-liberté, comme à Al-Jazira, ils passent de la langue de bois à la langue de vipère. Cela dit, il ne faut pas s'attendre à autre chose tant que l'information, dans le monde arabe, restera soumise à la censure, à l'autocensure et au culte de la personnalité.

New York, lundi 14 juin 1999

Cérémonie aux Nations unies. C'est aujourd'hui que l'on dévoile mon portrait, venu rejoindre celui de mes cinq prédécesseurs. Ce tableau, que l'on doit à un peintre norvégien, ne me plaît pas. J'aurais préféré que commande soit passée à un artiste égyptien, mais ma belle-sœur Britt, qui est norvégienne, a tellement insisté pour que je choisisse Even Richardson, que j'ai fini par céder.

Une foule nombreuse se presse dans le corridor. Il y avait eu une cérémonie identique en 1992, en l'honneur de mon prédécesseur, Javier Pérez de Cuéllar, immortalisé par le peintre suisse Hans Erni. J'avais, en tant que nouveau secrétaire général, prononcé un discours de circonstance très élogieux, auquel Pérez de Cuéllar avait répondu avec subtilité et humour.

Kofi Annan attend que tout soit prêt pour faire son apparition. Il lit un discours extrêmement flatteur, dans lequel il m'attribue l'initiative des principales réformes et réalisations qu'il a accomplies.

Je réponds, d'abord en anglais, à l'intention du secrétaire général et de son épouse suédoise :

« De Trygve Lie à Kofi Annan, la mission continue. Les hommes et les femmes qui servent les Nations unies aujourd'hui sont en train de construire l'organisation du siècle prochain.

Mais construire ne suffit pas, il faut aussi défendre cette institution contre les replis identitaires, les égoïsmes nationaux, les fanatismes religieux. »

Je poursuis en français :

« Mes amis, mes chers collègues, du haut de ce mur où vous m'avez accroché, j'observerai avec passion le développement des Nations unies… Je m'engage à aider les Nations unies à partir de l'Organisation internationale de la Francophonie que je dirige, au nom, aussi, de mon propre engagement et de ma fidélité aux hommes et aux femmes qui luttent pour la paix. »

La cérémonie est terminée. Félicitations, accolades, visages que l'on reconnaît dans la foule, sourires partagés, émotion parfois teintée de curiosité, des collaborateurs que l'on revoit après deux ans, vieillis pour certains, rajeunis pour d'autres.

Déjeuner à la résidence du secrétaire général, au 3, Sutton Place. Je retrouve les lieux dans l'état ou je les avais laissés. Rien n'a changé. Mon successeur a gardé les mêmes rideaux, le même mobilier. Tout est parfaitement à sa place. Seuls les tableaux de maîtres qui ornaient les murs ont été repris par les musées. Ce Bonnard, accroché au-dessus de la cheminée de gauche du salon, qui faisait ma joie – une femme endormie, son rêve matérialisé sur la toile. Et le Dufy, au-dessus de la cheminée de droite, qui me rappelait ma jeunesse et ma rencontre avec le peintre, à Font-Romeu en 1947.

La salle à manger, que nous surnommions la « salle russe », parce qu'elle abritait une sculpture d'Archipenko et un magnifique Kandinsky, paraît tout à coup plus nue, mais aussi plus sobre.

José, le maître d'hôtel qui nous a servis pendant cinq ans, semble intimidé, ne sachant pas trop s'il doit nous fêter avec chaleur ou garder ses distances pour ne pas froisser la susceptibilité de ses nouveaux patrons. Il a eu la délicate attention de faire servir, au déjeuner, le château-talbot que Léa apprécie tant.

Kofi Annan a invité mes amis et mes proches collaborateurs. Après le déjeuner, nous allons prendre le café dans le jardin. Je me lance dans une longue conversation avec l'ambassadeur de France, Alain Dejammet, comme si j'étais encore chez moi... On vient bientôt me rappeler discrètement que les invités attendent que je parte pour se retirer. En somme, que la cérémonie est terminée.

(En fin d'après-midi...) Mon ami Luc de Clapier donne une réception pour fêter la sortie de mon livre. Il a invité les représentants de la presse internationale. Je croise l'éditeur Jason Epstein. Nous ne nous étions pas revus depuis le différend qui nous avait opposés dans le choix du titre de mon livre. D'un geste autoritaire, destiné à masquer une gêne évidente, il me tend un exemplaire pour que je le lui dédicace, ce que je fais de bonne grâce, d'autant plus qu'il n'est pas dans les petits papiers des nouveaux patrons de Random House.

Je revois aussi Paul Lewis du *New York Times* et son épouse. Il n'a jamais été particulièrement aimable à mon égard, mais nous nous saluons avec chaleur.

La vue sur Central Park est délirante et, au moment où le soleil se couche dans un ciel pur de tout nuage, la magie opère. Je tombe en contemplation, oubliant, l'espace d'un instant, les interviews, les dédicaces, la satisfaction tout éphémère d'avoir publié un nouveau livre.

New York, jeudi 17 juin 1999

J'ai participé ce matin à une expérience encore inédite pour moi, dans un élégant studio d'enregistrement du centre de New York qui a passé un contrat avec une dizaine de radios dans différents États. Chacune, à tour de rôle, va m'interviewer cinq à dix minutes sur mon livre. Les questions se répètent parfois, les réponses se ressemblent souvent. Fort heureusement les auditeurs changent. Tout a été minuté et se déroule avec une précision d'horloge suisse, à l'exception d'une station qui n'était pas prête à prendre l'antenne au moment où nous sommes entrés en contact avec elle.

« Ça vous permettra de souffler cinq minutes et de boire un verre d'eau, me dit l'animateur fort sympathique. Vous avez déjà touché un public de plusieurs millions d'auditeurs, ajoute-t-il. Notez qu'il faut tenir compte des fuseaux horaires. À San Francisco, par exemple, il est 7 heures du matin, et ils sont en train de prendre leur petit-déjeuner. À Chicago, ils vous écoutent depuis leur voiture en route vers leur bureau.

– Est-ce qu'ils trouveront tous mon livre en librairie ?

– Ce n'est pas mon problème, c'est celui de votre éditeur. Moi je suis chargé d'organiser la promotion du livre, lui de le vendre. »

Après une prestation de plus de deux heures, je quitte le studio étourdi, mais ébloui par la prouesse technique à laquelle je viens de participer.

New York, vendredi 18 juin 1999

J'ai rendez-vous très tôt ce matin, dans les bureaux de la représentation permanente de l'OIF aux Nations unies, avec le ministre des Affaires étrangères des Comores Souef Mohamed el-Amine.

La situation est pour le moins complexe et ce depuis des décennies. L'archipel des Comores, colonie française comprenant les îles de Mayotte, la Grande Comore, Anjouan et Mohéli, a accédé à l'indépendance en 1975, à l'exception de Mayotte, restée sous administration française. Ahmed Abdallah devient le premier président. Il est renversé un mois plus tard.

Les coups d'État et les assassinats vont se succéder sans que l'unité des trois îles ne soit remise en question.

Un nouveau danger menace la République des Comores : en août 1997, des séparatistes à Anjouan proclament unilatéralement leur indépendance et leur volonté d'installer une administration autonome. Le référendum d'autodétermination qu'ils organisent, en octobre, plébiscite l'indépendance, mais est dénoncé par la communauté internationale. L'OUA entre alors en scène pour tenter une médiation entre le gouvernement comorien et les séparatistes.

En avril 1999, une conférence inter-îles se réunit à Antananarivo, sous l'égide de l'OUA, afin de poser les fondements de l'Union des îles des Comores qui confierait aux trois îles une large autonomie. La délégation anjouanaise refuse de signer les accords d'Antananarivo et de violentes manifestations contre les Anjouanais habitant la Grande Île éclatent à Moroni. L'armée comorienne intervient, renverse le gouvernement et porte au pouvoir le colonel Azali Assoumani.

Ce matin, le ministre des Affaires étrangères du colonel Azali Assoumani, évoque, avec beaucoup d'habileté, le rôle important que pourrait jouer la Francophonie dans le règlement de la crise comorienne. Je lui rappelle que ce rôle incombe pour l'heure à l'OUA, et que l'ONU ayant, par ailleurs, endossé les résolutions de cette organisation, il est hors de question que nous intervenions. Nous avons un principe clair en la matière : éviter de faire double emploi avec les autres organisations internationales et ne pas multiplier les médiateurs.

(Dans l'après-midi...) Je participe, dans les studios de CNN, à *Diplomatic Licence*, une émission essentiellement consacrée aux activités de l'ONU. Le journaliste me propose, pour commencer, de visionner quelques séquences habilement enchaînées.

Madeleine Albright apparaît sur le petit écran, vêtue d'une robe bleue qui la mincit et sur laquelle elle a piqué une broche. Elle chante mes louanges : « C'est un véritable chef d'État. C'est un leader que j'admire pour le travail remarquable qu'il accomplit au sein des Nations unies. » Puis la même Madeleine Albright, un ou deux ans plus tard, même robe bleue, mais avec une broche différente : « Le secrétaire général a été incapable de conduire les réformes nécessaires pour rendre les Nations unies plus efficaces et plus opérationnelles. Il doit partir si l'on veut que l'Amérique règle la crise financière que traverse cette institution. » Plan suivant : le sénateur Bob Dole qui déclare : « Je n'accepterai jamais que Boutros Boutros-Ghali commande l'armée américaine. »

Le reportage est terminé.

« Quelles réflexions vous inspirent les images que vous venez de voir ? »

Ma réponse est laconique :

« C'est la loi de la politique... politicienne.

– Vous n'avez pas d'autre commentaire ?

– Non, cette formule résume parfaitement ce que je pense. »

Wilton, samedi 19-dimanche 20 juin 1999

Week-end familial chez mon frère Wacyf, qui possède une propriété à une centaine de kilomètres de New York, à Wilton, dans le Connecticut. Une atmosphère de quiétude et de sérénité, bien loin de l'agitation et du tumulte de New York.

Les arbres, les grands arbres, ont toujours été de fidèles compagnons. Parmi eux, je fais corps avec la terre, tel le fellah égyptien dont Abd al-Rahman al-Charqawi dit : « Son existence, c'est la terre, et son autre vie, c'est encore la terre. »

New York, lundi 21 juin 1999

Retrouve Henry Kissinger au Metropolitan Club. Je lui remets un exemplaire dédicacé de mon livre. Parlant de Madeleine Albright, il ne mâche pas ses mots : « Une femme incompétente, prétentieuse et perverse. » Puis il part dans un gros rire : « Elle me déteste, mais elle déteste encore plus Holbrooke. »

Richard Holbrooke, un ambassadeur de carrière qui ronge son frein dans l'attente de devenir, un jour prochain, secrétaire d'État, et qui se contente, pour l'instant, du poste de représentant permanent des États-Unis auprès des Nations unies.

L'ambassadeur Joseph Reed, que nous appelons « Youssef », à sa plus grande joie, parce qu'il nourrit une véritable passion pour l'arabisme depuis qu'il a été ambassadeur des États-Unis au Maroc, offre un somptueux déjeuner au River Club pour fêter la sortie de mon livre. Le River Club est un endroit très fermé, réservé à la haute bourgeoisie américaine, calqué sur le modèle des clubs londoniens. J'ai été, un moment, membre de ce club très huppé, moyennant une cotisation annuelle fort élevée. Je comptais profiter de la piscine, mais j'ai très vite réalisé que le seul et unique bain que j'avais eu le temps de prendre en un an me revenait très cher. J'ai donc démissionné, au grand dam de Joseph Reed qui s'était démené pour me faire admettre.

C'est un ami fidèle qui m'avait dit, à la mi-décembre 1996, après que Kofi Annan avait été élu : « Maintenant, plus personne ne viendra vous voir à votre bureau, sauf l'ambassadeur Youssef. » C'est un républicain convaincu, qui voue une inimitié tenace à Bill Clinton, à Madeleine Albrigth et à tout ce qui ressemble de près ou de loin à un membre du parti démocrate. Il est au fait de tous les petits scandales de Washington et de la Maison-Blanche, ayant été pendant plusieurs années chef du protocole de George Bush.

New York, mercredi 23 juin 1999

Léa et moi rendons visite à Cyrus Vance. Malgré la maladie qui le ronge, il a gardé toute sa prestance. Il apparaît, vêtu d'un élégant prince-de-galles, chemise blanche amidonnée, cravate en parfaite harmonie. Il semble nous reconnaître, mais ne dit rien, le regard désespérément vide de toute émotion. Son épouse Gay fait la conversation. Il l'interrompt parfois. Ses interventions sont totalement hors de propos. Nous quittons les Vance bouleversés.

Cyrus Vance, cette belle intelligence qui a présidé aux négociations du traité de paix avec Israël, qui avait l'art de trouver le mot ou la formule juridique acceptable par les deux protagonistes, qui savait intervenir à point nommé lorsque la discussion entre Moshe Dayan et moi-même s'envenimait, qui a abandonné son étude d'avocat à New York pour se rendre en Yougoslavie à la recherche d'une solution qui mette un terme au carnage, cette belle intelligence, murée à jamais dans un silence terrifiant, entrecoupé de bribes incompréhensibles. Une intelligence morte dans un corps qui s'obstine à vivre.

New York, jeudi 24 juin 1999

Je tiens une réunion de travail avec les ambassadeurs francophones accrédités auprès des Nations unies, sous la présidence d'Alain Dejammet. J'insiste sur la nécessité de faire connaître la Francophonie aux non-francophones.

Dîner à l'ambassade d'Égypte en compagnie de quelques amis journalistes, Abe Rosenthal et son épouse. Est aussi présente Louise Fléchette, vice-secrétaire générale des Nations unies. À la manière américaine, chacun y va de sa petite histoire dont je suis le héros. J'ai malheureusement oublié mon appareil auditif, et j'ai du mal à entendre les éloges dont chacun me couvre à tour de rôle. Louise Fléchette, assise à ma droite, accepte gentiment de jouer les porte-voix.

« Vous n'intervenez pas, ma chère ambassadrice ?

– Je me fais déjà le porte-parole de cette aimable assemblée, vous ne trouvez pas que ça suffit ? » me dit-elle avec un sourire plein d'humour.

New York-Port-au-Prince, dimanche 27 juin 1999

Départ pour Haïti, en compagnie de Ridha Bouabid, notre représentant permanent auprès des Nations unies, un brillant diplomate tunisien. Je retrouve l'hôtel dans lequel j'ai l'habitude de descendre lors de mes séjours à Port-au-Prince.

Nous sommes invités, le soir même, à dîner chez Jean-Bertrand Aristide. Je l'ai connu quand il n'était encore que « Titide », le prêtre des bidonvilles. Et puis ce fut le militant exilé, obsédé par son retour en Haïti. Plus tard encore, la reconquête du pouvoir, le président triomphant, et l'orateur enflammant les foules du haut de la tribune.

Ce soir, c'est le père de famille qui nous convie à un dîner intime en compagnie de son épouse et de ses deux filles. Il n'a pas changé, quelques kilos en plus peut-être. La même onctuosité dans la voix. Il s'exprime, comme toujours, dans un excellent français. Il est certain d'être le prochain président de la République, comme il est certain de disposer d'une écrasante majorité au Sénat et à la Chambre des députés : le pouvoir absolu. Il ne le dit pas ouvertement, certes, mais les mots sont inutiles, tant cette certitude devient palpable à force d'être évidente.

Port-au-Prince, lundi 28 juin 1999

Audience avec le président de la République, René Préval, que j'informe des derniers préparatifs du sommet de Moncton. Il me promet d'y assister. Il m'assure que les élections législatives se dérouleront selon le calendrier fixé, à la fin de novembre pour ce qui est du premier tour, au début de décembre pour le second tour. La Francophonie fournira une assistance électorale pour contribuer au bon déroulement de cette opération.

Entretien avec le Premier ministre, Jacques Édouard Alexis. Lors du sommet de Hanoï, en 1997, Haïti s'était officiellement portée candidate pour accueillir le sommet de 2001. Le Liban, également en lice, devait finalement l'emporter avec l'appui du président Jacques Chirac. Le Premier ministre revient sur ce dossier. Haïti, qui fêtera en 2004 le bicentenaire de son indépendance, se propose d'accueillir le sommet de la Francophonie de 2003, en prélude à cette célébration, ou alors le sommet de 2005, qui pourrait constituer le couronnement des festivités. Je lui fais remarquer que les infrastructures hôtelières de l'île ne permettent pas, pour l'heure, d'envisager la tenue d'une réunion de chefs d'État. Il m'assure que le gouvernement entend bien développer le secteur du tourisme et construire toute une série de grands hôtels, à l'instar de leur voisin immédiat, la République dominicaine, qui accueille plus de deux millions de touristes par an. J'ai envie de lui dire que tant que la situation politique sera instable, il n'y aura aucune chance d'attirer les investisseurs ou les touristes, mais je m'abstiens.

Déjeuner à l'ambassade de France. Ma voiture est arrêtée au poste de garde. La sentinelle demande qu'on lui remette toutes les armes avant de pénétrer dans l'enceinte de l'ambassade. Je découvre alors avec stupéfaction que mon chauffeur avait à ses pieds une mitraillette, et que le garde assis à son côté était en possession de deux revolvers. Je préfère ne pas imaginer l'arsenal que transportait la voiture de police qui nous suivait et qui s'est vu purement et simplement refuser l'entrée dans les jardins de l'ambassade. Comment imaginer un boom touristique dans un tel climat d'insécurité et avec autant d'armes en circulation ?

Les ambassadeurs francophones assis autour de la table ne cachent pas leur pessimisme. La situation économique est encore plus désastreuse que la situation politique, disent-ils. Ils doutent fort que les élections législatives se déroulent à la date prévue.

L'entretien que j'ai, dans l'après-midi, avec les membres du conseil électoral provisoire semble leur donner raison. Je m'étonne que les membres du conseil n'aient encore rien prévu pour l'établissement des cartes électorales. Ils me parlent de machines très sophistiquées qu'ils ont l'intention d'installer dans tout le pays et qui permettront d'éditer des cartes avec photo intégrée. Je leur demande s'ils disposent des fonds nécessaires pour faire l'acquisition de ces machines, s'il n'y a pas un risque de coupure de courant dans les villages les plus reculés, s'ils ont les techniciens susceptibles d'intervenir au cas où ces machines, extrêmement sensibles, viendraient à tomber en panne. Je leur suggère de recourir à des procédés moins coûteux et plus fiables. Une suggestion qui ne semble pas leur plaire. J'insiste, néanmoins, en leur proposant l'aide de la Francophonie, tant dans la phase préparatoire que lors du déroulement du scrutin. Mais ils semblent bien plus intéressés par leurs machines que par la présence d'observateurs de la Francophonie.

Port-au-Prince, mardi 29 juin 1999

Je visite le bureau Caraïbes de l'Agence universitaire qui est dirigé par Paul Vermande, un farouche défenseur de la Francophonie. Le français est, ici aussi, en perte de vitesse. « Coincé » entre le créole, qui est la langue parlée par la grande majorité de la population, et l'anglais qui se répand de plus en plus, il fait figure de parent pauvre et reste l'apanage de la bonne bourgeoisie.

C'est au lycée Marie-Jeanne de Port-au-Prince que je rencontre les jeunes filles de cette bonne bourgeoisie. Une grande salle, non climatisée, a été transformée en auditorium de fortune. La chaleur est accablante. Danses, chansons, discours, distribution des prix. Quelle surprise : on remet à chacune de ces jeunes filles un dictionnaire de la Francophonie ! Lorsque je fais remarquer à Paul Vermande qu'il aurait pu trouver quelque chose de plus stimulant, il se contente de me répondre, manifestement résigné : « C'est tout ce que nous avons pu trouver dans nos dépôts. »

Conversation avec la présidente de l'Association haïtienne de la jeunesse francophone, créée à l'issue du grand rassemblement organisé à Genève le 20 mars dernier. Elle attend toujours les moyens qui lui permettraient d'aider les jeunes Haïtiens à accéder aux nouvelles technologies de l'information et de la communication !

Départ pour New York. L'ambassadeur d'Indonésie, que je rencontre à l'aéroport, insiste pour avoir mes impressions sur la situation en Haïti. Je ne lui dis pas à quel point cette visite m'a attristé. Haïti, qui a vu les dictateurs se succéder et tirer profit de la misère du peuple, tontons macoutes qui terrorisaient la population, vaudou qui asservissait les esprits, Haïti est encore plus pauvre, plus désemparée qu'elle ne l'était il y a quelques années. Et j'ai bien peur que tous les efforts déployés par la communauté internationale, par l'Organisation des États américains, par la Francophonie ou par l'ONU ne soient sans lendemain et qu'un jour « Papa Doc » ne soit remplacé par « Papa Aristide ».

Ottawa, lundi 5 juillet 1999

Je rencontre le Premier ministre Jean Chrétien, toujours aussi amical à mon égard. Dans son bureau, l'ambassadeur Claude Laverdure, son représentant personnel au Conseil permanent de la Francophonie, Diane Marleau, et Bernard Lord, Premier ministre du Nouveau-Brunswick. C'est un tout jeune homme, grand, mince, le regard pétillant d'intelligence, une allure juvénile qui tranche avec le sérieux de sa fonction. Il paraît intimidé. C'est vraisemblablement la première fois qu'il rencontre Jean Chrétien.

Nous abordons la préparation du sommet de Moncton.

« Une vingtaine de chefs d'État et de gouvernement ont déjà confirmé leur participation au sommet. Le reste viendra », me dit le Premier ministre.

Je présente un rapport sur la situation politique au Togo, au Niger, en Guinée-Bissau, en République démocratique du Congo et en Haïti. Jean Chrétien s'intéresse particulièrement à la situation en Haïti, d'abord parce qu'il y a une importante colonie haïtienne à Montréal, ensuite parce que c'est le seul État francophone du continent américain.

Il suggère que nous poursuivions cet entretien en tête à tête. Nos collaborateurs respectifs se retirent. Une fois seuls, je lui remets un exemplaire de mon livre, *Unvanquished.* Sans plus de manières, le Premier ministre cherche son nom dans l'index alphabétique. Il le trouve cité trois fois.

« J'ai l'intention de prendre une semaine de vacances. J'aurai ainsi l'occasion de lire avec plaisir et intérêt votre ouvrage... Nous avons vécu, ensemble, des moments difficiles lorsque nous avons voulu trouver une solution aux problèmes des réfugiés hutus dans les camps de Goma. J'aime à penser que notre action a aidé au retour de la grande majorité des réfugiés dans leur pays et dans leurs villages. » Puis sans transition, il ajoute :

« J'espère que vous allez vous présenter pour un second mandat. »

Je réponds par un oui évasif. Au fond, je n'ai pas encore vraiment pris ma décision. Je suis tenté par le retour en Égypte et la reprise d'activités politiques, fussent-elles de second plan. D'un autre côté, quatre années supplémentaires à Paris, avec l'idée de renforcer la Francophonie, me tente tout autant. Entre les deux, mon cœur balance. Je n'oublie pas, non plus, que le nombre de lunes va en diminuant...

Je m'entretiens, ensuite, avec Diane Marleau, puis avec le ministre des Affaires étrangères Lloyd Axworthy, qui préfère s'exprimer en anglais. Il prône un nouveau concept, celui de la « sécurité humaine », qu'il a déjà soumis à la réflexion et à l'examen de plusieurs organisations internationales, dont le G8 et le Commonwealth. Il espère que la Francophonie en débattra à son tour.

Je suis partisan d'une nouvelle catégorie des Droits de l'homme, la « troisième génération » des Droits de l'homme. Parce qu'il est devenu nécessaire, face à la mondialisation sauvage, de protéger, même formellement, les femmes et les hommes les plus démunis, ces laissés-pour-compte de l'économie de marché. Cela dit, il faut bien admettre que la multiplicité des droits, qui souvent se recoupent, risque de créer une opacité propice aux interprétations les plus pernicieuses.

(Dans l'après-midi...) Survol en hélicoptère des sites où se dérouleront les Jeux de la Francophonie en 2001, pour partie à Ottawa, pour partie à Hull, qui est situé en territoire québécois. Ottawa-Hull, apparemment une ville d'un seul tenant. Politiquement, c'est autre chose.

Dîner à l'ambassade d'Égypte, où je rencontre les cinq députés qui composent la délégation égyptienne venue participer à la vingt-cinquième session de l'Assemblée parlementaire de la Francophonie. Trois d'entre eux ne parlent que l'arabe. Je m'en étonne auprès de l'ambassadeur d'Égypte, Hamdy Nada :

« Pourquoi sont-ils venus assister à cette réunion, ici, à Ottawa, s'ils ne sont ni francophones, ni même anglophones ?

– J'ai posé la même question au chef de la délégation, me chuchote l'ambassadeur. Il m'a répondu que le Parlement a mis en place un système de roulement pour que chaque député puisse effectuer au moins un voyage à l'étranger durant son mandat. Si l'on ne devait accorder ce privilège qu'aux seuls députés parlant une langue étrangère, il y aurait trop peu d'"élus". Et on s'exposerait à mécontenter la grande majorité des parlementaires. »

Mes trois députés monolingues, originaires du haut Saïd et peu à même d'engager la conversation avec les personnalités francophones ou anglophones qui se pressent dans les salons de l'ambassade, se sont réfugiés dans un petit coin. Je m'approche des trois « bannis » et engage la conversation sur un ton enjoué :

« Est-ce que vous connaissez la dernière histoire qui circule sur les Saïdiens, et qui a beaucoup amusé le président Moubarak ? » (Il faut préciser que la plupart des histoires drôles, en Égypte, mettent en scène des Saïdiens, dans le rôle du naïf indécrottable.)

Trop heureux de sortir de leur isolement, mes trois compères affichent une curiosité réjouie.

« Une délégation de Saïdiens, dis-je, demande à rencontrer le président Moubarak. Ils se plaignent auprès de lui des moqueries incessantes dont ils font l'objet. Ils souhaiteraient qu'il fasse un geste public pour les restaurer dans leur dignité. Le président Moubarak propose donc au chef de la délégation, Abou Séoud, de se soumettre à un petit test qu'il est sûr de réussir, ce qui permettra de restaurer l'honneur des Saïdiens. Les membres de la délégation acceptent bien volontiers la proposition du Président qui pose une première question : “Combien font cinq et sept ?” Le chef de la délégation prend le temps de la réflexion, avant de lancer fièrement : “Dix.” Voyant le désappointement du Président, les Saïdiens s'écrient en chœur : “Laisse-lui encore une chance !” Et le président de continuer : “Combien font sept et sept ? – Dix”, répond à nouveau Abou Séoud. Le Président semble de plus en plus contrarié. Mais les Saïdiens insistent : “Laisse-lui encore une chance !” Le Président, pressé d'en finir, prend Abou Séoud à part et lui dit : “Tu sembles beaucoup aimer le chiffre dix. Je vais donc te demander combien font cinq et cinq. Et tu répondras ‘dix’. Combien font cinq et cinq ? – Dix”, répond Abou Séoud d'une voix victorieuse. Et ses compatriotes saïdiens de crier : “Laisse-lui encore une chance !” »

Mes trois interlocuteurs rient de bon cœur. Nous nous reverrons demain à la Chambre des communes.

Ottawa, mercredi 7 juillet 1999

Cérémonie solennelle d'ouverture de la vingt-cinquième session de l'Assemblée parlementaire de la Francophonie à la Chambre des communes, en présence du Premier ministre Jean Chrétien, du président de l'Assemblée nationale française, Laurent Fabius, des présidents canadiens du Sénat et de la Chambre des communes, Gildas Molgat et Gilbert Parent, et du président de l'Assemblée parlementaire de la Francophonie, le sénateur Jean-Robert Gauthier.

Au moment où je pénètre dans la salle à la suite de cette auguste assemblée, mes trois Saïdiens, qui ont pris place dans le public parmi les parlementaires, se lèvent et entonnent en chœur, et en arabe : « Laisse-lui encore une chance ! » Stupeur des membres de la sécurité qui me questionnent aussitôt : « Vous avez un problème, Excellence? – Non, non, dis-je rassurant, tout va bien. Ce sont mes compatriotes qui m'acclament... »

Paris-Alger, dimanche 11 juillet 1999

Je m'envole pour Alger où je dois assister au sommet de l'Organisation de l'unité africaine. À l'arrivée, il y a foule à la douane. On m'installe dans un petit salon, le temps que l'on récupère mes bagages et que mon officier de sécurité reprenne possession de son arme.

Layachi Yaker, l'ancien ministre du président algérien Boumediene, m'accompagne jusqu'à l'hôtel, un édifice tout neuf, construit en bord de mer. De grandes tentes ont été dressées sur le sable pour accueillir les chefs d'État et de gouvernement. Pour l'heure, ils arpentent nonchalamment la plage, se croisent, s'arrêtent, se congratulent, échangent quelques mots, avant de reprendre leur promenade. J'avise le président Bouteflika. Nous nous donnons l'accolade. Kofi Annan est là, en bras de chemise, la main dans la main avec son épouse, à la manière de Bill et Hillary Clinton. Leurs conseillers en communication ont dû les persuader que projeter l'image d'une relation de couple harmonieuse contribuerait à accroître leur popularité.

Le soir n'en finit pas de tomber en ce mois de juillet. Cet intermède crépusculaire semble être du goût des chefs d'État, qui prolongent à l'envi ce moment. J'en profite pour saluer le plus grand nombre possible de dignitaires et exhiber ainsi le drapeau de la Francophonie.

Je dîne en compagnie des apparatchiks égyptiens, Ibrahim Nafei, le directeur du groupe Al-Ahram – un tirage de un million d'exemplaires pour le quotidien et une demi-douzaine de revues –, Mahfouz al-Ansari, le patron de l'Agence de presse égyptienne, Amr Moussa, le ministre des Affaires étrangères. Il y a là, aussi, Aly Tereki, le Monsieur Afrique du colonel Kadhafi, et le ministre des Affaires étrangères du Burkina Faso, Youssouf Ouedraogo. Nous passons une soirée des plus agréables et des plus drôles. Les rires fusent de toute part. Nous nous amusons comme des collégiens. Aly Tereki accepte de bonne grâce d'être la cible de nos plaisanteries.

Alger, lundi 12 juillet 1999

Séance solennelle d'ouverture du sommet des chefs d'État et de gouvernement de l'OUA, auquel la Francophonie participe pour la première fois. J'ai pris place parmi les observateurs des organisations internationales. Je suis assis à côté du secrétaire général du Commonwealth, Chief Emeka Anyaoku. Le président Abdelaziz Bouteflika fait un très beau discours dans un arabe littéraire qu'il maîtrise à la perfection, contrairement à d'autres chefs algériens, qui émaillent cette langue de locutions françaises. Puis il improvise en français, à la grande satisfaction des francophones qui comptent pour plus de moitié dans les États membres de l'OUA.

Je renonce au dîner officiel qui doit commencer à 22 heures et s'achever tard dans la nuit. Il faut savoir se ménager…

Alger-Paris, mardi 13 juillet 1999

Dans l'avion qui me ramène à Paris, je retrouve Lansana Kouyaté, Jacques Diouf, le directeur général de la FAO, Chief Emeka Anyaoku et tous ceux qui, comme moi, sont venus en représentation à Alger. La représentation est une facette importante de la diplomatie qu'il faut savoir ne pas négliger.

Paris, mercredi 14 juillet 1999

Je suis, ce matin encore, en représentation. J'assiste au défilé du 14 Juillet, au côté de la sympathique et militante ambassadrice de la Palestine à Paris, Leïla Chahid.

(Dans l'après-midi...) Départ pour Londres en compagnie de Claude Boucher. Nail el-Assad est venu m'accueillir à la gare. Nous dînons ensemble. Ce Libanais chiite, qui connaît bien l'Afrique, aimerait jouer un rôle en Francophonie, plus particulièrement dans le cadre du sommet de Beyrouth.

Londres, jeudi 15 juillet 1999

Signature d'un accord de coopération entre l'OIF et le Commonwealth.

Le siège du Commonwealth – Marlborough House – est un véritable palais, digne de l'Élysée ou de l'hôtel Matignon à Paris. En comparaison, les locaux de la Francophonie font figure de masure. La cérémonie de signature est suivie d'un déjeuner dans une salle à manger somptueuse, où s'affiche un luxe digne des cours princières.

L'après-midi, séance de promotion de mon livre, *Unvanquished*, dans une librairie londonienne, Border. Un public jeune, intéressant et intéressé. Je dédicace une centaine d'ouvrages, un chiffre imposé par le libraire qui paraît, tout comme l'éditeur, satisfait de ma prestation.

Je regagne Paris sur le coup de minuit, obsédé par les fastes de Marlborough House. J'ai été dans l'incapacité d'obtenir du gouvernement français qu'il attribue de pareils locaux à la

Francophonie, loin s'en faut. Si je continue à vouloir établir des comparaisons, je risque de perdre ma ferveur pour la Francophonie.

Paris, dimanche 18 juillet 1999

J'enregistre, sept heures durant, une émission pour une chaîne de télévision arabe, Orbis, à raison de trois heures le matin et quatre heures l'après-midi, entrecoupées d'un rapide déjeuner.

L'histoire de ma vie, mon enfance, mes études au Caire et à Paris, ma carrière universitaire, le voyage avec le président Sadate à Jérusalem, mon élection aux Nations unies, mon départ de New York, et, enfin, la Francophonie. Le journaliste, énorme et tyrannique, se plaît à jouer les grands inquisiteurs. Je le remets, à plusieurs reprises, à sa place. Il n'en a cure. Il se contente de sourire placidement et reprend, de la même voix suave, ses questions provocantes.

Bellagio, mercredi 21 juillet 1999

J'ai promis à Léa deux semaines de vacances. Nous avons choisi l'Italie, Bellagio, sur les bords du lac de Côme. Un hôtel désuet, à l'atmosphère décadente. Dîner au son d'un orchestre qui joue des airs des années cinquante. Un bataillon de maîtres d'hôtel qui s'affairent autour de notre table, en s'exprimant fièrement en français.

La piscine, en plein air, n'est pas chauffée. La vue est paradisiaque, mais l'ennui s'insinue très vite dans notre appartement et dans nos âmes.

Bellagio, vendredi 23 juillet 1999

J'ai trouvé un remède à mon ennui. Une violente rage de dents, après le désormais traditionnel épisode du bridge qui me fausse compagnie au beau milieu du dîner, et, de préférence, au moment où l'orchestre vient d'achever un morceau. La certitude que le bruit de mes dents dans l'assiette ne passera pas inaperçu. J'ai une pensée furtive et furieuse pour le dentiste cambodgien qui a manifestement mal fait son travail, voilà quelques mois, à Phnom Penh. Le dentiste du village où nous nous trouvons n'ouvre son cabinet que trois fois par semaine. Je demande au directeur de l'hôtel d'intervenir pour qu'il puisse me recevoir exceptionnellement demain matin.

C'est ce soir que j'ai appris la mort du roi Hassan II du Maroc. Une des grandes figures du monde arabe. Un monarque racé, élégant, à l'intelligence et au charme redoutables. « Une main de fer dans un gant de velours. »

Une personnalité subtile, intuitive, dont j'ai pu prendre toute la mesure lors des nombreux entretiens que nous avons eus, notamment sur le dossier du Sahara. Je dois reconnaître que j'ai été fortement impressionné par l'acuité de ses analyses, et surtout par la capacité étonnante qu'il avait de déceler les arrière-pensées de son interlocuteur, auxquelles il répondait avant même que ce dernier les ait formulées. Nos conversations se déroulaient indifféremment en arabe ou en français. Encore que l'arabe marocain qu'il employait ne fût pas toujours compréhensible pour l'Égyptien que je suis. Il me suffisait alors de relancer la conversation en français pour qu'il poursuivît aussitôt dans cette langue.

Une personnalité séduisante. Il passait de l'humour au sérieux, invoquant souvent le nom de Dieu, une manière de rappeler qu'il était prince alaouite, descendant en droite ligne du Prophète.

J'ai le souvenir d'un dîner officiel au palais. Il s'était installé, comme souvent lors de ces événements solennels et protocolaires, un silence glacial et pesant. Soucieux de détendre l'atmosphère, je m'étais adressé au roi Hassan II pour lui faire remarquer que deux desserts figuraient au menu, mais que rien n'indiquait qu'ils fussent au choix. « Monsieur le ministre, m'avait-il répondu, entrant dans mon jeu, vous avez trop négocié. Et pour votre punition vous serez obligé de prendre des deux. »

Le souverain laissait rarement transparaître l'homme. Une exception peut-être : les audiences qu'il accordait se déroulaient très souvent en présence de ses deux fils. Il égrenait alors la conversation de cette formule : « Au nom des deux choses que j'ai de plus précieuses au monde », désignant d'un geste protecteur les deux jeunes hommes qui avaient pris place à la droite et à la gauche de leur père.

Je connaissais, en revanche, son goût particulier, semblable au mien, pour les costumes bien taillés, qu'il commandait chez Francesco Smalto. Nous nous observions subrepticement, détaillant du coin de l'œil nos tenues respectives, mais jamais nous n'avons abordé le sujet. Trop futile, trop commun…

Dernier souvenir : c'était en 1995, à l'occasion du cinquantième anniversaire des Nations unies. Hassan II, déjà malade, avait dû se faire soigner durant son séjour à New York. Je suis allé lui rendre visite à sa sortie de l'hôpital. J'ai trouvé un homme las, fatigué. Mais lorsque j'ai abordé le dossier du Sahara, il s'est animé, oubliant tout à coup la maladie, retrouvant toute sa lucidité et sa combativité politiques.

Bellagio, samedi 24 juillet 1999

Le dentiste du village m'examine. Il remet en place tant bien que mal les trois dents défectueuses et me prescrit des antibiotiques. Il me déconseille formellement de prendre l'avion pour le moment.

Je renonce avec regret à me rendre aux obsèques du roi du Maroc.

Bellagio-Paris, jeudi 29 juillet 1999

Je suis venu à bout de ma rage de dents. Reste maintenant à remplacer les dents provisoirement replacées par le dentiste du village. Nous quittons ce paradis vieillot sans regrets, malgré la vue époustouflante, la douceur du climat, les longues promenades sur les bords du lac, l'orchestre et ses mélodies d'autrefois, malgré cette atmosphère décadente qui évoque la fin d'un empire, la fin d'une époque ou plutôt ces jours si particuliers qui précèdent un grand bouleversement, une révolution.

Le grand bouleversement, c'est Paris qui se prépare au mois d'août.

Paris, vendredi 30 juillet 1999

Trouver un dentiste en activité à Paris un 30 juillet relève de l'exploit!

Honfleur, samedi 7 août 1999

Je suis à Honfleur pour assister au vernissage de l'exposition d'Omar el-Magdy, à l'invitation de son mécène, Francine Heinrich, qui représentait la Commission européenne, au Caire, avec infiniment de compétence et de dynamisme.

L'occasion de découvrir cette petite ville pittoresque en même que temps que la peinture d'Omar el-Magdy, une des valeurs sûres de l'art contemporain égyptien. La Haute-Égypte, les contes orientaux, les portraits du Fayoum inspirent son œuvre. Une synthèse harmonieuse entre les scènes de la vie quotidienne de l'Égypte d'aujourd'hui et la tradition pharaonique. Il m'explique qu'après avoir longtemps utilisé les rouges et les bleus, association entre les couleurs chaudes et les couleurs froides, il travaille désormais à la feuille d'or. Cette présence de l'Égypte à Honfleur, aussi insolite que détonnante, me remplit de joie.

Dans le catalogue de l'exposition, reproduite en exergue, une petite phrase de notre grand poète Al-Mutanabbi dont j'apprenais par cœur les poèmes à l'école, et qu'il me fallait savoir commenter : *C'est dans la créativité que meurt la mort.*

Plus d'un demi-siècle a passé. On commentait alors sans comprendre. Aujourd'hui, on comprend sans plus vouloir commenter.

Paris, mardi 10 août 1999

Longue séance de travail avec Agnès Fontaine. *Mes années à la maison de verre* avancent. L'édition française reproduira les deux chapitres consacrés à l'action des Nations unies au Mozambique et au Salvador, que l'éditeur américain avait supprimés par souci de rentabilité. Conformément aux calculs effectués par l'ordinateur, le rapport prix de vente/nombre d'exemplaires vendus/coût de production avait dicté le nombre de pages que devait comporter l'ouvrage pour que la marge bénéficiaire de l'éditeur soit assurée. Et je m'étais alors plié à contrecœur à la loi du marché. Je vais pouvoir réintégrer ces deux chapitres.

Paris, mercredi 11 août 1999

Aly Tereki m'informe que le Président libyen Muammar al-Kadhafi souhaiterait me rencontrer de toute urgence pour me consulter sur des problèmes africains. Un avion spécial sera mis à ma disposition.

Paris, vendredi 13 août 1999

Hospitalisation de jour au Val-de-Grâce pour un check-up complet. Scanner, prises de sang, échographie. Les médecins découvrent un lymphome lymphocytique de bas grade non évolutif. Ils se veulent rassurants. Ce lymphome ne nécessite aucun traitement en dehors de tout signe évolutif. Ils devront toutefois pratiquer une biopsie avant de confirmer leur diagnostic.

Je téléphone à Aly Tereki et le prie de m'excuser auprès du colonel Kadhafi. Je me vois dans l'obligation de remettre mon voyage pour raisons de santé.

Paris, lundi 16 août 1999

Je crois bien que c'est à la mi-août 1949 que j'ai interrompu mes vacances pour venir en toute hâte à Paris, voir, toucher, caresser ma thèse de doctorat – *Contribution à l'étude des ententes régionales* – imprimée et éditée par Pedone (13, rue Soufflot).

Je n'oublierai jamais le sentiment d'euphorie et de fierté que j'ai éprouvé à la vue de « mon premier livre », à la relecture de l'introduction élogieuse de Charles Rousseau.

Cinquante ans ont passé. Et je parcours, aujourd'hui, certains passages avec la même délectation. Nombrilisme ? Je ne crois pas. C'est plutôt la satisfaction de me dire que j'ai pu mettre en pratique, dans la réalité internationale, les idées que j'avais développées lorsque j'étais jeune étudiant. Il est tellement rare qu'un universitaire puisse « tester » sur le terrain les idées et les concepts qui lui sont chers.

C'est exactement la chance que j'ai eue, puisque j'ai repris dans l'*Agenda pour la paix*, que j'ai présenté au Conseil de sécurité et à l'Assemblée générale des Nations unies en juin 1992, l'idée que les ententes régionales avaient un rôle important à jouer dans le système onusien. Idée aussitôt mise en pratique : c'est sous mon mandat que, pour la première fois, des opérations de maintien de la paix ont été menées en collaboration avec des organisations régionales. Et j'ai réuni à deux reprises les représentants de ces organismes à l'ONU, innovation maintenue par mon successeur.

Je dois reconnaître, en revanche, que certaines des convictions et des aspirations que j'énonçais en 1949 sont malheureusement restées de l'ordre de la spéculation. Ainsi, j'étais persuadé, à l'époque, que « l'entente régionale [serait] une étape vers le gouvernement mondial », allant jusqu'à proposer la création d'un nouvel organe au sein des Nations unies, « qui s'intitulerait le Conseil des ententes régionales et qui aurait pour but de constituer, de par le monde, des organismes régionaux ». Semble plutôt se renforcer un état de fait que je déplorais, et qui n'a fait que s'accentuer depuis cinquante ans, lorsque j'écrivais en conclusion d'un autre ouvrage : « Ainsi est-ce la carence de l'organisme mondial (l'ONU) qui légitime l'existence des alliances et des contre-alliances qui, tels les barons féodaux ou les Mamelouks, rendent un hommage formel au suzerain mais conservent entre leurs mains leur véritable pouvoir militaire. »

Moncton, samedi 28 août 1999

Installés depuis hier soir à l'hôtel Beauséjour. La même chambre que lors de ma précédente visite, un an auparavant, et l'accueil chaleureux des Canadiens qui nous a fait oublier la fatigue du voyage.

Je retrouve le tout jeune et tout nouveau Premier ministre du Nouveau-Brunswick, Bernard Lord. Décidément, son allure juvénile force la sympathie. Il s'exprime avec la même aisance en anglais qu'en français. Il a beau être novice dans sa fonction, il se montre tout à fait à la hauteur du rôle important qui sera le sien durant ce sommet.

C'est demain matin que commenceront les réunions, d'abord au niveau des représentants personnels des chefs d'État et de gouvernement, puis au niveau des ministres des Affaires étrangères. Rien ne prête à controverse à l'ordre du jour. En revanche, les bruits de couloirs et les conversations en aparté vont bon train. Le recteur Michel Guillou a promis de démissionner, ici, à Moncton, suite à la publication d'un rapport sur sa gestion de l'Agence universitaire.

Moncton-Québec, jeudi 2 septembre 1999

Aller-retour à Québec pour assister à l'assemblée générale de l'Association internationale des maires francophones, créée par Jacques Chirac lorsqu'il était maire de Paris, et devenue, depuis, un des opérateurs de la Francophonie.

Le charme si particulier de Québec en cette journée ensoleillée. La citadelle surplombe majestueusement le large fleuve Saint-Laurent qui scintille de mille feux. La garde veille, imperturbable, veste rouge, bonnet à poils, comme dans l'attente d'un hypothétique ennemi qui ne viendra plus jamais. À moins que l'invasion ne soit linguistique. Les gardiens de la citadelle assiégée ne suffiraient pas à l'arrêter.

Cérémonie solennelle, en présence d'une centaine de maires francophones venus de tous les continents. À mes côtés, sur le podium, le maire de Paris, Jean Tibéri, le maire de Québec, Jean-Paul Lallier, et Jacques Chirac, président d'honneur de l'AIMF.

À l'issue de la cérémonie, nous partons à pied, en cortège, dans les rues de Québec jusqu'à une petite place que Jacques Chirac doit inaugurer, la place de la Francophonie. Tout cela dans un désordre indescriptible et bon enfant. Bain de foule, bousculade, photographes, maires, badauds : les gardes du corps jouent des coudes pour tenter de maintenir un semblant de sécurité.

De retour à Moncton, je sollicite une audience avec le Président libanais, Émile Lahoud. Sa chambre fait face à la mienne. La porte, toujours ouverte, bien qu'obstruée par deux énormes barbouzes, laisse entrevoir le Président, en bras de chemise, conversant avec ses collaborateurs. L'audience m'est immédiatement accordée, et j'aperçois, entre les épaules des deux cerbères, le Président qui remet son veston pour m'accueillir. Un entretien des plus agréables. C'est un personnage simple et sympathique qui arbore un sourire permanent.

« J'ai demandé à mes collaborateurs de prendre part à toutes les manifestions qui sont organisées ici, de tout observer dans les moindres détails et de prendre des notes afin d'en tirer les enseignements pour que le sommet de Beyrouth, en 2001, soit un succès, me dit-il.

– Il est vrai, monsieur le Président, que les mois qui précèdent le sommet sont aussi importants que le sommet lui-même. C'est le moment d'une action diplomatique intense pour obtenir des chefs d'État et de gouvernement l'assurance qu'ils participeront personnellement à la conférence et qu'ils ne se feront pas représenter par un ministre ou un envoyé spécial. Le succès d'une telle manifestation se mesure, d'abord, au nombre de chefs d'État que vous parviendrez à réunir. Pour cela, il vous faut envoyer des lettres, dépêcher des émissaires, vous déplacer vous-même en Afrique. Car vous faites alors d'une pierre deux coups. Vous obtenez un accord de principe de la bouche même du chef de l'État et vous mettez à profit votre séjour pour rencontrer votre importante communauté libanaise, qui est souvent marginalisée, et qui se sentira confortée par votre démarche. »

Moncton, vendredi 3 septembre 1999

La séance inaugurale du VIIIe sommet de la Francophonie se déroule dans un immense gymnase transformé, pour l'occasion, en une somptueuse salle de conférence. Léa et moi-même avons pris place à l'entrée, aux côtés de Jean Chrétien, de Bernard Lord et de leurs épouses, pour accueillir les chefs d'État et de gouvernement qui se présentent selon un ordre protocolaire minutieusement réglé.

À quelques mètres seulement de l'entrée, sous la haute surveillance des forces de l'ordre, un groupe de manifestants africains soutenus par des sympathisants canadiens brandit d'immenses banderoles, aux cris de « Kabila, Buyoya, Sassou, assassins ! ».

Les discours se succèdent. Kofi Annan est invité, à son tour, à prendre la parole. Il s'exprime d'une voix à peine audible. Je suis gêné par l'image qu'il donne des Nations unies : les successeurs ont toujours tort aux yeux de leurs prédécesseurs !

L'émotion, ce sont les jeunes qui la créent, en venant lire, à tour de rôle sur le podium, le texte qu'ils ont préparé, et où ils expriment avec une sincérité décapante et poignante leurs attentes et leurs espoirs placés dans la Francophonie.

À l'issue de la cérémonie nous nous retrouvons pour le déjeuner que j'offre en tant que secrétaire général. À ma table, Jacques Chirac, Jean Chrétien, Émile Lahoud et Kofi Annan, qui nous explique que d'importantes obligations l'appellent à New York et qu'il repartira dès la fin du déjeuner.

Le président Lahoud, en toute innocence, lui demande s'il me connaît.

Kofi Annan répond avec un sourire amusé : « C'était mon patron à l'ONU. »

Alors que nous quittons la salle, le président du Bénin, Mathieu Kérékou, me glisse à l'oreille avec malice : « Durant la cérémonie de ce matin, je dormais et votre discours m'a réveillé. »

Nous regagnons l'hôtel Beauséjour pour y tenir notre première séance de travail. Je présente aux chefs d'État et de gouvernement le bilan des activités de notre organisation depuis le sommet de Hanoï.

Le président de la République de Djibouti a demandé à me rencontrer d'urgence pour un problème important.

« Dans votre livre sur les Nations unies, me dit-il, vous écrivez que le ministre des Affaires étrangères de Djibouti a accepté, à la dernière minute, de modifier le discours qu'il devait prononcer devant l'Assemblée générale et que mon pays renonçait à soutenir votre candidature. Or, mon ministre des Affaires étrangères n'a pas participé à l'Assemblé générale, c'est le représentant permanent auprès des Nations unies qui s'est exprimé ce jour-là. »

Je m'excuse auprès du Président et lui promets de corriger cette erreur dans la prochaine édition de mon livre. Puis je lui demande :

« Quel est le problème urgent pour lequel vous souhaitiez me rencontrer ?

– Celui-là même que je viens d'évoquer», me répond-il simplement.

Le dîner se déroule dans une auberge, à une cinquantaine de kilomètres de Moncton. Je partage la table de Jean Chrétien, de Bernard Lord et de Lucien Bouchard. L'anti-indépendantiste Jean Chrétien et l'indépendantiste Lucien Bouchard évoquent leurs souvenirs de jeunesse communs. Ils appartiennent à la même famille francophone du Québec. Autant de choses qui auraient dû les rapprocher, mais la politique est un alcool fort qui vous monte facilement à la tête et vous rend parfois irritable, intraitable et incapable d'entendre et de comprendre l'autre.

Moncton, samedi 4 septembre 1999

Petit-déjeuner avec le président de la République de Roumanie, Emil Constantinescu. Il est question de tout sauf de la Francophonie et de la Roumanie. Je n'ouvrirai pas le dossier préparé par mes collaborateurs. Conversation passionnante, entre deux universitaires, sur le poids de l'histoire. J'évoque Paul Valéry, qui explique que l'histoire est mauvaise conseillère parce qu'elle entretient la haine entre les nations.

Moncton, dimanche 5 septembre 1999

Les travaux du sommet s'achèvent par le discours du Président du prochain pays hôte, le Liban. Le président Émile Lahoud remercie les chefs d'État et de gouvernement d'avoir porté leur choix sur Beyrouth. Il force la voix. Je ne sais si c'est par timidité ou pour arracher les chefs d'État à l'état de langueur dans lequel les a plongés cette interminable, mais inévitable logorrhée collective.

Nous devons maintenant nous soumettre à l'exercice de la conférence de presse de clôture. Jean Chrétien, Jacques Chirac, Lucien Bouchard, Bernard Lord, Mathieu Kérékou et moi-même nous rendons à pied jusqu'à un petit théâtre dans la rue principale, où nous attendent les journalistes. Émile Lahoud, malgré l'obligation que lui fait son statut de Président du pays hôte du prochain sommet de participer à cette conférence, malgré aussi notre insistance à tous, n'a pas voulu se joindre à nous. Le groupe de manifestants de ce matin est venu s'installer devant l'hôtel Beauséjour et continue de marteler ses slogans contre certains chefs d'État africains.

Une conférence de presse difficile. L'ambiance est électrique. Les journalistes se plaignent d'avoir été logés loin du centre ville et de n'avoir pas pu entrer en contact avec les chefs d'État et de gouvernement. Georges Gros, le secrétaire général de l'Union des journalistes de langue française, interpelle violemment les organisateurs du sommet. « Jamais la presse n'a été aussi mal traitée. Les journalistes n'ont pas pu faire leur métier comme ils l'entendaient. De ce point de vue-là, ajoute-t-il, ce sommet est un échec retentissant. » Bernard Lord répond, sur un ton calme et posé, qu'il va demander une enquête pour connaître les causes exactes des dysfonctionnements qui lui sont reprochés. Il s'excuse avec élégance et habileté. À l'issue de la conférence de presse, Lucien Bouchard, en homme politique aguerri, glissera à l'oreille de son jeune collègue : « Bravo, il n'y avait pas d'autre réponse à faire. »

Je rends successivement visite au président du Togo, Gnassingbé Eyadéma, et au président de la Guinée, Lansana Conté. De simples visites de courtoisie qui permettent aux journalistes qui les accompagnent d'alimenter les programmes de la télévision nationale. À la fin de chaque entretien, déclarations convenues devant les caméras pour souligner l'importance de cette rencontre et des liens qui unissent la Francophonie et l'État dont je viens de rencontrer le chef. Cela dit, loin de moi l'idée de sous-estimer la portée diplomatique de ces tête-à-tête ménagés en marge des grandes conférences. J'explique d'ailleurs souvent aux jeunes diplomates qui m'accompagnent que l'audience que vous accorde un chef d'État lors d'une conférence internationale vaut celle qu'il vous aurait accordée lors d'une visite dans son pays. Sans compter le gain de temps et d'énergie. Dans le premier cas, il vous faudra une heure pour obtenir le rendez-vous souhaité, dans le second, un mois peut-être, si l'on considère l'échange de correspondance, la préparation du voyage, et le voyage lui-même.

(Dans la soirée...) Je reçois le professeur William Zartman, un universitaire américain qui a consacré de nombreux ouvrages aux négociations diplomatiques. Le président Jimmy Carter l'a chargé d'une mission de conciliation entre le président Sassou-Nguesso et ses deux principaux adversaires, Bernard Kolélas et Pascal Lissouba. Il a fait spécialement le voyage de New York à Moncton pour me consulter. Je dois lui avouer que j'ai peu d'informations à lui fournir. J'ai rencontré l'ambassadeur Henri Lopez à plusieurs reprises pour obtenir une audience avec le président Sassou-Nguesso, en vain. Henri Lopez m'a affirmé que j'allais recevoir une lettre du Président, qui regrettait de n'avoir pu me rencontrer.

William Zartman paraît passablement désemparé. Il n'est pas loin de vouloir renoncer à sa mission. Je le persuade de n'en rien faire, malgré les embûches. La Francophonie s'est retirée de ce dossier, même si le président Bongo nous encourage à poursuivre notre médiation. Je suis convaincu, pour ma part, que le

Président gabonais est le mieux à même de réussir. D'abord parce qu'il a épousé la fille du président Sassou-Nguesso. Ensuite parce que Pascal Lissouba, qui appartient à la même tribu, est un parent à lui. Ces liens familiaux avec deux des protagonistes lui confèrent un avantage certain sur tous les autres médiateurs potentiels. Je ne sais si tout cela est fait pour rassurer Zartman qui m'écoute avec attention, un verre de whisky à la main. Il fera part de notre entretien au président Carter.

Léa insiste pour qu'il reste dîner avec nous. La conversation se prolonge tard dans la soirée. Nous évoquons le conflit israélo-palestinien. William Zartman se veut plutôt optimiste. J'ai bien peur, en ce qui me concerne, qu'il ne nous faille encore de longues années d'efforts et de souffrances avant de parvenir à un règlement. Au moment où il s'apprête à prendre congé, je lui demande comment il a réussi à franchir l'impressionnant cordon de sécurité qui fait de l'hôtel et de la ville tout entière une véritable forteresse. Il me fait remarquer, avec un sourire entendu, qu'un passeport américain, même en terre francophone, reste le meilleur des laissez-passer.

Paris, vendredi 10 septembre 1999

Intéressante conversation avec Nabil Khoury, l'un de nos meilleurs journalistes, qui dispose d'un impressionnant réseau de relations avec les grands du monde arabe. Nous avions effectué ensemble, il y a une trentaine d'années, une mission d'information en Allemagne pour le compte de la Ligue des États arabes. Nous étions accompagnés d'un « spécialiste américain » chargé par la Ligue de nous organiser des rencontres avec la presse. Nous avons sillonné le pays, tenant des réunions dans les salles de rédaction à Francfort, Cologne, Hambourg, Berlin. Avec pour unique thème la cause palestinienne.

« Pourquoi n'essayez-vous pas d'obtenir l'admission de la Syrie au sein de la Francophonie, me demande-t-il. Le fils du Président, Bachir el-Hassad, qui va succéder à son père, est ouvert au monde occidental. Il va conduire une politique plus libérale, et le moment me semble bien choisi pour intervenir et préparer cette entrée de la Syrie dans la communauté francophone. Vous savez, comme moi, que les relations entre la France et la Syrie sont excellentes. »

Je n'ose pas dire à Nabil, qui s'empresserait de le publier dans les colonnes de son journal, que je suis intervenu pour que des contacts soient noués dès maintenant avec Damas et que le Président syrien soit invité à la séance d'ouverture du prochain sommet.

Perpignan, dimanche 12 septembre 1999

Départ pour Perpignan, pour la remise du prix Méditerranée qui m'a été décerné, l'an dernier, pour *Le Chemin de Jérusalem*. Le lauréat 1999 est Jean Daniel, pour son ouvrage *Avec le temps*. Déjeuner dans une maison de pêcheurs, à quelques kilomètres de Perpignan, avant une séance de signatures à la mairie du village.

Le soir, le président du conseil régional, Michel Vauzelle, offre un dîner au palais des rois de Majorque. Je suis assis à côté de Noëlle Châtelet, particulièrement sensible à l'atmosphère qui règne dans ces lieux. « Les pierres parlent », me dit-elle.

J'écoute avec infiniment d'attention et d'appréhension. Mais, décidément, seules les pierres des temples égyptiens me parlent. Je suis un peu inquiet de mon « égyptocentrisme ». Et j'essaye désespérément d'entendre les pierres du palais des rois de Majorque. En revanche, je trouve le beau visage de Noëlle Châtelet extrêmement parlant.

Paris-Shanghai, mardi 14 septembre 1999

Dans le salon d'honneur de l'aéroport Charles-de-Gaulle, une délégation venue accueillir le Premier ministre de Guinée-Bissau. Ces messieurs m'affirment que paix et prospérité règnent dans leur pays, qui est fier d'être membre de la Francophonie.

À notre arrivée à Shanghai, Léa, Josse Wahba et moi sommes attendus par des collaborateurs du maire, l'ambassadeur d'Égypte à Pékin, Mohamed Nooman Galal, et le consul général d'Égypte à Shanghai, Abdel Fatha ez-Eldine.

La ville est méconnaissable. Les gratte-ciel ont poussé comme des champignons. Partout, des autoroutes qui se faufilent entre les tours de béton.

Shanghai, mercredi 15 septembre 1999

J'ai été invité à prononcer une conférence dans l'une des universités de Shanghai sur l'avenir des Nations unies. Un auditoire jeune, encore que beaucoup de professeurs aient pris place dans la salle. Mon exposé terminé, je propose d'entamer la discussion : « N'hésitez pas à me poser des questions non diplomatiques, et je vous ferai des réponses non diplomatiques. »

Je suis habitué à ce que cette phrase détende l'atmosphère. Ici, mes propos ne soulèvent aucune réaction. Le sens de l'humour diffère d'un continent à l'autre.

Un professeur chenu me pose une question technique sur les mécanismes onusiens. La question non diplomatique vient d'un jeune étudiant :

« Les États-Unis constituent-ils un modèle idéal de démocratie ? »

Silence dans la salle. On pourrait entendre une mouche voler.

Je réponds brièvement :

« Sur le plan de la politique intérieure, c'est incontestablement une démocratie. Sur le plan de la politique extérieure, ce n'est pas une démocratie. »

(Dans la soirée...) Les consuls généraux d'Égypte et de France se sont associés pour offrir une réception dans un grand hôtel de la ville. Le consul général d'Égypte, en poste à Shanghai depuis quelques semaines seulement, connaît encore fort peu de monde. Le Français a donc lancé les invitations, à charge pour l'Égyptien de régaler l'honorable assemblée. Le consul général de France parle couramment chinois. Il a prononcé son discours en mandarin. Je décide, pour ma part, de m'exprimer en arabe puisque, après tout, c'est l'Égypte qui offre cette réception. Un de mes amis, farouchement francophone, me reproche sévèrement de ne pas m'être adressé en français aux invités, qui appartiennent pour la plupart à la communauté francophone de Shanghai.

Shanghai, jeudi 16 septembre 1999

Je mets à profit cette matinée libre pour explorer les rues avoisinant l'hôtel. Un quartier sans doute peu représentatif de Shanghai. Rues opulentes, boutiques regorgeant de toutes sortes de marchandises à l'intention des touristes qui, si l'on en croit les autorités chinoises, devraient atteindre les cinquante millions dans les années à venir.

Visite du nouveau musée de Shanghai. Magnifique collection de bronzes. Léa me fait remarquer que l'on a pris soin de mentionner les noms des donateurs de certaines pièces rares, et notamment celui du financier Sassoune, qui fit fortune à Shanghai au début du siècle. Signe que la Chine – en tout cas Shanghai – est en train de s'ouvrir au monde extérieur sans rien renier de son passé colonial.

(Un peu plus tard…) Je retrouve le maire de Shanghai Chen Liangiou, un des hauts dignitaires du pays. Il évoque notre première rencontre. J'étais alors secrétaire général de l'ONU. Passionnante conversation, en anglais, sur les dangers de la mondialisation et la nécessité de préserver la diversité linguistique et culturelle.

Shanghai-Dalian, vendredi 17 septembre 1999

Nous partons, ce matin, pour Dalian, où nous sommes accueillis par le vice-maire. On a déroulé le tapis rouge. De jeunes enfants nous offrent des brassées de fleurs. Spectacle de danses et de chansons.

Réception officielle à la mairie. Des enfants par centaines, tout de rouge vêtus, reprennent en chœur, au rythme de leurs tambour, un slogan, dont je demande la signification à l'interprète qui nous accompagne.

« On peut traduire cela de deux façons : "Bonne santé au grand-père", ou alors "Bonne santé au grand homme".

– À choisir, je préférerais "grand homme". »

Mais il m'explique que le terme « grand-père » a une connotation plus respectueuse et plus affectueuse que celui de « grand homme », parce qu'il évoque tout à la fois la sagesse des années et la tendresse portée aux aînés.

Dalian, samedi 18 septembre 1999

Nous visitons, ce matin, la forteresse de Port-Arthur, à une trentaine de kilomètres de Dalian. C'est là que s'est déroulée, en 1905, la célèbre bataille entre les Russes et les Japonais, bataille qui se solda par une défaite russe.

La vue que l'on a sur la mer m'évoque le *Cimetière marin* de Paul Valéry… en Chine. Simple jeu de correspondances ou réflexe de transposition ? Nomadisme de l'identité culturelle que vous emportez, sans le savoir, dans vos bagages.

Kunming, dimanche 19 septembre 1999

La ville de Kunming est située à l'autre extrémité du pays, dans le Yunnan, près de la frontière entre la Chine, la Birmanie, le Laos et le Vietnam. Kunming abrite, en ce moment, une gigantesque exposition florale. L'ambassadeur d'Égypte a annoncé aux autorités chinoises mon intention d'inaugurer le pavillon égyptien.

« J'ai écrit au Caire, me dit-il, pour demander qu'une personnalité vienne inaugurer notre pavillon. Mais je n'ai reçu aucune réponse. Je suis heureux que vous ayez accepté d'être ici aujourd'hui. Grâce à vous, l'honneur est sauf. »

L'exposition s'étend sur plusieurs dizaines de kilomètres et nous nous déplaçons dans des petites voitures électriques. Le pavillon égyptien veut imiter un temple pharaonique « moderne ». En d'autres termes, il ne porte pas l'usure du temps, mais celle des intempéries. Les haut-parleurs déversent la voix de notre grande chanteuse nationale, Oum Kalsoum. Je me croirais au Caire. Échange de discours, l'hymne national chinois succède à l'hymne national égyptien.

Nous poursuivons notre visite de l'exposition. Alors que nous parcourons une immense serre, la jeune Chinoise qui nous sert de guide s'arrête devant un bouquet de fleurs encore en boutons et se met à chanter doucement. J'assiste alors, médusé, à l'un des spectacles les plus fascinants qu'il m'ait jamais été donné de voir. Les fleurs, comme charmées par cette mélodie, éclosent les unes après les autres. Nous restons muets d'admiration.

Dali, lundi 20 septembre 1999

Nous nous envolons très tôt pour Dali, où nous sommes accueillis par le maire. Nous continuons en voiture, pour aller visiter, à une heure de là, un lieu totalement surréaliste : une forêt pétrifiée. Le maire, conscient du parti qu'il peut tirer de cet étonnant phénomène naturel, envisage d'y organiser des spectacles son et lumière.

Kunming-Beijing, mardi 21 septembre 1999

Il y a quatre heures de vol entre Kunming et Beijing, presque autant qu'entre Paris et Le Caire. On nous a réservé une suite au Grand Hôtel de Beijing. D'une des fenêtres, on aperçoit une partie de la grand-place Tian' anmen où se déroulera, le 1er octobre, la parade pour le cinquantième anniversaire de la révolution.

(Le soir…) Nous sommes invités à dîner par les membres de l'association des Nations unies de Chine dans un hôtel proche. Nous sommes pris dans un embouteillage qui nous ferait presque regretter Paris aux heures de pointe. Il nous faut plus d'une heure pour parcourir les quelques centaines de mètres qui nous séparent de l'hôtel.

Nous repartons comme nous sommes venus, pare-chocs contre pare-chocs.

Beijing, mercredi 22 septembre 1999

Voilà quelques jours, à Shanghai, je donnais une conférence devant la jeunesse chinoise. Place, aujourd'hui, au troisième âge.

Je m'adresse ce matin aux membres de la commission des Affaires étrangères de la Conférence consultative du peuple de Chine, assemblée que l'on pourrait comparer au Sénat en Occident. Il y a là une soixantaine d'anciens ambassadeurs et d'anciens gouverneurs. J'aperçois l'ambassadeur Guo Jiading, qui participe aux travaux du panel international Démocratie et Développement à l'Unesco.

Les questions de mes auditeurs montrent qu'ils suivent avec la plus grande attention les développements de l'actualité internationale. Je suis frappé par la formulation tout en calme et en clarté de leurs interventions, et par la minutie de leurs analyses. Est-ce à mettre au compte de leur culture marxiste ou de leur longue expérience de la vie politique et diplomatique ?

La séance est interrompue à midi. Dans une heure, toutes les grandes artères seront fermées à la circulation. C'est aujourd'hui répétition générale en prévision de la grande parade du 1er Octobre.

Nous sommes pour ainsi dire consignés à l'hôtel, d'où l'on entrevoit la gigantesque parade. Des milliers et des milliers de soldats, d'ouvriers, de jeunes filles défilent avec solennité, au milieu d'énormes chars de carnaval figurant des locomotives, des bateaux, des maisons. Ce convoi impressionnant progresse en ordre rangé vers la Grand-Place. Tout ici est à une autre échelle.

Beijing, jeudi 23 septembre 1999

Le maire de Dalian, Bo Xilai, qui est actuellement de passage à Beijing, en compagnie de son épouse, souhaite me faire citoyen d'honneur de sa belle ville. Le représentant du protocole qui m'en informe se fait un devoir de m'annoncer tous les avantages que cela me conférera :

« Votre nom, me dit-il, sera gravé sur le monument dédié aux citoyens d'honneur. Vous bénéficierez d'un permis de résidence. Vous serez l'hôte d'honneur de toutes les festivités organisées par la ville. Les terrains et résidences que vous voudriez acquérir vous seront cédés à moitié prix. »

Suprême honneur : je serai en droit de faire des commentaires ou d'émettre des suggestions sur la manière dont la ville est gérée.

(Dans l'après-midi…) Je suis reçu par le Premier ministre Li Peng et son épouse. J'expose à mon hôte les activités de la Francophonie, qui semblent manifestement l'intéresser. Il me parle, pour sa part, des trois dossiers qui dominent la politique chinoise pour l'heure : les relations avec Taïwan, les activités de la secte Falunlong dont le chef, remarque-t-il avec une évidente réprobation, vit aux États-Unis, et l'entrée de la Chine à l'Organisation mondiale du commerce.

Beijing, vendredi 24 septembre 1999

Entretien avec Li Chen Chieng, le ministre des Affaires étrangères, qui a préfacé l'édition chinoise du *Chemin de Jérusalem*. Ce que je lui dis de la Francophonie retient toute son attention, en particulier le thème du prochain sommet : le dialogue des cultures.

L'après-midi, je reçois, dans ma suite, à l'hôtel, la traductrice du *Chemin de Jérusalem*, puis le professeur Wang Lin Xue, membre du « Sénat » chinois, qui a assisté à ma conférence de la veille. Nous nous connaissons déjà. Cet homme politique, qui est aussi un artiste spécialisé dans la peinture des bambous, m'avait offert aux Nations unies, en mars 1995, l'une de ses œuvres. Une immense fresque d'un mètre cinquante sur douze, que j'ai dû me résigner à entreposer, soigneusement roulée, dans mon appartement, faute de place.

Paris-Lausanne, samedi 25 septembre 1999

Arrivée à Paris aux petites heures du matin. Un peu plus tard, je m'envole pour Lausanne, où je dois assister aux travaux de la commission chargée de réformer le Comité olympique. Je retrouve Henry Kissinger, lui aussi membre de cette commission. Il vient de terminer la lecture de mon dernier livre « qui met en lumière l'incapacité et la fourberie de Madeleine Albright ». Décidément, il y a plus vindicatif à l'égard de cette dame que l'ancien secrétaire général des Nations unies.

Paris, mercredi 6 octobre 1999

L'ambassadeur d'Arabie Saoudite offre une grande réception en l'honneur de son compatriote, Ghazi Algosaibi, candidat au poste de directeur général de l'Unesco. Il est en compétition avec l'ambassadeur du Japon à Paris, Koïchiro Matsuura, et mon ami Ismaël Serageldin. J'ai tenu, par ma présence, à montrer aux Saoudiens que je soutiendrai la candidature de leur candidat si Ismaël, pour qui j'ai fait campagne, venait à se désister, d'autant plus que Ghazi a été mon étudiant dans les années cinquante, à l'université du Caire.

Paris, vendredi 8 octobre 1999

Rencontre avec Alexis Thambwe Mwamba, un des chefs de la rébellion de Goma. Il est en charge, au sein du Rassemblement congolais pour la démocratie (RCD), des relations extérieures.

« Le RCD réaffirme que le Congo reste un pays francophone et tient à ce que l'Organisation internationale de la Francophonie soit représentée parmi les médiateurs du dialogue intercongolais. D'autant plus que nous avons eu de sérieux problèmes de communication et de traduction de documents de l'anglais vers le français et du français vers l'anglais, lors des discussions de Lusaka », me dit-il.

Avant d'ajouter :

« Mais nous avons des réticences quant au choix du président Zinsou comme médiateur. »

J'explique à mon interlocuteur que la Francophonie est engagée dans la promotion du dialogue intercongolais depuis octobre 1998, c'est-à-dire bien avant la signature des accords de Lusaka, et qu'elle travaille en étroite collaboration sur ce dossier avec la communauté de Sant'Egidio. Je suis très clair sur le fait que je n'ai aucunement l'intention de remplacer le président Zinsou, qui est et restera le facilitateur de la Francophonie.

Thambwe Mwamba est un ancien mobutiste, qui a été ministre des Travaux publics après avoir dirigé une société minière dans le Kivu. Il m'a fait bonne impression : un homme industrieux, fier et actif. Il appartient à cette intelligentsia congolaise qui a tenté de faire du Congo une nation. Quel est le poids réel de ce mouvement sécessionniste aujourd'hui ?

Nous convenons de nous retrouver avec le « président » Émile Ilunga, le chef du RCD, le 2 novembre prochain.

(En fin d'après-midi...) J'assiste, à l'Unesco, à la cérémonie de remise des *Mélanges Karel Vasak*. Federico Mayor évoque avec sa chaleur toute catalane la longue amitié qui le lie à Karel Vasak.

J'interviens à mon tour :

« Cher Karel Vasak, [...] vous êtes une certaine image de Rabelais. Car vous êtes non seulement un bon vivant, mais aussi de manière plus fine le symbole de la générosité, une générosité qui ouvre à l'universel.

« À ce propos, je ne peux résister à l'envie d'évoquer une anecdote que vous m'avez livrée un jour, et qui rend compte d'une autre composante essentielle de votre personnalité : l'humour. Vous aviez choisi de prendre la nationalité française. Et vous deviez vous soumettre à la tâche fastidieuse du formulaire administratif dans lequel on vous demande, en quelques mots, de retracer les faits marquants d'une vie. Le fonctionnaire zélé, chargé d'examiner et d'évaluer votre capacité d'adaptation à la société française, ne fut que peu impressionné par la liste interminable de vos diplômes. Et il gratifia votre demande d'un "assez bien". Toujours est-il qu'il vous vint alors l'idée géniale de mentionner que vous étiez, aussi, diplômé en œnologie. Peut-être eût-il fallu commencer par là. Car le connaisseur et l'amateur de grands vins eut immédiatement raison de docteur en droit. Et aussi, bien sûr, du fonctionnaire qui raya consciencieusement la mention "assez bien" pour la remplacer par un "très bien" triomphant. »

La cérémonie se termine par un discours très personnel de Karel Vasak, où il remercie sa femme et ses six enfants qui lui ont donné à leur tour onze petits-enfants. Un sourire de satisfaction éclaire son visage lorsqu'il évoque, en guise de conclusion, cette croyance tchèque :

« Les paysans, chez moi, ont coutume de dire que le plus heureux des hommes est celui qui a eu six enfants : quatre fils et deux filles. C'est exactement mon cas. Quatre fils, car il faut être quatre pour porter le cercueil en terre, et deux filles pour entourer et soutenir celle qui reste. Cette image est-elle triste ? Pour moi, elle est l'image de l'ultime bonheur... », conclut Karel Vasak d'une voix troublée par l'émotion.

Paris, samedi 9 octobre 1999

J'ai fait, ce matin, une séance de photos peu ordinaire. En arrière-plan, la tour Eiffel et son compte à rebours lumineux, en attendant l'an 2000. On m'a mis entre les mains un casque bleu, celui-là même que portent les troupes onusiennes de maintien de la paix. Sur le casque, une colombe blanche que je pense empaillée. Je ne tarde pas à m'apercevoir que la colombe est bien vivante, et qu'elle préférerait s'envoler, mais ses pattes sont retenues au casque par un fil. Objet de cette prestation : un album dans lequel chaque jour de l'année sera illustré par une personnalité et l'objet qui symbolise le mieux son action.

Strasbourg, mardi 12 octobre 1999

Je suis à Strasbourg pour faire la promotion de *Mes années à la maison de verre.*

Auparavant, je rencontre le secrétaire du Conseil de l'Europe, un Autrichien, qui se dit prêt à collaborer avec l'Organisation internationale de la Francophonie. Je donne ensuite une conférence, avant de me rendre à la librairie Kléber, où je donne une seconde conférence. Un même thème – le rôle des Nations unies – mais un public totalement différent.

L'avion qui doit me ramener à Paris a du retard. Je profite de cette pause forcée pour visiter la cathédrale et les petites rues piétonnes qui l'entourent. C'est une première ! Pourtant je suis venu à maintes reprises à Strasbourg. Servitudes de la diplomatie. Se déplacer de ville en ville, de pays en pays, avec pour unique paysage le décor aseptisé et impersonnel des chambres d'hôtel et des salles de réunion.

Paris, samedi 16 octobre 1999

J'éprouve un sentiment de satisfaction, de plénitude même. J'ai passé huit heures d'affilée à préparer la conférence que je dois donner à Tokyo en décembre prochain. Rien d'original dans le thème, puisque j'ai choisi de parler de la paix, du développement et de la démocratie, mon cheval de bataille depuis quelques années, mais le monde change et ces impératifs demeurent, avec plus d'acuité, peut-être, aujourd'hui qu'hier.

Brest, mardi 19 octobre 1999

Je poursuis ma tournée de promotion littéraire. Après Strasbourg, Brest. J'arrive au moment même où un cargo égyptien, arraisonné dans le port de Brest, voit les hommes d'équipage, qui n'ont pas été payés, se mettre en grève.

Cela me rappelle mon arrivée à Bogotá, en 1980, où j'étais venu pour demander la participation, même symbolique, de troupes colombiennes à la force multinationale qui devait prendre position dans le Sinaï, à la frontière entre l'Égypte et Israël. La presse ne parlait alors que de l'arrestation, par les autorités égyptiennes, d'un jeune cuisinier colombien et de sa fiancée, tous deux employés sur un navire qui transportait clandestinement d'énormes quantités de drogue. « Est-ce qu'ils vont être condamnés à mort ? Vous savez qu'ils sont innocents. Ils ignoraient tout du chargement du navire. Le capitaine est seul responsable. D'ailleurs, il y a des précédents. » J'avais vainement essayé d'expliquer à une presse colombienne hostile et déchaînée que l'affaire était entre les mains de la justice égyptienne, et que je n'avais, en tant que ministre des Affaires étrangères, aucun pouvoir en la matière.

Fort heureusement pour mon livre, aujourd'hui, à Brest, l'incident du cargo égyptien n'a fait l'objet que d'une courte et unique interview à la télévision.

La librairie qui m'accueille a fort bien organisé les choses.

Après le déjeuner, je rencontre un groupe d'enfants d'une dizaine d'années. Je tente, en employant des mots simples et familiers, de leur expliquer le rôle des Nations unies. Ils me posent ensuite les questions qu'ils ont préparées avec leur professeur, et qu'ils lisent avec beaucoup d'application. Je m'oblige à renoncer aux explications techniques que je sers habituellement aux adultes. C'est pour moi une expérience nouvelle, difficile, et qui me demande un effort particulier.

(Dans l'après-midi...) Je donne une conférence à l'université Victor-Segalen. Il était précisé sur l'affiche que l'entrée était libre et gratuite. Ce qui explique, sans doute, que je trouve un amphithéâtre bondé, où se côtoient étudiants et retraités.

Je reviens à Paris, littéralement épuisé. Je commence à douter de l'utilité de tels déplacements, tant pour la Francophonie que pour mon livre. Fayard a encore prévu de m'« expédier » à Marseille, Lyon et Dijon. J'ai pris la décision d'annuler ces nouvelles prestations. Je proposerai à mon éditeur de m'organiser une série d'interviews radio ou télé, à Paris.

Bruxelles, lundi 25 octobre 1999

Je pars pour Bruxelles avec Léa, où nous retrouvons l'hôtel Amigo, que j'affectionne particulièrement.

La reine Fabiola a souhaité nous rencontrer, elle dînera ce soir avec Léa. Je lui offre un exemplaire dédicacé de *Mes années à la maison de verre*. Je suis toujours aussi sensible à son charme et à sa gracieuse autorité.

Je vais, de mon côté, dîner avec le ministre des Affaires étrangères, Louis Michel, et son ambassadeur à Paris, Alain Rens, qui était en poste au Caire lorsque j'étais en charge de la diplomatie égyptienne.

Le ministre belge, un homme à la stature imposante qui dénote un sérieux coup de fourchette, m'expose sa stratégie en Afrique d'une voix calme et ferme. Il s'exprime avec clarté et précision, un peu à la manière des eurocrates de Bruxelles. Il reproche à la diplomatie française de vouloir faire cavalier seul. Je lui fais remarquer que la diplomatie de la Francophonie n'est pas nécessairement la diplomatie de la France. Sa connaissance de l'Afrique, son intérêt vrai pour ce continent me touchent. Moi qui n'ai rencontré, ces dernières années, auprès des responsables européens que méconnaissance, indifférence ou pessimisme.

Paris, mardi 2 novembre 1999

Je reçois Émile Ilunga, le chef du Rassemblement congolais pour la démocratie-Faction Goma. L'homme est fin, souple. Il fait preuve de flair et de discernement. Il est accompagné d'Alexis Thambwe Mwamba, que j'ai rencontré au début du mois d'octobre, et de Médard Mulangola Lwakabwanga.

Après m'avoir assuré de son attachement à la Francophonie, il m'explique les motifs de la méfiance que son mouvement nourrit à l'égard du facilitateur choisi par elle, le président Émile Derlin Zinsou :

« Il est venu à plusieurs reprises à Kinshasa et n'a jamais songé à nous rencontrer à Goma. Comment peut-il mener une médiation en ignorant l'un des protagonistes du conflit ? »

Je lui rappelle que nous avons essayé plusieurs fois d'établir des contacts avec le RCD de Goma, sans succès. Il peut être rassuré quant à notre parfaite neutralité. Nous n'avons d'autre intention que de contribuer à une solution pacifique. Émile Ilunga insiste. Il me suggère de nommer Nicéphore Soglo en remplacement du président Zinsou.

« Je n'ai aucunement l'intention de changer de facilitateur, dis-je. Et si les différents protagonistes récusent ce choix, la Francophonie est prête à se retirer purement et simplement. »

Il ne désarme pas et propose que l'Organisation de l'unité africaine et la Francophonie convoquent une réunion restreinte d'une quinzaine de personnes afin de procéder à la désignation d'un nouveau facilitateur.

« Cela nous ferait perdre un temps précieux, et il sera difficile de trouver les financements nécessaires. Il me semble plus judicieux de réunir, de manière informelle, une dizaine de représentants des différentes mouvances politiques pour qu'ils puissent échanger leurs points de vue en marge des accords de Lusaka et définir les premières étapes pour l'application effective de ces accords », lui dis-je.

Émile Ilunga va se rendre à Bruxelles pour tenter de rencontrer le ministre Louis Michel et lui faire part des différentes options possibles pour lancer le processus de paix.

Ntolé Kazadi, mon conseiller pour les affaires africaines, me rapporte plus tard qu'Émile Ilunga et ses collaborateurs sont très satisfaits de notre entretien mais qu'ils ne se départent pas de leur méfiance à l'égard du président Zinsou. L'accueil enthousiaste qui lui a été réservé lors de sa première visite à Kinshasa n'est sans doute pas étranger à cet état de fait.

Paris, samedi 27 novembre 1999

Lettre de Jacques Chirac, président en exercice de la commission de l'Océan indien, qui m'invite à participer au sommet des chefs d'État et de gouvernement à Saint-Denis de la Réunion.

Je me rappelle que lors du sommet de Moncton, alors que je venais d'énumérer les accords conclus entre l'OIF et différentes organisations internationales, le président Ratsiraka de Madagascar avait pris la parole pour me reprocher, avec une certaine virulence, de ne pas avoir conclu d'accord avec la commission de l'Océan Indien. Cette institution, créée en 1984, associait, à l'origine, Madagascar, Maurice et les Seychelles, États auxquels vinrent se joindre, en 1986, la France, à travers son département de la Réunion, et les Comores. Ce qui représente seize millions d'habitants, un million de kilomètres carrés de terres insulaires et une zone économique de sept millions de kilomètres carrés dans l'océan Indien. En réalité, cette organisation est déjà, de fait, étroitement associée à la Francophonie, puisque ses cinq États membres sont également membres de l'OIF. Sans compter que l'université de l'océan Indien a son siège à la Réunion, et l'Institut francophone pour l'entreprenariat à Maurice.

Paris, mardi 30 novembre 1999

Ouverture de la Conférence ministérielle de la Francophonie au centre Kléber. La session est présidée par le ministre canadien, Ronald Duhamel, un homme cordial, simple et direct, qui officie, aujourd'hui, pour la première fois, de graves ennuis de santé l'ayant empêché d'être présent à Moncton. Je dois reconnaître qu'il mène cette réunion tambour battant, avec une bonne humeur et une énergie stimulantes pour tous.

Saint-Denis de la Réunion, mercredi 1er décembre 1999

C'est mon premier séjour à l'île de la Réunion, que l'on compare souvent à l'île Maurice. Pour ma part, je ne retrouve pas ici le charme si particulier de Maurice. Je passe cette première journée cloîtré dans ma chambre de l'hôtel Créolia, à lire le rapport largement prospectif de la commission de l'Océan Indien. Beaucoup plus d'actions à réaliser que d'actions réalisées.

Ce type de rapports est largement répandu dans les organisations internationales, qui dissimulent derrière de savantes projections sur l'avenir les insuffisances de leur activité. J'ai bien tenté de remédier à cet état de choses dans les rapports onusiens, mais l'on m'a expliqué que la mention de projets à venir constituait déjà un premier pas non négligeable sur le chemin de l'action…

Saint-Denis de la Réunion, jeudi 2 décembre 1999

Le ministre français délégué à la Coopération et à la Francophonie, Charles Josselin, nous a invités à dîner dans un charmant hôtel de Saint-Gilles, construit en bordure de l'unique plage de sable de l'île.

Premier arrivé, je bavarde longuement avec lui, autour d'un verre de rhum, la spécialité de l'île. J'évoque, une nouvelle fois, mon projet d'associer l'Italie à la Francophonie. Comme Hubert Védrine, il trouve l'idée excellente, mais, ajoute-t-il, encore faut-il l'accord et l'appui du gouvernement italien.

J'ai eu l'occasion de m'en entretenir avec Giulio Andreotti, cette grande figure de la politique italienne, qui a fait montre d'intérêt et m'a promis d'y réfléchir jusqu'à notre prochaine rencontre. Mais ce n'est pas à mon niveau qu'une pareille opération diplomatique pourra se régler.

Saint-Denis de la Réunion, vendredi 3 décembre 1999

Ouverture solennelle du sommet des chefs d'État et de gouvernement de la commission de l'Océan Indien au théâtre municipal de Champ Fleuri. C'est Jacques Chirac, en tant que président en exercice de la commission, qui accueille Sultan Chouzour des Comores, Navinchandra Ramgoolan de Maurice, Didier Ratsiraka de Madagascar, et France Albert René des Seychelles. Discours du président sortant, Jacques Chirac, et du président entrant, Didier Ratsiraka.

La séance inaugurale terminée, nous nous transportons dans la salle des délibérations du conseil régional, moins imposante, mais plus accueillante. Nous interrompons très vite nos travaux consacrés aux problèmes de l'intégration régionale pour gagner la villa du département de la Réunion, où se déroule le déjeuner des chefs d'État, à huis clos. Nous prenons place dans une salle attenante.

L'après-midi, longue séance de travail au cours de laquelle je prends la parole. Je demande également à Pietro Sicuro, un collaborateur responsable des nouvelles technologies, d'intervenir pour présenter aux chefs d'État et de gouvernement les différents programmes de la Francophonie dans ce domaine. Son exposé est trop technique et j'ai bien peur que l'auditoire n'ait très vite décroché.

Le président Didier Ratsiraka n'a pas oublié le reproche qu'il m'avait fait à Moncton de ne pas avoir conclu d'accord avec la commission de l'Océan Indien. Je lui réponds que ce sera chose faite cet après-midi même, au moment où il prendra la succession de Jacques Chirac comme président en exercice de la commission.

Je fais préparer le texte de l'accord-cadre que je signe avec le secrétaire général, Caabi Elyachroutu, et le remets au président

Didier Ratsiraka à l'issue du dîner offert par Jacques Chirac à l'hôtel Créolia. Satisfaction du président, qui se félicite de la rapidité et de la dextérité avec lesquelles cette affaire a été menée.

La Réunion-Tananarive, samedi 4 décembre 1999

À l'invitation du président Ratsiraka, nous nous envolons pour Madagascar à bord de l'avion présidentiel. Je suis assis à côté de la charmante ministre des Affaires étrangères, Lila Ratsifandrihamanana, passionnée de littérature, qui m'offre son dernier ouvrage, *Esquisse*, où se mêlent prose et poésie, aux accents de son île natale : *L'Océan, alentour de mon île natale, / Caresse les pourtours des plages littorales, / Et révèle au grand jour un éclat sans égal / Au reflet de l'amour, sous un ciel tropical...*

Tananarive, dimanche 5 décembre 1999

L'ambassadeur d'Égypte, Mohamed Samir Abdel Wahab, nous a invités à déjeuner à sa résidence, située en dehors de la ville. J'ai insisté pour que l'on nous serve un repas égyptien. C'est une belle villa, dont le jardin donne sur un petit lac. Un paysage bucolique, rehaussé, aujourd'hui, par un ciel brouillé où les nuages se disputent un soleil fatigué. Nous prenons place au salon.

Je me retrouve soudain plongé un quart de siècle plus tôt. C'était en 1974, j'avais été chargé d'effectuer, pour le compte de la Ligue des États arabes, une tournée dans certains États africains, dont Madagascar, afin de promouvoir l'idée d'une coopération institutionnelle entre la Ligue arabe et l'Organisation de l'unité africaine, coopération que consacrerait la tenue, en mars 1977, au Caire, du sommet arabo-africain.

Lors de mon passage à Madagascar, l'ambassadeur d'Égypte Ez-Eldine Charaf, un personnage extravagant, assoiffé d'action, débordant d'énergie, et excédé par l'indifférence opposée par Le Caire à ses incessantes suggestions, m'avait ménagé un dîner en tête à tête avec le colonel Richard Ratsimandrava qui allait devenir, au début de 1975, l'homme fort du régime.

Le jeune officier m'avait, ce soir-là, longuement détaillé son plan de restructuration rurale – «*fokonolony*», une forme de gouvernement par des assemblées de village. Selon lui, le renouveau malgache allait se jouer dans les campagnes. Après l'avoir attentivement écouté, je lui avais opposé que cette formule, inspirée de l'expérience chinoise, n'était peut-être pas transposable dans la Grande Île. Il me semblait, en revanche, qu'il assoirait mieux son pouvoir en s'appuyant sur la capitale et sur les villes. Nous parlâmes jusque tard dans la soirée. Il donnait l'impression de boire mes paroles. Il sortit même, à un certain moment, un petit carnet de sa poche pour prendre quelques notes. Le plus cocasse, dans tout cela, c'étaient les interruptions incessantes de l'ambassadeur qui s'exclamait en arabe :

«C'est magnifique, c'est magnifique, nous allons pouvoir établir des relations privilégiées entre l'Égypte et Madagascar!»

La fin, pour lui, de son inactivité! Le début d'une ère nouvelle!

Sur le coup de minuit, j'annonçai que je devais me retirer. C'était sans compter sur l'ambassadeur, exalté, qui me supplia littéralement :

«S'il vous plaît, s'il vous plaît, je vous en prie, au nom de l'Égypte notre patrie, prolongez cette conversation. C'est une opportunité qui ne se représentera plus.»

Il ne croyait pas si bien dire… Quelques mois plus tard, le colonel Richard Ratsimandrava fut assassiné dans les rues de Tananarive, six jours après avoir accédé à la charge suprême.

Tananarive, lundi 6 décembre 1999

Je commence ma journée par une visite de courtoisie au président de l'Assemblée nationale, un personnage aimable, cultivé, féru de philosophie politique. Nous nous entretenons de la promotion des Droits de l'homme, du respect du verdict des urnes, du rejet de l'alternance par les armes.

Je rencontre ensuite le Dr Césaire Rabenoro, président de l'Académie nationale des arts, des lettres et des sciences de Madagascar, où je dois donner une conférence. Ce n'est pas ma première prestation dans ces lieux, puisque je suis déjà intervenu ici même en 1985, lors d'une visite officielle en tant que ministre d'État des Affaires étrangères d'Égypte.

Une salle comble, où se côtoient universitaires, étudiants, diplomates, parlementaires. Je parle, bien évidemment, de la Francophonie avant de répondre aux questions, pertinentes et parfois directes, de mon auditoire :

« Que peut faire la Francophonie face au fléau du sida qui menace l'Afrique ? »

« Quelle est la portée des décisions adoptées par l'Assemblée parlementaire de la Francophonie ? »

« Quelles sont les conséquences du rôle dominant de la France en Francophonie ? »

« Quelles mesures ont été adoptées suite au sommet de Moncton consacré à la jeunesse ? »

Entretien avec le Premier ministre, avant de me rendre au bureau de l'Agence universitaire. Ce bureau a vocation à représenter, plus largement, l'ensemble des opérateurs de la Francophonie. Je suis favorablement impressionné par le dynamisme de l'équipe en place. Un bémol, néanmoins, le côté très « français » de cette équipe. Tant que la Francophonie sera perçue comme une annexe du ministère français de la Coopération, elle aura peu de chances de s'imposer comme une organisation internationale multilatérale.

(En fin d'après-midi...) Je suis reçu en audience par le président de la République, dans l'une des ailes du palais présidentiel restée intacte après les scènes de vandalisme et de pillage qui se sont déroulées lors des troubles qui ont secoué le pays. Didier Ratsiraka m'accueille en arabe, quelques phrases apprises au fil des rencontres panafricaines. Il se félicite de l'accord conclu entre la commission de l'Océan Indien et l'OIF. Il s'enquiert de l'état des négociations intercongolaises, et me rappelle que j'avais contribué à sauver la paix au Mozambique, avant d'en venir à tout autre chose :

« Notre nouvel ennemi, ce sont les criquets et l'épidémie de choléra. Nous avons dépensé huit millions pour enrayer cette épidémie. »

Après un court silence, il se lance sans transition dans une violente diatribe contre les États-Unis, comme si l'évocation de ce fléau en appelait un autre :

« C'est le laboratoire de tous les maux... Le seul grand pays à ne pas avoir signé la convention des droits de l'enfant. »

Je l'écoute sans broncher. Je ne partage pas son antiaméricanisme virulent, même si je dois bien reconnaître que je le rejoins sur certains points.

Au moment où nous nous quittons, le Président a retrouvé toute sa sérénité, et il me salue avec chaleur et courtoisie. Je l'ai trouvé fatigué, préoccupé, par moments exalté, difficile à suivre dans ses idées.

Tananarive-Maurice, mardi 7 décembre 1999

Conférence de presse avant de partir pour l'île Maurice. Je commence par remercier les autorités pour l'accueil chaleureux et amical qui nous a été réservé.

« Qu'attendez-vous de Madagascar ? me demande un premier journaliste.

– Que vous dynamisiez la commission de l'Océan Indien que votre pays préside maintenant. Pêche, commerce, lutte contre la drogue, autant d'objectifs prioritaires.

– Quel est le problème majeur qui menace l'Afrique ?

– La marginalisation du continent et l'indifférence de la communauté internationale face aux fléaux qui le frappent.

– L'impérialisme culturel français n'est-il pas un danger pour Madagascar ?

– Au contraire, c'est une porte ouverte sur l'Europe qui permettra de désenclaver la Grande Île. »

Nous arrivons dans l'après-midi à Maurice. Une importante délégation est là pour nous accueillir et nous fêter : l'ambassadeur d'Égypte, Fayez Bicdache, qui a été autrefois l'un de mes proches collaborateurs, l'ambassadeur de France, et Marie-France Roussety, ambassadrice de Maurice en France, qui a été l'instigatrice de ce voyage.

La nuit est douce. Les vagues viennent caresser la plage avec infiniment de précaution, comme pour préserver le silence qui enveloppe la nuit. Un ciel magnifiquement étoilé dont les grandes villes polluées n'ont plus le bonheur de pouvoir profiter.

Maurice, mercredi 8 décembre 1999

Audience avec le président de la République, Cassam Uteem, au palais présidentiel, une spacieuse villa juchée au sommet d'une colline, et répondant au nom modeste de « Le Réduit ».

Le Président porte une barbe poivre et sel parfaitement taillée, qui lui confère tout à la fois élégance et solennité.

« Maurice, me dit-il, n'a pas connu pareille sécheresse depuis cinquante ans. L'effet sur la production de la canne à sucre, principale exportation de l'île, est désastreux.

– Nous avons adopté, en Égypte, dans les terres désertiques, le système d'irrigation par égouttement.

– C'est malheureusement un système que nous n'utilisons que partiellement », déplore-t-il.

J'évoque, ensuite, notre coopération avec la commission de l'Océan Indien :

« Nous devons dynamiser cette zone, renforcer l'université de l'océan Indien, accroître la coopération régionale, faire de cet ensemble une véritable force économique... »

Je mentionne, également, notre coopération avec le Commonwealth, la mission conjointe d'observation que nous avons dépêchée lors des élections aux Seychelles, le colloque que nous organiserons, ensemble, en janvier prochain, à Yaoundé, sur le thème de la démocratie dans les sociétés plurielles.

Le Président se félicite de cette collaboration, d'autant plus que Maurice est la fois membre du Commonwealth et de la Francophonie.

« Vous pouvez compter sur moi pour vous aider à renforcer cette coopération. Je suis obligé de constater, poursuit-il, que si le français progresse dans notre île, c'est l'anglais qui domine. »

Il mentionne, aussi, l'existence des langues asiatiques, et ne cache pas sa crainte de voir ces différentes communautés se refermer sur elles-mêmes, ce qui pourrait nuire à l'unité de Maurice.

La seconde partie de ma matinée est consacrée à la visite de l'université. Créée en 1968, elle accueille plus de quatre mille étudiants. Tout ici, dans l'organisation comme dans l'enseignement, reflète l'influence britannique. La langue française fait figure de parent pauvre. Et je me livre, dans la conférence de presse que je donne, à un vigoureux plaidoyer en faveur du plurilinguisme, rappelant que lorsque j'étais universitaire, j'enseignais dans trois langues : l'arabe, le français, l'anglais…

Je suis ensuite reçu par le Premier ministre, Navinchandra Ramgoolam, le fils de Sir Seewoosagur Ramgoolam, lui-même Premier ministre de 1968 à 1982, et qui fut le père de l'indépendance mauricienne. Son ministre des Affaires étrangères, Sir Harold Walter, avait été l'un des rares orateurs à prendre fait et cause, lors du sommet de Khartoum de 1978, pour le voyage du président Sadate à Jérusalem. Et j'avais obtenu, alors, du Président, qu'il accorde une entrevue à Ramgoolam père. Je devais le revoir régulièrement par la suite, lors des sessions de l'Assemblée générale des Nations unies. Ramgoolam fils, que j'ai retrouvé avec plaisir, la veille au soir, à la réception de l'ambassadeur d'Égypte, m'accueille avec chaleur et émotion.

« Il faut que Maurice devienne un centre universitaire international. Nous comptons sur la Francophonie et sur son Agence universitaire. »

Le somptueux déjeuner qui suit nous est offert, au Clos Saint-Louis, par le ministre des Arts et de la Culture, M.T.F.H. Tasang Kin, un Chinois. Toutes les nationalités semblent représentées dans ce gouvernement, dont plus de la moitié des membres ont pris place autour de la table. Le ministre des Arts étant attendu pour une importante réunion, le déjeuner est rondement mené. Et je me réjouis déjà à la perspective de retrouver le bungalow de l'hôtel Trou-aux-Biches. Mais Marie-France

Roussety propose que nous visitions le Jardin des plantes. « Ce sera l'occasion de vous recueillir sur la tombe de Sir Seewoosagur Ramgoolam, votre grand ami. »

J'hésite quelque peu. Je m'étais déjà imaginé prendre un bain de mer, suivi d'une sieste réparatrice. Et puis le Jardin des plantes est à l'autre bout de l'île. Mais Marie-France Roussety insiste un peu plus. Et je me retrouve, finalement, devant la tombe du père de l'indépendance de Maurice, avant de découvrir, au détour d'une allée, une rangée d'arbres singuliers.

Chacun de ces arbres laisse éclore, tous les cent ans, une unique fleur blanche, semblable à un cœur de palmier, et meurt aussitôt après. Ce phénomène, aussi émouvant que sublime, me plonge dans un état contemplatif. Je reste immobile au pied de l'arbre centenaire qui vient de donner la vie à cette fleur blanche, messagère de sa mort annoncée. Quel étrange et magnifique symbole !

La responsable du jardin interrompt ma rêverie :

« Nous connaissons avec précision le moment où chacun de ces arbres verra éclore sa fleur. Celui-ci, par exemple, ce sera dans deux ans, celui-là dans cinq ans.

– Et la fleur blanche…

– Elle va se dessécher peu à peu, et mourir avant même que l'arbre ne meure. »

Voilà quelques mois, en Chine, j'ai vu s'ouvrir une fleur aux seuls accents de la voix mélodieuse d'une jeune femme. Aujourd'hui, à Maurice, je découvre un arbre qui met cent ans à produire une unique fleur avant de s'éteindre à jamais. Ces deux images resteront les moments les plus intenses de cette année 1999 qui va bientôt s'achever.

Singapour, jeudi 9 décembre 1999

Je me rends directement de l'aéroport de Singapour à l'hôtel, où je passe ma journée à dormir. Coup de téléphone du professeur Tommy Koh, ancien ministre des Affaires étrangères de Singapour, qui avait été l'un des rares diplomates à défendre l'Égypte lors du sommet des non-alignés, à Cuba, en 1979. Je suis tellement surpris par son appel que je ne pense pas à lui demander comment il a eu vent de ma présence ici. Il m'invite à participer le soir même à un dîner en compagnie de quelques diplomates. Épuisé, je décline son offre. Il me fait parvenir ses derniers ouvrages, que je tâcherai de lire dans l'avion.

Tokyo, samedi 11 décembre 1999

J'inaugure, dans les locaux de l'université des Nations unies, en présence du Premier ministre du Japon, la conférence qui marque le quarantième anniversaire de l'Institut des relations internationales.

Tokyo, dimanche 12 décembre 1999

Je fais la connaissance du recteur de l'université des Nations unies, un Hollandais. Au moment où le poste était vacant, je m'étais prononcé en faveur de la candidature de Yasushi Akashi, qui avait une parfaite connaissance du terrain mais, certes, une moins longue expérience académique. Il aurait d'ailleurs obtenu le soutien inconditionnel des autorités japonaises. Mais Federico Mayor a préféré le candidat hollandais. Je crois, finalement, qu'il a eu raison. Il aurait été délicat qu'une université internationale, localisée au Japon, soit dirigée par un Japonais. En outre, le nouveau recteur me fait la meilleure impression. Il est décidé à tenter une expérience originale et téméraire : corriger, depuis Tokyo, l'eurocentrisme qui caractérise encore la machine onusienne, dans l'esprit comme dans les faits.

Tokyo, lundi 13 décembre 1999

Je ne peux quitter Tokyo sans effectuer mon traditionnel pèlerinage au temple de l'Amiral-Togo. Je suis accompagné de la conseillère de l'ambassade, une charmante jeune femme qui suit la cérémonie avec intérêt et curiosité. Le froid vous transperce jusqu'aux os, malgré les lainages, le manteau et une paire de grosses chaussettes.

Nous partons directement pour l'aéroport où nous arrivons avec de l'avance. Tandis que nous patientons, je remarque qu'elle allume sa cinquième cigarette :
« N'avez-vous pas essayé d'arrêter de fumer ?
– Je compte m'arrêter lorsque j'aurai trouvé un mari », me répond-elle en souriant.

J'atterris à Paris en fin d'après-midi, après douze heures de vol. Je retrouve Léa, revenue le matin même de New York.

Paris, mercredi 15 décembre 1999

Je vais rendre visite à Koïchiro Matsuura, le nouveau directeur général de l'Unesco, afin de m'assurer que mon projet de publier le résultat des travaux de la commission Démocratie et Développement ne sera pas ajourné. Il n'est pas rare, en effet, de voir les longs rapports produits par les commissions savantes relégués au fond des tiroirs de l'Unesco...

Koïchiro Matsuura est un homme de petite taille, mince, le visage empreint de modestie et d'humilité, mais, derrière ses lunettes, un regard qui laisse percer une volonté de fer. Il a l'intention de mettre bon ordre dans cette grande maison qu'il veut réhabiliter. Un doux rêve ? Après tout, une organisation internationale ne peut survivre sans une part de rêve. Pourra-t-il imposer sa vision des choses à une institution essentiellement eurocentrique ?

Beyrouth, mardi 21 décembre 1999

Je suis reçu, successivement, par les trois grands : le Premier ministre, sunnite, le président de la Chambre des députés, chiite, et le président de la République, maronite. Tous trois affichent le même enthousiasme dans la préparation du prochain sommet de la Francophonie, qui doit avoir lieu ici, en octobre 2001. Le dossier a été confié au vice-Premier ministre, Michel Murr.

Le Caire, vendredi 24 décembre 1999

Coup de téléphone de Ntolé Kazadi, qui m'annonce un coup d'État militaire à Abidjan. Cette nouvelle m'afflige. La Côte-d'Ivoire, c'était l'image d'un pays stable et prospère, en quelque sorte un chef de file pour les pays voisins – Burkina Faso, Guinée, Niger, Mali, Tchad. La succession de Houphouët-Boigny s'était déroulée régulièrement. Et voilà qu'un coup d'État militaire vient anéantir, en quelques heures, stabilité, prospérité et démocratie.

Le Caire, dimanche 26 décembre 1999

J'ai rendez-vous avec Esmat Abdel Meguid, le secrétaire général de la Ligue des États arabes, pour m'entretenir avec lui du colloque que je souhaite organiser, en 2000, à Paris, sur le dialogue entre le monde arabe et la Francophonie. Il est très favorable à ce projet dont il confiera la préparation au représentant de la Ligue arabe à Paris.

Le Caire, vendredi 31 décembre 1999

Le président Moubarak nous a invités à assister au spectacle organisé par Jean-Michel Jarre au pied des pyramides. À notre grande surprise, nous sommes placés à la table du Président et de son épouse. Il y a là le Premier ministre et son épouse, Mme Sadate, ainsi que le ministre de la Culture, Farouk Hosni, maître d'œuvre de ce grand événement. Depuis la tente présidentielle, installée au sommet d'un petit monticule, on aperçoit, en contrebas dans la vallée, une foule immense qui chante et qui danse au son des musiques métalliques de Jean-Michel Jarre.

Minuit. Nous nous levons pour embrasser les amis, les relations, et souhaiter une bonne année à tous ceux qui nous entourent, jusqu'à ce que le chef du protocole vienne nous signaler que le Président s'est rassis, nous pressant d'en faire autant. Les effets de lumière, grandioses, qui accompagnent le spectacle, sont malheureusement gâchés par un brouillard et une légère tempête de sable.

Le président Moubarak et son épouse se retirent, nous sommes autorisés à l'imiter. Tandis que nous nous dirigeons, dans une semi-obscurité, vers notre voiture, je suis accosté par les ministres, par mes anciens collègues. Je reçois, ainsi que Léa, en l'espace de quelques minutes, plus de compliments et de louanges que je n'en ai reçu durant toutes mes années en Égypte. Avoir dîné à la table présidentielle, alors que ceux qui nous gouvernent avaient été répartis autour de petites tables, me pare d'un prestige sans pareil aux yeux de la cour moubarakienne !

« Tu as un faible pour cette atmosphère d'adulation, me dit Léa, tandis que je lutte contre la toux d'irritation que m'a déclenchée la tempête de sable.

– De temps en temps, c'est réconfortant. Mais pour bien l'apprécier, il faut que ce soit entrecoupé de traversées du désert, de longs moments de solitude et d'introspection. »

L'année s'est achevée par un gigantesque spectacle de son et lumière. Une gigantesque foire aux illusions, au pied des pyramides, dérangée par une tempête de sable qui est venue, une fois encore, recouvrir nos terres mais, aussi, nous rappeler que le désert – cet océan mort de soif – continuera à préserver les symboles de l'Égypte millénaire, en même temps qu'il ensablera notre développement.

2000

Le Caire, samedi 1er janvier 2000

Lorsque j'étais jeune et que je brûlais la chandelle par les deux bouts, mon souhait était de vivre jusqu'en l'an 2000. Fascination des chiffres. Passé l'an 2000, ma chandelle pouvait s'éteindre.

Ce matin, alors que les rayons du soleil viennent caresser mes draps et illuminer ma chambre comme ils illuminent le temple d'Abou-Simbel pour annoncer la naissance d'un jour nouveau, mon souhait a été exaucé. Mais je ne suis pas même reconnaissant aux dieux de m'offrir ce premier jour de vie en l'an 2000. Comme s'il s'agissait là d'un droit acquis. L'ingratitude : la première caractéristique, sans doute, de l'Homo sapiens.

Assouan, dimanche 2 janvier 2000

Assouan, c'est pour moi l'enfance, lorsque je venais profiter du climat sec qui devait m'aider à traiter mes crises d'asthme.

Assouan, c'est aussi ma jeunesse, lorsque, durant les vacances de Noël, je quittais Paris pour rejoindre mes parents qui passaient les mois de décembre et de janvier à l'hôtel Old Cataract.

Assouan, c'est encore ma période diplomatique, lorsque le président Sadate nous convoquait pour recevoir les chefs d'État étrangers en visite officielle en Égypte ou, plus simplement, pour des réunions de travail.

Assouan, c'est l'une des villes les plus mystérieuses au monde. Et le vieil hôtel Old Cataract, construit au début du XXe siècle, ajoute encore au charme puissant d'Assouan.

L'Agha Khan semble avoir percé le mystère d'Assouan, lui qui venait chaque année se recueillir devant le Nil dieu et qui a voulu être inhumé à Assouan, au sommet d'une colline de sable jaune, sur la rive ouest du fleuve, comme les pharaons se faisaient ensevelir là où le soleil disparaît à l'heure crépusculaire pour renaître le lendemain sur la rive est.

Peu de temps avant sa mort, François Mitterrand a tenu à se rendre à Assouan. Il m'avait confié, à Paris, que ce séjour lui permettrait de mieux supporter ses ultimes souffrances. Et la rumeur circulait parmi le vieux personnel de l'hôtel qu'il aurait aimé mourir à Assouan.

Nous avons réservé la suite royale de l'hôtel Old Cataract qui a abrité tous les souverains et les chefs d'État venus en pèlerinage à Assouan. Une immense terrasse sur le Nil qui laisse, à cet endroit, affleurer des rochers polis par le temps et les crues du fleuve. La température est douce. On croirait une nuit d'été. Au Caire, c'est l'hiver, un hiver africain, certes.

Je suis venu à Assouan à la recherche d'images, de souvenirs, de sensations du passé. Je suis venu retrouver l'Égypte profonde pour me recueillir et remercier les dieux de m'avoir permis de voir l'aube de ce troisième millénaire. Hier, au Caire, j'ai pensé que c'était naturel, que c'était un droit acquis. Aujourd'hui, devant la beauté étrange d'Assouan, je réapprends que rien n'est acquis, que tout est à recommencer sans cesse, qu'il faut être chaque jour reconnaissant de vivre un jour de plus.

Assouan, lundi 3 janvier 2000

J'ai retrouvé, dans le parc de l'hôtel, le rocher que j'aimais à escalader, enfant. J'avais la sensation, du haut de ce promontoire, de dominer le jardin métamorphosé, dans mon imagination, en une immense plaine. La «plaine» a disparu, mangée par un affreux hôtel d'une dizaine d'étages construit durant la période soviéto-nassérienne, et qui, tel un chancre, vient défigurer Assouan la Belle.

J'ai retrouvé un autre rocher près duquel, par un soir de clair de lune, en décembre 1948, j'ai sérieusement songé à épouser N. M., une beauté pharaonique au charme fugitif et mouvant, précieux héritage de l'Égypte éternelle. Le lendemain, nous nous promenions entre les brassées éclatantes de bougainvilliers. Mes parents observaient avec la plus grande bienveillance cette idylle. La princesse pharaonique appartenait à ma «tribu», et ils estimaient qu'il n'était que temps que je me range. Mon retour à Paris, pour terminer mes études, mit fin à ce rêve hivernal.

Assouan, mardi 4 janvier 2000

La politique et ses vicissitudes se chargent de balayer mes souvenirs anciens. Mes collaborateurs me téléphonent depuis Paris pour savoir que déclarer et que faire après le coup d'État à Abidjan. Le temps changeant achève de dissiper mes rêveries. La température s'est brusquement rafraîchie. Nous ne pouvons plus dîner sur la terrasse.

C'est étrange. Les nuits chaudes d'été et les ciels étoilés m'évoquent l'Égypte profonde et un passé romanesque, tandis que les soirées fraîches et les ciels gris me ramènent à l'instant présent et aux problèmes du quotidien.

Assouan, mercredi 5 janvier 2000

Léa insiste. Il faut savoir quitter cet hôtel enchanté. Elle a l'intention d'aller voir le temple de Philae, de se promener dans les souks de la ville. Le gouverneur d'Assouan a mis à notre disposition une voiture et une garde rapprochée. Nous décidons d'aller visiter le nouveau musée. Un bâtiment dont l'architecture imite un temple pharaonique et qui abrite une très belle collection de sculptures antiques.

Le soir, nous retrouvons Abdel Aziz Hegazy et son épouse. Lui a été mon collègue à l'université du Caire, dans les années cinquante. Et son épouse, mon étudiante. Il a gravi avec succès tous les échelons du pouvoir jusqu'à devenir Premier ministre du président Sadate. Depuis, il s'est reconverti dans le secteur bancaire. Nous évoquons avec délices les histoires du passé, lorsqu'il publiait des articles dans *Al-Ahram Iktisadi*, la revue économique et politique que j'avais créée et qui prétendait imiter l'*Economist* britannique.

Cette tendance que nous avons à ne parler que du passé et à occulter le présent m'inquiète. Pourtant Hegazy et moi avons joué un rôle politique dans l'histoire récente de l'Égypte. Peut-être est-ce parce que nous ne sommes plus au pouvoir que nous évitons justement d'aborder les problèmes immédiats de notre pays, préférant remâcher le passé.

Revenus dans notre suite au mobilier désuet nous revoyons, pour la énième fois, à la télévision, *La Femme du boulanger* de Marcel Pagnol, avec toujours autant de plaisir.

Le Caire, vendredi 7 janvier 2000

Le jour du Noël copte, Amin Abdel Nour, qui a épousé ma cousine, offre depuis des dizaines d'années une réception à son domicile, où il invite tout ce qui compte au Caire. Le Premier ministre Atef Ebeid est là, la famille, les amis.

Je bavarde avec Milad Hanna, un des éditorialistes du quotidien *Al-Ahram* qui a reçu le prix Bolivar, l'année dernière à l'Unesco. Il est très inquiet quant à l'avenir des coptes face à la vague intégriste qui submerge toute la région. Il admet que les durcissements identitaires sont toujours possibles et dangereux, surtout lorsqu'ils prennent la forme d'une renaissance islamiste fondamentaliste, mais il est persuadé que les effets bénéfiques de la mondialisation vont se faire sentir jusque dans les villages les plus reculés de la Haute-Égypte et constituer le plus puissant des antidotes au poison de l'intégrisme.

Paris, samedi 8 janvier 2000

Je retrouve la Ville lumière avec plaisir. J'apprends que le président Konan Bédié a définitivement perdu le pouvoir en Côte-d'Ivoire. Je compte lui téléphoner pour lui exprimer ma sympathie. Une règle que je me suis imposée, et à laquelle je ne déroge jamais : manifester mon amitié à ceux qui ont perdu le pouvoir.

Paris, mercredi 12 janvier 2000

Shaharyar Khan, l'ambassadeur du Pakistan à Paris, donne ce soir une réception en l'honneur du prince Hassan Bint Talal de Jordanie qui n'a pas accédé au trône, son frère le roi Hussein ayant, quelques jours avant sa mort, désigné son fils pour lui succéder. Hassan Bint Talal est un homme de petite taille, la silhouette épaisse, un rire tonitruant qui fait voler en éclat les verres de cristal, un solide sens de l'humour et une belle culture politique. Il me donne l'accolade et m'explique qu'il est en quête d'un poste dans une organisation internationale. Il a songé à celui de haut-commissaire aux Réfugiés, autrefois occupé par un autre prince, Sadruddin Agha Khan. Je lui promets de l'aider dans cette nouvelle aventure, bien que je sois loin des arcanes onusiens.

Shaharyar Khan me parle du livre qu'il vient de terminer, *The Beguns of Bhopal*, consacré à sa famille. Il envisage déjà un autre ouvrage sur son expérience au Rwanda.

C'est un brillant diplomate qui appartient à l'aristocratie musulmane. Nous nous connaissons depuis de nombreuses années. Je me rappelle encore ma visite officielle à Islamabad, lorsqu'il était secrétaire d'État aux Affaires étrangères. Alors qu'une foule hostile jetait des pierres sur notre voiture blindée pour exprimer son hostilité à l'égard des Nations unies, Shaharyar Khan, impassible, poursuivait la conversation dans son anglais oxfordien.

Après trente-sept ans de bons et loyaux services, il se retira à Londres. C'est à ce moment que je lui demandai d'être mon envoyé spécial au Rwanda, l'ancien ministre des Affaires étrangères du Cameroun, Jacques-Roger Booh-Booh, ayant souhaité mettre fin à sa mission. Beaucoup de choses plaidaient en faveur de Shaharyar Khan : ses éminentes qualités de diplomate, sa nationalité pakistanaise, gage de neutralité pour l'ensemble des parties engagées au Rwanda, mais aussi sa connaissance parfaite de la langue française, qu'il manie avec autant de bonheur que l'anglais.

Il accepta d'abandonner sa paisible retraite londonienne pour s'engager dans cette mission difficile, pénible et dangereuse. Je l'ai rejoint à Kigali, en juillet 1995. Ensemble, nous avons rencontré les parlementaires rwandais. Nous nous sommes rendus à Nyabuye, dans cette église où des centaines de Rwandais avaient été assassinés, et où planait encore l'odeur de la mort et du génocide. Et nous avons négocié, ensemble, avec les nouveaux dirigeants du Rwanda.

Paris, jeudi 13 janvier 2000

Dîner à la résidence en l'honneur de l'ambassadeur Jean-David Lévitte, qui quitte son poste de conseiller diplomatique du président Jacques Chirac pour rejoindre New York comme représentant permanent de la France auprès des Nations unies. Un petit homme brillant qui a l'art de vous annoncer de mauvaises nouvelles en vous faisant presque oublier qu'elles le sont, art très utile en politique.

Nous avons vécu ensemble, par téléphone, les turpitudes de ma confrontation avec l'administration américaine dans les derniers mois de l'année 1996. Il envisage son nouveau poste avec satisfaction. Je me demande si sa mission à Paris, auprès de Jacques Chirac, n'était pas plus intéressante que celle qui l'attend aux Nations unies.

Il y a là, aussi, l'ambassadeur d'Arabie Saoudite, le cheikh Faysal Alhegelan, et sa charmante épouse Noha. Un couple qui fait honneur au monde arabe. Défendre l'image de l'Arabie Saoudite ne doit pas être chose aisée. Ces deux êtres raffinés et sophistiqués sont bien loin de l'idée moyenâgeuse que l'on se fait de leur royaume.

Nous avons également invité Mme Gendreau-Massaloux et son époux. Elle a remplacé, à la tête de l'Agence universitaire de la Francophonie, le recteur Michel Guillou, qui avait fait de cette institution une véritable machine de guerre pour la promotion de la Francophonie. Cette petite femme que l'on pourrait croire fragile tant elle est frêle dégage un dynamisme surprenant.

Le dîner se déroule agréablement. Léa a opté pour un repas égyptien : kebabs, riz aux raisins secs, salades orientales. Elle explique avec candeur à nos invités qu'elle ne voulait pas se risquer à rivaliser avec l'excellente cuisine française.

Il est amusant d'observer que tous hésitent à se servir des différentes salades orientales que l'on peut déguster en entrée avec du pain arabe ou en accompagnement des kebabs. De quoi relancer la conversation lorsque s'installent parfois, et au moment le plus inattendu, de longues minutes d'un silence pesant.

Paris, vendredi 14 janvier 2000

Long échange téléphonique avec le président malien, Alpha Oumar Konaré, à propos des événements survenus à Abidjan. Il se dit fort inquiet de la détérioration de la situation, d'autant que la Côte-d'Ivoire joue un rôle moteur dans la région, et notamment au regard des pays limitrophes – Guinée, Mali, Niger, Burkina Faso. En tant que président en exercice de la Communauté des États de l'Afrique de l'Ouest, il compte bien s'impliquer pour sauver la démocratie ivoirienne.

Paris, samedi 15 janvier 2000

Réunion du curatorium de l'Académie de droit international de La Haye.

On en oublierait presque l'âge canonique des participants tant le débat est vif, alerte, passionné. J'assiste à de véritables joutes intellectuelles qui me remplissent d'aise.

Notre président, Nicolas Valticos, ancienne éminence grise du Bureau international du travail, est le plus dynamique d'entre nous. C'est un tiers-mondiste convaincu. Après tout, la Grèce n'était-elle pas jusqu'à récemment, un pays du tiers monde ? Je dois avouer, aussi, que j'apprécie beaucoup son sens de l'humour, qui apporte une note décapante dans ce milieu de juristes austères et d'administrateurs néerlandais rigoristes.

Paris, mardi 18 janvier 2000

Déjeuner en tête à tête avec Hubert Védrine au Quai d'Orsay. Je pense que cette invitation s'adresse malheureusement plus à l'ancien ministre des Affaires étrangères d'Égypte ou à l'ancien secrétaire général de l'ONU qu'au responsable de la Francophonie. Nous parlons longuement de l'hyperpuissance américaine, une expression qu'Hubert Védrine préfère à celle de « superpuissance ».

« La France n'exploite pas suffisamment les potentialités de la Francophonie », dis-je à mon interlocuteur.

Il partage ce constat, mais aussi mon analyse selon laquelle la Francophonie se résume, pour la gauche, à une forme de néocolonialisme déguisé et, pour la droite, à une forme d'antiaméricanisme.

Nous évoquons l'élargissement de la Francophonie qui se fait, pour l'heure, au profit des seuls pays de l'Europe centrale et orientale. Je reviens sur l'intérêt que la Francophonie aurait à associer l'Italie, grande puissance méditerranéenne qui s'intéresse de près aux problèmes du tiers monde, notamment en Afrique du Nord et subsaharienne, et qu'une histoire commune lie, qui plus est, à la France.

Hubert Védrine approuve, mais souligne la difficulté d'une telle opération. Je conçois que cela doit se négocier, dans un premier temps, au niveau des relations bilatérales entre la France et l'Italie. Mais si la France ne s'intéresse que de très loin à la

Francophonie, il paraît peu probable qu'elle ait envie de la redynamiser et de travailler à obtenir la participation de l'Italie. En fait, les deux États les plus proches de la communauté francophone, d'un point de vue historique, culturel et même géographique, à savoir l'Italie et l'Algérie, ne sont pas membres de la Francophonie.

Au moment du dessert, auquel le ministre touche à peine, je lui rappelle que l'accord de siège entre l'OIF et la France, après deux ans, n'a toujours pas été signé et que l'administration est très en retard dans le versement de sa contribution au budget de l'organisation. Hubert Védrine note soigneusement ces deux remarques dans un petit calepin.

Yaoundé, dimanche 23 janvier 2000

Il est étrange de voir combien je suis voué à hanter toujours les mêmes lieux. Une manière de voyager sans être dépaysé, puisque je retrouve, à Yaoundé, la suite que j'occupais en 1996 lorsque, en plein combat pour ma réélection, j'étais venu ici pour obtenir l'appui de l'OUA.

Un immense salon que prolonge une salle à manger équipée d'une petite cuisine. Une chambre aux proportions tout aussi impressionnantes, le dressing pourrait aisément accueillir un grand lit. Il faut bien deux minutes pour aller d'un bout à l'autre de cette suite, et plus de temps encore pour éteindre toutes les lumières que le personnel laisse continuellement allumées. Je m'empresse chaque soir de procéder à l'extinction des feux, de peur d'être assiégé par les moustiques.

Yaoundé, lundi 24 janvier 2000

Ce matin, je participe à la séance inaugurale du séminaire organisé par le Cameroun, la Francophonie et le Commonwealth sur la démocratie dans les sociétés plurielles.

Je reconnais à peine la grande salle du Palais des congrès de Yaoundé, où j'ai pourtant remporté, en 1996, une de mes grandes victoires politiques en obtenant le soutien du sommet de l'OUA à ma réélection au poste de secrétaire général des Nations unies, en dépit de l'offensive de la diplomatie américaine.

Chief Emeka Anyaoku prononce son discours dans le plus pur anglais. Je m'exprime à mon tour en français, et évoque la coopération étroite qui s'est instaurée depuis deux ans avec le Commonwealth. Cette réunion ne constitue pas totalement une première, puisque nous avions déjà envoyé une mission conjointe d'observation des élections aux Seychelles au début de 1998. Le Commonwealth était représenté lors de la Journée internationale de la Francophonie, le 20 mars 1998 à Paris, et lors de la conférence des Ministres de l'Économie à Monaco, en avril 1999. Réciproquement, l'OIF a assisté à la conférence des Ministres de l'Économie et des Finances du Commonwealth à Ottawa, à l'automne 1998. Et nous avons signé un accord de coopération en juillet 1999.

Puissent ces quelques gestes convaincre tous ceux – et ils sont nombreux – qui continuent à penser que la Francophonie n'aurait d'autre dérisoire mission que de bouter tout ce qui parle anglais hors de l'espace culturel français !

Yaoundé, mardi 25 janvier 2000

Entretien avec Augustin Kontchou Kouomégni, le ministre des Affaires étrangères du Cameroun. À ses côtés, deux ministres délégués, l'un en charge du Commonwealth, l'autre du monde islamique.

J'ai toujours caressé l'espoir que le ministère égyptien des Affaires étrangères s'appuierait un jour sur deux ministres délégués, le premier pour les affaires arabes, le second pour les dossiers africains et soudanais. Malheureusement, la rigidité de l'administration égyptienne est sans égale…

Je retrouve le président de la République, Paul Biya, pour une conversation franche, amicale et détendue. Je lui parle de ma rencontre avec le chef anglophone de l'opposition, John Fru Ndi. Il se souvient que lorsque nous nous étions vus, à Genève, voilà quelques années, je lui avais suggéré de le nommer ambassadeur, tant pour l'éloigner du pays que pour satisfaire les Camerounais anglophones.

« Pourquoi ne pas l'avoir invité à participer au séminaire Francophonie-Commonwealth ? L'impliquer dans ce type d'activités de haut niveau est un bon moyen de lui ôter son agressivité et sa capacité de nuisance, dis-je au Président.

– Il refuse de participer aux cérémonies que je préside », me rétorque-t-il avec calme.

Je n'insiste pas.

Paul Biya est très satisfait du symposium qui se déroule en ce moment même à Yaoundé, et qui rend bien compte de la spécificité franco-anglaise et du bilinguisme du Cameroun. Après m'avoir décoré, il m'offre une chaise de chef : un tabouret sculpté orné de statuettes en bronze.

Visite d'un centre d'édition où est installée une grande imprimerie. Il y a foule pour m'accueillir, et l'on voit fleurir ici et là de grandes banderoles de bienvenue. Je visite l'imprimerie, signe le livre d'or et examine avec intérêt un stock impressionnant de manuels scolaires. On m'explique qu'il revient deux fois moins cher d'imprimer les livres ici qu'en France. Je salue, dans un bref discours, cette initiative, avant de conclure, à la grande satisfaction de mon auditoire, que les livres scolaires ne doivent pas être considérés comme des marchandises, ni comme une source de profit.

Yaoundé, mercredi 26 janvier 2000

Séance solennelle de clôture du colloque Francophonie-Commonwealth. Présentation de la synthèse des travaux par les différents rapporteurs, adoption des conclusions, allocutions de clôture par Chief Anyaoku, le Premier ministre Peter Mafany Musonge et moi-même.

Je donne une brève conférence de presse avec le secrétaire général du Commonwealth, puis nous nous rendons à l'Institut des relations internationales du Cameroun, juché au sommet d'une colline. Je me rappelle avoir donné une conférence ici, il y a une vingtaine d'années, lorsque je parcourais l'Afrique en tant qu'ambassadeur de la Ligue arabe pour défendre le projet de création d'une organisation arabo-africaine. La situation s'est terriblement détériorée depuis. La bibliothèque est en piteux état. Mes livres trônent sur une petite table. Mais je n'en retire aucune satisfaction. Au contraire ! Moi qui entoure mes ouvrages de soins presque maniaques, qui les époussette régulièrement, qui les manipule avec infiniment de précautions, qui cire les livres reliés en cuir, je suis profondément attristé à la vue de tous ces volumes abîmés, déchirés, salis, livrés au plus total abandon.

Coïncidence ? De retour dans ma chambre, je capte la télévision égyptienne qui retransmet l'inauguration, par le président

Moubarak, de l'Exposition du livre. L'Égypte, l'Égypte chérie me poursuit jusqu'ici, au cœur de l'Afrique.

Paris, jeudi 27 janvier 2000

Je rends visite au nouveau président du Niger, Mamadou Tandja, en visite à Paris. Je suis accompagné d'André Salifou, qui intervient avec habileté pour guider la discussion. Le Président, un ancien militaire, a une vision plutôt rigide de la bonne gouvernance...

Paris, dimanche 30 janvier 2000

Hospitalisé pour la nuit à Begin. Je dois passer une endoscopie demain matin.

Paris, lundi 31 janvier 2000

Les résultats de l'endoscopie son excellents, mais le scanner révèle un abcès en forme de demi-anneau autour du côlon. Il va me falloir prolonger mon séjour à l'hôpital.

Paris, mercredi 2 février 2000

L'abcès est vidé sous radiographie. Je m'enquiers auprès du médecin de la suite des événements :

« Que va devenir l'abcès maintenant ?

– Il faut espérer qu'il va disparaître. »

Paris, jeudi 3 février 2000

Coup de téléphone de Jacques Chirac qui a appris mes misères et me demande quand je compte sortir de l'hôpital. Cela me vaut une scène de ménage de la part de Léa : « Tu es incapable de pareilles attentions. Le président de la République, lui, trouve le temps, alors que toi, tu prétends n'avoir jamais le temps de t'occuper de tes collaborateurs ! »

Paris, samedi 5 février 2000

Madame Marie-Josée Jakobs, ministre luxembourgeoise de la Promotion féminine, m'appelle pour m'annoncer que la conférence des femmes de la Francophonie, que j'avais préparée mais à laquelle je n'ai pu assister, a été un succès. C'est un projet auquel je tenais beaucoup.

Il s'agissait, dans mon esprit, cinq ans après la conférence sur les femmes de Pékin, de dresser un bilan des actions menées dans les États et gouvernements membres de la Francophonie et d'organiser une concertation afin que les femmes de tous les pays francophones soient mieux armées, et donc plus actives lors de la session extraordinaire de l'Assemblée générale des Nations unies qui se tiendra à New York en juin prochain. Il s'agissait, aussi, d'identifier et de lancer un certain nombre de projets concrets afin de renforcer la présence des femmes dans les secteurs du pouvoir et du développement, thèmes centraux de cette conférence.

À cet égard, il faut se méfier des *a priori* « occidentaux » qui voudraient que les pays en développement ou en transition cumulent tous les retards. Il n'est que de voir la place réservée aux femmes dans certains gouvernements, parlements ou postes diplomatiques des pays du tiers monde. Par ailleurs, les mères nourricières de l'Afrique ou de l'Asie n'ont pas attendu qu'on leur donne le pouvoir pour faire survivre leur famille, leur village ou leur région. Cela n'empêche pas qu'il faille leur donner les moyens de les faire prospérer, leur donner, surtout, les moyens de se former au plus haut niveau.

De la même manière que je suis persuadé que la marginalisation du fondamentalisme islamique passe par l'émancipation des femmes, je suis persuadé que la participation des femmes au pouvoir nous permettra de faire progresser les valeurs de liberté, de démocratie et de paix dans le monde. Les dictatures, les atteintes aux Droits de l'homme, les guerres ne sont jamais le fait des femmes ! Mais elles en sont presque toujours les premières victimes.

Paris, mercredi 16 février 2000

Longue séance de travail avec Gilchrist Olympio. Il n'a aucune intention d'aider à la réussite du dialogue intertogolais. Il n'a qu'un seul objectif : provoquer le départ du président Eyadéma. Sa présence, dans les pourparlers, ne facilitera pas le processus de réconciliation.

Paris, lundi 21 février 2000

L'abcès sur le côlon s'est reformé. Le spécialiste qui m'annonce cette pénible nouvelle ajoute : « Une consolation, il est plus petit qu'auparavant. » Les médecins sont unanimes : il faut opérer.

Paris, lundi 6 mars 2000

Le prince Hassan de Jordanie vient me rendre visite à l'hôpital, accompagné d'une escouade de gardes du corps. Il souhaite entendre mon point de vue sur sa candidature au poste de haut-commissaire des Nations unies aux Réfugiés.

« Votre Altesse, permettez-moi de vous parler franchement. Vous avez peu de chances d'obtenir ce poste. D'abord, parce que vous êtes jordanien. Ensuite, parce que vous êtes un prince hachémite, descendant du Prophète. Enfin, parce que le problème des réfugiés palestiniens va dominer la politique du Proche-Orient pour les années à venir. »

Il me remercie de ma fraternelle franchise, me souhaite un prompt rétablissement et prend congé, manifestement contrarié par ce que je viens de lui dire. Peut-être suis-je dans l'erreur... Il m'a lui-même annoncé, en arrivant, qu'il avait obtenu l'appui des Américains, et que les nombreuses personnalités avec lesquelles il s'était entretenu, dont le directeur de la Banque mondiale, Jim Wolfensohn, l'avaient encouragé. Pris d'un soudain doute, je téléphone à Wolfensohn à Washington. Il a effectivement rencontré le prince, et pense comme moi qu'il a peu de chances d'obtenir ce poste. Mais il s'est gardé de le décourager et s'est montré plus diplomate. Ces deux semaines à l'hôpital m'ont fait perdre ma rondeur diplomatique...

Paris, mardi 7 mars 2000

Le président Moubarak et son épouse me téléphonent fort gentiment. Ils viennent d'être informés de mon hospitalisation.

Paris, dimanche 12 mars 2000

Je suis enfin de retour chez moi. Je suis pris, ce soir, d'une véritable boulimie de travail. Je prépare la prochaine réunion du panel international à l'Unesco. L'écriture me procure une satisfaction parfaite, une joie difficile à analyser. Je trouve même du plaisir dans la fatigue physique que je ressens après avoir écrit pendant plusieurs heures.

Paris, lundi 13 mars 2000

Passe ma journée au téléphone. Je joins le gouverneur d'Alexandrie pour fixer la date du prochain Conseil permanent de la Francophonie, qui doit se dérouler dans cette ville, en marge de la célébration du dixième anniversaire de la création de l'Université Senghor.

Paris, jeudi 16 mars 2000

Reçois l'ouvrage *Massignon au cœur de notre temps*. Jacques Keryell, qui a rassemblé les contributions d'une quinzaine d'auteurs, m'avait demandé d'en rédiger la préface. Je relis ce texte avec une autosatisfaction évidente. On aime se relire. C'est un peu comme se regarder dans un miroir après s'être rasé.

Nous devons beaucoup à Louis Massignon, « pèlerin des deux rives ». Je lui dois beaucoup. Mais si je devais retenir la quintessence de ce qu'il m'a enseigné, je lui serais reconnaissant d'avoir su me transmettre une meilleure compréhension du monde arabe. Ma perception, avant lui, en était tout intérieure. Il m'a appris à le voir du dehors, avec les yeux de l'« expatriement spirituel ».

Il est un autre grand enseignement qu'il nous a légué, c'est celui du véritable sens de l'hospitalité et de l'accueil exigeant, de l'écoute compatissante et du dialogue respectueux avec l'Autre, l'Ennemi, l'Étranger devenu le Frère, cet autre moi-même cher à la dialectique massignonienne.

Paris, lundi 20 mars 2000

Conversation téléphonique avec le secrétaire général de la Ligue des États arabes, Esmat Abdel Meguid, à propos de la réunion Francophonie-Monde arabe que je voudrais organiser à Paris, dans les prochains mois.

Paris, lundi 27 mars 2000

J'ai reçu l'ouvrage *Désespoir de paix* de l'ambassadeur Eliahou Ben Elissar, mort dans des circonstances très particulières. Il est dédicacé par sa charmante épouse, Nitra : « Avec mes meilleurs souvenirs. Amitiés ».

Eliahou Ben Elissar a été le premier ambassadeur d'Israël en Égypte. Au moment de sa mort, il était ambassadeur d'Israël à Paris. Il très intéressant de voir comment il relate les événements que nous avons vécus ensemble. Un point de vue totalement différent de celui que j'exprime dans *Le Chemin de Jérusalem*. Il cite, à la page 399 de son livre, un article que j'avais écrit en 1975 et dans lequel j'analysais le conflit arabo-israélien en termes de confrontation entre deux idéologies, entre un colonialisme israélien et un mouvement de libération palestinien, et où j'établissais un parallèle avec le conflit qui opposait, en Afrique du Sud, la majorité africaine noire à la minorité raciste blanche.

Ben Elissar, dans son ouvrage, s'élève en faux contre cette interprétation partagée par l'ensemble du monde arabe. Il considère, pour sa part, que le sionisme est un mouvement de libération nationale du peuple juif. Et il affirme, en conséquence, qu'il ne peut en aucun cas être considéré comme un mouvement colonialiste.

Le mouvement sioniste aurait pu, à la rigueur, être considéré, à ses débuts, comme un mouvement de libération pour les Juifs, mais il semble oublier qu'il s'est vite transformé en occupation coloniale imposée aux autochtones palestiniens.

Je compte écrire à Nitra pour la remercier de sa délicate attention. C'est une femme aimable, charmante, séduisante, bien différente de son époux qui – Dieu ait son âme – était pompeux, prétentieux et arrogant.

Paris, jeudi 30 mars 2000

Je reçois, ce matin, un de ces doux illuminés qui veulent transformer le monde à l'image de leurs rêves. Il me demande d'intervenir auprès des autorités égyptiennes afin qu'il puisse mener à bien son projet de percement d'un tunnel entre deux vallées du Sinaï, sa manière à lui de symboliser le dialogue entre les Arabes et les Israéliens. Je ne peux m'empêcher de repenser au peintre Jean Veram qui était venu me trouver, il y a une dizaine d'années, en compagnie de son mécène, Lily de Rothschild. Il voulait peindre en couleurs vives les roches du Sinaï. Le plus étonnant, c'est que je suis parvenu à obtenir l'accord du gouverneur du Sinaï et qu'il a effectivement peint sept ou huit rochers dont les photos ont paru dans plusieurs revues d'art. Je ne sais ce qu'il reste aujourd'hui de cette œuvre éphémère livrée à l'intransigeance du soleil et des tempêtes de sable. À vrai dire, je crois qu'il faut être reconnaissant à ces rêveurs de la touche de fantaisie et de poésie qu'ils mettent dans notre quotidien.

Paris, vendredi 31 mars 2000

Il faut absolument trouver un nouveau médiateur de la Francophonie au Togo, en remplacement de Moustapha Niasse, nommé Premier ministre du Sénégal. Après consultations, mon choix se porte sur Idé Oumarou, ancien ministre des Affaires étrangères du Niger, et ancien secrétaire général de l'OUA. Je téléphone à Koffi Panou, pour lui faire part de mon idée. Il va consulter le président Eyadéma. Il est indispensable que le nouveau médiateur ait la confiance du Président togolais si l'on veut faire avancer le processus de réconciliation nationale.

Paris, samedi 1er avril 2000

Ma lecture quotidienne d'*Al-Ahram*, du *Herald Tribune* et du *Figaro* me conforte dans l'idée que mon pays risque de rater le train de l'histoire. Il continue de courir derrière les événements, et ne parvient ni à saisir, ni à maîtriser, ni *a fortiori* à influencer, les changements qui sont en train de bouleverser la planète. Il suffit, pour s'en convaincre, de faire une lecture comparative de ces trois quotidiens. Nous attachons, en Égypte, de l'importance à des événements de second ordre et pratiquons une logomachie moyenâgeuse et ampoulée. On trouve, en revanche, dans la presse occidentale, des analyses brèves, structurées, qui offrent au lecteur une vue d'ensemble. Quelle différence entre ces articles ramassés, aux sous-titres percutants, et nos textes sirupeux, truffés de qualificatifs hyperboliques, tels que « historique », « inoubliable », « grandiose » ! Nous en sommes encore restés, dans nos pays sous-développés, au style des contes des *Mille et Une Nuits*!

Paris, lundi 3 avril 2000

Troisième et probablement dernière réunion du panel international dans le cadre de la commission Démocratie et Développement que je préside à l'Unesco.

Je suis quelque peu anxieux. J'ai la nette impression que nos discussions restent au niveau des grands principes et des considérations théoriques, et laissent de côté l'aspect pratique du problème. Il est clair qu'on attend de nous un certain nombre de recommandations que nous n'avons pas encore élaborées.

J'ouvre la séance en adressant mes félicitations à Koïchiro Matsuura qui vient d'être élu au poste de directeur général de l'Unesco, et le remercie du soutien qu'il apporte à notre panel.

Je propose ensuite d'entamer le débat sur le rapport entre développement démocratique et sanctions économiques. J'introduis brièvement la problématique : toute action visant à entraver le développement a un effet direct sur la démocratie. Entre la Première Guerre mondiale et 1990, des sanctions ont été décrétées et mises en œuvre à plus de cent quinze reprises. Ces sanctions sont doublement sélectives puisqu'elles touchent, en général, les petits États, les pays les moins avancés et, qui plus est, à l'intérieur de ces pays, les couches les plus déshéritées de la population. Pour reprendre une formule choc : « Les sanctions économiques constituent une violation des Droits de l'homme au nom des Droits de l'homme. » Il faut ajouter à cela les dommages subis par les pays tiers contraints à appliquer les sanctions.

Keba Mbaye partage mon point de vue, et développe même un argument supplémentaire auquel je n'avais pas songé : « Les sanctions économiques ne sont pas véritablement des sanctions, parce que toute sanction est dirigée vers un coupable. Or, les États n'ont pas de pieds pour marcher, pas plus qu'ils n'ont de chair pour sentir. Ce sont les dirigeants des États qui sont responsables.»

De l'avis d'autres participants, ce problème ne relève pas de la compétence de l'Unesco, pas plus que de celle de notre panel. Je ne partage pas ce point de vue, dans la mesure où nous sommes là pour réfléchir à ce qui fait obstacle au développement de la démocratie.

Le deuxième problème que je soumets à mes collègues touche au rapport entre l'assistance internationale et le développement démocratique. Depuis la fin de la guerre froide, s'est fait jour une tendance à vouloir lier l'octroi d'une aide au développement au processus de démocratisation. En d'autres termes, un partenariat fondé sur une vision politique partagée tend à se substituer à la logique donateur-receveur. Certains donateurs ajoutent au processus de démocratisation une conditionnalité supplémentaire : la «bonne gouvernance». Ces clauses contribuent-elles vraiment à faire progresser la démocratie ou, au contraire, ne favorisent-elles pas son recul en donnant naissance, parfois, à des démocraties de façade?

Une majorité des intervenants se prononcent en faveur d'une aide assortie de conditionnalités, sous réserve que ces dernières soient définies en accord avec le pays receveur concerné. En revanche, Guo Jiading y est totalement opposé, et rappelle que son pays, la Chine, octroie une aide aux pays les moins avancés, sans poser aucune condition d'ordre politique ou économique. C'est vrai : il suffit de parcourir l'Afrique pour constater que la Chine est fort généreuse.

Le troisième thème que je propose de traiter concerne le rapport entre décentralisation et développement démocratique, dans la mesure où la décentralisation offre, aux collectivités locales, une grande marge de liberté d'action qui favorise une démocratie participative. Elle permet, également, aux villes et aux régions de gérer les problèmes au plus près des réalités de terrain. Il ne faut pas, pour autant, sous-estimer les risques que porte en germes la décentralisation, particulièrement pour les jeunes États en gestation, en quête d'une unité administrative et politique : réveiller ou attiser les féodalités locales.

Tous les panelistes s'accordent à reconnaître que chaque État constitue un cas particulier, mais que l'un des dangers qui menacent la démocratie est sans conteste la concentration du pouvoir, et que la décentralisation est un moyen de le déconcentrer.

Quatrième thème que nous abordons : minorités et développement démocratique. Toute société est d'une certaine manière plurielle, puisque tout individu a une multiplicité d'appartenances. Ces appartenances doivent être hiérarchisées et canalisées pour ne pas être détournées et constituer de réels obstacles à la démocratie. Le pluralisme articulé et maîtrisé est une source d'enrichissement, une école de tolérance, de dialogue. Comment assurer un développement démocratique dans une société multiethnique ? Comment procéder face à des situations où les regroupements politiques se font sur une base ethnique, religieuse, ou encore linguistique ? Comment garantir les droits des minorités face à la règle de la majorité ? Je mentionne que l'OIF a débattu de tous ces problèmes avec le Commonwealth, en janvier dernier, à Yaoundé.

Abid Hussain estime que « démocratie » ne se réduit pas à « majorité » et que les minorités ont le droit de participer à la vie politique. Un État bien gouverné est un État où les minorités sont en sécurité et où l'État est sécurisé par les minorités.

Guo Jiading rappelle à son tour que la Chine est composée de cinquante-six groupes ethniques, l'ethnie Han étant largement majoritaire, mais que ces différentes minorités sont protégées et jouissent de privilèges spéciaux.

Pierre Cornillon a une approche plus pragmatique. Il opère une distinction entre la situation de minorités concentrées dans une partie du territoire et celle de minorités éparpillées sur l'ensemble du territoire.

Mohamed Bennouna revient sur les conséquences néfastes de l'implantation du système démocratique dans un pays pluriethnique. C'est l'introduction de la démocratie qui est à l'origine, dans de nombreux pays, des affrontements ethniques, car les campagnes électorales se font souvent sur la base de regroupements religieux ou ethniques. Ce néotribalisme est actuellement à l'œuvre en Afrique. Deux remèdes à cette situation : respecter la diversité culturelle et s'opposer à ce que les particularités ethniques, culturelles ou religieuses constituent un critère d'accession au pouvoir.

Han Sung-Joo préconise, pour sa part, trois formules pour résoudre la dialectique entre minorités et démocratie. La première touche à l'éducation et à la diffusion d'une culture de la tolérance. La deuxième, de nature politique, revient à instaurer un fédéralisme qui permet un équilibre entre majorité et minorités. La troisième consiste à fournir une assistance aux minorités marginalisées.

En revanche, Rosiska Darcy de Oliveira n'est pas persuadée que la représentation politique soit une réponse suffisante au problème du dialogue entre majorité et minorités.

Que retenir de cet échange très riche ?

1. la diversité des situations minoritaires doit être prise en compte selon qu'elles sont concentrées ou éparpillées sur le territoire, selon qu'elles constituent un ensemble susceptible d'entrer en concurrence avec la majorité;

2. la démocratie ne saurait se ramener à la règle de la majorité;

3. la représentation politique est une réponse insuffisante. Il faut la compléter par une approche globale, culturelle et économique;

4. une minorité ne doit pas pouvoir disposer d'un droit de veto.

Nous en venons au dernier thème de notre réunion : l'État de droit, ce que les Anglo-saxons appellent «*the rule of law*», et les Arabes «la souveraineté du droit», «*siadaa el-kanoune*».

Selon Isashi Owada, l'État de droit se fonde sur trois principes : la légitimité du pouvoir, la responsabilité et la transparence dans son exercice. Ces trois éléments sont essentiels si l'on veut parvenir à un développement démocratique.

Pour Mohamed Bennouna, l'État de droit se définit par opposition à l'arbitraire – «l'État, c'est moi» –, situation dans laquelle on ne sait jamais de quoi sera fait le lendemain. Or, un minimum de confiance et de certitude est indispensable au développement de l'économie.

Les membres du panel se rejoignent sur l'idée que l'État de droit ne s'enracine pas du jour au lendemain. Cela suppose une culture juridique, une jurisprudence. À ce propos, Alexeï Vassiliev, reprenant Confucius, s'interroge : «D'un bon peuple ou de bonnes lois, lequel doit l'emporter?» Pour finalement répondre que l'éducation est un préalable à l'instauration d'un État de droit.

Abid Hussain complète cette idée : «Pour être appliquées, il faut que les lois soient simples et intelligibles par tous. Elles doivent, aussi, suivre l'évolution d'une société.» Et il ajoute avec une pointe de regret : «Dans mon pays, il y a encore des lois qui remontent à 1918, ce qui n'est pas sans poser de sérieuses difficultés.» Il marque une petite pause, puis reprend : «Les lois peuvent être équitables, mais les juges sont loin d'être tous intègres.»

Rosiska Darcy de Oliveira s'attache quant à elle à souligner les obstacles qui peuvent entraver la suprématie du droit : qu'il s'agisse de l'accès à la justice ou du comportement des juges, différent selon les classes sociales, différent, aussi, selon qu'on est un homme ou une femme.

Paris, mardi 4 avril 2000

Deuxième journée des travaux du panel. Nous devons aujourd'hui aboutir aux recommandations qui seront soumises au directeur général de l'Unesco Koïchiro Matsuura. Une journée difficile. Car dès qu'il s'agit de rédiger un rapport, une résolution ou une recommandation, les mots reprennent tout leur poids. Et les panelistes n'ont pas dérogé à la règle. Ils se sont opposés sur le sens de certains mots, sur la signification de certaines phrases, sur les arrière-pensées de ceux qui s'attachent à une formulation plutôt qu'à une autre durant une bonne partie de la matinée. C'est sans doute notre collègue chinois, Guo Jiading, qui nous a donné le plus de fil à retordre. Il a déploré, à juste titre d'ailleurs, que la plupart des recommandations soient fondées sur une culture juridique et politique occidentale, non conforme à celle de la Chine. Il nous a donc fallu, pour parvenir à un consensus, modifier plusieurs recommandations, voire en supprimer certaines. À 17 heures, horaire prévu par l'Unesco, nos travaux sont enfin terminés. Je remercie les participants qui me remercient à leur tour, et l'on se sépare satisfaits, mais épuisés par ce véritable marathon intellectuel.

Cela aura été une expérience passionnante. Reste à savoir ce que donnera, au final, le *verbatim* de nos discussions et comment il sera reçu par le public. Je me suis engagé, auprès des panelistes, à rédiger les recommandations et la conclusion du document que nous remettrons au directeur général de l'Unesco.

J'ai déjà un plan en tête en ce qui concerne les recommandations, que je compte regrouper selon trois grands axes : l'impact de la mondialisation sur le développement démocratique, les conditions juridiques du développement démocratique, ses conditions socio-économiques.

Paris, jeudi 6 avril 2000

Le délégué général du Québec à Paris, Michel Lucier, offre un déjeuner en l'honneur de son Premier ministre, Lucien Bouchard, en visite officielle en France. Toute la rive gauche est là, Lionel Jospin, Charles Josselin, Jean-Pierre Chevènement.

L'image que l'on se fait du Québec, en France, est très variée. Pour certains, c'est « un morceau de France abandonné dans le Grand Nord ». Pour d'autres, il concourt à l'originalité du Canada, nation bilingue, partagée entre deux peuples. Pour d'autres encore, il symbolise la défense de la langue française.

Il existe un nationalisme ethnique, un nationalisme religieux et un nationalisme linguistique. Le Québec est dominé par un ultranationalisme linguistique, que je respecte, mais dont je trouve qu'il tourne parfois à un chauvinisme agressif. On en arrive d'ailleurs à se demander si le Québec n'a pas finalement envie de jouir du monopole de la Francophonie au Canada, et s'il a un quelconque intérêt pour les poches francophones noyées dans un environnement anglophone. Je pense, pour ma part, que l'activisme québécois gagnerait à s'exercer dans les provinces anglo-saxonnes du Canada plutôt que dans les pays d'Afrique ou d'Europe de l'Est membres de la Francophonie. C'était le rêve de Pierre Elliott Trudeau : faire du Canada une vraie nation bilingue, des côtes de l'Atlantique jusqu'à celles du Pacifique. Nous en avions longuement discuté, lorsqu'il était venu en Égypte, dans les années 1970.

À cet égard, cette visite est toujours restée attachée, dans mon souvenir, à une rencontre au sommet un peu particulière. Le hasard avait voulu que le président Léopold Sédar Senghor séjourne au Caire à cette même période. L'idée, tout à fait improvisée, m'était alors venue de tenter d'organiser une rencontre entre le président Sadate, le président Senghor et Pierre Elliott Trudeau. Fallait-il encore que cette réunion au sommet impromptue recueillît l'assentiment de mon président et trouve à s'insérer dans un emploi du temps minuté. Anouar el-Sadate fut immédiatement conquis par l'idée et me chargea donc d'entrer en contact avec les deux autres éminents protagonistes. Tous deux acceptèrent, et l'audience fut fixée à midi, le jour même. J'ai toujours tenu en horreur l'improvisation, mais l'occasion était trop belle. Je n'eus que le temps d'informer la presse avant de partir pour la villa du président Sadate à Gizeh. Tandis que je l'entretenais de quelques dossiers en cours, Léopold Sédar Senghor arriva, suivi de peu par Pierre Elliott Trudeau. Les services de la présidence, trop tardivement informés de cette réunion, n'avaient pas eu le temps de faire venir un interprète. Je me chargeai donc de traduire de l'arabe au français et du français à l'arabe les propos que les trois chefs d'État et de gouvernement échangèrent ce matin-là sur les relations entre le Canada et le monde africain. Une fois la séance de photos terminée, Pierre Elliott Trudeau dit au président Sadate qu'il aurait été très heureux de lui présenter son jeune fils Sacha qui l'accompagnait dans son voyage. Le président Sadate lui répondit qu'il adorait les enfants et qu'il serait ravi de faire sa connaissance. Sacha revenait du jardin zoologique où il avait passé la matinée.

« Sacha, lui dit son père, avec quelque solennité, je te présente deux grands hommes qui comptent dans l'histoire, le président de l'Égypte et le président du Sénégal. »

Le petit garçon lui répondit alors, avec cette spontanéité qui fait la force et la grâce des enfants :

«J'ai vu tout à l'heure au zoo quatre girafes, trois éléphants, et maintenant je rencontre deux présidents.»

Léopold Sédar Senghor partit d'un grand éclat de rire, tandis que le feu montait aux joues de Pierre Elliott Trudeau. Pour ma part, je choisis de ne pas traduire le message de la jeune génération canadienne. Si bien que le président Sadate, persuadé que Sacha avait laissé libre cours à son admiration, se pencha vers lui en souriant et l'embrassa avec affection.

Je raccompagnai Pierre Elliott Trudeau, qui me remercia avec chaleur, en son nom et au nom de Sacha, pour cette passionnante entrevue, et retrouvai les présidents Sadate et Senghor qui avaient continué à dialoguer tant bien que mal, dans la mesure où l'interprète que j'étais s'était éclipsé pour quelques instants.

Paris, vendredi 14 avril 2000

Assiste, au palais de l'Élysée, à la cérémonie de remise de la Légion d'honneur à Francine Heinrich. Francine est propalestinienne, proarabe, protiermondiste, prochiraquienne. Lorsqu'elle représentait la Communauté européenne au Caire, elle était l'ambassadrice la plus populaire et la plus appréciée. Ses réceptions étaient les seules auxquelles acceptaient de se rendre ceux de nos ministres hostiles aux mondanités diplomatiques.

De retour au bureau, je téléphone au président togolais Gnassingbé Eyadéma. Il accepte ma proposition de nommer Idé Oumarou comme facilitateur de la Francophonie, en remplacement de Moustapha Niasse, mais il ne peut s'empêcher de regretter le départ de ce dernier, en qui il avait une totale confiance. Il espérait même qu'il pourrait poursuivre sa médiation, parallèlement à ses nouvelles fonctions de Premier ministre du Sénégal.

Paris, vendredi 28 avril 2000

Visite, ce matin, d'Étienne Tshisekedi, celui qui s'est opposé à Mobutu. Il souhaiterait que la Francophonie s'implique activement dans le drame congolais. Je le sens amer et pessimiste, même s'il ne s'est pas départi de son dynamisme militant.

Les hasards de mon emploi du temps font que je m'entretiens, dans la même journée, avec l'ancien président du Botswana, Ketumile Masiré, choisi par l'OUA comme médiateur du dialogue intercongolais, conformément aux accords de Lusaka. C'est un homme petit, timide, qui s'exprime avec une humilité que je soupçonne feinte. Il est accompagné d'un jeune Britannique qui paraît être l'éminence grise de cette médiation. Si la désignation du président Masiré comme médiateur donne satisfaction aux pays anglophones – l'Ouganda, le Zimbabwe, le Rwanda, qui se veut pour l'heure anglophone bien que membre de l'OIF –, il n'en est pas de même pour Laurent-Désiré Kabila, et ses principaux alliés : l'Angola et la Zambie.

Je propose à Ketumile Masiré de mettre à sa disposition l'un de mes collaborateurs pour l'appuyer dans sa mission. Il accepte ma proposition du bout des lèvres. Je n'ai pas l'impression qu'il sera en mesure de jouer le rôle qu'on attend de lui dans l'imbroglio congolais. Je ne sais pas ce qui serait le plus dommageable : le remplacer ou le garder. L'une des qualités nécessaires à un médiateur, c'est son appartenance à un grand pays, qui lui sert en quelque sorte de colonne vertébrale. Le président Masiré vient d'un tout petit État, fort bien géré certes, mais qui n'a que peu de poids sur la scène internationale.

Paris, mardi 2 mai 2000

Participe à une émission sur Europe 1, aux côtés de Pascal Bruckner, qui vient de publier *L'Euphorie perpétuelle. Essai sur le devoir de bonheur*, et du député Gilles de Robien. Un cocktail inattendu, mais qui semble du goût des auditeurs. Je fais l'article de la Francophonie, Gilles de Robien défend le droit de vote des immigrés, tandis que Pascal Bruckner nous explique que la société occidentale est devenue protestante, la réussite par la richesse étant la preuve que l'on a été choisi par Dieu. Je lui fais remarquer que l'on retrouve la même idée dans la religion musulmane, et cite un verset du Coran que je ne parviens pas, sur le moment, à traduire, mais qui dit approximativement que Dieu donnera sans limites à celui qu'il a choisi.

Paris, mercredi 3 mai 2000

Je suis officiellement reçu au Sénat. Tout a été réglé selon un protocole très strict : la cérémonie doit commencer à 14h45 précises. Lorsque nous arrivons rue de Vaugirard, il est un peu trop tôt, et le chauffeur nous fait faire le tour du Luxembourg à deux ou trois reprises. Je retrouve avec plaisir la rue Guynemer et la rue d'Assas que j'ai autrefois assidûment fréquentées.

Nous pénétrons, enfin, dans la cour du Sénat. Au haut du perron, le président du Sénat, Christian Poncelet, le général Moulian, commandant militaire du palais du Luxembourg, et le sénateur Jacques Legendre, cheville ouvrière de l'Assemblée parlementaire de la Francophonie, qui descendent solennellement les marches pour m'accueillir à ma sortie de voiture. Nous nous dirigeons vers un petit salon, fort luxueux, précédés d'huissiers en tenue d'apparat. J'hésite à m'asseoir jusqu'à ce que le président Poncelet me désigne le fauteuil qui m'est réservé. On me présente les membres du bureau, je signe le livre d'or.

À l'heure fixée, nous quittons le salon. Et c'est au côté du président Poncelet que je parcours le couloir bordé d'une double haie de gardes républicains qui mène à l'hémicycle. Les sénateurs ont répondu présent à l'appel : la salle est pleine. Christian Poncelet lit un discours fort élogieux à mon égard. N'eût-ce été la couleur de ma peau (les fondamentalistes américains utilisent l'expression «*brown skin*», à la connotation fortement péjorative, l'équivalent de «basané» en français), je crois que j'aurais rougi. Je monte à mon tour à la tribune pour lire mon discours. J'évoque longuement les enjeux et les défis de la Francophonie d'aujourd'hui. Je me déclare en faveur d'une «Francophonie sans visa». Il faut multiplier les bourses et les stages entre le Nord et le Sud, entre le Sud et le Sud. J'ajoute que «le combat pour la démocratie commence par la libre circulation des personnes, des idées et des talents en Francophonie». Au moment où je mentionne, quelques instants plus tard, que certains diplomates francophones s'expriment en anglais alors que rien ni personne ne les y oblige, les sénateurs manifestent bruyamment leur approbation.

Mon discours achevé, je dédicace mes ouvrages conservés dans la bibliothèque du Sénat. Je découvre, avec émotion, un exemplaire de ma thèse de doctorat publiée chez Pedone, en 1949. Plus d'un demi-siècle déjà... et si peu de temps devant moi. Christian Poncelet interrompt fort heureusement ma réflexion métaphysique en m'entraînant vers les salons de la présidence où nous devons donner une conférence de presse. Nous avons beau nous retirer quelques instants en attendant que la salle se remplisse, elle ne se remplira pas... Les journalistes français ne s'intéressent décidément pas à la Francophonie!

Réception dans les salons de Boffrand. Au moment de nous quitter, le président Poncelet me dit avec une chaleur toute spontanée : « Je suis chargé par le président Chirac de vous embrasser deux fois », puis il ajoute avec humour : « Et maintenant, je vous embrasse en mon propre nom », avant de conclure : « Si vous avez besoin de moi, n'hésitez surtout pas à venir me voir. »

Ce n'est qu'un au revoir, puisque les festivités se poursuivent dans la soirée, avec la projection dans une des salles du palais du Luxembourg du film égyptien *Mendiants et orgueilleux*, adapté du roman d'Albert Cossery. L'auteur est là, frêle silhouette de vieillard, dont la voix n'est plus qu'un murmure. Je lui dis me rappeler que son livre avait d'abord été édité au Caire, et que Mme Aflatoun, qui se voulait mécène, s'était fait un devoir de le diffuser. Je me souviens aussi que cette première édition était illustrée par le peintre Telmisani. En m'écoutant évoquer ces souvenirs, Albert Cossery sourit mélancoliquement. J'ai lu le livre avec enthousiasme à sa parution, dans les années quarante, mais c'est la première fois que je vois le film, réalisé par une femme cinéaste, Asma el-Bakri, venue assister à la projection.

On y découvre l'Égypte pauvre des années de la Seconde Guerre mondiale, mais florissante, puisque les combats se sont pour l'essentiel déroulés dans le désert de Libye. Et la présence des troupes alliées au Caire a même profité à l'économie égyptienne. Les mendiants d'Albert Cossery sont des petits-bourgeois qui ont de quoi se payer une passe et fumer du hachisch. Le héros de son roman est d'ailleurs comptable dans un bordel. Les quartiers que j'ai connus et fréquentés, l'Ezbekia et Fagalah, n'étaient pas très différents de ceux du Vieux Caire qui servent de décor au roman d'Albert Cossery.

Paris, vendredi 5 mai 2000

Je fais paraître un communiqué pour condamner le bombardement par les Israéliens d'objectifs civils au Liban, pays membre de la Francophonie. Je ne compte plus le nombre de déclarations que j'ai faites ces vingt-cinq dernières années pour condamner les agressions israéliennes. Sans résultats. Ce n'est pas une raison pour se taire !

Si les Israéliens savaient combien ils distillent la haine dans le cœur des peuples arabes ! S'ils savaient combien ils compromettent le dialogue en se livrant à de tels agissements ! Je crois que c'est dans l'Autre, dans son attitude, dans sa disposition d'esprit, que l'on puise l'envie de porter au plus haut degré ses propres qualités diplomatiques. Mais pour réussir, ce dialogue doit être impérativement et sincèrement de l'ordre du cœur et de la fraternité. Aujourd'hui, je serais incapable d'engager un tel dialogue, tant je suis dominé par un sentiment violent d'amertume à l'égard des Israéliens.

Paris, jeudi 11 mai 2000

Soirée de bienfaisance organisée au profit de la fondation présidée par Chantal Compaoré. J'ai pris place à la table d'honneur, entre Mme Giscard d'Estaing et Mme Sassou-Nguesso. Les premières dames du Burkina et du Congo sont invitées à danser. J'ignore si le protocole m'autorise à les inviter à mon tour. Je suis fort heureusement sauvé par l'ambassadrice de Maurice, Marie-France Roussety, qui, avec sa verve coutumière, m'entraîne énergiquement sur la piste de danse. Je prends congé vers minuit. Cela faisait bien longtemps que je n'avais pas dansé au son d'un orchestre. Au temps jadis, au temps des soleils rajeunis qui percent l'aube, je dansais jusqu'aux petites heures du matin.

Paris, vendredi 12 mai 2000

C'est au tour d'une délégation croate de s'enquérir des démarches à accomplir pour pouvoir adhérer à l'OIF. Je ne peux m'empêcher de demander :

« Quelles sont vos motivations profondes ? »

À quoi ils me répondent avec une franchise déroutante :

« Il s'agit de contrebalancer la présence américaine et allemande dans notre pays. »

(Dans l'après-midi...) Je rends une visite de courtoisie au président de São Tomé et Príncipe, Miguel Trovoada, qui a vécu en France lorsqu'il était en exil. Il me raconte l'irritation du président Mário Soares lorsqu'il lui a annoncé sa décision d'adhérer à la Francophonie. Je le rassure sur ce point :

« Non seulement nous sommes dans les meilleurs termes avec la Communauté des pays de langue portugaise, mais en plus nous collaborons avec cette organisation.

– Je n'ai pas besoin d'être rassuré, me dit-il, parce que je suis plus francophone que les francophones. »

Paris, lundi 15 mai 2000

Participe à l'inauguration de l'exposition sur l'art copte à l'Institut du monde arabe. J'avais, au fil des années, constitué une collection de tissus coptes anciens que j'ai disséminée en offrant, à telle ou telle occasion, l'une ou l'autre de ces pièces, sans réaliser la valeur qu'elles avaient acquise avec le temps. On m'a offert à mon tour deux petites pièces lors de mon séjour à New York, que j'ai accrochées dans mon bureau de la rue de Bourgogne. Léa trouve ces étoffes grises et tristes. Elle n'a pas tort. Ce sont, après tout, des linceuls qui sont restés intacts durant des siècles parce que les morts étaient alors enterrés à même le sable, dans le désert, et que le sable protège de l'humidité.

Dans le cadre de cette exposition à l'Institut du monde arabe, je suis invité à participer à une émission de radio. J'ai envie de répondre que ce n'est pas parce que je suis copte que je connais l'art copte. Mais je m'abstiens. Ces propos pourraient être interprétés comme une négation de ma « coptitude »... le « copte honteux ». J'explique donc comment la vie monastique est née en Égypte, comment les anachorètes coptes persécutés ont trouvé refuge dans les déserts où ils ont construit leurs monastères, comment la proximité des déserts de la vallée du Nil a facilité cet exil volontaire.

Paris, mercredi 17 mai 2000

Discours dans les locaux du Collège de France à l'occasion du prix Saint-Exupéry, qui récompense des ouvrages pour la jeunesse. Par association d'idées, je repense au *Petit Prince.* Je me souviens qu'une belle Égyptienne, dont les ancêtres avaient vécu à Sednaya, près de Damas, m'avait offert ce beau livre, ce beau rêve.

Ce n'est d'ailleurs pas un livre pour enfants. C'est un livre pour les adultes que l'on ramène doucement vers le paradis perdu de l'enfance.

Paris, jeudi 18 mai 2000

Participe à l'Unesco à un colloque organisé en mémoire d'Hô Chi Minh. Une petite salle pleine à craquer de Vietnamiens et d'admirateurs d'Hô Chi Minh. Pour plus de prudence, l'ambassadeur du Vietnam nous a fait parvenir la biographie officielle d'Hô Chi Minh, rédigée par le Parti.

J'évoque Nguyên le Patriote, fer de lance du combat anticolonialiste, et son rêve d'un Vietnam indépendant et uni. J'évoque celui qui, durant un demi-siècle, s'est battu sans relâche, tour à tour poète et militant, clandestin et glorifié, maquisard et Président, avant de conclure qu'il a fini par incarner, dans « cette région longuement travaillée par l'histoire et l'effort patient des hommes », ce qui fait l'essence même du Vietnam : l'histoire d'une longue résistance.

Paris, vendredi 19 mai 2000

Léa me téléphone de New York où viennent d'avoir lieu les obsèques de sa maman. Pauline, ma belle-mère, était une femme admirable. Veuve très tôt, elle s'est totalement donnée à l'éducation de ses trois fils et de sa fille. Elle a laissé, en Égypte, sa fortune placée sous séquestre par le régime nassérien et a recommencé une nouvelle vie à New York, sans que jamais on ne l'entende rappeler ou regretter les fastes du passé.

Elle avait appris le braille pour pouvoir enseigner aux aveugles. Elle suivait des cours à l'université, visitait les musées en chaise roulante. Elle aura, jusqu'à son dernier souffle, vécu pleinement sa vie.

Paris, mercredi 24 mai 2000

Je suis invité au déjeuner que le maire de Paris, Jean Tibéri, offre aux ambassadeurs africains à l'Hôtel de Ville. À la fin du repas, Xavière Tibéri, en pleine tourmente judiciaire, vient s'asseoir à ma table. À ma grande surprise, elle me demande :

« Vous qui avez livré de rudes batailles dans votre vie, quel conseil pourriez-vous me donner ? »

Je réponds sans hésiter :

« Si vous avez commencé une bataille, il faut la mener jusqu'au bout. Surtout ne jamais jeter l'éponge ! »

Paris, vendredi 26 mai 2000

Le président Abdoulaye Wade me reçoit dans les locaux de l'ambassade du Sénégal à Paris. Il est entouré d'un groupe de jeunes technocrates, silencieux et respectueux. Certains ont été formés aux États-Unis, et ont connu autre chose que le monde francophone.

Abdoulaye Wade me reproche de ne pas avoir accepté, en tant que secrétaire général de l'OIF, de jouer les médiateurs dans le conflit qui l'a opposé à Abdou Diouf au moment des élections. Je lui explique qu'Abdou Diouf ayant refusé ma médiation, je ne pouvais m'imposer. Le nouveau président du Sénégal ne semble pas convaincu.

Paris, mardi 30 mai 2000

Séance inaugurale du colloque Francophonie et monde arabe dans la grande salle de l'Institut du monde arabe. Cet événement, qui se déroule en présence du directeur général de l'Unesco Koïchiro Matsuura, du secrétaire général de la Ligue arabe Esmat Abdel Meguid, et du directeur général de l'Organisation islamique pour l'éducation, les sciences et la culture (Isesco) Abdulaziz Othman Altwaïjiri, constitue, en quelque sorte, le coup d'envoi de la réflexion de la Francophonie sur le thème du dialogue des cultures, qui servira de fil directeur au prochain sommet de Beyrouth.

Paris, lundi 5 juin 2000

Benita Ferrero-Waldner, ministre des Affaires étrangères d'Autriche, demande à me rencontrer. Elle voudrait que j'intervienne auprès du président Jacques Chirac pour qu'il pousse l'Union européenne à lever l'embargo diplomatique dont est victime l'Autriche depuis l'entrée en fonctions du chancelier Wolfgang Schüssel :

« Qu'avez-vous à offrir en échange ?

– Rien, si ce n'est la bonne volonté de mon pays, me répond-elle.

– Pourquoi ne pas laisser l'affaire se dégonfler ? Les sanctions sont plus symboliques qu'autre chose.

– S'il ne tenait qu'à moi, c'est ce que je ferais, mais l'opinion publique de mon pays est exaspérée. Elle se sent humiliée et attend du gouvernement qu'il manifeste violemment sa désapprobation à l'égard de l'Europe.

– Pensez-vous quitter l'Union européenne ?

– Surtout pas, reprend-elle, notre participation à l'Europe est essentielle pour l'Autriche. »

Je lui promets d'informer Jacques Chirac de sa démarche.

Paris, mardi 6 juin 2000

Je rencontre le colonel Azali Assoumani, président des Comores, accompagné de son ministre des Affaires étrangères, qui a fait ses études au Caire et parle arabe avec un accent égyptien.

« Vous n'avez pas, dis-je, respecté le calendrier électoral.

– Ne pensez-vous pas qu'il faut commencer par travailler à la réconciliation avec l'île d'Anjouan avant d'organiser des élections ? » me dit le colonel.

Je dois reconnaître qu'il a raison.

Déjeuner place Beauveau à l'invitation de Jean-Pierre Chevènement. À notre table, Henri Lopez et Stélio Farandjis. Nous sommes très curieux d'entendre Jean-Pierre Chevènement nous décrire ce qu'il a ressenti lorsqu'il est sorti du coma. Il nous raconte qu'il a écrit le mot «enlèvement», puis qu'il s'est mis à prononcer des mots en latin. Les médecins étaient fort inquiets : «Il nous parle en latin!» On demande ensuite à Henri Lopez d'imiter Federico Mayor qui parle français avec un fort accent espagnol, ce qu'il fait avec infiniment de talent, pour notre grande joie.

Après le déjeuner, je me rends au palais de l'Élysée pour un entretien avec Jacques Chirac, à qui je transmets le message de Benita Waldner. Il me prie de l'assurer que la France n'a aucun sentiment d'hostilité à l'égard de l'Autriche, et qu'il est personnellement en faveur d'une solution rapide et équitable dans le différend qui oppose l'Autriche à l'Union européenne.

De retour à la résidence, je téléphone à Benita qui se trouve en Espagne pour lui faire part de cette conversation.

Paris, vendredi 16 juin 2000

J'apprends que Nabil Khoury a été terrassé par une crise cardiaque et qu'il est dans le coma. Quelle perte cruelle! C'est une des plus belles plumes de la presse arabe.

Nabil Khoury, c'est pour moi la joie de vivre, l'énergie, l'humour, la finesse de ses reparties, et cette écriture limpide, dépouillée, concise.

Paris, mercredi 21 juin 2000

Rencontre, ce matin, l'ambassadeur du Canada à Beyrouth, Haïg Sarafian. Il est le fils du plus grand tailleur du Caire, qui habillait mon père. Il parle l'arabe, l'anglais, le français et l'arménien. Il fait une analyse sobre et lucide de la situation politique au Liban. « La présence syrienne va durer. Il se pourrait qu'ils réduisent les effectifs de leurs troupes, mais ils ne quitteront pas le pays tant qu'un accord n'aura pas été conclu entre la Syrie et Israël. » Je partage totalement son point de vue. J'ajouterai que les Syriens ne quitteront pas le Liban tant que les territoires du Golan ne leur auront pas été restitués par Israël.

Paris, vendredi 23 juin 2000

Je rends visite au Premier ministre du Canada, Jean Chrétien, en voyage officiel en France. Je lui présente brièvement les dernières activités de l'OIF et les événements à venir.

« Bravo, me dit-il. Vous avez l'air en pleine forme. Vous allez briguer un second mandat, j'espère ?

– Monsieur le Premier ministre, je suis votre exemple, car j'ai cru comprendre que vous prépariez, vous aussi, votre réélection... »

De retour au bureau, tout le monde sait déjà que j'ai annoncé à Jean Chrétien mon intention de me représenter. Le téléphone arabe fonctionne encore mieux à Paris qu'au Caire !

Paris, dimanche 25 juin 2000

Dîner à la résidence en l'honneur de Rosario Green, ministre des Affaires étrangères du Mexique, et de Louise Fléchette, ancienne représentante permanente du Canada auprès des Nations unies, aujourd'hui vice-secrétaire générale de cette institution : deux femmes de talent avec lesquelles j'ai collaboré avec beaucoup de plaisir à l'ONU. J'ai également invité l'ambassadeur Claude de Kemoularia, qui s'empare de la conversation et anime notre dîner. Il parle haut et fort, assène que la Turquie n'entrera jamais dans l'Union européenne, et ce en dépit des pressions américaines en faveur de son admission.

Coup de téléphone : c'est Koffi Anan qui me présente ses amitiés et me demande à parler à Louise Fléchette. Koffi Anan, qui se trouve quelque part au Moyen-Orient, sait donc que Louise Fléchette dîne ce soir, à Paris, chez son ancien patron... Décidément, le téléphone arabe fonctionne de mieux en mieux!

Paris, mardi 27 juin 2000

Je me livre ce matin à une expérience aussi difficile qu'étrange. Le professeur Carpentier m'a demandé de m'exprimer, dans les locaux du tout nouvel hôpital Georges-Pompidou, à l'ouverture du colloque Chirurgie 2000 qui réunit des cardiologues venus de différents pays du tiers monde, et particulièrement d'Afrique francophone. Je lis avec application le discours qu'on m'a préparé. J'écoute ensuite avec intérêt les interventions des éminents spécialistes présents dans la salle, parmi lesquels le professeur de Bakey, de Houston, et Magdy Yacoub, notre grand chirurgien égyptien, aujourd'hui installé à Londres.

À l'issue de ces différentes interventions, le professeur Carpentier me demande de conclure. Je suis pris de court. J'ai heureusement pris quelques notes durant les débats, et j'improvise un bref exposé :

1. L'Afrique est ravagée par de grandes pandémies : sida, paludisme, tuberculose, et il ne faut pas que la chirurgie cardio-

vasculaire, qui exige de lourds investissements financiers, se fasse aux dépens de la lutte contre ces pandémies.

2. Il faut encourager la coopération Sud-Sud, ce que j'ai fait lorsque j'étais responsable de la politique égyptienne en Afrique. C'est dire toute l'importance de créer des hôpitaux universitaires régionaux qui associent plusieurs États africains. Ces hôpitaux seraient en étroite relation avec les grands hôpitaux occidentaux.

3. Il ne faut pas sous-estimer le problème de la maintenance. La chirurgie cardio-vasculaire nécessite un appareillage de pointe. Il est donc tout aussi important de former des techniciens que des chirurgiens. Et il sera nécessaire de recycler régulièrement ces techniciens.

Paris, vendredi 30 juin 2000

Visite à l'hôpital Begin, en tant que patient, cette fois. Le professeur Verdross est satisfait des résultats du scanner. Je dois néanmoins subir une dernière intervention chirurgicale, et tout sera alors en ordre. Je renonce à participer au sommet de l'OUA, qui doit se dérouler dans quelques jours à Lomé.

Paris, lundi 17 juillet 2000

Cérémonie d'ouverture du congrès mondial de la Fédération internationale des professeurs de français.

C'est impressionnant : la grande salle du palais des Congrès est bondée. Il y a là trois mille enseignants venus de toutes les parties du monde, dont sept cents pour les seuls États-Unis. Il est clair que cette fédération représente, pour la Francophonie, une force de frappe bien plus importante que certains de nos opérateurs. Il faudrait trouver un moyen de l'associer à l'OIF.

Évidemment, les nostalgiques de l'ACCT (Agence de coopération culturelle et technique) verraient la chose d'un mauvais œil. L'avenir, pourtant, appartient à la société civile, à sa pleine participation au fonctionnement des organisations internationales. Les professeurs de français sont les meilleurs ambassadeurs de la Francophonie. D'abord parce que cette fédération est internationale. Ensuite parce que ces enseignants sont, de par leur spécialité, déjà convaincus de la nécessité de promouvoir la langue française. Ils sont, enfin, en contact avec des milliers de jeunes : les francophones de demain.

Paris, samedi 29 juillet 2000

Youssef, mon neveu, est passablement déprimé. La situation économique en Égypte est difficile. Je lui conseille de commencer par s'occuper de sa santé s'il veut continuer à assumer ses fonctions politiques. Je lui recommande aussi d'être moins agressif, de savoir se faire pardonner ses grandes qualités d'économiste et de dissimuler sa supériorité intellectuelle. Ne jamais oublier que, dans la vie publique, personne n'est irremplaçable. Une consolation : celle de penser que l'on peut être irremplaçable dans sa vie affective...

Paris, jeudi 3 août 2000

La télévision passe un film du metteur en scène égyptien Mohamed Khan. La misère de mon pays me prend à la gorge. La misère est encore plus insupportable dans les grandes villes, peut-être parce que plus criante, plus concentrée, plus indécente.

Je suis repris par un sentiment de culpabilité. Ne serais-je pas plus utile au Caire qu'à Paris ? Endosser, une fois encore, le rêve d'Ismaël, héros du romancier Yahya Haqqi dans *La Lampe du sanctuaire*? Ismaël revient au Caire, avec un diplôme de médecin, après sept ans d'absence et d'études en Angleterre.

« Pour lui, l'Égypte était la Belle au bois dormant qu'une méchante fée avait touchée de sa baguette, et qui reposait avec ses bijoux et la parure de sa nuit de noces.

« Quand va-t-elle se réveiller ? Quand ? Mais plus se renforçait son amour pour l'Égypte, et plus il en avait assez des Égyptiens. Ils étaient pourtant ses proches, et ce n'était pas leur faute. Ils étaient victimes de l'ignorance, de la misère, de la maladie, et de la longue tyrannie chronique. Le Dr Ismaël avait souvent regardé la mort, touché les lépreux, approché sa bouche de celle des fiévreux. Allait-il donc fuir, maintenant, le contact de ce groupe humain qui était la chair de sa chair et le sang de son sang ? Il se jura, dans son amour pour l'Égypte, de dénoncer tous les travers [...].

« Ce n'est pas pour rien qu'il avait, lui, vécu en Europe et avait pris le culte de la science et de sa logique. Il savait bien que ce serait une longue lutte entre lui et ceux auxquels il se frottait ; mais sa jeunesse lui avait rendu faciles le combat et ses fatigues. Il lui tardait donc d'entrer en lice. Et il laissait vagabonder son esprit : s'il écrivait dans les journaux, s'il était orateur de l'une de ces sociétés, il exposerait son opinion et ses convictions en public. »

C'est ainsi qu'Ismaël décida de rester en Égypte pour tenter de guérir ses semblables de la maladie et de ces maux plus insidieux que sont la pauvreté et l'ignorance.

Que serait ma propre contribution ? Une goutte d'eau dans le désert... Et puis, n'ai-je pas passé l'âge de battre la campagne pour répandre la bonne parole ? N'ai-je pas déjà consacré plus d'un demi-siècle à militer pour mon pays ? Fragiles alibis qui ne suffisent pas à dissiper mon mal-être.

Paris, lundi 14 août 2000

Je prépare mon prochain voyage au Canada avec Clément Duhaime et Claude Boucher. Le Canada, avec ses deux « gouvernements » – le Québec et le Nouveau-Brunswick –, est sans conteste l'acteur le plus dynamique de la Francophonie, même s'il accorde plus d'importance au Commonwealth. Il faut dire que c'est une organisation plus ancienne, mais surtout mieux structurée et plus imaginative que la nôtre. Son secrétaire général dispose de compétences plus larges que celui de la Francophonie. Je me rappelle que Chief Anyaoku m'avait dit rencontrer régulièrement le Premier ministre britannique et être en contact permanent avec le Foreign Office. Depuis que je suis en poste à Paris, je n'ai encore jamais eu d'entretien avec le Premier ministre, quant au ministre des Affaires étrangères, nous nous sommes vus, en tout et pour tout, une seule fois en deux ans.

Biarritz, mardi 15 août 2000

Je retrouve avec plaisir l'hôtel du Palais. En revanche, je lis avec moins de plaisir l'article de Fahmy Howeidi dans *Al-Ahram*. Une critique en règle des accords de Camp David (signés il y a plus de vingt ans !), qui ont selon lui affaibli le monde arabe et laissé Yasser Arafat seul pour défendre Jérusalem. Il se garde bien d'analyser le déclin du monde arabe, sa décadence, son repli identitaire et religieux, comme il oublie de mentionner l'arrogance des Israéliens : autant d'éléments qui concourent à la crise que connaissent les pays arabes en ce moment.

Biarritz, mercredi 16 août 2000

L'océan, le mouvement régulier des vagues qui viennent se briser sur la plage et les rochers participent au charme de Biarritz. Le confort de l'hôtel du Palais fait le reste.

Biarritz, jeudi 17 août 2000

Rencontre Franck Wiesner, qui a été ambassadeur des États-Unis au Caire et sous-secrétaire d'État à la Défense au moment où j'étais à l'ONU. Il a quitté le corps diplomatique pour le privé où « pour la première fois de [sa] vie, il gagne de l'argent »… Il me fait une révélation surprenante. L'intervention américaine en Somalie, en 1992, n'avait d'autre objectif que de fournir un alibi supplémentaire au général Colin Powell pour éviter d'envoyer des troupes en Yougoslavie. Sous de nobles intentions humanitaires (que ne pouvaient que soutenir l'opinion publique et le Congrès américains) se dissimulaient, en fait, des motivations bien moins avouables.

Ce qui me fait penser, une fois de plus, que nous étions peu et mal informés aux Nations unies. Du reste, nous savions pertinemment que les États membres du Conseil de sécurité qui demandaient des informations sur la Somalie, la Yougoslavie ou d'autres zones de conflit étaient mieux renseignés que nous sur la situation politique et militaire, mais qu'ils se gardaient bien d'en faire profiter le système onusien auquel ils appartiennent.

(Dans la soirée…) Jacques Tajan et sa délicieuse épouse Mironi offrent un dîner d'adieux dans leur demeure des environs de Biarritz qu'ils ont décidé de vendre. Nous faisons la route en compagnie de l'ambassadeur de Kemoularia, de son

épouse Chantal, et du petit chien de celle-ci, Ophélie. Claude de Kemoularia met autant de fougue dans sa conduite que dans tout ce qu'il fait, si bien que nous sommes tous passablement secoués, y compris le petit chien qui ne tarde pas à vomir sur le siège de la voiture.

Nous passons une charmante soirée. Une ambiance particulièrement festive (on chante, on danse), mais on sent que notre hôtesse se prépare à regret à quitter ces lieux enchanteurs.

Durant le trajet de retour, Claude de Kemoularia, infatigable, nous narre par le menu comment Dag Hammarskjöld, deuxième secrétaire général des Nations unies, a trouvé la mort dans un accident d'avion au Congo, en 1961. Emporté par son élan, il dépasse Biarritz et nous nous retrouvons à la frontière espagnole ! Le dynamisme de Kemoularia est invraisemblable.

Biarritz, dimanche 27 août 2000

Il semblerait que le gouvernement du colonel Azali Assoumani et les séparatistes d'Anjouan soient parvenus à un accord. Ils ont signé, hier, à Fomboni, un texte qui prévoit notamment la création d'une nouvelle entité comorienne dans laquelle les îles conserveront une certaine autonomie financière et administrative.

Paris, samedi 2 septembre 2000

Les vacances sont terminées. Nous retrouvons Paris. L'hebdomadaire américain *Time* consacre quatre pages à Kofi Annan, « qui a puisé sa sagesse dans les traditions tribales du Ghana ». L'*Observer* anglais me réserve un traitement nettement moins agréable : j'aurais « vendu des armes au Rwanda ».

En lisant l'article plus attentivement, on comprend que c'est l'Égypte qui a vendu des armes au Rwanda, bien avant mon élection au poste de secrétaire général des Nations unies. Léa, irritée, déclare doctement : « Pour canoniser Kofi Annan, il faut diaboliser Boutros. »

Paris, dimanche 3 septembre 2000

Je suis reçu par le président Moubarak, de passage à Paris. Il me réserve un accueil franc et cordial. Je lui parle des activités qu'organisera la Francophonie, dans quelques jours, à Alexandrie, pour célébrer le dixième anniversaire de la création de l'Université Senghor. Je ne peux m'empêcher de lui rappeler la fameuse « histoire de l'ascenseur ».

Le jour de l'inauguration de l'Université Senghor, qui occupe le cinquième et le sixième étage de la Tour du coton à Alexandrie, l'un des deux ascenseurs était en panne. J'avais, bien sûr, insisté pour que les autorités de la ville s'assurent du bon fonctionnement du second ascenseur. La montée se passa sans encombre. En revanche, lors de la descente, l'ascenseur dans lequel avaient pris place les présidents Diouf, Mitterrand, Mobutu, Moubarak, Senghor, le prince héritier de Belgique, et un nombre impressionnant de gardes du corps, s'arrêta brusquement entre deux étages, laissant cette auguste assemblée plongée dans une totale obscurité pendant une bonne dizaine de minutes. Autant dire que la police était en effervescence, imaginant déjà quelque attentat. Lorsque enfin l'ascenseur se débloqua et que l'on put accueillir les rescapés, l'un des courtisans du président Moubarak vint me chuchoter à l'oreille : « Le Président est furieux contre toi. » Inquiet, je lui en demandai la raison. Et il me dit, d'un air de conspirateur : « Je te le dirai plus tard... », me laissant gentiment mariner.

L'année suivante, je rencontrai le roi Léopold de Belgique, qui me demanda des nouvelles de l'Université Senghor, avant d'ajouter, avec un fin sourire : « Mon neveu m'a raconté l'épisode de l'ascenseur, une vraie descente aux enfers ! »

Dix ans après, à Paris, le président Moubarak ne parvient toujours pas à sourire à l'évocation de cette « descente aux enfers ».

Paris, lundi 4 septembre 2000

Mes collaborateurs, inquiets, m'apportent toute une série d'articles parus dans la presse belge suite au papier de l'*Observer* sur la vente d'armes au Rwanda. Aucune date n'est mentionnée, ce qui laisse entendre que cette transaction a eu lieu alors que j'étais secrétaire général de l'ONU. La mauvaise foi des journalistes est évidente ! Les usines militaires égyptiennes ont effectivement vendu des armes au Rwanda, comme à d'autres pays africains d'ailleurs. En tant que ministre d'État en charge, notamment, des affaires africaines, je n'ignorais certes pas ces transactions, mais cela s'est passé entre 1989 et 1990, trois ans avant mon élection aux Nations unies.

Paris, mardi 12 septembre 2000

Déjeuner à l'hôtel de Lassay, à l'invitation du nouveau président de l'Assemblée nationale, Raymond Forni. Il me rappelle qu'en 1991 nous avions déjeuné ensemble dans cette même salle, et qu'il savait déjà que je serais le prochain secrétaire général des Nations unies.

Moi qui pensais que mon élection était le seul secret de François Mitterrand et de Roland Dumas !

Paris, lundi 18 septembre 2000

Je rencontre le président Abdou Diouf à son domicile. J'ai en face de moi un homme réconcilié avec lui-même et avec la perte du pouvoir :

« J'ai de nouveau le temps de lire, de voir mes enfants et mes petits-enfants. Je n'ai aucunement l'intention de me présenter au poste de secrétaire général de la Francophonie. Et puis, nous avons un bon secrétaire, il faut qu'il continue.

– Cela dit, monsieur le Président, si vous changez d'opinion, je serai le premier à soutenir votre candidature. »

Paris, mardi 19 septembre 2000

La Francophonie « une et plurielle » ne sera jamais qu'un slogan ! J'ai proposé, lors du Conseil de coopération, que l'on sorte une revue commune à l'ensemble des opérateurs, afin de donner une vue d'ensemble des activités de la Francophonie. Sacrilège ! Chaque opérateur tient à avoir sa publication propre, avec son logo et l'éditorial de son responsable signé en lettres d'or. La féodalité jusque dans la communication ! Je renonce à gaspiller mon énergie pour défendre ce projet. D'autres batailles bien plus difficiles m'attendent.

Je dîne avec le secrétaire exécutif de la Cedeao, Lansana Kouyaté. Il a pris du poids et semble avoir franchi le cap des cent kilos. Il admet, avec humour et bonne humeur, qu'il devrait se mettre au régime. Je lui avoue, sur le ton de la plaisanterie que, lorsque j'ai rencontré son président, Lansana Conté, lors du sommet de Moncton, je lui ai demandé d'user de son pouvoir pour le persuader de maigrir. « Je sais, me dit-il, le Président m'a fait part de votre conversation. »

Lansana Kouyaté est candidat au poste de secrétaire général de l'OUA. Il a le soutien de son pays, la Guinée, et celui du Nigeria, grande puissance en Afrique. On en vient, tout naturellement, à ma propre candidature. Il est convaincu de ma victoire. « Ce n'est pas comme à New York où certains États ont un droit de veto. » Dans un autre ordre d'idées, il se montre fort pessimiste sur la situation en Côte-d'Ivoire. Son pays, aussi, l'inquiète, dans la mesure où il ne parvient pas à endiguer l'intrusion des Libériens et autres agitateurs. Le siège de la Cedeao étant à Abuja, nous reparlons longuement du Nigeria, qui joue un rôle de premier plan dans la sous-région, sur les plans tant économique que militaire. L'ancien président Ibrahim Babangida demeure l'homme le plus puissant du Nigeria. Il a, du reste, contribué à l'élection de l'actuel président de la République, Olusegun Obasanjo. Je rappelle à Lansana notre action commune, aux Nations unies, pour obtenir la libération d'Obasanjo, qui n'a jamais vraiment mesuré l'ampleur de nos efforts. Il faut dire, à sa décharge, que nos démarches étaient restées sans effet.

Paris-Le Caire, mercredi 20 septembre 2000

Retrouvailles émues avec ma ville. Je retrouve les souvenirs, les saveurs, les parfums de notre jeunesse passée.

De retour dans notre appartement, nous sommes fêtés par les deux serviteurs qui débordent d'attentions et devancent le moindre de nos désirs. Ils m'entraînent, avec une joie enfantine, vers la grande bibliothèque du premier étage, pour que j'admire les livres prétenduement débarrassés de leur poussière.

La chaleur est suffocante. Et l'air conditionné, dans la chambre à coucher, ne fonctionne pas. « Pourquoi ne pas l'avoir fait réparer avant notre arrivée ? – Nous attendions vos instructions… » Je passe la nuit sans pouvoir trouver le sommeil.

Le Caire-Alexandrie, samedi 23 septembre 2000

Nous partons pour Alexandrie par la route, Léa dans une voiture avec l'ambassadeur Samir Safouat, moi dans une autre avec le président de l'Université Senghor, Ahmed Kochery.

Alexandrie s'est beaucoup transformée ces dernières années sous l'impulsion du gouverneur Abdel Salam el-Mahgoub. Bien que rénovée et assainie, elle a toutes les caractéristiques d'une ville surpeuplée du tiers monde, alors qu'en septembre 1956, lorsque j'ai rencontré Léa, on aurait pu encore se croire à Nice.

Visite de courtoisie au gouverneur, qui nous accueille fort chaleureusement. « J'aimerais, dis-je, que l'on offre toutes les facilités aux Agnelli qui arriveront avec leur avion privé. » Le gouverneur téléphone au directeur de l'aéroport. « Il a déjà été prévenu de l'arrivée de Monsieur Fiat. »

La suite que l'on nous a réservée à l'hôtel Métropole est terriblement démodée et, qui plus est, décorée avec un mauvais goût parfait. La chambre est plus étrange encore. Seule la salle de bains ressemble à ce qu'on peut en attendre dans un hôtel de cette catégorie. Il paraît que l'établissement a été racheté et rénové par un millionnaire des pays du Golfe, sans doute un musulman rigoriste, puisque l'on ne sert pas une seule goutte d'alcool dans tout l'hôtel. Ce n'est pas en interdisant la consommation d'alcool dans les lieux publics qu'on développera les ressources si nécessaires du tourisme dans les pays musulmans !

(Le soir...) Nous avons invité à dîner Giovanni Agnelli et sa sœur Susanna, qui était ministre des Affaires étrangères d'Italie lorsque j'étais aux Nations unies. Nous avons également convié le président de la Chambre, Fathi Sorour et son épouse, ainsi qu'Ahmed Kochery. Nous regrettons tous la présence de Paul Desmarais. Il avait été, avec Giovanni Agnelli, l'autre mécène de l'Université Senghor au moment de sa création.

Nous avons fort heureusement logé notre hôte de marque au Salamlek, ancienne résidence du roi Farouk nichée au milieu des jardins de Montazah, et transformée, il y a quelques années, en hôtel. Un lieu calme et raffiné, sur lequel plane encore l'ombre du roi Farouk, photographié en compagnie de sa première épouse, la reine Farida. Le dîner, succulent, se déroule au rythme des conversations, tantôt légères, tantôt sérieuses. Giovanni Agnelli nous fait une description du soleil couchant sur la Méditerranée. Fathi Sorour, en pleine campagne électorale, nous explique les enjeux des prochaines législatives. Son téléphone portable sonne sans arrêt. Ce sont ses collaborateurs qui le tiennent informé minute après minute des derniers développements de la situation et des affrontements violents, parfois même sanglants, entre les représentants des différents partis.

Retour à l'hôtel Métropole. La nuit se traîne. Les bruits de la rue envahissent la chambre. Je reste éveillé, assailli par mes pensées. Le mobilier démodé, la grippe de Léa, l'émotion d'avoir retrouvé la bienheureuse Alexandrie, la ville de Cavaf et de Durrell, la ville de ma jeunesse... et la Méditerranée, telle que je la contemplais durant ces trop brèves années, et que j'entrevois, ce soir, dans l'entrebâillement de ces affreux rideaux.

Il y a les insomnies douces que l'on apprivoise en lisant, et les insomnies agitées où le sommeil devient obsession, une obsession que l'on tente, en vain, de chasser en se tournant et en se retournant dans un lit qui n'abrite plus que nos angoisses. J'inaugure, cette nuit, une nouvelle forme d'insomnie où défilent les images du bonheur d'antan sur fond d'arythmie cardiaque.

Alexandrie, dimanche 24 septembre 2000

Célébration solennelle du dixième anniversaire de l'Université Senghor. Ont pris place sur un podium, dans la grande salle de l'université, Moufid Chehab, ministre de l'Enseignement supérieur venu délivrer le message du président Moubarak, Fathi Sorour, Ahmed Kochery, Giovanni Agnelli et moi-même.

Dans son message, le président Moubarak rappelle la contribution de la France dans l'édification de l'Égypte moderne, à travers ses savants, ses ingénieurs, à travers, également, la formation d'une élite égyptienne en France... Rifa el-Tantawi, Taha Hussein, Tewfick el-Hakim. Fathi Sorour, qui préside aussi l'Institut international de droit d'expression et d'inspiration françaises (IDEF), mentionne l'apport de cet organisme à la Francophonie. Pour ma part, je reviens sur les conditions de création de l'Université Senghor, université francophone fondée dans un pays arabophone à partir de subventions italiennes pour recycler des gestionnaires africains. Ahmed Kochery conclut en nous dressant un bilan des activités menées.

(Dans la soirée...) Il ne faudrait jamais revenir sur les lieux heureux de sa jeunesse. Le gouverneur d'Alexandrie a convié les représentants des chefs d'État à un dîner au Club syrien. C'est en tout cas le nom que portait, quarante ans en arrière, ce club très chic et très fermé d'Alexandrie réservé à l'élite syro-libanaise. Il a été rebaptisé depuis « Club d'Alexandrie ». Ces lieux, aujourd'hui vieillots, baignés d'une lumière blafarde, tuent l'image enchantée que j'en avais gardée.

Le Caire, mercredi 27 septembre 2000

Je dois être reçu par le président Moubarak à 8h30. Il est coutumier de ces horaires matinaux. Pour ma part, ces entretiens fixés à l'heure où, d'ordinaire, je me réveille, sont un calvaire.

Je relate au Président nos activités de ces derniers jours à Alexandrie, avant de solliciter son accord pour entamer ma campagne de réélection.

« Qu'en pense Jacques Chirac ? me demande-t-il.

– Il me soutient pour un second mandat.

– Tu es sûr d'avoir le soutien de la France ?

– C'est en tout cas ce qu'on m'affirme pour le moment. »

Le Caire, jeudi 28 septembre 2000

Léa est fatiguée. Le médecin lui déconseille de prendre l'avion pour Paris demain. Je mets à profit cette dernière journée au Caire pour tenter de retrouver dans mes papiers les notes que j'avais prises, voilà bien des années, en préparation d'un roman que je comptais écrire et qui aurait eu pour titre « Ahmed Pacha ». J'avais le projet d'y relater la vie de mon père… Mes notes restent introuvables. Je revois pourtant très distinctement la couverture jaune du cahier dans lequel je les avais consignées.

Paris, mercredi 11 octobre 2000

Entretien en tête à tête avec le facilitateur de l'OUA pour le dialogue intercongolais, le président Ketumile Masiré, dont la médiation est de plus en plus controversée.

« J'ai dépêché, lui dis-je, un envoyé spécial afin de consulter le président Laurent-Désiré Kabila et son ministre des Affaires étrangères Yerodia sur l'ouverture d'un bureau de la Francophonie à Kinshasa. Ils n'ont aucune objection, à condition qu'il n'y ait pas de collusion avec la médiation que vous menez. »

Le président Masiré accueille mes propos dans le plus parfait silence, ce qui m'incite à plus de franchise encore :

« Lorsque vous ne disposez pas de la confiance de l'un des protagonistes du conflit, ou lorsqu'il est clair que votre médiation n'est pas souhaitée, vous courez directement à l'échec.

– Je suis tout à fait d'accord avec vous, convient-il.

– Alors pourquoi ne pas démissionner et laisser la possibilité à un autre médiateur d'intervenir ?

– Les États qui m'ont confié cette mission me demandent de la poursuivre, malgré les difficultés que vous évoquez. »

Je mets un terme à notre entretien en lui assurant que je lui procurerai toute l'aide nécessaire dans cette médiation fort mal engagée.

Blois, samedi 14 octobre 2000

Départ en compagnie d'Annie Dyckmans pour Blois dont le maire, Jack Lang, m'a invité à participer aux troisièmes Rendez-vous de l'histoire, consacrés cette année à l'utopie.

Table ronde fort intéressante sur le thème de la paix perpétuelle, concept notamment développé par Emmanuel Kant, en 1795, mais aussi par d'autres penseurs : Pierre Dubois, Dante et sa « *monarchia* », Érasme et son « *Laus Stultitiae* », Sully et son grand dessein, Emeric Crusoé et son « nouveau Cyssé », au sous-titre plus explicite encore : « Discours des occasions et moyens d'établir une paix générale et la liberté de commerce pour tout le monde ».

Voilà quelques années, j'ai étudié très attentivement ces différents textes avant de m'atteler à la rédaction d'un ouvrage sur l'organisation mondiale dans lequel je mentionnais, par ailleurs, l'existence, dans la littérature politique arabe, de réflexions et de projets similaires : Al-Farabi et sa « Cité vertueuse », et surtout Abd al-Rahman al-Kawakibi, et son ouvrage *Om el-Koura* (La Mère des villes). On ne peut que regretter que les études occidentales n'aient jamais fait référence à ces grands penseurs de l'Orient.

Longtemps taxée d'utopique, cette théorie de la paix démocratique a fait un retour en force dans les années quatre-vingt – études, recherches empiriques et démonstrations à l'appui –, jusqu'à devenir le *credo* de l'administration Clinton. Un retour en force qu'il faut inscrire dans la vague occidentale et internationale de démocratisation qui, durant la guerre froide, s'inscrivait dans une stratégie essentiellement destinée à contrer l'expansion du communisme, et qui, depuis la fin de la guerre froide, s'appuie sur deux séries d'arguments : la démocratie favorise le développement, la démocratie favorise la paix. En d'autres termes, l'instauration de démocraties conduirait à l'avènement d'un monde plus pacifique, dans la mesure où les démocraties ne se font pas la guerre entre elles.

Il faudrait dire, pour être plus exact, que la théorie de la paix démocratique repose moins sur le constat du caractère pacifiste des démocraties que sur le fait qu'elles ne vont généralement pas jusqu'au stade de la guerre en cas de différend avec d'autres démocraties. À cela plusieurs raisons : la pression des opinions publiques, les contraintes constitutionnelles, notamment la séparation des pouvoirs législatif et exécutif, et la complexité des processus de décision. On avance aussi souvent l'idée que la culture politique des démocraties inciterait à rechercher une solution négociée, transposant au niveau international les normes, les règles et les procédures qui permettent de rechercher le compromis et d'atteindre le consensus sur la scène nationale.

Il y aurait beaucoup à dire sur ce dernier point. Car si les démocraties ne se font pas la guerre entre elles, en revanche elles ne se montrent pas toujours pacifistes dans leurs relations avec les États réputés ou supputés « non démocratiques », voyous ou barbares. Des conquêtes coloniales aux coups d'État organisés, dans certains pays, par les démocraties occidentales, nombreux sont les exemples qui tendraient à prouver, comme le disait Tocqueville, que « si les États démocratiques désirent naturellement la paix, les armées démocratiques, elles, désirent naturellement la guerre ».

Paris-Montréal, lundi 16 octobre 2000

Le dynamique et brillant consul d'Égypte à Montréal, Teymour Mustapha Sirry, nous accueille à notre descente d'avion. À peine installés à l'hôtel, nous recevons la visite de mon cousin Yehia Charobim, de son épouse et de son fils, qui sont installés à Montréal. Je réalise, soudainement, toute l'importance de la diaspora familiale : l'une de mes nièces, tout comme mon filleul banquier, vit à New York où elle est architecte. L'autre enseigne à l'université d'Edmonton au Canada. J'ai également un neveu qui se partage, pour ses affaires, entre San Francisco et Los Angeles.

Cette expatriation volontaire est un phénomène propre aux nouvelles générations. Toute cette jeunesse, issue de la bonne bourgeoisie, aurait pu vivre fort agréablement en Égypte. Mais il semble que, lorsqu'on a goûté au « grand large » américain ou canadien, Le Caire fasse figure de petit village. Et cette jeunesse ambitieuse préfère être la troisième à Rome plutôt que la première dans son village.

Il ne m'a jamais traversé l'esprit de quitter mon village. Sans doute parce que je n'appartiens pas à la « génération sans frontières ».

Montréal, mardi 17 octobre 2000

Inauguration des nouveaux locaux de l'Agence universitaire de la Francophonie, en présence de tous ceux qui ont compté dans l'histoire de cette institution, à l'exception, toutefois, du recteur Michel Guillou, qui a quitté ses fonctions dans des conditions mouvementées. À ce propos, je me rappelle ce que me répétait souvent le président Weizman lorsqu'il était ministre israélien de la Défense, et que nous négociions à Washington le traité de paix entre son pays et le mien : « Le plus difficile pour un avion de chasse, une fois sa mission accomplie, c'est l'atterrissage. » (Il avait été pilote dans la Royal Air Force durant la Seconde Guerre mondiale.) Une parole plus profonde et plus sage qu'il n'y paraît.

Québec, mercredi 18 octobre 2000

Visite à l'Institut de l'énergie et de l'environnement de la Francophonie, un de ces organes subsidiaires qui prolifèrent au gré des *desiderata* des États et gouvernements membres prêts à débloquer des fonds liés pour leur fonctionnement. Cette multiplication de petites féodalités sur les différents continents ne favorise pas l'unité de représentation et de communication de la Francophonie, dans la mesure où ces institutions entendent souvent protéger leur indépendance en faisant prévaloir leur spécificité. J'ai observé le même phénomène aux Nations unies. Il semblerait que ce soit une constante de la bureaucratie, qu'elle soit locale, nationale ou internationale.

Ottawa, jeudi 19 octobre 2000

Je rencontre, à Rideau Hall, le nouveau gouverneur général du Canada ou devrais-je dire plutôt – pour souscrire à l'usage fort répandu, ici, de féminisation des substantifs – la nouvelle gouverneure. Mme Adrienne Clarkson est une Chinoise née à Hong Kong, émigrée au Canada, et mariée à un Canadien pure souche : l'écrivain John Ralston Saul. Je suis étonné et séduit par l'audace du Canada en matière de multiculturalisme. Une nomination à un tel poste serait impensable aux États-Unis et plus encore dans les vieilles démocraties européennes.

On m'introduit dans un salon bibliothèque où m'accueille une petite femme mince, en tailleur pantalon. Elle s'exprime en français avec un léger accent anglais. Je suis venu, bien entendu, lui vanter les mérites de la Francophonie. Notre conversation est momentanément interrompue par l'entrée de son époux qui me dédicace deux de ses ouvrages traduits en français : *La Civilisation inconsciente* et *Réflexions d'un frère siamois*. Les critiques le définissent comme un «baroudeur de l'esprit» et j'apprendrai le soir – preuve de mon incurie en matière de littérature contemporaine – qu'il est une grande figure au Canada, auteur de nombreux essais et romans maintes fois primés, tant dans son pays qu'à l'étranger. Il nous quitte presque aussitôt : il s'envole pour l'Europe dans quelques heures.

Quelques instants après, c'est un colosse de deux mètres en uniforme qui s'inscrit dans l'encadrement de la porte pour nous annoncer que l'entrevue est terminée. Les audiences accordées par les grands sont toujours minutées afin, sans doute, d'en souligner la solennité.

Je m'éclipse, après avoir baisé la main de la très charmante gouverneure générale, et retraverse à pied le splendide parc de Rideau Hall. Une petite halte sentimentale devant l'arbre que j'ai planté en 1998, symbole de longévité, alors que le pouvoir n'est que précarité.

Winnipeg, vendredi 20 octobre 2000

Ronald Duhamel, le ministre canadien de la Francophonie, m'a invité dans son fief : le Manitoba. Cette province, presque aussi grande que l'Égypte, ne compte pourtant que deux millions d'habitants, dont la moitié vivent dans la « capitale », Winnipeg.

Entretiens avec les autorités locales, déjeuner-débat, conférence à l'université Saint-Boniface avant d'assister à une représentation des Ballets de Winnipeg dans un théâtre ultramoderne qui ferait pâlir d'envie la plupart des capitales européennes.

C'est l'image de cette prestation magnifique, au milieu de centaines de milliers de kilomètres carrés de plaines inhabitées, que je garderai de Winnipeg. Celle aussi de cette minorité francophone en lutte permanente pour préserver sa langue et sa culture, face à la déferlante anglo-saxonne qui envahit les médias, les lieux publics... le quotidien.

Paris, dimanche 22 octobre 2000

Débat public dans le cadre des rencontres de la Cité de la réussite. À mes côtés, sur l'estrade du grand amphithéâtre de la Sorbonne, Bronislaw Geremek, ancien ministre des Affaires étrangères de Pologne, Élie Wiesel et le prince Hassan de Jordanie. Trois personnages fort différents : Élie Wiesel, symbole patenté de l'Holocauste, affiche comme toujours un visage tourmenté, le masque d'une souffrance qui a eu un commencement mais n'aura jamais de fin. Le prince Hassan prône le dialogue entre les religions d'une voix de stentor, entrecoupant ses propos de phrases en anglais. Bronislaw Geremek, qui n'a rien perdu de sa jovialité et de son humour, me glisse en aparté :

« La dernière fois que nous sommes intervenus ensemble, c'était à l'ONU, où je représentais une ONG. Sitôt votre discours terminé, les caméras et les journalistes ont disparu. J'ai dû me résigner à m'exprimer sans témoins… »

Paris, lundi 23 octobre 2000

J'ai revu, ce soir, le film *Out of Africa*. Quelle déception ! Je crois que tout le charme de ce film, lorsque je l'ai vu la première fois en anglais, tenait à l'accent scandinave de l'héroïne. Une langue ne véhicule pas seulement des valeurs. Elle est d'abord musicalité. Et je m'aperçois, à bien y réfléchir, que je suis souvent séduit chez une femme par le son de sa voix et par sa manière de s'exprimer.

Berlin, mardi 24 octobre 2000

Je suis à Berlin pour faire la promotion de mon dernier ouvrage consacré à l'ONU. Je dois bien cela à mon jeune éditeur, Hofmann, qui vient de créer sa maison d'édition, Discorsi, et qui a pris le risque de traduire mon livre en allemand – *Hinter den Kulissen der Welt politik* –, premier titre à son catalogue. De toutes les éditions parues jusqu'à ce jour dans différents pays, c'est la plus réussie.

Mes petites joies d'auteur s'évanouissent à l'annonce du coup d'État du général Gueï à Abidjan, qui me ramène brutalement à la dure réalité africaine.

Hambourg, jeudi 26 octobre 2000

Il y a, dans cette cité hanséatique, quelque chose de noble. Un chauffeur m'attend à l'aéroport. Il ne parle pas français, mais s'exprime avec aisance en anglais. Il me déclare que la ville de Hambourg me voue une grande reconnaissance. Je n'en vois pas la raison. Je m'abstiens, pourtant, de le questionner à ce sujet. Après un moment de silence, apparemment volontaire de sa part, il me fournit une explication :

« C'est grâce à vous que notre ville a pu accueillir le Tribunal international du droit de la mer. D'ailleurs, cet après-midi, nous passerons devant les bâtiments que vous avez inaugurés il y a quatre ans. Vous verrez, tout est terminé. C'est un bel édifice, digne de la ville de Hambourg. J'espère que vous accepterez de me dédicacer votre livre sur vos années à l'ONU », ajoute-t-il.

Je retrouve la consule générale d'Égypte, Mme Mona Seoudi, une Égyptienne que l'on pourrait prendre pour une Soudanaise tant elle est brune. Elle pétille d'intelligence. Elle me raconte ses déboires avec la communauté égyptienne de Hambourg : travailleurs clandestins, trafic de drogue, matelots en état d'ébriété...

(Dans l'après-midi...) Départ pour le collège de l'Europe, où je dois donner une conférence. Mon chauffeur, comme promis, fait une halte devant le siège du tribunal, et me réitère toute la reconnaissance des Hambourgeois.

La conférence se prolonge. L'auditoire est jeune, enthousiaste. Les questions sont pertinentes. Tout cela me stimule et m'incite à poursuivre les débats. Mon éditeur constate, avec satisfaction, que j'ai dédicacé beaucoup plus d'ouvrages, ici, qu'à l'issue de la conférence animée par l'ancien ministre des Affaires étrangères, Klaus Kinkel, hier à Berlin.

Paris-Dijon, samedi 28 octobre 2000

Départ pour Dijon en compagnie de Léa et de l'ambassadeur de Kemoularia. Pendant le voyage, il appelle le président Konan Bédié, et me passe son téléphone portable pour que je lui présente, à mon tour, mes amitiés. « Il faut, me fait-il remarquer avec un sourire complice, être plein d'attentions à l'égard de ceux qui ont perdu le pouvoir. »

Une voiture nous attend à la gare de Dijon pour nous conduire jusqu'au château du Clos-Vougeot, où une très belle chambre nous a été réservée. Je vais être, ce soir, intronisé grand officier de la Confrérie des chevaliers du Tastevin. On attend de moi que je justifie l'honneur qui m'est fait, en rendant compte de mes goûts et de mes comportements « vineux ». Je me lance dans un type de discours dont j'ai peu l'habitude, mais qui me remplit d'aise :

« Commençons, mes chers amis, par le plus difficile ! Je dois reconnaître qu'en bon Égyptien, marqué par soixante-dix ans d'occupation britannique – et de whisky britannique –, j'ai longtemps vécu des jours sans soleil, c'est-à-dire des repas sans vin. Mais mon horizon s'est vite éclairé. Puisque je suis venu, dès 1946, m'installer en France pour y poursuivre mes études. Je ne passai pas directement du whisky aux grands crus de France. Il y eut – je l'avoue – l'étape intermédiaire des fines à l'eau, avalées plus que dégustées, sur le coin de table d'un bistrot ! Mais, persuadé comme Martin Luther que celui qui n'aime point le vin, les femmes et le chant est condamné à rester sot toute sa vie, j'eus tôt fait de stimuler mon intelligence. Et de faire mien le constat que si le vin disparaissait de la production humaine, il se ferait dans la santé et dans l'intelligence un vide, une absence plus affreuse que tous les excès dont on le rend coupable. Parce que le vin est, non seulement un professeur de goût, mais il libère, aussi, l'esprit et illumine l'imagination.

«Plus tard, au cours de ma carrière diplomatique, j'ai découvert une autre vertu du vin, et non des moindres. Celle de favoriser la communion sociale et la réconciliation. Au point que le vin devrait être prescrit sur toutes les tables de négociation. Et j'ajouterai même que les diplomates gagneraient, sans doute, en sagesse, s'ils étaient aussi œnologues. Parce que la table, entre tous les convives, établit le même niveau, et la coupe qui y circule nous pénètre envers nos voisins d'indulgence, de compréhension et de sympathie. C'est pourquoi, avant même d'avoir prononcé le *Juro* vineux et sacramentel, je peux dire que j'ai consacré mes forces agissantes en faveur des vins de France, en général, et de ceux de Bourgogne en particulier.

«En tant que ministre égyptien des Affaires étrangères, d'abord. Je dois, à ce propos, vous faire un autre aveu. On produit, en Égypte, du vin. Et vous comprendrez aisément – patriotisme oblige – qu'il me fallait offrir à mes hôtes un vin récolté en Égypte. Je dois à l'honnêteté et à la sollicitude du chef du protocole envers nos invités, d'avoir, un jour, mis un terme à cette pratique. Les convives, au lendemain des dîners, se plaignaient de maux de tête «carabinés». Place fut donc faite aux vins de France, et particulièrement aux vins de Bourgogne. Le croirez-vous? Les défections de dernière minute se sont, comme par enchantement, arrêtées. Et le nombre des convives a, en quelque temps, doublé. Les dives bouteilles ont, depuis lors, été de toutes les fêtes.

«J'ai, par la suite, poussé très loin le sens du détail. Jusqu'à passer, comme secrétaire général de l'ONU, à New York, cinq années dans la Maison de verre. De verres, il y en avait beaucoup, certes. Certains à moitié pleins, d'autres à moitié vides. Dire que le délectable vin de Bourgogne coulait à flots serait mentir. Le cyanure était plus souvent de mise.

«Mais il y a mieux! Il faut que vous sachiez, en effet, que mon bureau de secrétaire général de l'Organisation internationale de la Francophonie, à Paris, est situé… rue de Bourgogne. Ça ne s'invente pas ! »

Suit un dîner de gala, en présence de deux cents convives, en smoking et en robe du soir. Un dîner gastronomique et pantagruélique. Les mets les plus raffinés se succèdent, et, bien sûr, les meilleurs crus. Le tout dans une ambiance rabelaisienne : chansons à boire, saynètes, plaisanteries. À notre table, le grand maître de l'ordre et son épouse, l'ambassadeur des Indes à Paris, et Claude de Kemoularia.

Léa me dira, en rentrant, qu'elle ne m'avait pas vu aussi détendu, aussi insouciant et aussi gai depuis bien longtemps. Les chansons que nous avons entonnées, ce soir, sont les mêmes que celles que je chantais lorsque j'étais boy-scout en Égypte, dans une troupe Wadi el-Nil qui réunissait de jeunes francophones. Nous chantions sans savoir où se trouvait la Bourgogne, et sans jamais avoir goûté ce nectar. Ce soir, j'ai chanté en connaissance de cause.

Paris-Bamako, mardi 31 octobre 2000

Je m'envole pour Bamako où doit se tenir le symposium de la Francophonie sur la démocratie. Hébergés à l'hôtel Salam, un établissement fort agréable et flambant neuf. Pourvu que ça dure… Il n'est que de voir l'état de délabrement dans lequel l'hôtel de l'Amitié, construit par l'Égypte il y a quelques années, est progressivement tombé. On assiste, d'ailleurs, au même phénomène dans mon pays, où les bâtiments officiels, faute d'être entretenus, se dégradent lentement, mais sûrement. Les ascenseurs cessent un beau jour de fonctionner, encore qu'un petit pourboire au liftier suffise bien souvent à les faire redémarrer. Les salles de bains ne fonctionnent pas ou fonctionnent de manière anarchique, provoquant des inondations. Les moquettes sont tachées et trouées, le tout nimbé d'une odeur tenace d'humidité et envahi par la poussière omniprésente.

Bamako, mercredi 1er novembre 2000

Ouverture solennelle du symposium au palais des Congrès de Bamako. Sur l'estrade, le président Alpha Oumar Konaré, le ministre des Affaires étrangères, Ibrahim Fall, qui représente les Nations unies, et moi-même. Les discours terminés, je raccompagne le Président jusqu'à la sortie, tandis qu'une fanfare joue avec allégresse *Vive le vent d'hiver*, ce qui, sous les trente-cinq degrés de Bamako, ne manque pas de piment.

Reprise des travaux. Robert Badinter plaide avec fougue en faveur de la Cour criminelle internationale. Ses qualités d'orateur, son panache, son brio enthousiasment l'auditoire. Il va sans dire qu'il parle sans texte de cette cause qui lui est chère.

Bamako, jeudi 2 novembre 2000

Entretien avec le président Alpha Oumar Konaré au palais présidentiel, juché au sommet d'une colline qui surplombe la ville et le fleuve. Bien qu'elle ait été rénovée, il se dégage de cette bâtisse une atmosphère coloniale. On se croirait dans l'une de ces résidences de quelque ancien gouverneur des Indes, à l'époque où l'air conditionné n'existait pas encore, mais où tout était fait pour maintenir une confortable fraîcheur.

Il aborde d'entrée de jeu la question de ma réélection.

«Je suis, me dit-il, en faveur de votre second mandat. Vous avez transformé cette institution, qui était moribonde, en une véritable organisation internationale. Mais vous avez contre vous

Omar Bongo, qui appuie la candidature de Lopez, l'ambassadeur de Sassou-Nguesso à Paris. N'oubliez pas que Bongo est le gendre de Sassou.»

Nous évoquons, ensuite, la facilitation au Togo. Il est d'avis que le président Eyadéma briguera un troisième mandat. Il lui faudra, pour cela, modifier la Constitution. Je me garde de faire le moindre commentaire, bien que je partage son point de vue.

À l'issue de notre entretien, Mme Konaré demande à me rencontrer. Il émane d'elle un subtil mélange de beauté et d'intelligence. C'est une intellectuelle au pouvoir ou, pour être plus précis, une femme mariée à un homme de pouvoir, ce qui lui laisse tout le loisir de méditer, de réfléchir et d'écrire. Elle me parle d'une revue dont elle s'occupe et qu'elle souhaiterait voir plus largement diffusée.

(Le soir…) Durant la réception que je donne dans les jardins de l'hôtel Salam, j'ai une longue conversation avec le représentant de Reporters sans frontières, Robert Ménard. Il doit avoir une quarantaine d'années, mais appartient à cette catégorie d'hommes qui vieillissent en conservant une allure juvénile, sans doute parce que leur physique est à l'image de la cause qu'ils servent. J'ai devant moi un «jeune homme mûr», mince, nerveux, intransigeant : l'archétype même du militant exalté, convaincu que seule une lutte à outrance permettra de briser l'inertie des égoïsmes collectifs qui continuent de peser sur les violations de toutes sortes qui ont cours dans bien des pays, notamment dans les pays du tiers monde qui sont, pour leur part, plus faciles à contrôler ou à condamner.

Je lui explique, avec infiniment de patience, que ce symposium de Bamako sur la démocratie est une grande première, pour ne pas dire une véritable révolution, dans la mesure où les organisations non gouvernementales ont pu, au même titre que les États et les autres acteurs de la vie internationale, négocier le texte de la déclaration qui sera adoptée à l'issue de la conférence. Il n'y a rien là pour l'étonner, ni même le satisfaire, tant il considère qu'il s'agit là d'un droit acquis qui aurait dû s'exercer depuis longtemps. Il veut, maintenant, participer à la mise en œuvre de la déclaration, en d'autres termes être non seulement consulté, mais aussi associé aux enquêtes. Je tente de le convaincre qu'il faut, en la matière, faire preuve de patience et savoir attendre. Ces propos n'ont pas l'air de lui plaire. On le sent impatient, déterminé à tout bousculer et à ne rien laisser passer.

Je le quitte pour m'entretenir avec les diplomates, qui ont des préoccupations, évidemment, diamétralement opposées.

Bamako, vendredi 3 novembre 2000

J'offre un déjeuner à l'hôtel de l'Amitié. Cet édifice reste, dans mon esprit, associé aux tractations que j'ai eues, durant des années, comme ministre d'État des Affaires étrangères, avec le gouvernement malien pour négocier l'échelonnement de la dette qu'avait occasionnée la construction, par l'Égypte, de cet hôtel et d'une route de quelques centaines de kilomètres. Je savais mieux que quiconque que la dette et les intérêts ne seraient jamais acquittés, mais il fallait bien prendre en compte les préoccupations de notre ministre des Finances qui voulait éviter de créer un précédent.

Réunion de travail à huis clos avec les ministres des Affaires étrangères pour l'adoption de la déclaration dans sa version finale. Moment délicat entre tous : il suffit qu'un ministre propose des amendements controversés ou s'oppose purement et simplement au texte, pour que tout l'édifice, fruit d'une année de travail et de tergiversations, s'effondre en quelques secondes.

J'anticipe en mentionnant que le ministre du Rwanda m'a judicieusement fait remarquer que le terme de « génocide » n'apparaissait pas dans la déclaration. Je propose donc un amendement, en ce sens, qui est approuvé à l'unanimité. Le ministre français, Charles Josselin, intervient à son tour pour demander que l'on explicite la formulation concernant la suspension d'un État membre suite à un coup d'État, en précisant que l'on considère, par là, un coup d'État militaire contre un régime issu d'élections démocratiques.

Ce second amendement adopté, je m'empresse de reprendre la parole :

« Pas d'autres amendements, dis-je sur un ton plus affirmatif qu'interrogatif, la déclaration est donc approuvée ! »

Je pousse en moi-même un soupir de soulagement ! Tout s'est déroulé pour le mieux. La séance est levée. Nous nous retrouverons, en fin d'après-midi, pour la cérémonie de clôture, les conventionnels discours et les congratulations réciproques.

L'ancien Premier ministre du Congo-Brazzaville, Bernard Kolélas, informé de mon passage à l'hôtel de l'Amitié, a demandé à me rencontrer. La réunion terminée, je monte donc jusqu'à la chambre qu'il occupe avec son épouse, au dernier étage. Il est fatigué, mais semble ne vouloir en tenir aucun compte. Il me parle de l'illégitimité du régime de Sassou-Nguesso, de l'importance d'un dialogue intercongolais. Il me demande d'intervenir auprès du président Chirac et des autorités françaises. Du fond de son misérable exil, il poursuit le combat, fort de l'idée que ses partisans attendent son retour. J'essaie de l'encourager à entamer des négociations avec Brazzaville. Il accueille ma proposition avec réserve. Comme tous les réfugiés politiques que j'ai rencontrés, il continue à rêver d'un retour au pays et d'un retour au pouvoir, persuadé que la réconciliation et la paix en dépendent.

J'ai la pénible impression, en le quittant, qu'il a définitivement perdu la bataille, malgré l'appui sans faille de ses partisans, et qu'il est à jamais condamné à vivre dans l'exil et la précarité. Il est de ces rares dirigeants qui n'ont pas profité de ce qu'ils étaient au pouvoir pour transférer des fonds à l'étranger au cas où la chance viendrait à tourner pour eux…

Paris, mardi 7 novembre 2000

Je participe à un colloque à l'Unesco en présence du directeur général, Koïchiro Matsuura, sur le thème « Identité culturelle et mondialisation ».

Je souligne, dans mon discours, les menaces que fait peser sur nous la mondialisation, qui est, certes, un processus irréversible, mais susceptible d'aménagements :

Première menace, celle de voir l'État se dissoudre dans le marché, avec un affaiblissement progressif des régimes démocratiques. On assiste d'ailleurs déjà à une crise de la représentation politique et de la conscience de citoyenneté. Les individus ont tendance, aujourd'hui, à se sentir plus consommateurs que citoyens. Pis encore : ils ont le sentiment de ne plus êtres représentés et donc d'être exclus et marginalisés.

Deuxième menace, celle de voir se constituer des communautés agressivement repliées sur elles-mêmes au nom de la différence, dans la mesure où l'affaiblissement de l'idée démocratique peut aboutir à l'expression, en dehors de l'espace politique, des aspirations et des revendications. Ce phénomène risque encore d'être accentué par la volonté affichée de diffuser massivement une langue et une culture uniques.

Ultime menace, celle de voir les liens de solidarité traditionnels détruits, de voir des individus, des pays, des régions entières de la planète s'enfoncer toujours plus dans la misère.

Comment contrer ces menaces ?

En favorisant, tout d'abord, l'émergence d'une véritable démocratie mondiale, afin que l'opinion des peuples et des nations puisse pleinement s'exprimer, démocratie qui nécessite la réforme des Nations unies et d'autres institutions multilatérales, mais aussi une participation accrue des acteurs de la société civile.

En organisant, ensuite, le dialogue des cultures et en mettant en œuvre des politiques volontaristes en faveur de la préservation de la diversité culturelle.

En nous persuadant, enfin, que nous avons un devoir de solidarité à l'endroit des pays en développement.

(Dans la soirée…) Dîner à la résidence en l'honneur d'Abdou Diouf et de son épouse. J'ai invité Michel Rocard, Jacques Attali, l'ambassadeur d'Égypte Aly Maher, et leurs épouses, ainsi que mon neveu Fakry Abdel Nour. Une atmosphère agréable, conviviale, détendue. Un tableau intéressant : Abdou Diouf, l'air sage et désabusé, Michel Rocard, comme à son habitude survolté et brillant, Jacques Attali, maniant les chiffres et les mots avec dextérité, Aly Maher, dans le rôle du diplomate aguerri, mon neveu, attentif et curieux, et, en toile de fond, les épouses. Une alchimie qui a bien fonctionné et, finalement, une réception réussie.

Paris, jeudi 9 novembre 2000

Réunion de travail avec les directeurs des programmes de l'Agence intergouvernementale de la Francophonie. Certains sont brillants, et connaissent bien leurs dossiers. D'autres sont foncièrement médiocres. On touche là du doigt le problème majeur des organisations régionales. Elles ne réussissent, la plupart du temps, qu'à recruter des éléments de second ordre, les diplomates et les experts de qualité préférant travailler pour leur administration nationale ou pour l'ONU et ses agences spécialisées. Les laissés-pour-compte, ou ceux que des raisons politiques empêchent de travailler pour leur pays, échouent dans des organisations de moindre importance…

Paris, samedi 11 novembre 2000

Je reçois, ce matin, une visite inattendue : Georges Gorse. Il a été mon professeur de littérature française au lycée franco-égyptien d'Héliopolis, dans la banlieue du Caire. Je le revois tel qu'il était alors, jeune, brillant, élégant. Je l'ai retrouvé bien des années plus tard, en 1995, lors de mon audition devant la commission des Affaires étrangères de l'Assemblée nationale, alors présidée par Valéry Giscard d'Estaing.

J'ai gardé le souvenir, intact en moi, d'un excellent professeur qui m'a fait découvrir le génie de la langue française. Il avait, comme beaucoup de professeurs, une marotte, cette référence récurrente à l'épisode de la madeleine dans *Du côté de chez Swann*.

Aujourd'hui, j'ai devant moi un vieil homme amaigri, angoissé, désemparé.

Je lui rappelle nos années en Égypte, lui le jeune professeur, moi l'élève turbulent et indiscipliné. Il esquisse un triste sourire, se lève et prend congé en ces termes :

« Je ne sais pas pourquoi je suis venu vous voir… »

Je me dis à cet instant que je n'ai pas peur de la mort, pourvu qu'elle m'emporte d'un coup d'un seul. Mais j'ai très peur de la vieillesse triste.

Paris, lundi 13 novembre 2000

Je retrouve avec plaisir, chez l'ambassadeur Jean-Pierre Vettovaglia, Édouard Brunner, un des fleurons de la diplomatie helvétique. Il avait été, à l'ONU, représentant personnel du secrétaire général en Géorgie. Il était alors ambassadeur de Suisse à Paris, une situation pour le moins paisible et confortable, ce qui ne l'avait pas empêché de faire une analyse lucide et complète de la situation. Et je me souviens qu'il narrait les événements avec un humour qui rendait les tragédies qu'il avait observées plus supportables.

Paris, mardi 14 novembre 2000

David Rockefeller reçoit les insignes de grand-croix de la Légion d'honneur des mains du grand chancelier, au cours d'une cérémonie émouvante et longtemps attendue. Je n'ai pas oublié, en effet, le ton de regret de David Rockefeller lorsqu'il avait appris que j'avais reçu cette même distinction des mains de François Mitterrand. Et il avait ajouté : « Mon père a eu la grand-croix, moi pas. »

Tandis que je me remémore les paroles nostalgiques de l'heureux récipiendaire d'aujourd'hui, l'ambassadeur des États-Unis, Felix Rohatyn, me fait partager ses regrets du moment : « Si seulement j'avais vos cheveux... Moi, je perds les miens et le peu qui me reste sur la tête ne suffit pas à sauver les apparences. »

Puisqu'on en est aux regrets, je pense en moi-même que si j'avais le centième de la fortune de David Rockefeller et le dixième du pouvoir politico-diplomatique de Felix Rohatyn, je n'aurais sans doute plus aucun regret...

Paris, lundi 20 novembre 2000

Nouvelle cérémonie, cette fois-ci dans les locaux de la Banque de France. Le gouverneur Jean-Claude Trichet remet la Légion d'honneur à mon ami McDonough, gouverneur de la Banque fédérale de New York. Il a fait venir sa famille au grand complet. Tous écoutent religieusement la succession de discours, en français, qu'ils ne comprennent pas.

L'amitié de Bill McDonough et de son épouse Suzan m'a toujours été très chère. Et nous ne manquons jamais une occasion de nous retrouver lorsqu'ils passent par Paris ou lorsque je me rends à New York. Deux êtres cultivés, amateurs d'art, de musique, et de sites archéologiques.

Paris, mardi 21 novembre 2000

J'insiste auprès du colonel Azali Assoumani des Comores pour qu'il négocie avec l'opposition, ces anciens politiciens qu'il qualifie de « dinosaures ».

« Il y a quelque temps, dis-je, j'aurais adhéré à votre point de vue, qui consiste à vouloir régler le problème de la sécession de l'île d'Anjouan, comme préalable au dialogue intercomorien. Mais, aujourd'hui, face à l'hostilité manifeste de la communauté internationale, je vous conseille de renforcer d'abord votre position à l'intérieur du pays avant de commencer vos pourparlers avec les sécessionnistes d'Anjouan. Si cette approche vous convient, je vous propose de vous envoyer, d'ici à quelques jours, une délégation de l'OIF pour vous aider à rétablir le dialogue et amener, ultérieurement, Anjouan à la table des négociations. »

Le colonel me regarde longuement :

« J'accepte votre proposition, j'attends votre délégation. »

Paris, jeudi 23 novembre 2000

Jacques Chirac accepte de participer au colloque du 20 mars 2001, à l'occasion de la Journée internationale de la Francophonie. Le président Joaquim Chissano du Mozambique a d'ores et déjà confirmé sa présence, au titre de président de la Communauté des pays de langue portugaise. Reste à trouver un président pour représenter le sommet ibéro-américain et le groupe des pays hispanophones.

On évoque brièvement l'élection du secrétaire général à Beyrouth :

« Lopez, qui est mon ami, a peu de chances d'être élu, me dit Jacques Chirac. D'ailleurs, ce n'est pas un vrai Africain, c'est un métis. » Puis il ajoute avec un sourire entendu :

« Toi non plus, tu n'es pas un vrai Africain. »

Rabat, vendredi 24 novembre 2000

Avant de rencontrer le roi Mohamed VI, j'ai tenu, ce matin, à me rendre au mausolée du roi Hassan II. Moment de recueillement bref et intense. Devant le tombeau du roi défunt, je repense au rôle qui fut le sien dans le monde arabe. À ses succès : la manière dont il a su restaurer les rapports entre le Maroc et le reste du monde arabe, sortant ainsi son pays de l'isolement dans lequel l'avait plongé le protectorat français. La manière dont il a su créer des liens nouveaux avec les souverains de l'Arabie Saoudite et des principautés du Golfe. À ses insuccès, aussi : le problème du Sahara occidental, les relations entre le Maroc et l'Algérie…

Le roi Mohamed VI me reçoit avec, à sa droite, son frère le prince Mouley Rachid. À mon côté, le ministre des Affaires étrangères.

« Vous connaissez bien cette salle », me dit le roi.

Puis il ajoute :

« La première fois que nous nous sommes rencontrés, c'était à Vittel, lors du sommet France-Afrique, en 1983.

– En effet, Majesté, dis-je. Et je me souviens très bien que vous m'aviez demandé combien de langues je parlais. Je vous avais répondu : "Trois. L'arabe, le français et l'anglais." Et vous m'aviez alors fait remarquer, non sans une certaine fierté, que, pour votre part, vous en parliez quatre.

– À cette époque, relève-t-il avec humour, je manquais de modestie, monsieur le secrétaire général… »

Nous évoquons le dossier de la Francophonie, auquel le Maroc est très attaché. Le roi montre un intérêt marqué pour le sommet de Beyrouth auquel il compte personnellement participer. Je lui fais part de mon idée d'une nouvelle grande conférence sur la démocratie, qui ferait suite au symposium de Bamako et qui réunirait les représentants de tous les partis politiques de l'espace francophone. Cette conférence pourrait se tenir à Rabat ou à Casablanca, en 2002.

« Je ne tiens pas pour le moment, me fait-il remarquer avec infiniment de sagesse, à réunir au Maroc les représentants des partis d'opposition de certains pays membres de la Francophonie. Ce ne serait pas du goût des chefs d'État des pays concernés. Or, tant que je n'aurai pas résolu la question du Sahara occidental, je dois me montrer très prudent, et consacrer tous mes efforts à sortir de cet épineux problème. Mais mon pays est prêt à accueillir toute autre grande manifestation que la Francophonie voudrait organiser. »

(Un peu plus tard…) Je rends visite au Premier ministre, Abderrahman Youssoufi, un des caciques de l'Internationale socialiste, que je connais depuis fort longtemps. Il me réserve un accueil très amical. Puis, voyant que je pose un regard attentif et

familier sur les meubles, les tableaux et les bibelots de la pièce, il me dit avec un soupçon de malice :

« Vous êtes venu souvent, ici, du temps de mon prédécesseur Abdellatif Filali…

– C'est vrai, monsieur le Premier ministre. Vous êtes un fin observateur. Mon regard ne vous pas échappé et vous avez lu dans mes pensées. »

Il se montre fort intéressé par la Francophonie, et me promet toute l'assistance nécessaire pour faire croître et prospérer cette institution.

Rabat, samedi 25 novembre 2000

Visite dans les locaux de l'Isesco, où je rencontre le directeur général, le Dr Abdulaziz Othman Altwaïjiri. Déclarations à la presse et à la télévision, séance de photos. Il me montre le terrain où s'élèvera le siège permanent de l'Isesco, et me donne un bref aperçu des futures installations : salle de conférence, bibliothèque, bureaux. Et, toujours, mon irrépressible tendance à établir des comparaisons avec les locaux de la Francophonie…

Nous convenons de signer un accord-cadre de coopération. L'Isesco s'engage à traduire en arabe les actes du colloque Francophonie et monde arabe que nous avons organisé à Paris, en mai dernier.

Paris, mardi 28 novembre 2000

Conférence de presse pour le lancement des IVᵉ Jeux de la Francophonie. Une salle quasiment vide. J'ai compté, en tout et pour tout, seize personnes, pour la plupart des habitués, quant aux journalistes…

Une petite note touchante et réconfortante dans cette soirée ratée : ma rencontre avec une jeune championne française de judo qui m'explique comment elle a été mise à terre par sa concurrente égyptienne, dont elle me donne le seul prénom, en me demandant de l'aider à entrer en contact avec elle...

Lomé, vendredi 1er décembre 2000

Dîner en tête à tête avec Koffi Panou. Il est manifestement fatigué. Il est trop gros et mange trop. Nous discutons des rapports difficiles entre le Togo et l'Union européenne.

« Gilchrist Olympio, dit-il, a réussi à convaincre la plupart des États membres de l'Union européenne, et particulièrement l'Allemagne, que tant que le président Eyadéma sera au pouvoir, il n'y aura ni démocratie, ni Droits de l'homme au Togo. »

Lomé, samedi 2 décembre 2000

Je passe la matinée à rencontrer les responsables des différents partis politiques pour tenter de dynamiser le dialogue intertogolais.

Lomé-Kara-Cotonou, dimanche 3 décembre 2000

Départ, en compagnie du professeur Bernard Debré et du Premier ministre Koffi Abboybo, dans l'avion présidentiel, destination Kara, la ville natale de Gnassingbé Eyadéma.

Bernard Debré m'apprend que Koffi Panou a été victime, hier soir, d'une crise cardiaque, mais sa vie n'est plus en danger. Je lui avais recommandé l'avant-veille, lors de notre dîner, de faire attention à sa santé, mais il pensait sans doute – comme nous tous d'ailleurs – que les crises cardiaques, c'est toujours pour les autres.

Kara, qui est en quelque sorte l'équivalent de Mit Aboul Kom pour Sadate, de Yamoussoukro pour Houphouët-Boigny, ou de Badoliti pour Mobutu, est en fête. Partout dans les rues, de grandes banderoles nous souhaitant la bienvenue. Accueil en fanfare. Je suis reçu par le président Eyadéma qui m'attend sur le seuil du palais présidentiel. Il y a vingt-deux ans, en 1978, j'étais venu à Kara pour lui remettre un message du président Sadate. Kara n'était alors qu'un village, et la résidence du Président, une simple maison bourgeoise.

Le Président togolais me décore, durant une brève cérémonie, avant de nous offrir un déjeuner à Bernard Debré et à moi-même. Les ministres et autres dignitaires ont pris place dans une salle adjacente. Bernard Debré m'a confié qu'il était proche du Président, au point que ce dernier s'était mis en tête de le réconcilier avec son frère lors du décès de leur père. Un père de substitution, en quelque sorte. Bernard Debré a d'ailleurs passé sa lune de miel au Togo et revient régulièrement pour opérer bénévolement des malades à Kara ou à Lomé.

Cotonou, lundi 4 décembre 2000

Je ne connaîtrai jamais les tenants, ni surtout les instigateurs de la tragi-comédie que je vis ce matin, depuis ma chambre d'hôtel.

Il était convenu que j'intervienne, lors de la séance solennelle d'ouverture de la IVe conférence des Nations unies, sur les démocraties nouvelles ou rétablies, en tant que secrétaire général de l'OIF, jusqu'à ce qu'on m'annonce que je ne serai pas sur le podium où prendront place les présidents Kérékou et Konaré ainsi que le secrétaire général des Nations unies, mais qu'on m'installera, dans la salle, au premier rang, à côté du président Zinsou, et que je prononcerai mon allocution après la séance d'ouverture. Telle n'était pas, au départ, ma compréhension des choses. L'alternative est simple dans mon esprit : soit je suis sur le podium et je prends la parole, avant ou après les présidents et le secrétaire général des Nations unies, soit je renonce à participer à cette cérémonie d'ouverture.

Le président Zinsou vient me trouver. Il insiste pour que je ne fasse pas d'éclat et que j'accepte de m'asseoir à son côté. Christine Desouches m'appelle deux fois du lieu de la conférence pour me supplier de ne pas boycotter la cérémonie. Je campe sur mes positions. En tant que secrétaire général d'une organisation internationale, l'OIF, qui a contribué à la préparation et au financement de cette conférence, je dois bénéficier du même traitement que le secrétaire général des Nations unies et les chefs d'État.

La séance est retardée, le Président malien n'étant pas encore arrivé. Pendant ce temps, les pourparlers continuent, dans une atmosphère de drame cornélien pour les médiateurs, et de comédie de Molière en ce qui me concerne. Tout cela est cousu de fil blanc ! Le président Zinsou finit par s'adresser au président Mathieu Kérékou et à Kofi Annan, qui acceptent tous deux, avec plaisir, ma présence à leurs côtés, sans trop comprendre pour quelle raison on m'a refusé l'accès au podium.

Je n'ai jamais su si cette petite cabale visait l'OIF, dont on voulait banaliser la participation, ou si le message m'était directement adressé.

Paris, vendredi 8 décembre 2000

Longue conversation avec le ministre de la Culture du Liban, Ghassan Salamé, en charge de la préparation du sommet de

Beyrouth. Je me sens beaucoup plus rassuré depuis que ce dossier lui a été confié. Restent les impondérables. Comme, par exemple, le fait qu'Israël décide d'envoyer ses chasseurs survoler le territoire libanais, en toute impunité, puisque cet État bénéficie d'une immunité garantie par l'hyperpuissance. Il suffirait d'un incident de ce type pour qu'une grande majorité de chefs d'État et de gouvernement annulent leur participation à la dernière minute.

(Le soir…) Léa et moi dînons avec Mme Moubarak, en compagnie de l'ambassadeur Aly Maher et de Chery, son épouse. Le charme, l'intelligence et la modestie de la première dame d'Égypte ne cessent de me séduire. J'évoque, au cours de la conversation, le rôle des organisations internationales non gouvernementales, et l'indifférence coupable du gouvernement et de notre diplomatie à l'égard de ces nouveaux acteurs de la politique internationale. Il n'est que de voir, par exemple, leur manque d'intérêt pour l'Internationale socialiste depuis que j'ai démissionné de la vice-présidence, en 1991, alors que les chefs de gouvernement d'Allemagne, de France et de Grande-Bretagne sont des membres très actifs.

Suzanne Moubarak m'écoute avec intérêt. Elle partage mes préoccupations. Elle est la première à se battre pour promouvoir le rôle de la société civile en Égypte, mais elle sait, tout comme moi, qu'il serait peut-être plus facile de déplacer les pyramides que de faire bouger la bureaucratie égyptienne.

Paris, samedi 9 décembre 2000

Le président Pierre Buyoya du Burundi, que je rencontre cet après-midi, attend beaucoup de la conférence des donateurs qui s'ouvrira lundi matin, à Paris. Il paraît serein et confiant, malgré la guerre civile qui continue de faire rage dans son pays. J'ai le sentiment qu'il est au pouvoir pour longtemps encore, car tant que dureront les troubles militaires, tant qu'un véritable accord n'aura pas été conclu avec les rebelles, il n'est pas dans l'intérêt du Burundi de changer de dirigeant malgré ce que prévoient les accords d'Arusha.

Madrid, lundi 11 décembre 2000

J'ai accepté l'invitation de Federico Mayor de participer à la grande conférence internationale qu'il organise, dans la nouvelle université de Juan Carlos, à une vingtaine de kilomètres de Madrid, sur le thème de la culture de la paix. Une manière d'inaugurer la fondation qu'il a créée depuis son départ de l'Unesco.

Léa et moi déjeunons à l'hôtel, en compagnie de Danielle Mitterrand. Elle n'a rien perdu de son dynamisme, de son engagement militant au service des déshérités du monde.

(Dans l'après-midi...) Séance solennelle d'ouverture de la conférence, en présence du roi et de la reine d'Espagne.

Lors de la réception qui suit, je présente mes amitiés au roi Juan Carlos qu'encercle la foule des invités :

« Que fais-tu maintenant ? » me demande-t-il.

Puis, sans attendre ma réponse :

« Je voudrais que tu ailles au Maroc pour t'entretenir avec le roi, qui est très jeune. Son entourage, aussi, est très jeune. Je n'ai rien contre la jeunesse, mais il ne serait pas inutile qu'il puisse entendre le point de vue d'un homme expérimenté. »

Avant que j'aie pu prononcer un seul mot, la foule de ses admirateurs me sépare de Juan Carlos. Je n'ai pas le temps de lui répondre que je n'ai aucunement qualité à jouer le rôle de conseiller auprès du souverain marocain.

Je retrouve aussi, parmi les invités, Emma Bonino, qui, avec sa fougue coutumière, me demande d'inciter les États membres de la Francophonie à s'impliquer activement en faveur de l'abolition de la peine de mort et de la ratification du Tribunal pénal international.

Je suis, dans ce tourbillon insensé, abordé par un personnage fort étrange. Il m'informe que le grand chef des Hopis (tribu indienne d'Amérique) souhaiterait me voir de toute urgence. Je l'avais déjà reçu à l'ONU, en 1995, réalisant ainsi, paraît-il, la prédiction du Grand Livre des Hopis qui situait précisément notre rencontre cette année-là, dans une maison de verre. Devant mon attitude plus que réservée, il me promet un billet d'avion en première classe. Je profite de ce qu'un nouvel arrivant m'accoste pour mettre un terme poli à notre conversation. Peine perdue ! Je le retrouve, le soir même, à l'hôtel. Je lui explique que mes fonctions ne me permettent pas, pour l'instant, d'envisager un tel voyage, et je lui demande, sans transition, ce qu'il pense de l'élection de George Bush Junior. Il prend le temps de la réflexion, et me déclare :

« Ce sera un gouvernement de guerre froide, sans la guerre froide. »

La formule me séduit. Elle mériterait d'ailleurs une longue explication.

Madrid, mardi 12 décembre 2000

Les locaux du sommet ibéro-américain sont, eux aussi, sans commune mesure avec ceux de la rue de Bourgogne. J'étudie avec les responsables les modalités de leur participation à la conférence du 20 mars 2001, à Paris.

(Le soir...) Nous dînons avec Federico Mayor, sa famille et un groupe de congressistes. Dans la pièce voisine, une jeune femme interprète à la harpe la *Pavane pour une infante défunte* de Maurice Ravel. Les images viennent tout à coup se bousculer dans mon esprit, et je m'abstrais totalement du décor qui m'entoure. La dame respectable assise à ma droite, l'ambiance conviviale, les saveurs ensoleillées du vin espagnol s'effacent. L'espace d'un instant, je suis au Caire, une dahabieh accostée au rivage du Nil, dans la lumière crépusculaire du soir. Je reprends vite ma conversation avec la dame respectable, puis me tourne sur ma gauche pour satisfaire la curiosité de mon autre voisine, une femme opulente, qui aimerait savoir si je préfère vivre à New York ou à Paris.

Madrid, mercredi 13 décembre 2000

Coup de téléphone du président Chissano, qui me propose que nous nous rencontrions dans deux jours, à Paris, pour parler de la conférence du 20 mars 2001.

Je mets à profit ce court séjour à Madrid pour aller au musée Vélasquez, puis au musée du Prado, où la jeune conservatrice nous livre une explication détaillée et savante des peintures de Goya, nous révélant les détails que nous n'avions pas vus, la genèse de chaque tableau et le message de l'artiste. C'est une sensation toute différente de celle qui consiste à se laisser guider par la seule émotion que vous procure une œuvre, sans chercher à savoir ou à comprendre sa signification profonde.

(Dans l'après-midi...) J'apprends la victoire définitive de George Bush. C'est un grand soulagement ! J'avais tellement peur que Al Gore ne l'emporte, lui qui a la réputation d'être plus sioniste que les plus fanatiques des sionistes !

Paris, vendredi 15 décembre 2000

Bilan des actions menées, depuis le sommet de Moncton, devant les membres du bureau de l'Assemblée parlementaire de la Francophonie. Dialogue avec les participants. Le sénateur canadien a préparé une longue liste de questions qui démontrent sa parfaite connaissance des dossiers francophones.

Je quitte mes parlementaires à la hâte pour aller rencontrer le président Chissano. Il arrive de l'université d'Oxford, où mon ancien collaborateur Sir Marrack Goulding l'a invité à prononcer une conférence. Il me dit, amusé, que ce dernier lui a raconté comment je lisais minutieusement tous les rapports que l'on me remettait, pour les rendre totalement modifiés le lendemain matin. Puis, m'examinant avec attention :

« Tu n'as pas changé. Quel est ton secret ?

– Le travail, monsieur le Président, le travail conserve. »

Nous reparlons d'Alfonso Dhlakama. Je m'aperçois qu'il lui voue toujours la même antipathie. Nous n'avons guère le loisir de prolonger notre entretien, car il doit repartir.

« Tu diras à Jacques Chirac que je participerai à ses côtés à la séance d'ouverture du colloque du 20 mars. »

Paris, mardi 19 décembre 2000

Je reçois ce matin Terence Nsanze. Il appartient au groupe des hiérarques tutsis du Burundi. Lorsque je l'ai connu, il était ambassadeur du Burundi auprès des Nations unies. Il avait pensé se présenter au poste de secrétaire général, allant jusqu'à m'expliquer, lorsque j'ai été élu en 1991, qu'il avait contribué à mon élection et qu'il accepterait un poste de sous-secrétaire général. Je l'ai retrouvé lors de ma visite à Bujumbura en 1994. Il était à la tête d'un parti dont les membres pouvaient se compter sur les doigts d'une main.

Il est éloquent, familier de longues digressions qu'il égrène d'une voix nasillarde, dans un souffle ininterrompu. Il est venu m'annoncer qu'il sera le prochain président du Burundi, après le départ du major Buyoya.

« Le président Buyoya est-il informé de vos intentions ? » dis-je.

Il me regarde, l'air tout à la fois étonné et agacé :

« L'opinion publique burundaise est au courant de mon action politique et me soutient. »

Sans transition, il ajoute :

« Si, en attendant, vous aviez une mission diplomatique à me confier dans le cadre de la Francophone, je l'accepterais volontiers. »

Je lui assure que je tiendrai compte de sa disponibilité.

Paris, jeudi 21 décembre 2000

L'ancien Premier ministre des Comores Ali Mroudjae affiche un mépris souverain pour les militaires qui dirigent son pays :

« Le colonel Azali Assoumani, me dit-il, a pris goût au pouvoir et il ne le lâchera pas de sitôt. Quant au colonel Abeid, qui sévit à Anjouan, c'est un retraité de l'armée française que l'on est allé chercher à Toulouse. Autant dire une marionnette aux mains de mafieux qui le liquideront au moment opportun. Il n'a d'ailleurs pas l'appui de la population, et il perdra le pouvoir bien plus tôt que vous ne le pensez. »

Paris, vendredi 22 décembre 2000

La situation se détériore à nouveau à Bangui. Je téléphone au président Ange-Félix Patassé qui m'affirme maîtriser la situation.

Je partage l'avis de bon nombre d'observateurs qui pensent qu'Ange-Félix Patassé n'est pas l'homme susceptible d'organiser la réconciliation nationale.

Paris, samedi 23 décembre 2000

J'ai enfin terminé l'introduction de l'édition allemande des trois *Agendas* pour la paix, le développement et la démocratisation que j'avais élaborés à l'ONU. J'insiste sur l'interaction entre ces trois objectifs qui ont constitué les axes majeurs de mon action à l'ONU, et que j'ai explicités dans mon discours d'investiture, comme sixième secrétaire général, le 3 décembre 1991. Trois objectifs que je ne cesserai de défendre et qui doivent, aujourd'hui encore, nous servir de carte et d'instrument de navigation pour nous permettre d'explorer l'espace incertain du futur.

Paris, mercredi 27 décembre 2000

C'est dans les locaux de l'Unesco, désertés par les fonctionnaires internationaux en congé, que je signe, avec Koïchiro Matsuura, un accord de coopération entre l'OIF et l'Unesco. L'engagement est pris de renforcer la collaboration entre nos deux organisations dans le domaine culturel.

Je reçois Michel Bassi qui se propose de démarcher de grandes entreprises afin d'obtenir qu'elles financent un millier de bourses pour de jeunes francophones. Mes collaborateurs sont très sceptiques. Je suggère de commencer par cent bourses que nous mettrons à la disposition de l'Agence universitaire pour l'année 2001-2002. Advienne que pourra ! Mais il est évident que si nous ne parvenons pas à bénéficier de financements extérieurs privés, et que si nous n'établissons pas une coopération active avec les grandes institutions financières internationales, la Francophonie restera une entreprise artisanale.

Paris, dimanche 31 décembre 2000

Cette année, nous avons décidé de fêter le réveillon du 31 décembre chez nous, à Paris. Un groupe restreint d'amis, mon frère Wacyf, les frères de Léa, Fred et Emmanuel, l'ambassadeur Aly Maher et l'ambassadeur Shaharyar Khan.

Un peu avant minuit, nous nous transportons dans la cuisine, d'où l'on aperçoit la tour Eiffel, pour assister à l'illumination promise : une tour Eiffel tout de bleu parée. Beaucoup de bruit pour rien, la métamorphose n'est pas convaincante... Les invités se retirent les uns après les autres, et l'on se retrouve, seuls, pour accueillir une nouvelle année.

2001

Paris, lundi 1er janvier 2001

Visite de Jean-Claude Aimé, mon ancien directeur de cabinet aux Nations unies, un Haïtien, que ses adversaires avaient surnommé le « Tonton Macoute du trente-cinquième étage ». Mais un directeur de cabinet ne peut avoir que des adversaires.

Il connaît bien le dossier du Moyen-Orient, ayant été de nombreuses années en poste en Jordanie : « Je crois qu'une nouvelle équipe israélienne va arriver au pouvoir et qu'elle reviendra à l'ancien projet, toujours d'actualité [l'option jordanienne], à savoir l'annexion par la Jordanie des territoires palestiniens libérés, et un gouvernement palestinien à Amman », me dit-il.

Paris, mercredi 3 janvier 2001

Le colonel Azali Assoumani veut être invité au sommet France-Afrique de Yaoundé. Je pense qu'il faut lui donner cette satisfaction dans la mesure où il a contribué, d'une manière constructive, à trouver un règlement pacifique à la crise aux Comores. La rive gauche – le ministre Charles Josselin – est favorable à sa participation. La rive droite – le conseiller de Jacques Chirac, Michel Dupuch – est d'un avis contraire : «Nous respectons les résolutions de l'OUA qui a décidé de ne pas l'autoriser à participer aux grandes conférences africaines.»

Je téléphone au président Eyadéma, président en exercice de l'OUA, qui se dit satisfait de la nouvelle attitude adoptée par le colonel Azali Assoumani, et ne voit donc plus aucun inconvénient à ce qu'il participe au sommet de Yaoundé. Je partage le point de vue du président Eyadéma. J'essaie de convaincre, en vain, ceux qui s'y opposent. Le point de vue de la rive gauche n'a pas prévalu.

Paris, vendredi 5 janvier 2001

Conversation téléphonique avec le président Didier Ratsiraka. Il se plaint des critiques formulées par un député français à son encontre et à l'encontre de son régime.

«Je ne suis pas responsable, dis-je, des rapports bilatéraux entre la France et Madagascar…

– Vous êtes pourtant bien le secrétaire général de la Francophonie, n'est-ce pas ? Et la France et Madagascar sont toutes les deux membres de votre organisation ?»

Sa logique est implacable. Je lui promets de faire part de ses doléances aux autorités françaises. Je téléphone sur-le-champ à Michel Dupuch, à l'Élysée, qui a reçu les mêmes reproches de Tananarive et ne semble pas attacher beaucoup d'importance aux complaintes du Président malgache.

Paris, lundi 8 janvier 2001

Le général Amadou Toumani Touré a accepté d'effectuer une mission de bonne volonté auprès des chefs d'État des pays membres de la Francophonie qui n'ont pas encore adhéré à la convention d'Ottawa sur l'éradication des mines antipersonnel. Cet ancien président du Mali, qui après s'être emparé du pouvoir l'a cédé aux civils, est une grande figure de l'Afrique. C'est un homme vif, intelligent, ouvert. Émanent de lui une bonté et une modestie qui le rendent particulièrement attachant.

Notre conversation est interrompue par l'arrivée de Philippe Chabasse, un militant engagé de Handicap international, qui a suivi mon action aux Nations unies en faveur de la lutte contre les mines antipersonnel. Il me remet un pavé de plus de mille pages, en anglais, ce dont il s'excuse. Cette véritable encyclopédie dresse l'état de la situation, pays par pays. Je constate, avec regret, que l'Égypte, qui fabrique des mines, n'a toujours pas signé la convention d'Ottawa. Je m'engage à m'en entretenir avec les autorités de mon pays lors de mon prochain séjour au Caire.

Nous gagnons tous les trois la salle de conférence où nous attendent des journalistes. Amadou Toumani Touré présente en quelques mots l'objet de sa mission et annonce qu'il commencera par se rendre au Congo-Brazzaville, puis au Burundi et en République démocratique du Congo. « En tant que militaire, poursuit-il, j'ai enseigné à mes hommes comment poser des mines. Aujourd'hui, en tant qu'émissaire de bonne volonté, je vais expliquer aux États comment et pourquoi il faut les détruire. »

Paris, mardi 9 janvier 2001

Tous les opérateurs de la Francophonie sont réunis pour le Conseil de coopération. Je m'adresse à Jean Stock, le président de TV5 :

« Ne pourriez-vous pas passer des spots pour aider à faire mieux connaître la Francophonie, pour expliquer ce que nous sommes, ce que nous faisons ? »

Sa réponse a le mérite d'être franche :

« Si les téléspectateurs devaient nous percevoir comme un organe de la Francophonie institutionnelle ou comme son porte-parole officiel, je serais assuré de voir chuter l'audimat. Cela dit, nous faisons indirectement la promotion de votre institution, sans pour autant la mentionner. »

Décidément, les grands opérateurs de la Francophonie ne sont pas très coopératifs.

Cérémonie des vœux au centre international Kléber en présence du personnel de l'OIF et des représentants des chefs d'État et de gouvernement des pays membres. Un discours optimiste, résolument tourné vers l'avenir, dans lequel je persiste à vouloir défendre cette organisation apparemment invendable pour une bonne partie des Français, et des francophones. « Un petit machin bureaucratique sans importance et sans avenir ? »

Je dois être un peu masochiste à toujours vouloir défendre l'indéfendable. Défendre la paix au Moyen-Orient, alors que l'espoir même de la paix continue de s'éloigner. Défendre les Nations unies, alors qu'elles s'affaiblissent de jour en jour. Défendre la Francophonie, le dialogue des cultures, la solidarité Nord-Sud, alors que la mondialisation sauvage distille une idéologie de l'uniformisation et du chacun pour soi.

Paris, vendredi 12 janvier 2001

Longue conversation téléphonique avec le président Alpha Oumar Konaré. Nous partageons la même inquiétude : le risque d'un affrontement entre chrétiens et musulmans en Côte-d'Ivoire, à l'instar de ce qui se passe au Nigeria. L'Afrique paie déjà un assez lourd tribut de sang aux guerres tribales. Va-t-elle aussi sombrer dans la violence des guerres de religion qui ont assombri tout le Moyen Âge ?

Paris, lundi 15 janvier 2001

Don McKenon, le nouveau secrétaire général du Commonwealth, un homme grand, chaleureux et plein d'humour, est venu visiter les locaux de la Francophonie. Il m'avait reçu à Auckland lorsqu'il était ministre des Affaires étrangères de la Nouvelle-Zélande. Nous sommes incapables, lui comme moi, de nous rappeler l'année, encore moins le mois de ma visite. Seule certitude, c'était l'hiver, et j'ai débarqué de l'avion sous une pluie torrentielle. Il est accompagné, aujourd'hui, de deux collaborateurs qui parlent couramment français. Hommage britannique à la Francophonie. Le premier est un Indien végétarien, la seconde une Mauricienne.

J'expose les réalisations de la Francophonie dans le domaine de la démocratie, de l'État de droit et des Droits de l'homme. Je reviens sur les différentes étapes qui nous ont conduits à l'adoption de la déclaration de Bamako, déclaration par laquelle la Francophonie se donne les moyens de réagir vigoureusement à toute interruption du processus démocratique et aux violations massives des Droits de l'homme.

Don Mac Kenon m'explique que le Commonwealth ne s'est doté d'un mécanisme identique que très récemment, en 1995, au moment où le général Babaginda du Nigeria a fait pendre des opposants. Un comité, composé de quatre ou cinq ministres des Affaires étrangères, avait été constitué pour l'occasion. Et il revient depuis à ce comité de décider de la suspension d'un État membre en cas de coup d'État et de rupture du processus démocratique.

Nous évoquons ensuite les problèmes économiques, et particulièrement le manque d'experts en matière de commerce international. Le Commonwealth a pour mission d'aider les petits États de la Caraïbe et du Pacifique qui rencontrent d'énormes difficultés face à la mondialisation, faute de moyens, mais aussi de spécialistes formés aux nouvelles règles du jeu économique.

Paris, mardi 16 janvier 2001

Excellente interview, dans *Le Monde*, de Michel Camdessus, l'ancien directeur général du Fonds monétaire international, devenu président du Conseil «Justice et Paix» du Vatican. La vision humaniste de l'Église catholique face à une mondialisation déshumanisée.

Paris, jeudi 18 janvier 2001

Signature d'un accord de coopération entre l'OIF et l'Isesco. J'avais préparé cet accord avec le directeur général de l'Isesco, le Dr Abdulaziz Othman Altwaïjiri, lors de mon précédent séjour à Rabat.

Des journalistes arabes ont été invités à la cérémonie, et nous donnons une rapide conférence de presse. Je souligne que la majorité des États membres de l'Isesco sont aussi membres de la Francophonie. Cette double appartenance facilitera la coopération culturelle et technique entre nos deux institutions. Abdulaziz Othman Altwaïjiri renchérit : le français, avec l'arabe et l'anglais, a statut de langue officielle au sein de l'Organisation islamique.

Paris, vendredi 19 janvier 2001

L'ambassadeur du Yémen est venu m'entretenir de l'intérêt de son pays pour la Francophonie... Il évoque mon rôle dans le différend entre le Yémen et l'Érythrée et rappelle que son pays avait choisi sans hésiter la France comme médiateur dans ce conflit. Je lui propose, dans un premier temps, de se rapprocher de l'Agence universitaire de la Francophonie, qu'ont déjà rejointe plus d'une dizaine d'universités du monde arabe.

Je ne parviens pas à m'expliquer l'engouement de certains États arabes, qui n'ont pourtant rien de francophone, pour la Francophonie. Il est vrai que beaucoup de petits États du tiers monde cherchent désespérément un pays, une organisation, un mouvement qui pourra les aider à contrebalancer, un tant soit peu, l'hégémonie exercée par l'hyperpuissance, à sortir de leur isolement et à attirer l'attention de la communauté internationale sur leur existence et leurs problèmes.

Paris-Dakar, dimanche 21 janvier 2001

Dans l'avion pour Dakar, je lis avec intérêt une étude sur la mondialisation. « Le socle des valeurs communes pour l'humanisation de la mondialisation, c'est la dignité de l'homme... Pour humaniser la mondialisation, il faut passer des relations incestueuses entre États, grandes banques et grandes entreprises à des relations “vertueuses”. »

Ce qualificatif m'évoque immanquablement le philosophe arabe Al-Farabi qui, au Xe siècle, avait imaginé la « Cité vertueuse », l'ensemble de ces cités devant contribuer à l'instauration d'une « planète vertueuse ». Je l'ai souvent cité dans mes écrits et mes discours. Une des dernières fois, c'était lors de mon investiture aux Nations unies, en décembre 1991.

Nous préserver des fléaux à géométrie mondiale, c'est l'affaire de la « planète vertueuse », avec une autorité publique à compétence universelle...

Arrivée à Dakar. Moustapha Niasse a insisté pour que nous soyons logés chez lui, à la résidence du Premier ministre. Vue sur le port, au loin l'île de Gorée.

Dakar, l'ancien siège du gouvernement général de l'Afrique-Occidentale du temps de la colonisation française. Dakar, premier échec militaire du général de Gaulle qui avait tenté, en septembre 1940, de s'emparer de la capitale avec l'aide d'une escadre anglaise. Dakar m'est aussi familière que Fagalah, mon quartier natal du Caire. J'y suis venu tant de fois, comme universitaire, comme ministre des Affaires étrangères, comme secrétaire général de l'ONU !

Dakar, lundi 22 janvier 2001

Pour des raisons assez mystérieuses que je ne suis pas parvenu à élucider, je n'ai pas été invité à prendre la parole à la séance inaugurale de la conférence régionale sur le racisme présidée par le président Abdoulaye Wade et Mary Robinson, haut-commissaire des Nations unies aux Droits de l'homme. Mon collaborateur, Xavier Michel, me représente lors de cette cérémonie.

Peu importe ! Puisse cette conférence nous aider à combattre le fléau du racisme qui reste d'une violente actualité malgré l'éradication de l'apartheid. L'esclavage, théoriquement aboli voilà deux siècles, est encore une réalité cruelle en ce début de troisième millénaire, sans compter les minorités que l'on persécute, les populations autochtones que l'on chasse de leurs terres, ou les centaines de milliers de réfugiés et de personnes déplacées qui se voient privées du droit de vivre en toute dignité.

Il ne faut pas oublier non plus les violences et les égoïsmes insidieux du racisme ordinaire, qui s'exprime dans la vie quotidienne, la vie professionnelle, la vie politique, et dans les conditions de circulation et d'accueil des étrangers.

Il y a encore beaucoup de chemin à parcourir ! Pas seulement dans les textes, mais aussi dans les mentalités. Les vieux démons ne sont jamais complètement morts ; les bouleversements générés par la mondialisation peuvent, à tout instant, les réveiller. Il n'est que de voir les tentations extrémistes, les fantasmes xénophobes, les fondamentalismes de toutes sortes qui fleurissent çà et là et se nourrissent de la peur de l'avenir, de l'inquiétude face au changement, mais aussi de la pauvreté et de l'exclusion, autres formes insidieuses de discrimination.

À midi, le président Wade me reçoit dans une petite pièce encombrée de livres et d'objets hétéroclites.

« J'ai promis mon soutien à la candidature d'Henri Lopez au poste de secrétaire général de la Francophonie », me dit-il.

Je le remercie de sa franchise. Il ajoute :

« D'ailleurs, ce n'est peut-être ni vous ni Lopez qui occuperez ce poste, mais un troisième homme…

– Vous faites allusion à Abdou Diouf ?

– Je ne crois pas, répond-il. Il m'aurait averti s'il avait l'intention de se présenter. Pour le moment, il ne m'a rien laissé entendre de tel. »

Nous passons à autre chose, notamment à l'Internationale des partis socialistes et démocrates africains. Nous nous étions longuement entretenus à Harare, en 1991, lors de la dernière réunion de la conférence qui avait vu la réélection d'Abdou Diouf à la tête de cette organisation qui aurait pu être le pendant non gouvernemental de l'OUA. Mais depuis cette Internationale a perdu de son dynamisme et les États sont réticents à promouvoir des rencontres entre partis politiques africains.

Dakar, mardi 23 janvier 2001

Moustapha Niasse est revenu ce matin, à l'aube, d'une tournée électorale dans le sud du pays. Je le retrouve dans son bureau, d'où l'on a une vue imprenable sur le port et la ville. Il évoque le dernier sommet France-Afrique, qui s'est récemment tenu à Yaoundé. « Certains chefs d'État africains ont évidemment abordé l'élection du prochain secrétaire général de la Francophonie. Omar Bongo s'est ouvertement prononcé en faveur de la candidature d'Henri Lopez. »

Conférence de presse au ministère des Affaires étrangères, où j'explique, pour la centième fois, ce qu'est la Francophonie, ce qu'elle fait, ce qu'elle entend faire : inforoutes, radios rurales, démocratisation, coopération universitaire… Je crois que les journalistes sont focalisés, sur la forme de mon exposé plus que sur le fond.

À minuit, Moustapha Niasse et sa jolie épouse sont à l'aéroport. Ils nous accompagnent jusqu'au pied de la passerelle de l'avion. La nuit est chaude, mais l'amitié de Moustapha, cette amitié qui a résisté aux années, aux épreuves, aux distances, est plus chaude encore.

Paris, mercredi 24 janvier 2001

L'épouse du Président malien, Adame Ba Konaré, présente son livre, *L'Os de la parole. Cosmologie du pouvoir*, à l'Unesco. Elle nous fait un brillant exposé. N'enseigne-t-elle pas l'histoire de l'Afrique subsaharienne à l'École normale supérieure de Bamako ? L'histoire, après tout, ne serait qu'une description du pouvoir. Je me suis longuement penché, comme professeur de sciences politiques, sur la théorie du pouvoir, et c'est avec plaisir que j'écoute la première dame du Mali. Même si je ne partage pas toujours son approche conceptuelle, c'est avec plus d'intérêt encore que j'ai lu son ouvrage, dans la mesure où il renferme une leçon de sagesse et d'humilité que devraient méditer ceux qui veulent conquérir le pouvoir, ceux qui l'exercent, mais aussi ceux qui l'ont perdu.

Paris, vendredi 26 janvier 2001

Le *verbatim* des séances de travail de la commission Démocratie et Développement doit être relu, corrigé, restructuré. C'est un travail de fourmi qui nécessitera un soin méticuleux. Francine Fournier, sous-directrice pour les sciences sociales et humaines, qui a assisté à toutes nos séances, m'a soumis une première version, nettement insuffisante. Je propose à Simone Dreyfus, qui a les qualités d'un scribe égyptien ou d'un moine bénédictin, de traduire en français les interventions en anglais, et de reprendre l'ensemble de ce texte. Il faudra, dans un deuxième temps, trouver un traducteur du français vers l'anglais, ce document devant être publié dans les deux langues. Je me chargerai de l'introduction et de la conclusion, en forme de recommandations.

Paris, samedi 27 janvier 2001

Les Fillali donnent une réception pour fêter les cinquante-cinq ans de Luc de Clapier. Soirée costumée, thème : « le jardinier ». Un minibal masqué. Je danse avec plaisir. Insouciance, joie de vivre. Vertus du déguisement qui vous fait oublier, l'espace d'un instant, ce que vous êtes. Il fut un temps où le carnaval remplissait cette fonction de catharsis, l'effet libérateur de pouvoir changer d'identité.

Paris, lundi 29 janvier 2001

Déjeuner au consulat d'Égypte en l'honneur d'Amr Moussa, notre ministre des Affaires étrangères, de passage à Paris. Parmi les convives, Hervé de Charette, qui dirigeait le Quai d'Orsay au moment de mon éviction des Nations unies, et la brillante ambassadrice de Palestine en France, Leïla Chahid.

Un des convives, très en verve, déclare :

« La cohabitation rend la politique étrangère française impotente. La rive gauche comme la rive droite ne veulent surtout pas mécontenter l'hyperpuissance, de peur que cette dernière ne fasse pencher la balance en faveur de l'une ou de l'autre rive. Face aux grands choix, ils se mettent toujours d'accord. Mais la politique étrangère est faite d'une multitude de petits choix au quotidien, et c'est bien là que le bât blesse. »

J'écoute sans faire de commentaires. À l'issue de la discussion, Amr Moussa fait un discours dans lequel il rend hommage à la politique proarabe de Hervé de Charette en son temps.

Paris, mardi 30 janvier 2001

Deux historiens hollandais, le professeur Albert Korsten et le Dr Schoonrad, chargés par leur gouvernement de rédiger une étude sur le massacre de Srebreniča, sont venus recueillir mon témoignage. Ils ont lu tout ce qui a été écrit sur le sujet et sont capables de retracer le déroulement des événements minute par minute. Bien plus, ils connaissent dans le moindre détail tous mes faits et gestes, toutes mes déclarations de l'époque.

« Que pensez-vous des zones de sécurité ? Est-il vrai qu'un accord secret ait été conclu entre le général Janvier et les autorités serbes pour mettre un terme aux frappes aériennes en échange de la libération des casques bleus retenus en otages ? Est-il exact que la France ait songé, à un certain moment, à reprendre Srebreniča ?

– Malgré mes demandes réitérées, dis-je, le Conseil de sécurité n'a jamais ni défini ni donné de contour précis à ces zones de sécurité. Elles ont été respectées souvent par les Serbes, bien que les Bosniaques les aient parfois utilisées comme zones de repli après leurs attaques... À ma connaissance, il n'y a jamais eu d'accord entre le général Janvier et les forces serbes pour libérer les otages. C'est la première fois, aujourd'hui, que j'entends dire que le gouvernement français aurait eu l'intention de reprendre Srebreniča. »

On tend à enfouir au plus profond de notre mémoire les moments les plus pénibles ou les plus tragiques de notre vie. Je me souviens avec difficulté du drame de Srebreniča, dans lequel les Nations unies et son secrétaire général portent une grave responsabilité.

Paris, vendredi 2 février 2001

Hervé Bourges va prendre la présidence de l'Union internationale des journalistes de langue française. Une véritable chance pour cette institution quelque peu sclérosée et pour la Francophonie, victime de l'indifférence de l'opinion publique française, mais aussi des médias et de certains milieux dirigeants.

(Dans l'après-midi...) Table ronde organisée par la chaîne de télévision Forum sur le thème « Coptes : une minorité en Égypte ». « Minorité », un terme banni en réalité en Égypte, tant par les coptes que par les musulmans, au nom de l'appartenance à une même et seule nation. C'est la vision officielle qui prévaut en Égypte et pour l'étranger.

Participent à ce débat, animé par Dominique Bromberger, Cherif el-Shoubahi, journaliste et écrivain égyptien, l'ambassadeur Andreani, Claude Larrieux, journaliste au *Figaro*, auteur d'un ouvrage sur les chrétiens d'Orient, François Thual, professeur au Collège interarmées de défense, et moi-même. Je souffle à El-Shoubahi que je suis le seul copte autour de cette table. Il me répond qu'il est le seul musulman. Il défend l'unité du peuple égyptien, tout en reconnaissant les différences entre ces deux composantes de la nation.

François Thual, qui connaît bien le dossier dans sa dimension internationale, rappelle que l'Église copte d'Érythrée a demandé au patriarche copte du Caire, Chenouda III, sa reconnaissance officielle afin de bien se distinguer de l'Église copte d'Éthiopie. Il ajoute que la diaspora copte – au Canada, en Australie, aux États-Unis, en France, en Grande-Bretagne – contribuera à redynamiser et à renforcer l'Église copte d'Égypte, qui a eu tendance à rester repliée sur elle-même durant des siècles et à se méfier de tout contact avec les autres Églises chrétiennes.

Il est persuadé que l'ouverture de l'Égypte sur le monde extérieur, notamment occidental, permettra d'affaiblir le fondamentalisme musulman et de renforcer l'Église copte. En fait, la discrimination dont sont victimes les coptes n'est pas le fait du pouvoir ni même de l'islam institutionnel, mais du fondamentalisme. L'ambassadeur Andreani déclare, à son tour, qu'il n'y a de différence ni raciale, ni physique, ni sociale entre coptes et musulmans. On les retrouve dans les villes comme dans les campagnes, et dans toutes les classes de la société égyptienne.

De retour chez moi, je repasse dans ma tête ce problème essentiel pour l'avenir de mon pays. Je n'ai eu ni le temps ni l'opportunité, dans ce débat, d'exprimer le fond de ma pensée. Il y a des fanatiques parmi les coptes comme parmi les musulmans. Ceux-là sont irréconciliables, et cherchent la confrontation. Ils constituent, à la marge, une minorité infime, mais agissante. Et puis il y a les modérés, ou les indifférents, qui vivent ensemble, avec le risque, en cas de tensions, d'être récupérés par les activistes. Enfin, il y a les libéraux, laïques, partisans de la séparation de l'Église et de l'État, mais marginalisés et affaiblis par les fondamentalistes, aussi bien chrétiens que musulmans, qui les considèrent comme des hérétiques.

Paris-N'Djamena, dimanche 4 février 2001

Départ pour le Tchad, où doivent se dérouler le Conseil permanent et la Conférence ministérielle de la Francophonie. Le service des voyages de la Francophonie a affrété un avion spécial. Première erreur : l'appareil est prévu pour des vols de moyen-courriers, en aucun cas de long-courriers. Un confort minimal, que l'on supporte sur une courte distance, mais qui, là, devient vite pesant. Nous sommes obligés de faire une escale en Tunisie, à Tozeur, pour cause d'avitaillement. Une bonne heure de perdue. Je me déplie de mon siège et m'avance jusqu'au haut de la passerelle, d'où l'on aperçoit le soleil couchant sur le désert.

Nous apprenons qu'une tempête de sable est prévue pour ce soir sur N'Djamena. Nous ne redécollerons que lorsque nous serons sûrs de pouvoir atterrir au Tchad. L'attente se prolonge. Nous décollons enfin. Quelques heures plus tard, lorsque le commandant de bord nous annonce que nous allons enfin atterrir, c'est le soulagement général dans l'avion. Nous comprenons très vite que la phase d'atterrissage prend plus de temps que prévu. En réalité, le pilote se bat contre la tempête de sable qui fait rage. Au bout de la troisième tentative, il renonce. Atterrir dans ces conditions, qui plus est de nuit, serait trop dangereux. Nous n'avons plus assez de carburant pour revenir sur Tozeur. Il s'agit, maintenant, de trouver un autre aéroport, ouvert et suffisamment proche. L'impatience, la fatigue et la tension montent parmi les passagers, d'autant plus qu'il n'y a plus rien à manger ni à boire dans l'avion. Après maints contacts, on nous autorise enfin à nous poser sur l'aéroport de Yaoundé, spécialement rouvert pour nous. Nous ne sommes pas au bout de nos peines. Alors que les passagers épuisés se précipitent vers la passerelle, avec l'idée de se réfugier dans l'aéroport pour prendre un peu de repos et se désaltérer, on nous annonce que nous ne sommes pas autorisés à quitter l'avion, n'ayant pas de visa d'entrée au Cameroun. Et pour cause, nous avions innocemment imaginé que nous ferions Paris-N'Djamena sans escale ! Maurice Ulrich parvient à négocier avec les autorités. Une partie de la salle d'attente de l'aéroport va être ouverte pour nous. À peine sortis de l'avion, nous sommes attaqués par un nuage de moustiques déchaînés et une chaleur moite, suffocante. Les passagers les plus chanceux s'affalent sur les quelques fauteuils libres. L'air conditionné ne fonctionne pas. Nous attendons avec résignation que les conditions météo sur N'Djamena nous permettent de repartir. Trois heures plus tard, c'est chose faite. Espérons que, cette fois, les prévisions météo seront fiables. Le pilote atterrit à N'Djamena au petit matin sous un tonnerre d'applaudissements. La conférence, qui devait débuter à 9 heures, est reportée à cet après-midi.

N'Djamena, jeudi 8 février 2001

La réunion des instances de la Francophonie touche à sa fin. Elles ont montré ici, de façon plus évidente que jamais, toute leur lourdeur et leur redondance. Réunion du Conseil permanent de la Francophonie, en tant que conseil d'administration de l'AIF, puis en tant qu'organe du sommet. Réunion de la Conférence ministérielle... Trois jours ininterrompus de discours et d'interventions qui se répètent devant le même public – ou presque.

Seul moment d'émotion : lorsque le ministre canadien Ronald Duhamel transmet la présidence de la Conférence ministérielle au ministre libanais de la Culture, Ghassan Salamé.

Paris, mardi 13 février 2001

L'hôtel Matignon aurait besoin d'être rénové, repeint. Tout ici semble usé, démodé, fatigué, à l'exception du parc qui reste magnifique. Je n'ai pas le loisir de pousser plus loin mes considérations sur la décoration. On m'introduit dans le bureau du Premier ministre, où ont également pris place le ministre délégué à la Francophonie, Charles Josselin, et Serge Tell, un jeune conseiller du Premier ministre, en charge des Affaires francophones.

J'informe Lionel Jospin du sens de ma démarche : obtenir son appui pour un second mandat. Voilà trois ans et demi, alors que j'étais candidat pour la première fois, j'étais venu le rencontrer avec l'ambassadeur Aly Maher. Il m'avait alors expliqué que la Francophonie relevait de la compétence du président de la République. Une manière élégante de ne pas se prononcer. Aujourd'hui, il déclare ne pas être au fait du dossier, n'avoir jamais abordé le sujet. Il consultera Charles Josselin et le ministre des Affaires étrangères, Hubert Védrine. Puis il ajoute :

« Jacques Chirac veut faire plaisir à tout le monde. Il vous a donné son appui, mais il peut encore le faire en faveur d'un autre candidat. Une chose est sûre, vous devez être mis au courant le plus tôt possible de la position de la France. »

Quelques instants plus tard, alors que nous descendons l'escalier vers la sortie, Charles Josselin, accompagné de Serge Tell, me déclare que, contrairement à ce qui s'est passé à Hanoï, la France ne fera pas pression sur les chefs d'État pour assurer ma réélection. Ce sera à l'Afrique de décider.

Ma réélection serait-elle enchevêtrée dans la jungle de la cohabitation ? Je me garde bien de lui poser la question.

Je rends visite à Rafiq Hariri dans son hôtel particulier parisien, place d'Iéna, face à la tour Eiffel. On croirait le palais d'un prince saoudien… Deux lions empaillés trônent dans le hall d'entrée. Je patiente quelques instants dans un petit salon. Hariri me rejoint bientôt, il me présente son épouse. J'en viens immédiatement au problème de ma réélection. Il m'écoute avec attention.

« De toute façon, le Liban vous soutient », me dit-il.

Nous abordons brièvement la préparation du sommet de Beyrouth. Le ministre de la culture, Ghassan Salamé, en charge du dossier, complète mes explications.

Je prends congé de mes hôtes pour assister, à l'Unesco, à la présentation du livre de l'ambassadeur Shaharyar Khan, *The Shallow Graves of Rwanda*. Je prends place à la tribune aux côtés de l'auteur et du général canadien Guy Tousignant, qui a pris la succession du général Roméo Dallaire, que la vision de tant d'horreurs et l'impuissance onusienne ont mené tout droit à la dépression nerveuse. Shaharyar Khan est un excellent orateur. Il nous livre sa vision du drame rwandais, vante mon courage lorsqu'il s'est agi d'affronter les parlementaires rwandais et de leur parler de l'importance de la réconciliation et du pardon. Il rappelle mon discours et la fameuse formule «la justice, pas la vengeance» qui devait soulever tant d'incompréhension.

La cérémonie terminée, je retrouve parmi l'auditoire Serge Tell, qui me dit :

«Vous avez vécu, aujourd'hui, deux événements : la rencontre avec le Premier ministre et une nouvelle rencontre avec le drame rwandais.»

Mettre sur le même plan ma rencontre avec Lionel Jospin et la tragédie rwandaise me paraît légèrement disproportionné, mais un jeune collaborateur zélé n'a sans doute pas les mêmes critères de mesure, dès lors qu'il s'agit de son patron.

Le Caire, mercredi 14 février 2001

Départ pour Le Caire, où je dois participer à la conférence des ministres francophones de la Jeunesse et des Sports, ainsi qu'au bureau du suivi de la conférence des ministres de la Justice. Accueilli, à mon arrivée, par le ministre égyptien de la Jeunesse, Ali Eldine Hillal, qui a été mon étudiant à la faculté d'économie et de sciences politiques, puis mon assistant. Il a achevé son doctorat au Canada et est devenu, par la suite, le doyen de la faculté. Intelligent, dynamique, ambitieux, il a su gravir un à un les échelons de l'appareil politico-administratif égyptien.

Il doit présider la réunion des ministres de la Jeunesse de la Francophonie, mais ne parle pas français, pas plus d'ailleurs que le ministre de la Justice, Seif el-Nasr. En fait, seuls trois ministres du gouvernement sont francophones – mon neveu Youssef, ministre de l'Économie, Moufid Chehab, ministre de l'Enseignement supérieur et de la Recherche, Mamdouh el-Beltagui, ministre du Tourisme –, ainsi que le président de l'Assemblée du peuple, Fathi Sorour. Mais trois ministres sur trente, cela représente une proportion de 10 %, alors que le pourcentage de francophones en Égypte ne dépasse pas les 2 %, soit un million à un million et demi de personnes, réparties selon une pyramide de classe inversée. La grande bourgeoisie est trilingue – arabe, anglais, français –, la moyenne bourgeoisie bilingue, à dominante anglophone, le reste de la population ne parle que l'arabe.

Je retrouve avec un indicible plaisir les rues du Caire que j'ai le sentiment de n'avoir jamais quittées, et qui ne m'ont jamais quitté, comme si toutes les autres capitales, tous les autres paysages n'étaient que voyages au pays des songes. Même sentiment du temps retrouvé, dans mon appartement. Sur mon bureau, un paquet de lettres qui ne m'ont pas été réexpédiées et qui semblent m'attendre. Des caisses de livres revenues de New York que je n'ai pas encore déballées, après quatre ans, mais les livres sont déjà partout, jusque dans le moindre petit recoin.

« L'appartement doit absolument être repeint », me dit Léa avec fermeté. Le soleil d'Égypte est sans pitié. Il absorbe les couleurs, les dissout dans sa lumière blanche.

Le Caire, jeudi 15 février 2001

La présidence a mis à ma disposition une voiture blindée. Je me rends au ministère des Affaires étrangères où je dois rencontrer Amr Moussa. Il m'annonce qu'on lui a proposé le poste de secrétaire général de la Ligue des États arabes.

« Que devrait être, selon toi, mon choix ? me demande-t-il.

– C'est, dis-je, une question purement rhétorique, puisque dans notre système politique, ce n'est pas nous qui choisissons, mais le Président qui choisit pour nous. Cela dit, je serais tenté par une expérience nouvelle. La Ligue arabe, malgré ses faiblesses intrinsèques, mérite d'être renforcée, dynamisée. D'autant plus qu'avec la crise des Nations unies, les organisations régionales seront appelées à jouer un rôle de plus en plus important… »

Je lui parle, ensuite, de la convention d'Ottawa sur les mines antipersonnel que l'Égypte n'a pas encore signée, et de la volonté de l'Organisation internationale de la Francophonie d'encourager tous ses États membres à le faire. Il me promet d'examiner le dossier. Avant que nous nous séparions, il me propose de profiter de son avion pour participer à la conférence africaine de Syrte, en Libye.

« C'est le même petit Mystère que tu utilisais dans tes tournées africaines et asiatiques, lorsque tu étais ministre. »

Ce soir, mon neveu Youssef donne une grande réception en notre honneur. Je retrouve Amr Moussa. Il n'a plus le choix : le président de la République a annoncé cet après-midi que l'Égypte présentait officiellement la candidature de son ministre des Affaires étrangères au poste de secrétaire général de la Ligue des États arabes, les souverains et présidents des États membres l'ayant assuré de leur appui.

C'est l'unique sujet de conversation de cette soirée. Les commentaires vont bon train. Pour certains, il s'agit d'une « démonition », pour d'autres d'une belle fin de carrière.

Le Caire, samedi 17 février 2001

Le palais présidentiel est glacial. Les pièces ne sont pas chauffées. Audience avec le président Moubarak. Je lui fais un bref exposé des diverses activités en cours de la Francophonie. Sans transition, il me demande :

« Qui verrais-tu comme ministre des Affaires étrangères en remplacement de Amr Moussa ?

– La dernière fois que vous m'avez posé cette question, en 1991, je vous avais proposé trois noms. Cette fois-ci, je ne vous en proposerai qu'un, l'ambassadeur Aly Maher, encore qu'il faille, me semble-t-il, nommer deux ministres si l'on veut couvrir la totalité des dossiers et pouvoir participer, à un rang ministériel, aux dizaines de conférences internationales qui ont lieu chaque année aux quatre coins du globe. D'ailleurs, jusqu'à mon départ, en 1991, nous étions deux, et nous arrivions à peine à faire acte de présence dans toutes ces rencontres.

– J'ai plus de trois mois pour faire un choix, me dit le Président, pour écouter toutes les rumeurs qui vont se répandre dans Le Caire concernant le futur ministre des Affaires étrangères. »

Cette idée semble l'amuser.

« Vous permettez, monsieur le Président, que je fasse courir le bruit que je suis parmi les candidats pressentis afin de rehausser mon prestige à Paris ? »

Le Président part dans un éclat de rire :

« Suite à notre entrevue de ce matin, le bruit va courir tout seul... »

Coup de téléphone des Comores : un accord-cadre portant sur l'organisation du nouvel ensemble « Confédération des îles des Comores » a été signé à Fomboni par les représentants des trois îles.

Assiout, dimanche 18 février 2001

Assiout, où j'ai été invité à donner une conférence, est la capitale de la Haute-Égypte. Elle a été le site, ces dernières années, d'affrontements entre les autorités et les fondamentalistes musulmans.

Partout dans les rues, de grandes affiches annonçant ma prestation sur le thème de la politique internationale au troisième millénaire. Un titre pompeux, choisi par l'université.

Je pénètre dans un immense amphithéâtre où ont pris place plus de mille étudiants. À mes côtés, sur l'estrade, le recteur et le gouverneur de la province, qui prononcent quelques propos introductifs avant que j'expose les mutations de la société internationale de l'après-guerre froide, confrontée à la mondialisation et la révolution des technologies de l'information et de la communication. À l'issue de quoi je tente de répondre le plus brièvement possible aux questions que l'on me pose afin que le plus grand nombre possible d'étudiants aient le loisir de s'exprimer. Tout se passe pour le mieux jusqu'à ce que, au détour d'une réponse, je déclare qu'il est plus difficile de négocier et de faire la paix que de faire la guerre. Protestations virulentes de certains jeunes islamistes auxquelles le recteur met rapidement un terme, et je poursuis, sans incident, mon intervention.

Une journée harassante, mais la satisfaction d'avoir fait acte de présence en Haute-Égypte, région marginalisée par rapport au Caire qui attire toutes les élites, tels des papillons de nuit irrésistiblement attirés par le leurre dangereux de la lumière.

Le Caire, lundi 19 février 2001

J'ouvre, dans une grande salle de l'hôtel Conrad, le bureau du suivi de la conférence des ministres francophones de la Justice aux côtés du ministre égyptien de la Justice, Farouk Seif el-Nasr. Il y a là tout le corps des juristes égyptiens, les présidents de la Cour constitutionnelle, du Conseil d'État et de la Cour de cassation.

On ne dira jamais assez le rôle du droit dans le développement de la francophonie en Égypte, et ce, depuis des décennies. C'est ainsi que, au lendemain de la Première Guerre mondiale, lorsque l'Égypte, devenue pays de protectorat britannique, fut soumise à un projet de modification des tribunaux mixtes qui tendait, notamment, à proscrire l'usage du français, on assista à une véritable entrée en résistance. Et on put lire, en novembre 1918, dans *La Gazette des tribunaux mixtes*, les propos suivants : « Le premier problème à résoudre est celui des langues judiciaires. Pour nous, ce problème dépasse la simple question de langue : plaider devant les nouveaux tribunaux en français ou en anglais, ce n'est pas se servir de l'une ou de l'autre de ces deux langues pour exprimer les mêmes idées. Mais c'est aboutir, par la force des choses, à l'expression d'idées différentes. Il serait inutile et inopportun d'adopter le langage anglais, si le fond du droit reste latin, comme il l'est aujourd'hui [...]. Nous sommes affiliés aux nations continentales de l'Europe latine pour vivre de leur pensée juridique, et nous nous sommes nourri l'esprit de leurs méthodes et de leurs conceptions en matière de droit aussi longtemps que le fond de la législation d'Égypte demeura latin. Il semble illogique de se servir, pour plaider et juger, d'une autre langue que celle qui a vu naître cette législation, qui lui a donné sa terminologie synthétique et précise, et qui lui a imprimé son génie propre, fait de mesure et de clarté, c'est-à-dire la langue française. »

Je vérifie chaque jour davantage combien les juristes francophones constituent, particulièrement dans le monde arabe, une communauté scientifique remarquable.

Je prends rapidement congé de mes confrères pour me rendre au café Fishawi, dans le Vieux Caire, où je dois enregistrer, pour la chaîne française France 3, l'émission *Faut pas rêver*. Deux choses me frappent : tout d'abord, le grand professionnalisme de l'équipe de journalistes et de techniciens, qui travaille avec une parfaite aisance dans ce lieu particulièrement passager du Vieux Caire. Par ailleurs, la présence massive de policiers en civil que l'on reconnaît à leur stature et aux mêmes chaussures noires qu'ils portent tous. Mais le café Fishawi, courtisé par le soleil, se moque éperdument de cette intrusion médiatique. Les chats entrent et sortent à la recherche d'un mystérieux secret. Les fumeurs de narguilé, le regard perdu dans un désert imaginaire, laissent s'égrener le temps au rythme des bouffées odorantes qui embrument leur cerveau.

Pendant l'interview, j'évoque avec chaleur et émotion ce Vieux Caire authentique, profondément emblématique de l'Égypte profonde, et bien différent du Caire moderne où je réside : Le Caire des grands hôtels et des immeubles luxueux qui bordent le Nil.

Beyrouth, jeudi 22 février 2001

Le président Émile Lahoud avec lequel je m'entretiens ce matin m'informe de son intention d'inviter, comme hôtes d'honneur, le président de Syrie et le roi de Jordanie. « C'est, ajoute-t-il, une décision hautement politique, qui dépendra, dans une certaine mesure, de la situation dans la région en octobre prochain. Le sommet de Beyrouth sera alors le point de départ d'un nouveau dialogue franco-arabe. »

Je partage pleinement cette vision des choses. Reste à savoir si nous arriverons à surmonter toutes les difficultés inhérentes à une telle opération.

Le Caire, lundi 26 février 2001

Je passe la matinée au téléphone. D'abord avec le colonel Azali Assoumani des Comores, qui se plaint de ne pas avoir été invité au sommet de l'OUA à Syrte. Ensuite avec le président du Costa Rica, qui ne pourra pas participer au colloque du 20 mars. Enfin, avec le ministère des Affaires étrangères qui me communique, pour la troisième fois, l'horaire de l'avion que je dois prendre avec Amr Moussa pour Syrte.

Le Caire-Syrte, mercredi 28 février 2001

Accueil chaleureux des Libyens, accolades fraternelles. Je retrouve Moussa Camara, le représentant permanent de l'OIF auprès de l'OUA à Addis-Abeba, et Mohamed el-Hacen Ould Lebatt, ancien ministre des Affaires étrangères de Mauritanie, l'envoyé spécial de l'OIF pour les pourparlers d'Arusha.

Aly Tereky, le ministre libyen chargé des affaires africaines, nous invite, Amr Moussa et moi-même, chez l'un de ses amis architectes qui a conçu les infrastructures hôtelières de Syrte. Je goûte à nouveau l'atmosphère de la diplomatie arabe, si particulière et si différente de la diplomatie tout court. Nous nous sommes tous déchaussés avant de prendre place sur des coussins à même le sol pour déguster des chiches-kebabs. Tereky m'annonce son intention d'arabiser la Francophonie… déclenchant les rires de l'assemblée, qui n'a toujours pas compris pourquoi je m'occupais de la Francophonie.

Syrte, jeudi 1er mars 2001

Rencontre avec le président ivoirien Laurent Gbagbo, qui m'assure de son soutien enthousiaste pour un second mandat.

Je m'entretiens, ensuite, avec le président togolais Gnassingbé Eyadéma. Il est très en forme, et m'offre une coupe de champagne que je refuse un peu trop promptement, me rappelant, mais un peu tard, que l'alcool est interdit en Libye, cette interdiction donnant à ce champagne une saveur spéciale.

La séance inaugurale de la conférence, prévue à quinze heures, ne débute qu'à dix-huit heures. Dans nos pays, nous n'avons pas la même perception du temps, dans la mesure où « *time is not money* ».

Syrte-Le Caire, vendredi 2 mars 2001

En attendant Kadhafi, Denis Sassou-Nguesso, Omar Bongo, Alpha Oumar Konaré, Yoweri Museveni, Frederick Chiluba et d'autres échangent des propos politico-diplomatiques, confortablement installés dans des fauteuils.

Le président Bouteflika me laisse entendre qu'il viendra au sommet de Beyrouth s'il reçoit une invitation de son homologue libanais.

Paris, mardi 13 mars 2001

À la une de *La Gazette de la presse francophone* : « Israël frappe à la porte de la Francophonie : lettre ouverte à Boutros Boutros-Ghali. » « Je suis persuadé, écrit l'auteur de cet article, Claude Sitbon, que vous aurez à cœur de favoriser l'entrée d'Israël dans la Francophonie en encourageant le rapprochement culturel entre Israël et les peuples de la région. »

Comment n'arrive-t-il pas à comprendre la profonde hostilité du monde arabe à l'égard d'Israël ? Le massacre de plus de quatre cents Palestiniens, les milliers de blessés, dont certains resteront mutilés à vie. Tant que l'on n'aura pas créé un véritable État palestinien, viable et prospère, il n'y aura pas de paix possible dans cette région ensanglantée du monde. À ce moment-là, peut-être, la Francophonie pourra-t-elle contribuer à renforcer le dialogue arabo-israélien, d'abord à travers les pays arabes francophones, ensuite à travers l'ensemble de la communauté arabe.

Paris, lundi 19 mars 2001

Il pleut. Le temps est détestable. Une fin d'après-midi sombre et triste. La voiture me dépose devant l'hôtel Westminster, où je dois retrouver le colonel Azali Assoumani. Un jeune diplomate comorien, ou peut-être un garde du corps, nous attend dans le hall. Il nous conduit jusqu'à un petit ascenseur, où, avec Ntolé Kazadi, mon officier de sécurité et moi-même, il prend place tant bien que mal.

Le colonel Azali Assoumani m'accueille avec un large sourire. Il porte une surprenante chemise rouge, plutôt inattendue pour un chef d'État, et qui le fait ressembler à un de ces parrains de la mafia des films noirs américains. Arrivé ce matin même à Paris, il a voyagé sur le même avion que le président du Mozambique, Joaquim Chissano, avec lequel il s'est longuement entretenu. Celui-ci lui a expliqué que « la paix est un processus continu, et que la signature d'un accord de paix n'est qu'une toute première étape ». Je partage totalement l'analyse du président Chissano. La mise en application d'un accord de paix et son respect sont infiniment plus difficiles à mener que les négociations dont il a résulté.

Mon interlocuteur m'écoute avec patience, puis me tend une note :

« Les dividendes de la paix, l'argent dont j'ai besoin pour réunir les commissions qui prépareront la transition, et pour régler tous les frais qui en découlent…

– Je vais étudier votre demande et la transmettre aux services compétents.

– Quelle déception, monsieur le secrétaire général, moi qui pensais que vous alliez me remettre un chèque pour activer le processus de paix !

– J'ai l'intention de mettre à votre disposition une somme de deux cent mille francs, et je vais consulter l'Union européenne pour m'assurer qu'elle prendra aussi en charge les frais de fonctionnement de la commission électorale. »

Les rapports entre le colonel Azali Assoumani et le ministre mozambicain Madera, représentant de l'OUA aux Comores, se sont améliorés. J'insiste sur le fait qu'il faut laisser à l'OUA son rôle de chef de file. La Francophonie se contentera de jouer les brillants seconds. J'ajoute que j'ai décidé d'ouvrir un bureau à Moroni le temps de la transition. Il sera occupé par le général malgache Charles Rahemanjara. Un choix qu'approuve le colonel Azali Assoumani. Quant à mon envoyé spécial, le professeur Salifou, ancien ministre des Affaires étrangères du Niger, il continuera à participer à toutes les réunions.

Je choisis de mettre fin à notre entretien par quelques mots en arabe, parce que seul l'arabe permet ces formules éloquentes d'espoir et d'encouragement, mêlées d'invocations divines. « Allah va nous aider et la paix et la prospérité régneront de nouveau sur les îles de la Lune » – le nom arabe, poétique et original, de l'archipel des Comores.

C'est demain la Journée internationale de la Francophonie. Nous avons organisé pour l'occasion un grand colloque avec les hispanophones et les lusophones. La séance inaugurale aura lieu dans le grand amphithéâtre de la Sorbonne en présence du président Jacques Chirac, du président de l'Équateur, Gustavo Noboa Bejarano, et du président du Mozambique, Joaquim Alberto Chissano.

Mme Michèle Gendreau-Massaloux a semé l'inquiétude dans mon esprit :

« Il faut, pour remplir le grand amphithéâtre, me dit-elle, pas moins de mille deux cents personnes. En deçà de ce nombre, quelle que soit la qualité de la conférence, quel que soit le prestige des personnalités conviées, on risque fort de courir à l'échec. »

Ce soir, je fais et refais toutes sortes de calculs, envisageant tous les scénarios. Nous avons envoyé trois mille deux cents invitations. Les plus pessimistes affirment que nous pouvons compter sur un taux de réponse de un sur trois. Les plus optimistes, de un sur deux. Encore faut-il que le temps soit clément. Cette nuit, pour m'endormir, je n'ai pas compté les moutons, mais les invités qui, je l'espère, rempliront le grand amphithéâtre de la Sorbonne.

Paris, mardi 20 mars 2001

Le temps n'est pas au rendez-vous. Un froid hivernal, une pluie glaciale, un vent violent. De quoi décourager les meilleures bonnes volontés. Le recteur de la Sorbonne m'accueille avec une grande gentillesse. Nous gagnons une petite salle en coulisses. Je dissimule tant bien que mal mon inquiétude. De ce que j'en aperçois, le grand amphithéâtre est à moitié vide. Les programmes colorés disposés à cheval sur les dossiers des fauteuils soulignent avec plus de netteté encore les places désertées. Je demande à mes collaborateurs que l'on fasse immédiatement enlever tous les programmes et qu'on les distribue à l'entrée. Le recteur a décidé de laisser les balcons dans l'obscurité. Ils resteront vides de toute façon.

On m'annonce l'arrivée du président de l'Équateur, un grand barbu à la calvitie bien installée, portant de larges lunettes qui lui confèrent une allure bizarrement professorale et débonnaire. Je l'escorte depuis l'entrée de la Sorbonne jusqu'à la petite salle en empruntant un corridor glacial.

Je ne peux m'empêcher de jeter un regard dans l'amphithéâtre. Il est maintenant presque plein. Je n'ai pas le temps de savourer ma satisfaction. On m'annonce l'arrivée du président du Mozambique Joaquim Alberto Chissano. Je quitte mes invités pour aller l'accueillir au bas des marches.

C'est un homme séduisant, souriant, l'œil vif, une barbiche poivre et sel taillée en pointe. Il m'étreint avec effusion. Lorsque j'ai fait sa connaissance à Dar es-Salaam, il était l'un des chefs du mouvement de libération. Je l'ai retrouvé comme ministre des Affaires étrangères, puis comme chef de l'État. Tout en marchant, je lui parle du colonel Azali Assoumani avec lequel il a voyagé la veille. Il se dit satisfait de l'accord signé à Fomboni. Nous n'avons pas le loisir d'approfondir cette conversation. Le président Chirac est annoncé. J'emprunte pour la énième fois le corridor glacé pour retrouver le Président français, comme à son habitude très chaleureux, serrant la main de tous ceux qui ont pris place sur les marches, au mépris de la pluie fine qui continue de tomber.

Les trois présidents engagent, en coulisses, une conversation pour partie en espagnol, pour partie en français, que le président Chissano parle parfaitement. Je présente ensuite aux présidents les quatre secrétaires généraux des organisations invitées à participer au colloque : Dulce Maria Pereira, une charmante Brésilienne, secrétaire exécutive de la Communauté des pays de langue portugaise, Jorge Alberto Lozoya, secrétaire de la

Coopération ibéro-américaine, Francisco José Pinon, directeur général de l'Organisation des États ibéro-américains, et Bernardino Osio, secrétaire général de l'Union latine.

Nous prenons place sur l'estrade du grand amphithéâtre. D'un côté, les trois présidents, assis dans des fauteuils dorés, de l'autre, les cinq secrétaires généraux, installés derrière une longue table sur de simples chaises, au centre, un pupitre vers lequel je me dirige pour ouvrir la cérémonie.

Après avoir remercié les présidents qui honorent de leur présence ce colloque, je passe la parole à Gustavo Noboa, qui prononce un discours en espagnol. Tandis que je l'écoute, je compte le nombre des personnes qui ont pris place dans la salle. C'est au tour du Président mozambicain qui s'exprime en portugais. Puis Jacques Chirac qui fait un très beau discours, émaillé de souvenirs personnels, et, s'adressant directement à moi :

« Aujourd'hui, cher Boutros, je souhaitais vous rendre hommage car, depuis le sommet de Hanoï en 1997, vous avez inventé et pleinement affirmé la fonction de secrétaire général de la Francophonie. »

Quel plaisir d'entendre le Président soutenir cette Francophonie plurielle, ouverte sur les autres aires culturelles :

« Vous et moi, cher Boutros, nous partageons la même conviction. Dans un monde de plus en plus ouvert aux idées aussi bien qu'au commerce, aucune collectivité ne survivra repliée sur elle-même […]. La Francophonie ne saurait mener seule ce combat qui n'est pas le combat de la seule Francophonie. Ce qui a réuni les francophones et fonde leur action aujourd'hui – l'esprit de solidarité, la passion de la diversité, la volonté d'une mondialisation au bénéfice de tous, le souci de préserver toutes les chances pour l'avenir – a aussi réuni d'autres familles linguistiques et culturelles, avec des traits communs, avec les mêmes desseins.

« Il y a bientôt un an, à votre initiative déjà, l'Institut du monde arabe accueillait la première rencontre entre arabophones et francophones. Aujourd'hui, le dialogue des cultures franchit une nouvelle étape. Nous engageons le rapprochement naturel, évident, fraternel, de nos communautés hispanophone, lusophone, francophone et même italophone, puisque nous comptons parmi nous le secrétaire général de l'Union latine. »

Jacques Chirac dit ce que j'aurais aimé dire, chiffres à l'appui :

« À travers nos cinq organisations, soixante-dix-neuf États et gouvernements, de tous les continents, représentant un milliard deux cents millions de femmes et d'hommes, témoignent de leur volonté de rester eux-mêmes, de mettre la mondialisation à leur main, de peser de tout leur poids politique, économique, démographique. Au-delà des enjeux immédiats, nous avons en commun une vision du monde. Notre alliance, c'est l'espoir et la volonté de mieux la réaliser. »

La séance inaugurale s'achève. Les trois présidents quittent le podium tandis que la salle se vide à moitié. Je constate, à ma grande surprise, que ce vide que je redoutais tant est moins spectaculaire que ne le laissait entendre Mme Gendreau-Massaloux. C'est au tour de chacun des secrétaires généraux de s'exprimer. Le mot de la fin revient à Jorge Semprun, invité d'honneur. Un discours improvisé et brillant, chargé d'histoire et de symboles. Il nous rappelle, ce matin, que lorsque les troupes franquistes sont rentrées dans Barcelone, elles se sont empressées d'interdire le catalan pour faire de l'espagnol la seule langue autorisée.

Le plurilinguisme favorise l'épanouissement de la démocratie. L'unilinguisme ombrageux va trop souvent de pair avec repli identitaire et régime totalitaire.

Paris, mercredi 21 mars 2001

Le professeur Salifou revient des Comores. La réconciliation nationale progresse. Il serait souhaitable, à ce stade, que l'OIF fournisse une aide financière : «les dividendes de la paix». Ce sera difficile. Pourtant, il faudra bien que l'OIF, si elle prétend jouer un rôle politique, se donne enfin les moyens d'accompagner les efforts de ses États membres dans la phase critique de la consolidation de la paix. Car on sait très bien qu'il ne suffit pas d'amener un pays à un accord. C'est une fois l'accord conclu qu'il faut redoubler de vigilance et d'attention.

Il faudra, aussi, que les opérateurs de l'OIF acceptent de se doter d'une capacité accrue d'agir, non seulement par beau temps, mais aussi en cas de crise, en développant, en faveur des pays touchés, des programmes de coopération adaptés à leurs besoins du moment. Envoyer des manuels scolaires dans des pays ravagés par la famine frise presque l'indécence!

Paris-Genève, jeudi 22 mars 2001

Le décollage de l'avion pour Genève est reporté d'heure en heure, suite à une grève des contrôleurs aériens. Cinq heures d'une interminable attente. Lorsque nous atterrissons enfin à Genève, c'est pour nous apercevoir que nos bagages ont été égarés.

Je suis désemparé à l'idée de devoir vivre sans peigne, sans brosse à dents, sans rasoir, sans vêtements de rechange. Qui sait pour combien de temps? Léa est encore plus catastrophée que moi.

Mike Moore, le directeur général de l'Organisation mondiale du commerce, me reçoit en compagnie de J. Denis Bélisle, le directeur du Centre de commerce international. C'est un homme à l'intelligence vive, rehaussée par un humour tout anglo-saxon.

«Je consacre, me dit-il, 50% de mon temps aux pays qui font 1% du commerce mondial. L'OIF nous aide et peut encore plus nous aider dans l'assistance que nous portons aux pays les moins avancés. Il faut que nous renforcions notre collaboration.»

(Un peu plus tard...) Entretien avec le secrétaire général de l'Union internationale des télécommunications (UIT), Yashio Utsumi, un Japonais de petite taille, l'air réservé, et apparemment surpris par ma démarche. Il est actuellement confronté à une joute diplomatique entre Genève et Tunis, chacune de ces deux capitales francophones ayant l'ambition d'accueillir le sommet mondial sur la société de l'information. J'insiste pour savoir laquelle de ces deux villes a sa préférence. Il me fait remarquer que cette conférence est placée sous l'égide de plusieurs agences spécialisées de l'ONU et qu'il lui faut obtenir l'accord de ces différentes institutions avant de se prononcer en faveur de telle ou telle candidature. Il préférerait que la conférence se tienne à Genève, siège de la plupart de ces agences, mais la Tunisie a l'appui du tiers monde.

Nous convenons de mettre en place une collaboration entre l'UIT et l'OIF dans le domaine des technologies de l'information et de la communication.

Genève, vendredi 23 mars 2001

Au rang des contingences plus matérielles, nous avons enfin retrouvé les bagages égarés à Roissy. Et c'est un homme nouveau qui assiste au colloque, organisé par l'Institut universitaire des hautes études internationales, à l'occasion du départ en retraite du professeur Georges Abi-Saab.

Lorsque j'ai rencontré Georges Abi-Saab, il était encore simple auditeur au sein de cet institut. Il a été conseiller juridique auprès du ministère égyptien des Affaires étrangères avant qu'on lui propose un poste de juge au Tribunal pénal international pour l'ex-Yougoslavie à La Haye. Un an après sa nomination, il est venu me trouver à l'ONU pour m'annoncer son intention de démissionner, au motif qu'il ne parvenait pas à mener de front ses travaux académiques et ses fonctions de juge.

La composition de ce tribunal m'avait valu d'acerbes critiques de la part des fondamentalistes musulmans : « Pas un seul juge musulman au sein de ce tribunal dit "international", et l'Égypte décide de se faire représenter par un chrétien ! » Il aurait fallu que je leur explique, premièrement, que les États membres musulmans étaient seuls responsables de cet état de choses, dans la mesure où ils n'avaient proposé aucun candidat et, deuxièmement, que la nomination des juges ne relevait pas du secrétaire général des Nations unies mais de la seule compétence de l'Assemblée générale. Mais c'eût été, sans doute, peine perdue. Les Affaires étrangères d'Égypte désignèrent à ma demande, pour succéder à Georges Abi-Saab, un de mes collègues et amis, Fouad Riad, un musulman, ce qui permit aux fondamentalistes d'attribuer cette nomination à leurs interventions.

Aujourd'hui, à Genève, nombreux sont les collègues, les admirateurs, et les étudiants venus témoigner de leur sympathie et de leur amitié à l'égard de Georges Abi-Saab. Je prononce, devant ce parterre de professeurs que j'ai longtemps fréquentés et qui ont gardé intacte leur ferveur juvénile pour le droit international, un discours sur les liens entre la démocratie et ce même droit international que j'ai, pour ma part, délaissé depuis plusieurs années au profit de la politique internationale, cédant à la loi de Gresham qui veut que la mauvaise monnaie chasse la bonne.

Je mets à profit ce court séjour à Genève pour rencontrer le nouveau directeur général de l'Organisation mondiale de la propriété intellectuelle, le Soudanais Kamel Idriss. Nous en venons, naturellement, très vite aux relations entre Le Caire et Khartoum.

«Je pense, me dit-il, que le président ougandais Museveni a un rôle essentiel à jouer pour aider à trouver une solution dans le conflit qui oppose le nord et le sud de mon pays. Certes, Museveni soutient le Sud, mais ce qui est plus important, c'est qu'il a l'appui des États-Unis et de la Grande-Bretagne.»

Il me fait part de ses déboires avec l'actuel secrétaire général des Nations unies, Kofi Annan. Je me contente d'écouter, fidèle à la règle d'or que je me suis fixée de ne jamais porter de jugement ni sur mes prédécesseurs ni sur mes successeurs.

Kamel Idriss se livre ensuite à un vigoureux plaidoyer en faveur de l'entrée du Soudan, comme État observateur, dans l'Organisation internationale de la Francophonie :

«Vous devez aider le Soudan à s'ouvrir sur le monde extérieur, à s'occidentaliser, me dit-il.

– La décision ne m'appartient pas.»

Je lui propose d'assister à la conférence des ministres francophones de la Culture qui se tiendra en juin à Cotonou. Il accepte avec enthousiasme.

Paris, lundi 26 mars 2001

Yves Berthelot, ancien secrétaire général de la commission économique des Nations unies pour l'Europe, prépare actuellement, avec un groupe d'amis, une étude en plusieurs volumes sur les idées et les nouveaux concepts que les Nations unies ont fournis à la communauté internationale durant ces cinquante dernières années.

Il me propose d'enregistrer une série de longs entretiens qui seront retranscrits, puis mis à la disposition des chercheurs chargés de rédiger ces différentes études.

« Tout ce qui touche à la recherche m'intéresse, dis-je. Et puis les Nations unies ont été, sans conteste, un laboratoire d'idées nouvelles. »

Paris, mardi 27 mars 2001

On m'annonce, dans l'après-midi, que l'ancien président du Burundi Sylvestre Ntibantunganya, de passage à Paris, souhaite me rencontrer. Rendez-vous est aussitôt pris. J'ai un souvenir précis de notre dernière rencontre, à Bujumbura, en juillet 1995. Sa première femme avait été assassinée et, lorsque j'étais venu le rencontrer à son domicile, il m'avait fièrement présenté la belle jeune femme qu'il venait d'épouser en secondes noces. Je me rappelle encore l'atmosphère pesante de cette fin d'après-midi, le bruit intermittent des salves de mitraillette et les explosions de grenades déchirant un silence inquiétant. J'avais en face de moi un président nerveux, anxieux, son pouvoir étant plus symbolique que réel. Je retrouve, aujourd'hui, un homme serein, apaisé et sûr de lui.

« N'avez-vous pas peur, monsieur le Président, de vivre à Bujumbura au milieu de la tempête politique ?

– Il faut apprendre à surmonter sa peur, me dit-il. La peur est toujours là, bien sûr, mais elle devient supportable.

– Bientôt six ans se sont écoulés depuis notre rencontre à Bujumbura. Comment voyez-vous l'évolution de la situation dans votre pays ?

– La situation est bloquée. Nelson Mandela nous a imposé l'accord d'Arusha sans résoudre le problème du "cessez-le-feu" avec l'opposition armée et la guerre continue…

– Pourtant, la rencontre organisée à Libreville, sous les auspices d'Omar Bongo, entre le président Buyoya et le chef hutu Jean Bosco Ndayikengurukiye, constitue un premier pas encourageant.

– Oui, à condition toutefois que le processus de Libreville ne soit pas en en concurrence avec le processus d'Arusha, mais qu'il vienne en complément. J'espère que le ministre sud-africain Zuma, chargé de suivre le dossier du Burundi, collaborera étroitement avec le président Buyoya pour éviter ce type de doublons, les rebelles hutus semblant maintenant enclins à négocier.

– Est-ce que vous avez relevé des différences entre la diplomatie de Julius Nyerere et celle de son successeur, Nelson Mandela ? J'ai personnellement bien connu ces deux grands hommes, mais c'est en tant qu'ancien universitaire et chercheur que je vous pose cette question...

– La diplomatie de Nyerere était fondée sur la patience. Il était capable d'écouter des heures durant sans montrer le moindre signe d'impatience ou de lassitude. Ce qui a eu, sur nous, un effet de catharsis dans la mesure où nous pouvions exprimer au grand jour les frustrations, les craintes ou les desseins enfouis au plus profond de nous-mêmes. Nelson Mandela, au contraire, a procédé par électrochocs, il nous a imposé des solutions. Cela dit, tant qu'on n'établira pas un mécanisme pour consolider et contrôler le cessez-le-feu, je ne vois pas de règlement durable à notre tragédie nationale.

– Le président Buyoya, que je connais et respecte, n'est-il pas en mesure de régler ce problème ?

– Le président Buyoya n'a pas su mettre fin à la guerre. Il est, par ailleurs, confronté à une forte opposition dans ses propres rangs. Et puis il n'a rien fait pour faire avancer la transition telle qu'elle est prévue par les accords d'Arusha.

– Monsieur le Président, puis-je vous poser une dernière question un peu brutale ? Pensez-vous que la démocratie puisse s'instaurer dans votre pays avec une écrasante majorité hutue, à laquelle vous appartenez, et une minorité tutsie qui s'accroche au pouvoir et à ses privilèges ? »

À ces propos, le Président s'anime :

« L'idée que la démocratie doive automatiquement donner naissance à une domination hutue est totalement erronée. En 1993, le gouvernement hutu, majoritaire, avait engagé un processus d'intégration qui permettait aux Hutus, mais aussi aux Tutsis, d'occuper des postes de responsabilité et de coopérer. »

Avant que nous nous séparions il me confesse, avec délicatesse et résignation, les difficultés auxquelles son épouse et lui-même sont désormais confrontés. Il leur est impossible de trouver un emploi. « Un ancien président de la République... l'épouse d'un ancien président de la République... », telles sont les réactions étonnées, mais négatives qu'on leur oppose chaque fois qu'ils postulent pour un emploi.

Je quitte le Président à la hâte pour me rendre chez mon dentiste. Sur le trajet, je suis soudain envahi par un sentiment d'immense tristesse. Le désarroi de l'Afrique s'insinue en moi et m'oppresse. La roulette du dentiste me soulage presque et j'accueille même avec joie cette petite douleur physique temporaire, qui me détourne de mon afropessimisme lancinant et diffus, et de cette souffrance qui vous saisit à la gorge au moment où vous vous y attendez le moins, et vous submerge. C'est tantôt une image de misère et de désespoir, tantôt une odeur de guerre et de sang, tantôt le sentiment que, malgré un demi-siècle d'efforts, l'embellie est encore loin, qui fait naître en moi ce sentiment de lassitude et d'angoisse profonde.

Monaco, jeudi 29 mars 2001

L'ambassadeur Claude de Kemoularia est tout à son nouveau projet de création du Club de Monaco qui traitera des problèmes euro-méditerranéens, en liaison étroite avec deux instituts de recherche, l'Institut français des relations internationales (IFRI) à Paris et l'Istituto per gli Studi di Politica Internazionale (ISPI) à Milan. Il me demande de prendre la présidence de ce club, qui réunirait des personnalités venues de tous les pays riverains de la Méditerranée, et qui aurait son siège à Monaco, la principauté étant prête à assumer les frais de son fonctionnement.

Tout ce qui peut servir de trait d'union entre le Nord et le Sud en général, et en particulier entre le nord et le sud de la Méditerranée, aura toujours mon soutien total et enthousiaste. Car il faut bien reconnaître que, malgré les liens historiques, culturels, et souvent privilégiés qui unissent les peuples par-delà les deux rives de la Méditerranée, l'Europe s'est, au fil de sa construction, progressivement détournée des pays du Sud.

La création d'un marché commun, en 1957, s'est faite en direction du Nord. Et l'intégration de l'Espagne, du Portugal et de la Grèce, quelques années plus tard, a eu comme conséquence, parmi d'autres, la marginalisation économique de certains pays du sud de la Méditerranée, comme le Maroc. D'ailleurs, l'élargissement de l'Europe, en 1995, n'a fait que confirmer cette tendance, sans compter que l'Union européenne prépare, aujourd'hui, son ouverture à l'Est.

Et comme me l'a dit récemment un jeune diplomate égyptien : « La construction européenne a profondément modifié la nature des rapports d'antan. Les relations bilatérales et multilatérales qu'entretenaient les pays des deux rives ont fait place à des relations en quelque sorte "unilatérales", entre, d'un côté, une Union européenne forte d'un bloc de quinze États surdéveloppés et, de l'autre, douze États sous-développés, se présentant en ordre dispersé. »

Et d'ajouter : « Vous savez bien que le monde arabe sera incapable de s'unir avant plusieurs années. »

Il y a eu, certes, en 1995, la conférence de Barcelone, qui était censée déboucher sur une zone de paix, de stabilité et de prospérité partagées. Mais six ans après, le bilan du processus de Barcelone reste bien en deçà des attentes et des enjeux.

À cela, certains rétorquent que l'Europe ne peut être sur tous les fronts à la fois. Et qu'il lui faut continuer à se renforcer, à se consolider, à se structurer dans son propre espace, pour pouvoir, dans un second temps, envisager une relance de sa coopération avec le sud de la Méditerranée. Mais il serait dangereux d'imaginer que l'on peut désolidariser, en fonction des besoins et des moments, la rive nord et la rive sud de la Méditerranée. Ces pays n'ont pas seulement en partage une histoire et un destin. Ils sont irrémédiablement liés par la géographie et l'espace. Et il est des réalités incontournables dont les conséquences se font ou se feront très vite sentir, non seulement au sud, mais aussi au nord de la Méditerranée.

Je ne suis pas sûr, par exemple, que les Européens mesurent bien les effets de la croissance démographique au Sud. Selon les projections établies, d'ici à 2050, ces pays auront pratiquement rejoint les pays européens.

On voit immédiatement ce que cela induit pour les pays du sud de la Méditerranée : la difficulté d'intégrer socialement une population toujours plus nombreuse, et qui sera constituée, à l'horizon 2050, pour près de la moitié, de jeunes de moins de quinze ans; l'impossibilité, pour ces populations en expansion, de se répartir harmonieusement sur leur territoire, dans la mesure où la plupart de ces pays laissent une large place au désert, avec ce corollaire obligé qu'est le développement vertigineux et préoccupant de mégapoles, dont Le Caire constitue un parfait exemple.

Dans le même temps, les cinquante prochaines années vont voir la population européenne diminuer. L'Union européenne sera alors dans l'obligation, comme l'a établi un récent rapport de l'ONU, de faire venir 1,6 million d'immigrés par an si elle veut combler son déficit de main-d'œuvre et maintenir son taux de croissance actuel.

Je ne suis pas sûr, non plus, que les Européens aient bien conscience de l'aggravation des inégalités entre les deux rives de la Méditerranée. Jamais ces inégalités n'ont été aussi criantes. Aujourd'hui, le produit national brut par habitant est d'environ trois mille euros en Égypte, contre vingt mille euros en France ! Et le PNB d'un Allemand est sept fois plus élevé que celui d'un Marocain !

Ces deux réalités sont lourdes de conséquences immédiates et à venir. Il est à craindre, tout d'abord, une instabilité sociale et politique dans l'ensemble du bassin méditerranéen. Il est à craindre, aussi, une montée en puissance du fanatisme et du fondamentalisme, dont on sait qu'ils trouvent un terreau dans un quotidien synonyme, notamment pour la jeunesse, de misère, de frustrations, de chômage et d'absence de futur. On peut, enfin, prédire, sans se tromper, l'augmentation de la demande migratoire. L'immigration du Sud constitue donc, pour l'Europe, un des grands défis des années à venir. Un défi qu'elle ne pourra relever à coups de mesures défensives, ou même de politiques migratoires pensées à court terme, et en fonction des seuls besoins du marché du travail.

Pour la première fois depuis le Moyen Âge, l'islam est devenu une réalité dans l'Europe chrétienne. Cette rencontre et cette coexistence, entre deux religions différentes, entre deux cultures différentes, ne doivent pas être laissées à l'improvisation.

Elles doivent être préparées et organisées à travers toute une série d'actions fondées sur un principe de réciprocité : enseignement de la langue arabe, traduction des œuvres, circulation des productions culturelles, dialogue interreligieux...

Tout cela suffirait déjà à justifier le renforcement de la coopération euro-méditerranéenne. Mais il est une troisième réalité incontournable que l'Europe se doit d'affronter : la situation politique dramatique qui secoue le sud de la Méditerranée. Il y a bien sûr le conflit arabo-israélien. Mais il est d'autres conflits potentiels ou latents qui peuvent à leur tour enflammer cette région sans que l'Europe puisse prétendre en rester à l'écart ou à l'abri : le conflit entre la Grèce et la Turquie, concernant Chypre, la question du Sahara occidental qui n'est toujours pas résolue, le problème irakien. Sans compter les conflits qui pourraient éclater, et qui ont failli éclater à maintes reprises déjà, autour du problème de l'eau. Il n'est que de voir le différend irako-syro-turc à propos des eaux de l'Euphrate, ou encore le différend israélo-syrien à propos des ressources du Jourdain. Dans le même ordre d'idées, on a vu combien les ressources pétrolières, qui sont concentrées pour 60 % dans cette région du monde, constituent pour beaucoup de pays occidentaux, au premier rang desquels les États-Unis, un enjeu stratégique important, et donc conflictuel.

Et alors que ces zones de conflits, avérées ou potentielles, se situent aux portes mêmes de l'Europe, c'est de la superpuissance – nation extraeuropéenne – qu'émanent les initiatives et la décision. Il y a donc là un autre défi pour l'Europe, celui qui consiste à se doter d'une véritable politique étrangère de défense et de sécurité commune, dans une vision multipolaire et multilatérale du monde.

Quand je vois l'Europe bien plus tentée, aujourd'hui, de regarder vers les rivages outre-atlantiques, vers leur économie, vers leur culture, vers leur technologie, vers leur puissance. Tentée, aussi, de regarder vers l'Est, vers ses territoires, ses potentialités, son commerce, je réalise l'ampleur de la tâche. Et je me dis que j'ai peut-être eu tort d'accepter la présidence de ce nouveau forum euro-méditerranéen.

Ouagadougou, mardi 3 avril 2001

Je reçois cet après-midi un doctorat *honoris causa* de l'université de Ouagadougou. Un amphithéâtre bondé. Les ventilateurs se révèlent totalement inefficaces. Et c'est sous une chaleur écrasante que se déroule la cérémonie. L'orchestre se lance dans un morceau aux allures de jazz, avant d'entonner l'hymne de la Francophonie spécialement composé pour l'occasion. Lecture des décrets par lesquels m'est officiellement octroyé ce titre honorifique. Évocation en forme de panégyrique de ma carrière universitaire, politique et diplomatique. À l'issue de quoi, on m'invite à revêtir une toge mauve et rouge et à coiffer un petit chapeau. La chaleur jusqu'alors difficilement supportable devient pour le coup insupportable. Je crains d'étouffer dans mon nouvel uniforme universitaire.

Porté par l'ambiance, je modifie le début de mon discours. Je renonce à énumérer, comme l'ont fait avant moi le recteur de l'université et le ministre de l'Enseignement supérieur, les dignitaires présents dans la salle. Je me contente d'un « Excellences », suivi de « mes jeunes frères les étudiants ».

Ce qui déclenche une formidable clameur de plusieurs minutes. J'en profite pour m'éponger le visage et pour essuyer la buée sur mes verres de lunettes. Je poursuis mon discours avec vigueur, interrompu à plusieurs reprises par une salve d'applaudissements, mais au moment où je mentionne la Journée nationale du pardon instaurée quelques jours auparavant par le gouvernement, les étudiants protestent violemment. Ils réclament que justice soit faite, que l'on condamne les coupables. Je poursuis, avec plus de vigueur encore, et lance, en conclusion, un appel à l'Afrique, une Afrique enfin réconciliée avec elle-même.

La cérémonie est terminée. Je n'ai qu'une idée, pouvoir enlever ma toge. Mais il faut encore se soumettre à la séance de photos.

Dîner à l'ambassade de France. Maurice Portiche et sa charmante épouse eurasienne ont invité les ministres et toutes les personnalités burkinabés. À l'issue du repas, s'engage un débat improvisé sur la Francophonie. Je fais remarquer, avec un peu d'amertume, que la France se soucie peu de la Francophonie. L'ambassadeur, avec diplomatie, acquiesce, avant d'ajouter que c'est à l'Afrique de reprendre le flambeau. Il a peut-être raison. Après tout, c'est en Afrique qu'est née la Francophonie, avec Habib Bourguiba, Léopold Sédar Senghor, Hamani Diori, mais aussi Norodom Sihanouk, que l'on omet souvent de citer parce qu'il n'est pas africain. Chacun y va de sa définition, toute subjective, de la Francophonie. « Lorsque je passe les vitesses, en voiture, c'est en français que je pense », me dit l'un. « La Francophonie, c'est l'ouverture sur le large », me dit l'autre. « Et vous, monsieur le secrétaire général ? » « Pour moi, dis-je, c'est beaucoup de choses, mais c'est surtout le moyen de maintenir le dialogue Nord-Sud. »

Ouagadougou, mercredi 4 avril 2001

Je suis reçu par le président de la République Blaise Compaoré. Il a un peu forci, l'œil toujours vif, un sourire avenant. Il semble apprécier le présent que je lui offre, au nom de la Francophonie : une poterie en faïence rose, incrustée d'éléphants blancs. « J'ai des éléphants, dans ma propriété » me dit-il. « Je savais que vous aimiez les éléphants », dis-je en devenant courtisan.

J'évoque, sans transition, un sujet qui me tient à cœur : la Journée du 30 mars, décrétée par le Burkina Journée nationale du pardon, pardon invoqué pour toutes les injustices et tous les crimes commis. Il y avait à l'entrée de notre hôtel une immense banderole proclamant que le pardon n'exclut pas que justice soit faite. Je pense, au contraire, que le pardon doit primer la justice. Je mentionne la Commission de la vérité instaurée au Salvador à seule fin de faire la lumière sur les atrocités commises et les violations massives des Droits de l'homme. Mais sans aucune idée de sanction, afin de préserver les chances de réconciliation nationale. Dans le même ordre d'idées, Desmond Tutu avait présidé un tribunal chargé d'exorciser, sans les sanctionner, les crimes perpétrés par l'apartheid au nom de l'apartheid.

(Le soir...) Dans l'avion qui me ramène à Paris, durant l'escale à Bamako, un jeune Français demande à me parler. Il me tend sa carte de visite. «Je voudrais vous entretenir de quelque chose de très personnel. Je suis un bahaï. Certains de nos adeptes sont actuellement emprisonnés en Égypte pour avoir voulu professer cette religion.» Je reçois ce reproche comme une humiliation. J'en veux à mon gouvernement, souvent sous l'emprise d'un fondamentalisme moyenâgeux : seules les trois religions monothéistes sont reconnues en Égypte. Il est impossible de construire un temple hindouiste, shintoïste ou bahaïste. Pis, les bahaïs sont considérés comme des hérétiques et emprisonnés.

Si l'Égypte ne se ressaisit pas, si elle n'ouvre pas grand ses portes et ses fenêtres sur les libertés fondamentales inscrites dans la Déclaration universelle des Droits de l'homme, elle aura tôt fait de sombrer dans un sous-développement mental dont on mesure les effets en Afghanistan, en Iran, ou au Soudan.

J'enrage tellement contre la sclérose de mon gouvernement que je ne parviens pas à trouver le sommeil. Dans mes écouteurs, le programme de musique classique d'Air France, et la *Valse de l'Empereur* de Johann Strauss que j'écoute pour la énième fois, attendant avec patience l'aube nouvelle qui se lèvera sur Paris.

Paris, jeudi 5 avril 2001

L'avion entame sa descente sur Roissy. Une lune rousse illumine une aube incertaine. À quand la lune des lunes ?... À quand la réalisation des prédictions de l'astrologue indien ?

À travers le hublot, une myriade de petites lumières qui marquent la présence des agglomérations et des villages environnants. La France est riche en électricité, riche en lumière, riche en idées. Un contraste effrayant entre la capitale que je viens de quitter et celle que je retrouve en ce jeudi 5 avril. Contraste climatique, aussi. Hier à Ouagadougou, il faisait trente-huit degrés. Ce matin, à Paris, il en fait huit.

Je passe la matinée au lit à lire la presse arabe et américaine. Une interview du président Moubarak dans *Newsweek*. Au journaliste qui lui demande quelle est la force de Saddam Hussein, il répond : « Plus on le bombarde, plus il renforce son pouvoir. »

(Dans l'après-midi...) Je reçois Idé Oumarou, de retour d'une mission qui l'a mené en République démocratique du Congo et au Congo-Brazzaville. Il a rencontré Joseph Kabila qui a rappelé avec insistance son attachement à la Francophonie et a demandé que l'OIF puisse lui fournir une assistance technique et diplomatique plus importante et plus efficace, notamment dans le cadre du dialogue intercongolais.

Concernant la situation au Congo-Brazzaville, Idé Oumarou se montre optimiste. Les différents responsables qu'il a rencontrés veulent la réconciliation et la paix. Ils sont fatigués de ces guerres successives qui, en l'espace de dix ans, ont ruiné le pays. Le dialogue national est salué par tous avec espoir.

« Lorsqu'on voit la misère effroyable de l'Afrique, me dit-il, on se demande si l'insistance de la communauté occidentalisée à vouloir instaurer la démocratie n'est pas un rêve totalement déconnecté de la réalité... »

J'évite de répondre directement :

« Même dévastée, déprimée, baignée dans un fleuve de sang, l'Afrique a besoin de rêver. Elle reste riche malgré tout de son intelligence, de sa créativité, de son inlassable humanité. »

Paris, vendredi 6 avril 2001

Bernard Kolélas, ancien Premier ministre en exil du Congo-Brazzaville, m'annonce, au téléphone, son intention de se rendre à Brazzaville pour participer à l'étape finale du « dialogue national sans exclusive ». Je lui demande s'il a établi des contacts avec les autorités congolaises ou gabonaises pour préparer les conditions de son retour. Il esquive ma question et m'explique que sa présence est essentielle si l'on veut que le dialogue réussisse. Ses partisans ont l'intention, eux aussi, d'aller à Brazzaville.

« J'ai été invité, lui dis-je, à participer à la cérémonie de clôture, et nous continuerons, à Brazzaville, notre dialogue commencé à Washington, et poursuivi à Bamako. »

Paris, jeudi 12 avril 2001

J'apprends que les autorités congolaises ont interdit à Bernard Kolélas l'entrée sur leur territoire. Cela n'a plus rien d'un dialogue national sans exclusive !

Le président centrafricain Ange-Félix Patassé, qui a participé à la séance d'ouverture du dialogue, le 17 mars, m'annonce qu'il ne prendra pas part à la cérémonie de clôture, au motif que « ce n'est plus un dialogue, mais une farce... ».

« La presse laisse entendre, dis-je, que Kolélas a été condamné par les tribunaux congolais et que s'il tente de rentrer au Congo, il sera immédiatement incarcéré.

– Si le président Sassou-Nguesso veut un authentique dialogue, il doit le gracier dès aujourd'hui. La signature des accords de cessez-le-feu et de cessation des hostilités, en décembre 1999, aurait d'ailleurs dû être suivie d'une amnistie générale », conclut le président Patassé.

Idé Oumarou, à qui je demande conseil, me recommande de ne pas renoncer à mon voyage à Brazzaville. « Kolélas et les autorités congolaises au pouvoir finiront bien par se réconcilier. »

Conversation avec Gérard Kamanda Wa Kamanda, ancien ministre des Affaires étrangères de Mobutu. Il souhaite, par mon intermédiaire, sensibiliser Joseph Kabila à l'importance de la diaspora congolaise, constituée de trois groupements politiques : la coalition de l'alternative démocratique qu'il dirige, le groupe du 16-Octobre – opposition extérieure non armée – et les Forces du renouveau pour la République. Il ajoute que les premiers partis politiques officiellement reconnus après l'abolition du parti unique étaient celui de Tshisekedi, le sien, et celui de Joseph Ileo, aujourd'hui décédé. Il me rappelle les négociations que nous avons menées ensemble avec le président Zinsou, rue de Bourgogne :

« Vous avez reçu Étienne Tshisekedi, Alexis Thambwe Mwamba, Léon Kengo Wa Dondo et bien d'autres leaders congolais. Vous connaissez leur valeur et vous savez le rôle qu'ils pourraient jouer dans la réconciliation nationale. »

Je lui promets de transmettre son message à Joseph Kabila, mais je me garde bien de lui dire que le ministre belge des

Affaires étrangères, Louis Michel, m'a appris, en toute confidentialité, qu'il avait été mandaté par le président Kabila pour négocier avec la diaspora.

Paris-Brazzaville, vendredi 13 avril 2001

L'avion d'Air France qui doit m'amener à Brazzaville décolle à l'heure. J'ai fait une provision de journaux et de revues : le vol dure sept heures et quarante minutes. Un bon article d'Édouard Balladur. Le début est emporté : « Le refus de la mondialisation, c'est le refus du changement, le nationalisme, le cloisonnement. C'est la nostalgie d'un passé voué à disparaître, qui déjà disparaît. » Ceci s'applique avec plus de force, encore, aux pays arabes et musulmans. Comment se libérer de la nostalgie obsessionnelle du passé ?

À Brazzaville, je suis accueilli par le protocole congolais et l'ambassadeur d'Égypte, Mohamed Hassan el-Khadrawi. Il a convoqué tous les coopérants égyptiens :

« Ce sont vos "troupes", me dit-il. C'est vous qui avez créé, en 1979, le Fonds égyptien de coopération avec l'Afrique... »

Il y a là une vingtaine de coopérants, sagement alignés, que je salue un à un. Une dame me remercie chaleureusement.

« C'est grâce à vous que j'ai pu venir à Brazzaville. Vous êtes intervenu en ma faveur, l'année dernière.

– Quelle est votre spécialité ?

– J'enseigne les mathématiques dans une école secondaire. »

Je ne saurais dire la joie que j'éprouve à voir que cette institution, créée voilà plus de vingt ans, continue à fonctionner, et à bien fonctionner.

J'ai juste le temps de troquer mon costume d'hiver pour un costume de toile. Le ministre des Affaires étrangères vient me rendre une visite de courtoisie. J'évoque la situation de Bernard Kolélas à qui les autorités ont refusé l'entrée sur le territoire :

« Vous avez pourtant qualifié ce dialogue de "sans exclusive". »

Le ministre est très ferme :

« Kolélas voulait brouiller les cartes et faire échouer la réconciliation nationale. Il fallait l'empêcher de participer à cette cérémonie. S'il avait manifesté, auparavant, la volonté d'engager un dialogue, nous l'aurions bien volontiers accueilli. N'oubliez pas qu'il a été l'allié du président Sassou. »

Je vois qu'il est inutile de prolonger ce dialogue sans exclusive.

Brazzaville, samedi 14 avril 2001

C'est la journée la plus longue de mon activité diplomatique de ces trois dernières années. Une journée qui commence à neuf heures pour se terminer à trois heures du matin le lendemain. C'est la grande fête de la réconciliation nationale.

Nous avons pris place dans la salle du palais des Congrès construit en d'autres temps par les Chinois, et dont l'architecture se répète dans toutes les capitales africaines, à l'exception du Caire. Notre palais des Congrès avait fait l'objet d'une lutte acharnée entre les différentes administrations égyptiennes, tant avant, pendant, qu'après sa construction. Avant, chacun voulait s'attribuer le prestige d'avoir obtenu ce somptueux cadeau de la Chine. Chacun voulait aussi imposer le site de son choix : à proximité des pyramides pour certains, dans l'île de Gezira pour d'autres, près du tombeau du Soldat inconnu où Sadate a été inhumé pour d'autres encore. Chicanes, aussi, à n'en plus finir, pour savoir à qui reviendrait la gestion de ce bâtiment : le ministre des Affaires étrangères, la ville du Caire et son gouverneur, la présidence de la République…

Dans le salon, trois grands fauteuils respectivement réservés au Président congolais, au médiateur international – nouveau titre du président Omar Bongo – et au président de São Tomé et Príncipe, Miguel Trovoada. Sur la gauche, quatre fauteuils de taille plus modeste occupés par les ministres représentant les présidents de l'Angola, du Togo, du Cameroun et de la République démocratique du Congo. Je prends place sur la droite entre le sous-secrétaire général de l'OUA, l'Algérien Ahmed Haggag, et l'épouse du président Sassou-Nguesso, une parfaite hôtesse, pleine d'amabilité. Nous nous levons pour recevoir le médiateur international accompagné de sa jeune épouse, qui n'est autre que la fille du président Sassou-Nguesso. Champagne, petits fours.

Nous gagnons la salle de conférence, pleine à craquer. Litanie de discours, interrompue par des incantations pour que règnent la paix et la prospérité. La cérémonie s'achève à quinze heures par l'exécution de l'hymne national et la présentation du drapeau au chef de l'État par un petit peloton militaire, à la démarche martiale et saccadée.

Nous quittons la salle en cortège. Bain de foule au rythme endiablé des musiques et des danses traditionnelles. Il fait une chaleur suffocante. Le soleil est impitoyable. Le président Sassou-Nguesso s'arrête devant chacun des groupes de danseurs et de musiciens. Le cortège en fait autant. On parvient enfin devant une tribune couverte où nous prenons place selon un protocole parfaitement réglé pour assister à la cérémonie de la « flamme de la paix ». Le commandant en chef des forces armées vient solliciter la permission d'enflammer les centaines de fusils confisqués ou remis par l'opposition armée, et maintenant dressés en forme de bûcher conique. L'ordre vient du médiateur international et l'on voit s'enflammer le brasier, qui continuera à se consumer bien après que nous aurons quitté la tribune.

À vingt-deux heures, le président Sassou-Nguesso nous accueille en toute simplicité. Nous nous dirigeons vers la table présidentielle. Je suis assis à côté du ministre de l'Intérieur de l'Angola qui se ressert copieusement de tous les plats. Il s'étonne de mon relatif manque d'appétit et me demande si je suis souffrant. Je lui rétorque que garder la forme réclame une certaine abstinence. Il me répond amusé :

« C'est la journée de la paix et je mange beaucoup pour consolider la paix. »

Il engouffre poulets, viandes, poissons, desserts.

Un peu plus tard les présidents, leurs épouses et les invités dansent au son des dernières musiques à la mode. Ambiance détendue. Le représentant du PNUD me présente une jeune Congolaise qui, dit-il, pour satisfaire mon ego, « rêve de danser avec moi ». Je m'exécute avec plaisir.

À deux heures du matin le président Sassou-Nguesso met fin aux festivités. Lorsque je retrouve ma chambre d'hôtel, il est trois heures. Cette journée vient consacrer la victoire politique de Sassou-Nguesso, quelques mois après sa victoire militaire.

« Quels sont vos commentaires concernant les absents ? » m'a demandé, tout à l'heure, un journaliste d'*Africa international*. Il faisait allusion, bien sûr, à l'ancien président Pascal Lissouba et à l'ancien Premier ministre Bernard Kolélas, qui n'ont pas pris part à ce dialogue « sans exclusive », l'un volontairement, l'autre contraint. J'ai failli lui répondre « les absents ont toujours tort » mais il faut être constructif :

« Ce dialogue n'est qu'une première étape, un premier pas vers la réconciliation. Au moment opportun, les absents pourront toujours renouer le dialogue… »

La ville se reconstruit, les dissidents d'hier sont devenus les partisans d'aujourd'hui, venus ce soir même sabler le champagne à la table présidentielle. Le Congo est un pays riche : ressources pétrolières, terres agricoles, faible peuplement, tous les ingrédients pour que ce pays devienne un tigre de l'Afrique. Faut-il encore que le dialogue ne soit pas rompu et l'élite moins corrompue…

Brazzaville-Kinshasa, dimanche 15 avril 2001

L'après-midi, nous traversons le fleuve pour gagner Kinshasa dans un petit bateau à moteur. Une traversée qui dure quelques minutes à peine, mais dont le coût est exorbitant : cent dollars.

La réception prévue, ce soir, en mon honneur au ministère des Affaires étrangères a été annulée, pour cause de remaniement ministériel. Toute l'équipe de feu Kabila père a été limogée, remplacée par de jeunes technocrates.

Je dîne avec Idé Oumarou. Une soirée des plus étranges. Nous sommes dimanche, et la salle à manger de l'hôtel est fermée. Des repas sont néanmoins servis, à l'extérieur, dans un petit patio où la chaleur est rendue supportable grâce à une douzaine de ventilateurs. Première surprise : le dimanche, on ne sert que de la fondue. La directrice de l'hôtel accepte de faire une exception à la règle et nous propose une escalope grillée. Deuxième surprise : la radio, en ce dimanche de Pâques, diffuse, en fond sonore, une messe orthodoxe. Troisième surprise : les ventilateurs s'arrêtent brutalement de fonctionner. Les clients se plaignent que la circulation d'air éteint la flamme sous les poêlons de la fondue.

Je demande à la serveuse de bien vouloir remettre en marche les ventilateurs. Elle m'explique avec calme que ce restaurant, le dimanche, ne sert que des fondues, que l'on a déjà fait une exception en nous proposant un menu spécial, et que l'on ne peut décemment pas faire une deuxième exception, et empêcher les clients de déguster leur fondue.

Au son des cantiques, la chaleur reprend ses droits jusqu'à devenir insoutenable. Je ne suis pas près d'oublier cet étrange dîner de Pâques à Kinshasa!

Kinshasa, lundi 16 avril 2001

Le ministre des Affaires étrangères, qui n'a pas été touché par le remaniement ministériel, est serein, soulagé sans doute d'avoir été reconduit dans ses fonctions par le président Joseph Kabila.

« Les rapports entre le Rwanda et l'Ouganda se sont détériorés, mais ils partagent les mêmes objectifs stratégiques, me dit-il. Il ne pourra y avoir de véritable dialogue intercongolais tant que les troupes étrangères n'auront pas évacué notre territoire. L'assassinat des onze Libanais est une affaire criminelle et une commission est en train d'enquêter, les coupables seront punis. Nous voulons que la Francophonie nous soutienne plus fermement. L'OIF n'a jamais adopté de résolution condamnant l'intervention étrangère dans notre pays. »

Il m'apprend que demain, mardi, le président Buyoya doit rencontrer, à Libreville, Jean Bosco, le chef des rebelles hutus. Il espère que cette entrevue permettra d'assainir la situation dans la région des Grands Lacs. Je mentionne l'importance d'engager un dialogue avec la diaspora congolaise, et souligne le rôle positif qu'elle pourrait jouer. J'ai ainsi honoré la promesse que j'avais faite à Gérard Kamanda Wa Kamanda lors de notre rencontre à Paris.

La conversation prend fin. Nous devons, ensemble, rencontrer Joseph Kabila. Nous passons plusieurs cordons de soldats avant d'arriver au bureau du Président. Il est jeune, très jeune. Et lorsqu'il sourit, il paraît plus jeune encore.

Durant cet entretien, alors que parlant de son pays je dis « le Zaïre », le Président me corrige avec un grand sourire : « Maintenant, il faut dire le Congo. » Pour lui, l'accord de Lusaka est imparfait mais, ajoute-t-il, « nous comptons le respecter ». Il me remercie d'avoir mis à la disposition du médiateur, le président Masiré, le ministre Mohamed el-Hacen Ould Lebatt. Je crois percevoir qu'il ne fait pas une totale confiance à la médiation du président Masiré, pour qui – il faut bien le reconnaître – le Congo est aussi étranger que l'Islande ou le Pérou. Mais, selon moi, le véritable danger ne réside pas tant dans le manque de connaissance du président Masiré de la réalité congolaise, que dans les conséquences que cela peut entraîner, au premier rang desquelles l'intervention d'autres médiateurs. On risquerait alors d'ajouter au conflit entre Congolais un conflit entre médiateurs.

Le président Kabila évoque ma candidature à un second mandat. Il m'assure de son soutien. Idé Oumarou m'expliquera qu'il suffit que le petit Congo soutienne un candidat pour que le grand Congo en soutienne un autre.

Paris, mardi 17 avril 2001

Naïl el-Assad me téléphone de Londres. Son ami Bernard Kolélas s'est enfermé dans une attitude suicidaire. Il veut, coûte que coûte, se rendre à Brazzaville, quelles que soient les conséquences d'une telle décision. Il me prie d'accepter une conversation téléphonique à trois pour essayer de l'en dissuader. Entre-temps, j'appelle Michel Dupuch à l'Élysée :

« Le seul conseil que vous puissiez lui donner, c'est d'aller à Libreville rencontrer le président Bongo qui pourra peut-être intercéder en sa faveur. De toute façon, nous ne le voulons pas à Paris, où il risque de mettre en danger une réconciliation encore fragile. »

Nouveau coup de fil de Naïl el-Assad, qui me met en communication directe avec Bernard Kolélas, à Abidjan :

« Omar Bongo refuse de me recevoir, me dit-il. Pour votre information, le ministre de l'Intérieur congolais est en ce moment à Abidjan, et je crains le pire pour ma vie… Dans ces conditions, je préfère encore mourir à Brazzaville. »

Pendant dix bonnes minutes, je tente de le convaincre de revenir sur sa décision, de repartir pour Washington et de patienter un mois ou deux, le temps que la tempête s'apaise. J'ajoute :

« Vous êtes dans un état de grande nervosité. Gardez-vous d'agir sous le coup de l'émotion, quelle que soit la décision que vous comptez prendre. Si vous aimez votre pays vous devez renoncer, pour le moment, à retourner à Brazzaville. Vous risqueriez de mettre en péril tout le processus de réconciliation si chèrement acquis.

– J'ai une responsabilité à l'égard de mon peuple, me répond Kolélas qui ne semble pas m'écouter.

– Monsieur le Premier ministre, je vous demande seulement de renvoyer à plus tard votre décision de rentrer à Brazzaville. »

Naïl el-Assad me retéléphone, un peu plus tard, pour me dire que mon intervention a eu un effet salutaire.

Paris, jeudi 19 avril 2001

Je reçois la visite d'un quarteron de généraux congolais qui ont autrefois servi dans l'armée de Mobutu. Parmi eux, le général Baramoto. Nous avions négocié ensemble une collaboration militaire entre l'Égypte et le Zaïre. Ils ont tous quatre une carrure impressionnante. Grands, pas loin de deux mètres, costauds au point que mon bureau paraît tout à coup envahi. Ils me disent avoir appris mon voyage à Kinshasa, et qu'ils représentent à eux quatre une force militaire de huit mille hommes vivant en exil. « Nous avons, des années durant, servi la nation congolaise et nous voulons aujourd'hui rentrer au pays, percevoir nos retraites, mais aussi nous rendre utiles.

– Pourquoi n'essayez-vous pas, dis-je, de vous intégrer dans l'un des trois groupements politiques ? »

Ils m'expliquent qu'un des leurs les a représentés dans des réunions politiques, mais la diaspora congolaise « discute, discute mais n'agit pas ».

« À mon avis, vous aurez plus de chance de réintégrer votre pays sous la bannière d'un parti politique. En revanche, en tant qu'anciens militaires, vous risquez de provoquer méfiance et suspicion. »

Ils semblent insatisfaits de ce conseil mais se proposent de consulter leurs collègues et de venir me revoir.

Vilnius, lundi 23 avril 2001

Départ en compagnie de Claude Boucher pour Vilnius, en Lituanie, où je dois participer à une conférence organisée par l'Unesco sur le dialogue des cultures.

Vilnius est une ville charmante, qui a subi d'importants travaux de restauration mais n'a rien perdu de son cachet. Succession de petites maisons de deux étages peintes dans des couleurs vives et arborant des toits flambant neufs. Notre hôtel, une bâtisse ancienne, a été réaménagé avec soin. Depuis la fenêtre de ma chambre, j'embrasse d'un seul coup d'œil la tour du château de Gédyminas et un fabuleux océan de clochers baroques qui semblent définitivement gravés sur la ligne d'horizon.

Nous sommes reçus par le président de la République Valdes Adamkus, qui a longtemps vécu à Chicago avant de revenir dans son pays pour y embrasser une carrière politique. Lorsque je lui explique que la raison d'être de la Francophonie est la promotion de la diversité culturelle, il ne cache pas son étonnement.

«J'étais persuadé, me dit-il, que cette organisation avait pour mission de défendre la politique étrangère de la France.» Il est évidemment très intéressé par la dimension internationale de notre organisation. Je n'échappe pas aux questions sur les tragiques événements au Proche-Orient.

«Toutes ces images à la télévision sont terribles, me dit-il. Et la haine des enfants palestiniens et des soldats israéliens n'augure rien de bon pour l'avenir.

– Monsieur le Président, les rapports de haine qu'ont entretenus les Allemands et les Français ont fait place, après trois guerres, à la réconciliation et à la paix.»

Il ne semble pas convaincu par ce parallèle historique.

La soirée s'annonce des plus gaies. Tous les participants à la conférence ont été conviés à dîner dans une petite auberge. Je retrouve le président de l'Ukraine, Leonid Koutchma, qui me gratifie d'une virile accolade, accompagnée d'un joyeux : «*How are you Boutros Boutros?*» Même accueil chaleureux de la part du Président polonais, Aleksander Kwasniewski. Je prends place entre l'épouse du président de la Lituanie, une dame d'un âge certain à l'élégance raffinée, et l'ambassadeur de France. L'orchestre, le whisky et la vodka aidant, une atmosphère de liesse générale s'installe. Le directeur général de l'Unesco, Koïchiro Matsuura, semble quelque peu égaré parmi cette assistance joviale. Le Président polonais, qui parle d'une voix tonitruante, parvient à couvrir les airs endiablés qu'enchaîne l'orchestre. Il boit beaucoup, mais mange peu. «Je suis au régime», me confie-t-il. Nous engageons la conversation pardelà la première dame de Lituanie, contrainte de rester sagement appuyée au dossier de sa chaise. Il me dit avoir lu tous mes discours et écouté toutes mes interventions à la télévision. Et il ajoute : «Vous êtes le véritable serviteur international de la communauté internationale.»

Vilnius, mardi 24 avril 2001

Séance solennelle d'ouverture de la conférence dans la grande salle du palais présidentiel, où les murs immaculés rehaussent le baroque des dorures en arabesque.

J'ai croisé, en arrivant, mes amis Mohamed Sid Ahmed et Saïd Yassine, écrivains et journalistes à *Al-Ahram*, que je retrouve lors du somptueux buffet qui a été dressé pour le déjeuner. Mohamed Sid Ahmed, après m'avoir fait partager son inquiétude à l'égard de notre patrie, me présente le ministre iranien de la Culture qui parle un arabe parfait. Il m'apprend que mon livre *Le Chemin de Jérusalem* a été traduit en farsi et qu'il rencontre un grand succès. Je n'ose pas lui demander si l'éditeur iranien a préalablement obtenu l'accord de Random House, mon éditeur américain. Après tout, les relations entre Téhéran et Washington sont rompues.

« J'ai depuis, monsieur le ministre, publié un autre ouvrage sur mes années aux Nations unies. »

Il s'empresse de noter le titre du livre et me promet de le faire traduire en farsi. Le Président polonais, qui a suivi notre conversation, intervient avec humour :

« Cher Boutros, dans l'interview que j'ai donnée tout à l'heure, j'ai emprunté à votre discours la formule "démocratiser la mondialisation avant que la mondialisation ne dénature la démocratie". J'espère que je n'aurai pas de problèmes de copyright.

– Monsieur le Président, j'appartiens à une région qui souvent ne pratique pas le copyright. »

Paris, mercredi 25 avril 2001

Réunion de travail avec Moussa Camara, José Luis Rocha, Xavier Michel et Ridha Bouabid, nos représentants permanents à Addis-Abeba, Bruxelles, Genève et New York. Ce sont les ambassadeurs de la Francophonie accrédités auprès des organisations internationales basées dans ces capitales. Ils se plaignent de recevoir les informations de Paris avec un certain retard. Ils souhaiteraient assister aux réunions du Conseil permanent de la Francophonie pour être mieux à même de rendre compte de nos activités auprès des autres organisations. Je les encourage à développer des relations bilatérales entre les différents bureaux sans passer par Paris, circuit souvent banni par la diplomatie étatique qui veut, à juste titre, que toutes les informations soient centralisées au ministère des Affaires étrangères.

Paris, jeudi 26 avril 2001

Lors du Conseil permanent de la Francophonie d'aujourd'hui, le représentant de l'Égypte et celui du Liban voudraient que l'on adopte une résolution condamnant l'agression israélienne contre le Liban, pays hôte du prochain sommet. Le représentant du Burkina Faso, pour sa part, voudrait une résolution en soutien à la candidature au poste de directeur général adjoint de l'OMC de son ancien ministre des Affaires étrangères, Ablassé Ouédraogo. Quant au représentant de la Tunisie, il émet un certain nombre de réserves sur le mécanisme que la Francophonie veut instaurer en suivi de la déclaration de Bamako, qui prévoit notamment l'intervention du secrétaire général en cas de rupture de la démocratie suite à un coup d'État, ou de violation massive des Droits de l'homme. Mis à part ces quelques remous, la réunion s'est, à la satisfaction de tous, bien passée.

Paris, samedi 28 avril-dimanche 29 avril 2001

Je regarde jusqu'à deux heures du matin, sur TV5, l'émission *24 heures au Caire, ça me dit.*

Robert Solé y parle du Nil, du Caire poétique, source d'inspiration pour les écrivains et les poètes, mais aussi du Caire «rendez-vous des amoureux». J'entrevois Yousri Nasrallah, brillant cinéaste qui explique les spécificités du Vieux Caire. Fayza Haykal, professeur d'égyptologie, évoque l'héritage pharaonique. Cette émission aura eu, entre autres mérites, de montrer à quel point l'élite égyptienne est francophone.

Paris, mardi 8 mai 2001

Dîner avec Koffi Panou, qui est arrivé du Togo. Nous parlons bien évidemment du récent différend qui a opposé le facilitateur allemand, Paul von Stulpnagel, à Idé Oumarou, facilitateur de la Francophonie. Nous sommes du même avis. Les interventions de Philippe Bardiaux, l'adjoint du facilitateur français Bernard Stasi, compliquent cette médiation plus qu'elles ne la servent. Il a, semble-t-il, fait diffuser un communiqué de presse sans avoir consulté les trois autres facilitateurs, ce qui a provoqué une réaction virulente de la part d'Idé Oumarou. Nous pensons que, malgré mes efforts auprès de Romano Prodi, l'Union européenne n'est pas prête à lever ses sanctions contre le Togo. Dans ces conditions, autant renoncer aux facilitateurs et procéder à des élections sans le contrôle de l'Union européenne.

La Haye, samedi 12 mai 2001

Réunion du curatorium de l'Académie de droit international. J'interviens pour déplorer la sous-représentation de l'Asie dans la prochaine session. La Chine et l'Inde, notamment, qui ont d'excellents juristes, renforceraient la dimension internationale de l'académie. Mes doctes collègues en conviennent tout en arguant de la difficulté d'établir un contact avec ces juristes. Eurocentristes ils sont, eurocentristes ils resteront.

Paris, lundi 14 mai 2001

Le Conseil de coopération de ce matin me persuade, un peu plus, que la paralysie dont souffrent la Francophonie et ses différents opérateurs tient à la complexité du cycle de la programmation. Les programmes sont adoptés pour une période de deux ans et, qui plus est, les projets sur fonds liés constituent 70 % de cette programmation. Ce qui laisse peu de marge de manœuvre. Il devient, dans ces conditions, impossible de répondre par une aide ponctuelle à une situation de crise, ou encore de consolider une réconciliation nationale ou le règlement pacifique d'un conflit. Ce qui revient à dire, malheureusement, que les États qui auraient le plus besoin d'une aide rapide ou d'un programme de réhabilitation doivent y renoncer. N'est-ce pas pourtant ces États qui mériteraient de bénéficier, en priorité, de nos programmes ?

Paris, mardi 15 mai 2001

Déjeuner de travail avec François Loncle, président de la commission des Affaires étrangères à l'Assemblée nationale, et

François Léotard, ancien ministre de la Défense, pour discuter du drame de Srebreniča. Je leur expose ma position sans détour :

1. L'opération effectuée par les Nations unies s'était faite sur la base du chapitre VII. Il s'agissait d'une opération de maintien de la paix. Nous ne disposions donc ni d'armes, ni de forces susceptibles d'intervenir militairement, conformément au chapitre VII.

2. Mon devoir était de protéger ces casques bleus dont les États membres m'avaient confié la charge pour une opération de maintien de la paix, c'est-à-dire pour constituer une force d'interposition qui ne peut, en aucun cas, s'engager militairement en faveur de l'un ou de l'autre des protagonistes du conflit.

3. Aucune zone de sécurité n'avait été définie malgré mes demandes réitérées au Conseil de sécurité.

4. Les États membres, particulièrement les États-Unis, étaient bien mieux informés que les Nations unies de ce qui se passait sur le front, mais ils se gardaient bien de partager leurs informations.

5. La décision de recourir aux frappes aériennes a été prise, avec mon approbation, par mon envoyé spécial Akashi après consultation avec les militaires, les diplomates qui négociaient à Genève et les responsables de l'aide humanitaire.

6. Il est facile, rétrospectivement, de critiquer les carences des Nations unies. Je ne sous-estime pas pour autant notre part de responsabilité dans le massacre de Srebreniča.

En bons enquêteurs, François Loncle et François Léotard posent des questions, mais évitent tout commentaire.

Paris, mercredi 16 mai 2001

Entrevue avec l'ambassadeur d'Albanie en France, Luan Rama. Je lui fais part de mon intention d'effectuer une visite officielle en Macédoine. Il se réjouit de cette initiative et espère que je pourrai user de mon expérience diplomatique pour encourager les Macédoniens à promouvoir une réconciliation entre Slaves et Albanais macédoniens, qui comptent pour plus de 30 % de la population du pays. La coexistence entre ces deux communautés doit être à tout prix institutionnalisée.

Déjeuner chez Raymond Chrétien, l'ambassadeur du Canada à Paris, en l'honneur de Michel Vennat, président de la Banque de développement du Canada. C'est étrange, je ne me suis jamais intéressé au monde des affaires et de la finance. Pour moi, cela relève de l'intendance. Je sais que j'ai tort, d'autant plus que j'ai vu toute ma vie mes frères et mes beaux-frères faire de l'argent, gérer de l'argent, penser à l'argent, perdre de l'argent.

Bruxelles, vendredi 18 mai 2001

Conversation à bâtons rompus avec Porfirio Muñoz Ledo, le nouvel ambassadeur du Mexique accrédité auprès de l'Union européenne. Nous nous connaissons depuis longtemps et entretenons une parfaite complicité dans notre désir commun d'instaurer et d'institutionnaliser un dialogue d'égal à égal entre les damnés et les nantis de la Terre. C'est un homme trapu, débordant d'idées et de projets, et animé d'un grand dessein. Il a été professeur au Collegio de Mexico, diplomate, politicien, et candidat malheureux à la présidence de la République. Il est aujourd'hui l'ami et l'allié du nouveau président du Mexique, Vincente Fox, qui a mis fin à un siècle de domination par le parti révolutionnaire institutionnel.

Nous sommes d'accord sur la nécessité d'inventer une nouvelle dialectique pour équilibrer la gestion de la planète. La victoire remportée par les États-Unis et l'Alliance atlantique sur l'Union soviétique a mis un terme à la dialectique Est-Ouest. La fin du colonialisme, de l'apartheid et de la guerre froide a vidé de son sens la dialectique Nord-Sud. En l'absence de dialectique idéologique, il y a place, aujourd'hui, pour une dialectique culturelle dans la mesure où la culture constitue le dernier rempart de l'État-nation face à la mondialisation et le moyen de préserver les identités culturelles. « Et c'est précisément dans cette perspective, dis-je, qu'entend s'inscrire la Francophonie. » Muñoz Ledo est pour sa part favorable à l'émergence d'un axe latino-européen. Il faut qu'il y ait autant d'étudiants sud-américains en Europe qu'aux États-Unis. La politique étrangère du Mexique, malgré sa dépendance à l'égard des États-Unis ou du fait de celle-ci, essaie de contrebalancer cette tendance par un rapprochement avec le Brésil.

« Notre conversation s'est déroulée en français, me fait remarquer Muñoz Ledo. Nous aurions pu parler en anglais, mais nous avons spontanément choisi le français. C'est une langue internationale qui nous aidera à sauver la diversité culturelle. »

Bruxelles, samedi 19 mai 2001

Réunion avec les ministres des Finances et les ambassadeurs francophones des pays les moins avancés, en préparation de la IIIe conférence des Nations unies qui s'ouvre demain.

La mode de l'euphémisme n'a pas épargné les organisations internationales. Il est certes moins cru et moins choquant de dire « les pays les moins avancés », ou plus abstraitement encore les PMA, que de dire les pays les plus pauvres de la Terre. J'expose brièvement quelle sera notre contribution à la conférence, mais le débat ne parvient pas vraiment à démarrer.

De retour à l'hôtel, je mets la dernière main à mon discours de demain avec la talentueuse collaboration d'Annie, un discours en forme de questionnement : après tout, il s'agit déjà de la troisième conférence consacrée par les Nations unies aux PMA. Ne sera-t-elle qu'une foire aux illusions ? Cela dit, je préfère ces grandes messes à l'indifférence et au désengagement de la communauté des États nantis.

Un discours en forme de rappel, rappel de ces réalités que plus personne ne peut prétendre ignorer. Car si le monde est devenu un immense village planétaire où circulent librement, et en temps réel, les capitaux, les idées, les informations, eh bien cela a une contrepartie : les uns ne peuvent plus se contenter d'assister rassasiés d'informations, repus, blasés, au malheur de ces centaines de millions d'autres pour qui survivre est un défi de tous les jours.

Un discours en forme d'appel : appel à jeter un regard lucide sur la mondialisation qui contribue à creuser les inégalités, sur la nécessité de libérer les pays les plus pauvres du fardeau de la dette, sur la nécessité de relancer l'aide au développement qui est en baisse constante, sur la nécessité de répondre par l'investissement aux réformes entreprises par les PMA et d'ouvrir les marchés à leurs produits, sur la nécessité de lancer un grand chantier en matière d'éducation et de formation, sur la nécessité de développer les nouvelles technologies qui ouvrent la voie à un développement qui se joue des frontières, sur la nécessité de lutter contre les ravages qu'opèrent le sida, le paludisme et la tuberculose parmi une population que l'on voudrait, dans le même temps, productive.

Bruxelles, dimanche 20 mai 2001

Nous vivons, depuis quelques heures, un imbroglio diplomatique. L'ambassadrice de Suède, maître d'œuvre de cette conférence dans la mesure où son pays assure la présidence de l'Union européenne, refuse que je participe à la séance de clôture.

Évidemment, ce n'est pas ma personne qui est en cause, mais l'organisation que je représente. Elle avance que, primo, Rubens Ricupero ne l'avait pas informée de ma participation à la séance de clôture. Secundo, pourquoi donner la parole à la Francophonie et pas au Commonwealth ? Cela dit, précise-t-elle, nous avons le plus grand respect pour l'ancien secrétaire général des Nations unies…

Claude Boucher se charge des tractations : je refuse de participer à cette séance si je n'ai pas l'assurance d'être assis sur le podium et de pouvoir faire une intervention. Les propositions et les contre-propositions se succèdent jusqu'au compromis. La dame suédoise accepte que je prenne la parole à deux conditions : que l'on ne me présente pas comme secrétaire général de l'Organisation internationale de la Francophonie, mais comme ancien secrétaire général de l'ONU, et que je ne fasse aucune référence à la Francophonie dans mon discours. Quelques heures plus tard, nouveau compromis : aucun de mes titres ne sera mentionné. Compromis final : on installera deux podiums. Sur le premier prendront place Rubens Ricupero, l'ambassadrice suédoise et l'un de ses ministres venu spécialement de Stockholm pour l'occasion. Je serai assis sur un second podium en contrebas, aux côtés des représentants de l'Union européenne, de la Belgique et des organisations non gouvernementales, et je m'exprimerai en premier. Il n'y a plus, dans le *modus vivendi* adopté, de censure officielle sur le mot « francophonie », mais l'ambassadrice a fait promettre officieusement à Claude Boucher que mon discours resterait très général.

La séance de clôture commence. Les rapporteurs présentent leurs synthèses, on adopte le plan d'action et la déclaration, puis l'on me cède la parole en occultant mon titre actuel. Je mentionne, bien entendu, d'entrée de jeu, l'Organisation internationale de la Francophonie :

«Loin de moi l'idée de tirer les conclusions de cette conférence. Mon intention est, plus simplement, de partager, avec vous, un regard sur la réalité, telle qu'elle persiste loin de ces enceintes. Ce regard, c'est tout à la fois celui d'un Africain, d'un universitaire, d'un diplomate qui a voué sa vie au Sud, mais c'est aussi celui du secrétaire général d'une organisation – l'Organisation internationale de la Francophonie – qui compte au sein de ses cinquante-cinq États et gouvernements membres, vingt-quatre pays parmi les moins avancés...»

De l'endroit où je suis placé, je suis incapable de voir l'ambassadrice suédoise. Mes conseillers me diront, ensuite, qu'elle était extrêmement nerveuse durant tout mon discours, et qu'elle n'a pu dissimuler une réaction de colère lorsque j'ai prononcé le mot fatidique «francophonie».

Mon discours déclenche, à plusieurs reprises, les applaudissements de la salle, notamment au moment où je déclare :

«Ayons la lucidité d'admettre que l'Afrique devient de plus en plus réaliste sur elle-même, de plus en plus intransigeante avec elle-même, de plus en plus ambitieuse pour elle-même, que l'Afrique se connaît mieux que quiconque. Que ce sont les Africains eux-mêmes qui dénoncent, haut et fort, la corruption à laquelle ils ont à faire face, qui dénoncent, haut et fort, l'absence de libertés et de démocratie. Et cette autocritique, sans concessions, nous impose, plus que jamais, d'accompagner ces pays sur le chemin long et difficile de l'État de droit, des Droits de l'homme et de la paix.»

En revanche, mes collaborateurs me diront que le représentant des États-Unis n'a pu s'empêcher de grimacer, à son tour, lorsque j'ai continué en ces termes :

«Ayons la lucidité d'admettre que la mondialisation, ce ne doit pas être l'occidentalisation.

«Ayons la lucidité d'admettre que le progrès, le développement, ce n'est pas courir derrière un modèle venu d'ailleurs ou imposé par d'autres.

« Ayons la lucidité d'admettre que le progrès, le développement, ce n'est pas vouloir devenir ce que l'on n'est pas, en reniant ce que l'on est profondément. »

J'écoute les interventions des autres orateurs, puis celle de mon ami Rubens Ricupero, et quitte la salle au moment où le président de séance, le ministre suédois, s'apprête à prendre la parole. Je n'ai pas l'intention de rater mon train pour Paris...

Je crois qu'il serait utile que je fasse une tournée dans les pays scandinaves pour expliquer ce qu'est la Francophonie, ce qu'elle veut faire, ce qu'elle peut faire, et surtout pour les convaincre que les liens linguistique, culturel et juridique qui unissent les pays membres de la Francophonie sont un plus pour l'assistance au développement. En tant que farouche militant de la décolonisation, je crois être autorisé à dire que le néocolonialisme de l'Union européenne et des institutions financières internationales est bien plus dangereux pour les PMA et pour l'Afrique que le pseudo-néocolonialisme des anciennes métropoles française, belge, anglaise, portugaise, espagnole ou italienne, parce qu'en dernier ressort les anciens pays colonisateurs – malgré les actes répréhensibles auxquels ils se sont livrés – sont mieux à même de comprendre les problèmes de l'Afrique profonde que les technocrates des organisations internationales, gouvernementales ou non gouvernementales. Tous ces pays qui n'ont pas eu d'empire colonial s'imaginent de ce fait parés de toutes les vertus et d'un droit de regard préférentiel sur la conduite de l'assistance au tiers monde, alors qu'ils se comportent souvent avec l'arrogance et l'intransigeance des nouveaux convertis. Cela étant, je reconnais bien volontiers la générosité et l'engagement de ces États en faveur des PMA et de l'Afrique.

Paris, mercredi 23 mai 2001

Réception dans les salons du Sénat à l'occasion de la sortie du dernier livre d'Ahmed Youssef : *Cocteau l'Égyptien*. Une brillante préface de Jean Lacouture qui connaît bien mon pays, et dont l'un des premiers ouvrages avait pour titre *L'Égypte en mouvement*.

L'aventure égyptienne de Jean Cocteau est un subtil mélange où se télescopent l'imaginaire de l'Orient éternel, les lieux communs de l'Europe de l'entre-deux-guerres – « hachisch-bakchich » – et la vision métaphysique de l'Égypte antique. Mais ce qui a particulièrement retenu mon attention, c'est l'évocation de la trouble amitié entre Jean Cocteau et le prince Wahid Eddine. J'ai bien connu Wahid Eddine, sa mère, la princesse Chevikar, étant une grande amie de ma mère. Il était de bon ton de le fréquenter, parce qu'il était en quelque sorte la « référence », celui dont on était fier de dire : « Le prince Wahid Eddine sera, ce soir, parmi nos invités. » Il a vécu avec dignité la fin de la royauté en Égypte et les humiliations que lui a fait subir la junte militaire durant la période nassérienne.

Tour de force d'Ahmed Youssef, qui nous livre un ouvrage écrit dans une belle langue poétique, alors qu'il parlait à peine le français lorsqu'il est arrivé à Paris voilà une dizaine d'années. Il est aujourd'hui l'un des plus ardents défenseurs de la francophonie égyptienne.

Skopje, jeudi 24 mai 2001

Visite officielle en Macédoine. Nous arrivons, Claude Boucher, l'officier de sécurité et moi-même à Skopje, après une courte escale à Zurich. Nous sommes accueillis par l'ambassadeur de Macédoine à Paris Jordan Plevnes, un écrivain à l'allure un peu bohème, et à la chevelure hirsute.

« La situation est très grave. Notre pays traverse une crise dangereuse pour son avenir. Hier les deux leaders albanais Arben Xhaferi et Imer Imeri, qui font partie du gouvernement de coalition, ont conclu un accord avec les chefs de l'armée de libération UCK, ces rebelles qui occupent une partie du nord du pays. Cet accord, qui se voulait secret, est aujourd'hui public. Il a été condamné par l'OTAN, les États-Unis et l'Union européenne. Le comble, c'est que c'est un agent américain, Robert Fronick, qui est l'instigateur de cet accord... Probablement un émule de Holbrooke... »

Je lui demande qui est le chef des rebelles albanais.

« Ils sont plusieurs, répond-il, mais le plus connu est Ali Ahmeti. »

La tension de mon interlocuteur tranche avec la douceur bucolique du paysage et la ligne reposante des collines que l'on aperçoit à l'horizon. Rien, dans cette atmosphère, ne laisserait présager que le pays est au bord de l'embrasement.

Une halte de dix minutes à l'hôtel, le temps de nous rafraîchir, et nous entamons notre tournée diplomatique. Notre première visite est pour la ministre des Affaires étrangères, une très belle jeune femme, professeur de littérature française à l'université de Skopje. Évoquant l'accord signé par les deux « traîtres » membres du gouvernement, elle se laisse gagner par l'émotion et peine à trouver ses mots. S'agissant du dossier de la Francophonie, elle souligne tout l'intérêt que son pays porte à notre organisation. « Il y a une longue tradition francophone en Macédoine. Tous les chefs du mouvement nationaliste, à la fin du XIXe siècle, étaient d'ailleurs francophones, nourris des principes de la Révolution française, et directement soutenus par la France... »

Nous sommes reçus ensuite par le président de la République Boris Trajkovski. Je suis surpris d'apprendre qu'il s'agit d'un pasteur protestant alors que, dans sa grande majorité, le pays est orthodoxe. Je découvre un homme jeune, élancé, le front barré par une petite mèche rebelle. Il me rappelle, en anglais, que nous nous étions rencontrés, en 1992, à l'Institut Carter d'Atlanta. Il paraît extrêmement las. « Il n'a pas dormi depuis vingt-quatre heures. L'attaque des rebelles et la trahison de ses deux ministres l'ont terriblement affecté. C'est un authentique pacifiste... », me glisse à l'oreille l'ambassadeur.

Le Président me remercie chaleureusement : « Votre présence à Skopje est d'un immense réconfort moral et politique. Je ne me résous pas à faire usage de la force armée pour libérer les villages occupés par les rebelles. J'espère encore parvenir à résoudre cette crise par le dialogue et la négociation. Mais ce sera difficile, du fait de la signature par nos ministres d'un accord avec les rebelles, et surtout de la pression de l'opinion publique qui réclame une opération militaire pour chasser les rebelles. »

Il est quatre heures de l'après-midi, le moment de prendre un peu de repos. Mais on nous annonce que nous sommes attendus à déjeuner par le président de l'Académie des sciences et des arts, Georgi Efremov, qui accueillera demain la conférence « The Balkans in the Millennium » à laquelle je dois participer. Il y a là deux académiciens. Conversation très intéressante qui permet de mieux comprendre les craintes profondes de ce pays.

Il y a, tout d'abord, la menace des rebelles albanais de l'UCK, encouragée par les Américains pour lutter contre Slobodan Milošević et qui aujourd'hui, telle la créature de Frankenstein, se retourne contre son maître. Leur crainte vient aussi de ce que le Kosovo, tombé aux mains de la mafia albanaise, est devenu une plaque tournante pour le trafic de drogue et la prostitution. Mais ils sont surtout hantés par le projet, né dans les années 1940-1945, sous l'occupation allemande, d'une grande Albanie qui réunirait, outre l'Albanie, le Kosovo et une partie de la

Macédoine. S'il devait y avoir une réunification avec l'Albanie ou le Kosovo, les Slavo-Macédoniens, qui représentent actuellement 80% de la population, deviendraient minoritaires.

Je ne peux m'empêcher d'établir un parallèle avec le conflit entre la majorité chypriote grecque orthodoxe et la minorité turque musulmane. Je n'en dis rien à mes hôtes, conscient que les États supportent souvent mal les comparaisons, et préfèrent continuer à croire que leurs problèmes sont uniques et spécifiques.

À l'issue de ce déjeuner tardif, je rends visite à l'ancien président de la République Kiro Gligorov, qui vient de terminer son autobiographie. «Je vous cite à plusieurs reprises dans mon ouvrage», me dit-il, se référant à nos nombreuses rencontres lorsque je tentais, aux côtés de Cyrus Vance, de régler le conflit qui opposait la Macédoine à la Grèce. Le Premier ministre grec, Constantin Mitsotakis, m'appelait régulièrement à New York : «Je n'ai, me disait-il, qu'une voix de majorité au Parlement, et si l'on ne trouve pas très vite une solution au problème de la Macédoine, mon gouvernement va tomber.»

Je lui relate, aussi, la visite discrète que m'avait faite le roi de Grèce à ma résidence de New York au 3, Sutton Place. «Ils ont usurpé le drapeau de la famille royale, le drapeau d'Alexandre le Grand», m'avait-il dit d'une voix étranglée par l'émotion et la colère. Les Grecs, qui avaient imposé un embargo économique à la Macédoine, exigeaient de ce pays qu'il change de nom, qu'il change de drapeau et modifie sa constitution, dans la mesure où ces trois attributs laissaient à penser que la Macédoine avait des revendications sur le territoire grec.

Kiro Gligorov me dresse un tableau précis des revendications albanaises : «Ils veulent faire de la Macédoine un État albano-macédonien, composé de deux peuples distincts, les Slavo-Macédoniens et les Albano-Macédoniens. Les Slavo-Albanais réclament un droit de veto et l'autonomie des territoires qu'ils occupent. Si nous recourons à la force, nous risquons une guerre civile avec des massacres de part et d'autre. Le gouvernement a tardé à réagir. Il aurait dû utiliser la force armée dès le début, dès que le premier village a été occupé par les rebelles. »

Promenade nocturne dans la vieille ville malgré l'opposition de mes gardes du corps. Notre guide, l'ambassadeur Jordan Plevnes, extirpe de chaque monument, de chaque pierre, un pan de l'histoire de la Macédoine qui a toujours été asservie par les pays voisins.

Skopje, vendredi 25 mai 2001

Ouverture des travaux de la conférence consacrée aux Balkans. Le professeur Georgi Efremov prononce quelques mots de bienvenue et cède la parole au président Boris Trajkovski, qui prononce un discours en anglais. J'interviens à mon tour, rappelant la place toujours plus importante que les pays de l'Europe centrale et orientale occupent au sein de notre organisation, lui conférant ainsi une nouvelle dimension de coopération Est-Ouest. Le professeur Yves Quéré, qui a commencé son intervention en français, choisit de poursuivre en anglais. Décidément, on n'est trahi que par les siens. Les Français seront bientôt les plus fervents défenseurs de l'anglais comme langue de communication internationale…

Suspension des travaux. Notre ambassadeur reprend son bâton de guide et nous conduit jusqu'à l'église Saint-Sauveur, construite en contrebas afin que son clocher ne puisse rivaliser avec le splendide et fier minaret de la mosquée de Moustapha Pacha. Mais cette modestie n'est qu'apparente. Nous sommes ravis par la magnificence des icônes et des sculptures sur bois qui ornent l'intérieur de l'édifice. Dans une cour adjacente, le tombeau de Goce Delcev, le père de la libération de la Macédoine. Il aura fallu attendre 1946 pour que sa dépouille, jusqu'alors en Bulgarie, retrouve le sol natal. Tandis qu'il retrace l'histoire du nationalisme macédonien, l'ambassadeur s'anime jusqu'à l'exaltation. Cela me rappelle le virulent nationalisme chypriote grec menacé par les Turcs, le virulent nationalisme géorgien menacé par les Abkhazes, le virulent nationalisme arménien menacé par les Azerbaïdjanais – même Église indépendante, même langue propre, même rapport nostalgique à un passé glorieux mais lointain.

Tandis que nous déjeunons à l'ambassade de France, on nous annonce que l'armée macédonienne est en train de bombarder les villages occupés par les rebelles. L'ambassadeur de France Jean-François Terral aurait proposé aux autorités macédoniennes l'envoi de représentants de la Croix-Rouge dans ces villages afin d'éviter tout débordement.

Si seulement l'accord conclu entre les ministres albanais et les rebelles était resté secret, on aurait peut-être pu éviter cette issue. Les rebelles auraient pu se retirer après avoir donné mandat aux deux ministres d'entamer des négociations pour voir aboutir leurs revendications. Il est maintenant clair que le gouvernement va exiger des ministres qu'ils dénoncent cet accord, ce qu'ils refuseront probablement de faire. Il faut espérer que l'envoyé spécial de l'Union européenne, Javier Solana, sera en mesure de trouver une solution rapide à cette crise.

Rome, lundi 28 mai 2001

En suivi de la conférence du 20 mars dernier à Paris, réunion de travail avec le secrétaire général de l'Union latine, l'ambassadeur Bernardino Osio, la secrétaire exécutive de la Communauté des pays de langue portugaise, Dulce Maria Pereira, et le directeur de l'Organisation des États ibéro-américains, Francisco José Pinon, au siège du Dante Alighieri, un institut chargé de promouvoir la culture italienne à travers le monde.

Aucune traduction n'a été prévue. On se croirait dans la Tour de Babel. La charmante Dulce Maria Pereira s'exprime dans un français incompréhensible. Francisco Pinon ne parle que l'espagnol. Quant à moi, je ne comprends ni l'espagnol, ni l'italien, ni le portugais. Mais la bonne volonté l'emporte et nous finissons par nous entendre pour créer un site Internet en commun et tenir une deuxième réunion au sommet à Madrid, à la fin de 2002.

(L'après-midi...) Nous fêtons la Journée de la Latinité dans une des belles salles du Quirinal en présence de l'actuel président de la République italienne Carlo Azeglio Ciampi et de l'ancien président Oscar Luigi Scalfaro. Je prononce un discours en français que l'Union latine a pris la précaution de faire traduire en italien et de distribuer dans la salle.

Je forme le vœu que les pays de la Latinité – les italophones, les hispanophones, les lusophones, et les francophones – croisent leurs destins au nom des valeurs esthétiques et morales, au nom de l'humanisme qu'ils ont en partage, parce que si riche soit-elle, une culture ne meurt que de sa propre faiblesse.

Et je conclus :

« Retrouvons ce qui nous unit, savourons ce qui nous distingue, évitons ce qui nous sépare, parce que, à nous tous, nous pouvons peser. En unissant nos forces, nous pouvons contribuer à institutionnaliser le dialogue entre le sud et le nord de la Méditerranée, nous pouvons contribuer à rapprocher les peuples de l'est et de l'ouest, du sud de l'Atlantique, nous pouvons contribuer à l'instauration d'un monde véritablement multipolaire, respectueux des plus vulnérables et de leur droit à la solidarité, respectueux de la polyphonie culturelle, respectueux d'une gestion véritablement démocratique des relations internationales. »

À l'issue de la cérémonie le président de la République me confie partager pleinement les idées que je viens de défendre.

C'est la première fois que Rome fête la Journée de la Latinité, et la première fois qu'elle entend la voix de la Francophonie.

Paris, mercredi 30 mai 2001

Je préside une réunion dans les locaux du Haut Conseil de la Francophonie, 35, rue Saint-Dominique. Le professeur canadien Jean-Yves Morin note soigneusement les différentes propositions qui seront soumises cet après-midi à Jacques Chirac, président du Haut Conseil.

Stélio Farandjis me seconde utilement en donnant la parole aux différents membres dont je ne connais pas le nom pour la plupart. La promotion de la diversité culturelle – objet de notre réunion – est un thème difficile à cerner, tout comme le rôle de ce Haut Conseil. Cette institution française, composée d'universitaires, d'écrivains, de cinéastes, d'intellectuels originaires de différents pays de la Francophonie, a été créée voilà quelque vingt ans par François Mitterrand. Elle célèbre depuis, avec application, la grandeur culturelle de la France bien plus que de la Francophonie, au rythme de colloques, de sessions annuelles, sitôt tenus, sitôt oubliés, et de publications intéressantes mais mal diffusées.

La France – tant la rive droite que la rive gauche – a décidé de rattacher le Haut Conseil à l'Organisation internationale de la Francophonie. En fait, l'Agence intergouvernementale et le Haut Conseil fonctionnent à l'identique : on organise des réunions, des conférences, des colloques, dont on publie les actes, mais sur le terrain, il se fait peu de choses, étant donné la modicité des fonds mis à disposition. À moins de considérer que lorsque ces manifestations ont lieu dans tel ou tel pays de la Francophonie, c'est du travail de terrain. Cela étant, notre discussion de ce matin a été extrêmement constructive. Encore faudrait-il disposer des moyens financiers et du pouvoir politique pour mettre en œuvre les idées présentées.

Cet après-midi, le président Jacques Chirac réunit les membres du Haut Conseil à l'Élysée. Il annonce officiellement le projet de rattachement de cette institution à l'OIF, et, par la même occasion, le complet renouvellement de ses membres qui sont parvenus au terme de leur mandat de cinq ans. Il préside donc pour la dernière fois cette session.

La séance levée, je m'entretiens en tête à tête avec Jacques Chirac dans son bureau. Il me reproche d'avoir déclaré que la France ne soutenait pas ma candidature à une réélection. Je précise que ces rumeurs émanent de la rive gauche. Jacques Chirac est catégorique :

« C'est moi qui suis responsable du choix du secrétaire général de la Francophonie, ce n'est pas Matignon. Et je tiens à t'affirmer que la France te soutient. Cela dit, si Abdou Diouf se présente et obtient l'investiture du président Abdoulaye Wade, nous devrons alors examiner la situation ensemble. »

Je lui transmets le message dont m'a chargé le président de la République de Macédoine. Il aimerait qu'il puisse effectuer une visite officielle d'une journée à Skopje. Jacques Chirac m'écoute, mais ne fait aucun commentaire. Il met fin à notre entretien : « Continue ta campagne électorale et tiens-moi au courant. »

Paris, jeudi 31 mai 2001

Je tente vainement d'entrer en contact avec l'ambassadeur de Macédoine pour lui annoncer que j'ai transmis le message de son président à Jacques Chirac.

La situation à Skopje semble se détériorer. Les affrontements se poursuivent dans le nord de la Macédoine. Il ne sera pas facile de déloger les rebelles de l'UCK qui peuvent à tout moment trouver refuge au Kosovo. Le président Boris Trajkovski a proposé d'amnistier les membres de l'UCK, mais ils ont rejeté cette proposition. La participation de l'UCK aux négociations sur l'avenir des Albanais de Macédoine permettrait sans doute de dénouer la crise. Mais comme ils me l'ont clairement affirmé, le Président macédonien et la ministre des Affaires étrangères n'ont aucune intention de négocier avec des terroristes. Ils sont en revanche disposés à reprendre le dialogue interethnique au sein d'institutions démocratiques. En fait les Albanais veulent un statut identique à celui des Macédoniens, mais aussi que l'albanais soit reconnu comme deuxième langue officielle du pays. Il y a décidément beaucoup de ressemblances avec le conflit qui oppose chypriotes grecs et chypriotes turcs. À une différence près : les Chypriotes turcs peuvent compter sur le soutien d'un grand État – la Turquie – alors que les Macédoniens albanais ne peuvent compter que sur le soutien d'un groupe de terroristes – l'UCK.

Paris, vendredi 1er juin 2001

Je rencontre le colonel Abeid qui a dirigé le mouvement sécessionniste de l'île d'Anjouan. C'est un personnage replet, barbiche blanche, visage rond. Il ne sourira pas une seule fois pendant l'heure que durera notre conversation. Il est accompagné de deux de ses collaborateurs, Bourahame Abdallah et Sam Jaffar. Il parle un excellent français.

«L'accord-cadre de Mohéli, signé le 17 février 2001, prévoit qu'une assistance particulière sera fournie à l'île d'Anjouan, isolée économiquement. Mais force est de constater que rien n'a été fait. Les fonctionnaires d'Anjouan accumulent treize mois d'arriérés de salaire.»

Je lui rappelle que j'ai nommé un représentant spécial de l'OIF, le général Charles Rabemananjara qui est chargé de consulter les autorités d'Anjouan afin de déterminer quelles formes pourrait prendre notre assistance. Je mentionne, en passant, les méfaits du micronationalisme. L'un de ses jeunes collaborateurs m'interrompt :

«Ce qui s'est passé à Anjouan ne relève pas du micronationalisme mais d'une querelle de famille.»

Je me garde bien de le contredire et mets un terme à l'entretien sur des paroles d'encouragement à l'adresse du colonel Abeid :

«Tenez Bon. Tirez un trait sur le passé et prenez garde à la rechute qui pourrait résulter de l'interruption du processus de paix.»

Paris, samedi 2 juin 2001

Je lis dans l'*International Herald Tribune* que le Président macédonien a reçu l'amiral américain James Ellis, venu lui soumettre un plan de l'OTAN pour tenter de trouver une solution à la crise. Encore un exemple du manque de volonté politique de l'Europe, de la France, mais aussi de la Francophonie, qui aurait pu jouer les médiateurs dans cet État membre.

Même manque de volonté ou de moyens, à l'autre bout du monde. Je reçois un fax désespéré d'André Salifou, l'envoyé spécial de la Francophonie aux Comores :

« Nos amis comoriens continuent encore à croire en l'OIF. Néanmoins, aujourd'hui, ils sont plutôt amers en constatant que cette organisation n'a encore consenti aucun effort financier en faveur de la mise en œuvre de l'accord-cadre de Fomboni… Même les deux cent mille francs français que j'ai sollicités dès le mois de mars dernier ne sont toujours pas parvenus à destination. »

J'apprends par Léa, qui regarde assidûment la télévision, que le roi du Népal a trouvé la mort dans de tragiques circonstances. Je repense soudain à ma première rencontre avec le souverain. C'était en avril 1980. Je m'étais rendu au Népal, porteur d'un message du président Sadate au roi Birendra Bir Bikram. J'étais accompagné de mon directeur de cabinet, Ahmed Maher qui a succédé, voilà un mois, à Amr Moussa à la tête du ministère des Affaires étrangères. Il m'a fallu patienter une semaine avant que le roi me reçoive. Chaque jour un ministre différent m'annonçait que l'entrevue était prévue pour l'après-midi ou pour le lendemain matin. Après avoir visité tous les temples et survolé l'Everest en avion, je me suis dit qu'il fallait peut-être que je consulte un astrologue pour connaître la date de l'audience. Les astrologues sont au Népal des personnages très importants et surtout très écoutés. Le sixième jour, je menaçai de repartir sans avoir rempli ma mission. Il était hors de question que je remette le message de mon président à un représentant du roi. L'audience eut lieu l'après-midi même. Je me trouvai en présence d'un homme affable, courtois, taille moyenne, petite moustache noire, lunettes de soleil qui dissimulaient son regard. Il m'écouta avec bienveillance avant de prendre connaissance du message par lequel le président Sadate l'assurait de l'appui de l'Égypte dans sa proposition de proclamer le Népal zone de paix. Il me dit combien il était satisfait de l'initiative courageuse du président Sadate en faveur de la paix. Je savais, par ailleurs, que le roi

Birandra suivait avec attention la situation au Moyen-Orient et qu'il avait reçu Moshe Dayan quelques années auparavant.

Le lendemain matin, au moment de quitter Katmandou, Ahmed Maher avait un air de conspirateur et semblait manifestement vouloir me dissimuler quelque chose. Je le pressai de parler et il se décida à me révéler la cause de son embarras. Une photo de ma rencontre avec le roi faisait la une du journal, une photo à l'évidence truquée. Le roi, bien plus grand que dans la réalité, recevait des mains du nain Boutros-Ghali le message du président Sadate.

Je n'ai revu le roi qu'une seule fois, lors du sommet des non-alignés, à Harare, en 1986. Aujourd'hui j'apprends son assassinat. Je me demande si les astrologues qui règnent sur la vie politique népalaise avaient prédit sa fin tragique.

Paris, dimanche 3 juin 2001

Selon *Al-Ahram* de ce matin, les astrologues népalais avaient effectivement prédit un terrible dénouement au cas où le prince héritier se marierait avant l'âge de trente-cinq ans. Ce dernier, âgé de trente-deux ans, avait épousé en secret, contre l'avis de ses parents, particulièrement de sa mère, la fille du ministre des Affaires étrangères. Une légende digne de celle de Tristan et Yseult ou d'un scénario hollywoodien.

Dîner en compagnie de Moustapha Khalil, de son épouse Malak et de quelques amis. Des cinq Premiers ministres égyptiens avec qui il m'a été donné de collaborer durant mes quinze années aux Affaires étrangères, c'est celui avec lequel j'ai le plus d'affinités. Il porte beau ses quatre-vingts ans, et dirige avec une lucidité et une intelligence intactes l'une des plus grandes banques d'Égypte. Nous évoquons bien évidemment la situation en Égypte, puis l'action de mon neveu Youssef, la cinquième génération de vizirs au service de l'État.

Paris, mercredi 6 juin 2001

Réception organisée par Stélio Farandjis et Marie-Georges Buffet au ministère de la Jeunesse et des Sports à l'occasion de la publication, par le Haut Conseil de la Francophonie, d'un ouvrage intitulé *Sport et francophonie*, en vue des IVes Jeux de la Francophonie qui débuteront, le 14 juillet, à Ottawa-Hull.

Une tente de toile a été spécialement dressée au pied du haut immeuble moderne qui abrite le ministère de la Jeunesse et des Sports. Il règne une chaleur lourde et orageuse. Ici, encore, les mêmes initiés, les mêmes incontournables de la Francophonie que l'on croise de réception en réception. Charles Josselin se lance dans un discours-fleuve. L'intervention de Marie-Georges Buffet est, aussi, trop longue. Je me contente de quelques mots. On sent l'assistance dans les starting-blocks, prête à prendre d'assaut le buffet, avant même la fin des derniers applaudissements.

Charles Josselin revient de Tunisie. Il a été très impressionné par sa rencontre avec Mohamed Charfi, un de mes amis, brillant juriste, à qui j'ai demandé de participer au panel de la commission Démocratie et Développement. Le ministre français me laisse entendre que le président Abdoulaye Wade soutiendra la candidature d'Abdou Diouf au poste de secrétaire général de la Francophonie. Cette nouvelle me laisse parfaitement indifférent. Cette campagne électorale me fatigue et me semble de plus en plus futile et inutile.

Paris, jeudi 7 juin 2001

Le gouvernement de Skopje est divisé face à une situation qui s'aggrave. Le Premier ministre, Ljubco Georgievski, est d'avis de proclamer l'état de guerre, de procéder à une mobilisation générale et de décréter le couvre-feu dans l'ensemble du pays. Le président Boris Trajkovski est beaucoup plus réservé. Il croit en la négociation.

Le problème, attendu et prévu, ce sont les actes de violence auxquels risque de se livrer la majorité macédonienne contre la communauté albanaise suite à la mort d'un soldat macédonien. La communauté internationale est incapable de prévenir cette crise. Elle agira, mais trop tard, lorsque la tragédie aura éclaté. Pour l'heure, elle se contente de recommandations : « Faites preuve de modération. »

Paris, vendredi 8 juin 2001

Attente dans l'un des salons d'honneur de l'aéroport de Roissy, destination le Cameroun, puis la Côte-d'Ivoire, le Bénin et le Togo. Je découvre, à la présence massive de gardes du corps, que le président Clinton est dans le salon attenant. Je fais savoir à l'un de ses cerbères que je souhaiterais le saluer. Le garde disparaît.

Je retrouve, quelques instants plus tard, un homme rajeuni, l'air dynamique, le visage brillant d'intelligence.

« Comment vous sentez-vous depuis que vous avez quitté le pouvoir ?

– Heureux, libre, plein d'entrain, me dit Bill Clinton. Je viens de profiter de Paris pendant trois jours, chose que je n'aurais jamais pu faire auparavant. Il faut avouer quand même que le travail et les responsabilités me manquent. J'aimais ce travail, et j'aimais les responsabilités qui étaient les miennes. Je ne suis pas sans activités pour autant. J'ai un bureau dans Harlem, et je compte m'occuper des populations les plus déshéritées. Et puis, je suis avec intérêt les premiers pas de mon épouse au Sénat. J'ai bien pensé, à un certain moment, être candidat à la mairie de New York, un poste passionnant, mais c'était incompatible avec ma précédente fonction.

– Il est regrettable, dis-je, qu'on ne donne pas aux anciens présidents des États-Unis, avec l'expérience qui est la leur, la possibilité de continuer à jouer un rôle politique. Dans certains pays d'Amérique du Sud, les anciens présidents se voient proposer d'importantes ambassades.

– Certains, me dit-il, avaient suggéré que les anciens présidents soient nommés sénateurs *ipso facto*, mais la proposition n'a pas été retenue. Et vous, que faites-vous, maintenant ?

– Monsieur le Président, je brigue un second mandat à la tête de la Francophonie, malgré mes soixante-dix-neuf ans à l'automne prochain. Je crois fermement qu'il faut travailler jusqu'à son dernier souffle. »

Le président marque un temps d'arrêt, puis ajoute avec une réelle solennité :

« J'admire votre conception des choses. Avec les progrès de la médecine, nous vivons toujours plus longtemps, et il est inconcevable de cesser toute activité à soixante ou soixante-dix ans. »

L'un de ses gardes du corps vient mettre un terme à notre conversation. Bill Clinton me salue chaleureusement :

« Écoutez, si je peux vous aider dans vos différents projets, n'hésitez pas à me contacter. » Et il ajoute : « Notez que je ne parle pas français. »

Abidjan, samedi 9 juin 2001

Depuis le vingt-deuxième étage de l'hôtel Ivoire où je me suis installé, vue panoramique sur la ville et la baie d'Abidjan. On se croirait à Chicago, ou plutôt à Rio de Janeiro. À une différence près : les favelas y sont accrochées à flanc de colline alors qu'ici les bidonvilles s'étalent à même le sol de la baie.

Je reçois, ce matin, Amara Essy, l'ancien ministre des Affaires étrangères de Konan Bédié, qui avait présidé l'Assemblée générale des Nations unies durant mon mandat. Il a présenté, avec l'appui de Laurent Gbagbo, sa candidature au poste de secrétaire général de l'OUA. Le Président ivoirien a d'ailleurs envoyé force missives et messagers aux différents chefs d'État africains. Selon l'ambassadeur d'Égypte, Sami Yassa Abdel Chahid, le nouveau président cherche à se rapprocher des musulmans du Nord. Et Amara Essy est musulman, en même temps que membre de l'opposition. En dernière analyse, son élection viendrait fort à propos redorer le blason de la diplomatie ivoirienne, quelque peu terni depuis les événements politiques de ces deux dernières années.

Face à lui, deux concurrents : le ministre des Affaires étrangères de Namibie, Théo ben Gurirab, et le secrétaire exécutif de la Cedeao, Lansana Kouyaté. Amara Essy part demain pour Le Caire, dans le cadre d'une délégation conduite par l'ancien Premier ministre, et chargée de remettre un message du président Gbagbo au président Moubarak en faveur de sa candidature.

Abidjan, lundi 11 juin 2001

Audience avec l'ancien ministre de l'Économie, Sem Mamadou Koulibaly, actuellement président de l'Assemblée nationale.

Il est grand, l'air sérieux derrière ses lunettes. Il est économiste de formation et a fait ses études aux États-Unis. Il sait écouter.

Je lui parle du rôle important que peuvent jouer les parlementaires pour démocratiser les relations internationales, de la nécessité d'associer les acteurs non étatiques à l'élaboration des normes et à la prise de décisions. Je reprends mon slogan favori : démocratiser la mondialisation avant que la mondialisation ne dénature la démocratie.

La Côte-d'Ivoire a été suspendue par l'Assemblée parlementaire de la Francophonie suite au coup d'État. Il espère une réintégration lors du bureau de Québec, en juillet prochain. Il aborde, ensuite, le problème de la zone franc en Afrique, du seul ressort de la France.

« La façon dont cette zone est gérée doit aussi être démocratisée. »

On en vient au sommet de Beyrouth :

« Êtes-vous sûr de la sécurité ? s'enquiert-il.

– La sécurité sera parfaite. Tout est sous contrôle. »

Ma seconde visite est pour le ministre des Affaires étrangères, un juriste et un universitaire qui a obtenu son doctorat à l'université de Nice, en 1979. Il parle de l'isolement de la Côte-d'Ivoire, à la suite des turbulences de ces deux dernières années. Comment remonter le courant ? Il souhaite mon aide dans cette entreprise de réhabilitation.

Nous partons ensemble à la présidence, un autre palais. Salle d'attente monumentale, avec un plafond haut d'une bonne dizaine de mètres, orné en son centre d'un gigantesque lustre moderne. Je lui fais remarquer qu'en Afrique les ministres roulent en Mercedes, les chefs d'État se font construire de luxueux palais, alors qu'en Inde les responsables politiques se déplacent dans de petites Austin à deux portes, des années 1930, et logent dans de modestes demeures. Les ministères datent encore de l'Empire britannique. Et je n'ai jamais vu de nouvelles constructions. Je m'empresse d'ajouter que l'Égypte est affligée de la même mégalomanie : flotte de limousines, palais aux murs de marbre, lustres à la taille démesurée. Mes propos ne soulèvent apparemment pas l'enthousiasme de mon interlocuteur.

C'est Mobutu qui m'avait dit : « Le peuple est fier de savoir que son chef habite dans un palais… c'est un peu comme s'il le partageait avec lui. » Je m'étais évidemment abstenu de tout commentaire. Ma comparaison, déjà à l'époque, entre les comportements en Inde et en Afrique lui avait souverainement déplu.

Voilà une bonne heure, maintenant, que nous attendons d'être reçus par le président Laurent Gbagbo. On vient nous annoncer que l'audience est remise à une date ultérieure qui nous sera communiquée par le protocole, qui semble ignorer les rudiments de la courtoisie.

Abidjan, mardi 12 juin 2001

Rencontre avec la première dame, Simone Gbagbo, dans l'une des salles du Parlement. Elle s'est munie d'un calepin et d'un stylo, comptant de toute évidence prendre des notes lors de notre entretien. Je lui présente brièvement les activités de la Francophonie :

« Je connaissais, me dit-elle, l'ACCT, et j'ai même entrepris une étude sur cette agence il y a quelques années, mais j'étais loin d'imaginer toutes les transformations subies par la Francophonie depuis quatre ans. »

Elle est désireuse de contribuer à redorer l'image de la Côte-d'Ivoire sur la scène internationale.

« Les troubles qui ont secoué mon pays se sont produits avant que mon mari n'accède au pouvoir et il essaie depuis de promouvoir la réconciliation nationale entre les différentes mouvances.

– Permettez-moi, lui dis-je, de vous donner un conseil d'aîné.

– Bien volontiers, me répond-elle avec un sourire entendu, vous avez l'âge de mon père.

– Soyez l'ambassadrice extraordinaire de votre pays. Participez aux conférences internationales. Rencontrez les chefs d'État. Votre image rejaillira sur celle de votre pays. »

Il n'y a dans mes paroles aucune flagornerie. Je crois sincèrement que Simone Gbagbo a l'étoffe d'une grande ambassadrice, tout comme je reste persuadé que c'est par les femmes, bien plus que par les hommes politiques, que l'on parviendra à donner une autre image de l'Afrique.

L'audience prévue cet après-midi avec le président Laurent Gbagbo est ajournée pour la deuxième fois. C'est la pagaille la plus complète. Le ministre de la Culture, chargé de m'accompagner durant ce séjour, n'a pas même été averti de cette annulation. Les propos que l'un des représentants de la Banque africaine de développement m'a tenus au déjeuner, sous couvert d'anonymat, n'ont rien d'exagéré :

« La nouvelle équipe au pouvoir, m'a-t-il confié, est composée de jeunes universitaires, sans aucune expérience politique. Ils ont l'incompétence et l'arrogance des débutants. Le Président lui-même est débordé. Cet après-midi, il accueille les chefs d'État qui doivent décider de l'avenir d'Air Afrique. Et ils se réuniront demain matin. Je crois que vous avez peu de chances de le rencontrer. Mais, a-t-il ajouté avec malice, vous vous êtes entretenu avec la première dame, qui est aussi importante que le Président. »

Cotonou, jeudi 14 juin 2001

Ouverture de la conférence des Ministres francophones de la Culture. Le président Mathieu Kérékou, malgré son âge, lit son discours avec vigueur et passion. Il garde un dynamisme extraordinaire.

Je présente, à mon tour, les grands axes qui ont inspiré la déclaration et le plan d'action qui seront soumis aux ministres : mettre en place des politiques linguistiques favorisant, tout à la fois, le développement de la langue française et des langues partenaires. Améliorer l'accès des créateurs de la Francophonie aux marchés internationaux. Faciliter les échanges entre créateurs. Protéger la propriété intellectuelle. Développer les industries culturelles, les technologies de l'information et les médias audiovisuels.

Cela posé, notre objectif n'est pas seulement de lutter contre l'uniformité linguistique, culturelle et conceptuelle. Il s'agit également de rééquilibrer les relations culturelles à l'intérieur même de l'espace francophone, à l'image du nécessaire rééquilibrage des relations internationales au bénéfice des pays les moins favorisés. Car si nous devons nous réjouir que les industries culturelles européennes se mobilisent pour peser de tout leur poids sur la scène mondiale, nous devons constater, aussi, que les talents du Sud sont trop souvent obligés de s'exiler pour se faire connaître, comme nous devons reconnaître que certaines cultures, certains patrimoines, parmi les plus riches, sont abandonnés à l'oubli, sous prétexte des lois du marché.

(Le soir...) Le président Kérékou offre une réception au palais présidentiel. Je fais mon entrée au côté de la présidente de la Cour constitutionnelle.

« Comme vous le voyez, dis-je au président Kérékou, je m'appuie sur la Constitution.

– Il faut surtout, me répond-il avec humour, ne pas la violer.

– À mon âge, monsieur le Président, c'est plutôt difficile. »

Une très jeune et très jolie chanteuse égaie notre dîner.

« Vous voyez, monsieur le Président, je serais prêt dans ce cas à violer la Constitution.

– Viol de mineure, monsieur le secrétaire général, c'est la perpétuité.

– Mais je ne doute pas d'obtenir la grâce présidentielle. »

Le dîner se termine dans une atmosphère de corps de garde. Le président Kérékou n'est pas en reste.

Cotonou, vendredi 15 juin 2001

Je clôture les travaux des ministres de la Culture par cette formule : « Jusqu'alors la diversité culturelle était un concept, elle est devenue aujourd'hui une politique... »

Lomé, samedi 16 juin 2001

Je passe la matinée à recevoir les chefs des différents partis politiques : Edem Kodjo qui, malgré son boubou, ressemble plus à un intellectuel du quartier Latin qu'à un chef de parti togolais, Léopold Gnininvi, Zarifou Ayeva – un rêveur –, Bob Akitani, le représentant du parti de Gilchrist Olympio qui est de loin le plus agressif et le plus violent, et enfin Fombaré Ouattara Natchaba et ses collaborateurs qui appartiennent à la mouvance présidentielle.

Je suis toujours dans l'attente d'un entretien avec le président Eyadéma. Le protocole est incapable de me fournir une réponse claire. Je décide de téléphoner au Président. Il n'avait pas été prévenu que je repartais dès ce soir pour Paris. « Venez immédiatement, me dit-il, je vous attends. »

Le Président se dit très satisfait de la lettre que vient de lui adresser l'Union européenne et qui, pour une fois, est rédigée dans un style diplomatique :

« L'Union européenne s'est félicitée à de nombreuses occasions des progrès accomplis dans le dialogue intertogolais [...]. L'organisation d'élections libres, transparentes et démocratiques devrait conduire à une normalisation des relations entre l'Union européenne et le Togo [...]. Une demande formelle d'assistance financière pour le processus électoral auprès de l'Union européenne et des autres bailleurs de fonds pourrait contribuer efficacement à débloquer la situation... »

Le Président entend répondre positivement à cette proposition et maintenir la date des élections aux 14 et 28 octobre. Je l'informe du fait que l'ensemble des représentants des partis politiques, que j'ai rencontrés dans la matinée, sont dans l'attente de gestes d'encouragement de sa part, « de passerelles qui leur permettraient de rétablir le dialogue » avec lui. Voilà des mois que tout contact a été rompu entre eux. Son expression se fige et se durcit, sa voix se fait plus grave :

« Lorsque je les ai convoqués, ils ont refusé de venir.

– C'est le passé, dis-je. Nous devons maintenant essayer d'instaurer un climat de confiance pour que les élections se déroulent de façon apaisée, et sans risque de contestation. »

Il marque un temps d'arrêt, puis ajoute avec une réelle solennité : « Ma maison leur est toujours ouverte. »

Avant que nous nous séparions, il insiste pour que nous buvions une coupe de champagne à la santé du Togo... et des prochaines élections.

Paris, mercredi 20 juin 2001

Je participe, aux côtés du président Wade, à un concours de plaidoirie de jeunes avocats francophones. Sept candidats sont en lice, dont un Sénégalais et un Tunisien. En guise d'introduction, le bâtonnier déverse un véritable flot de compliments sur le nouveau Président sénégalais. De quoi le faire tomber de son siège. Nous entendons ensuite les différents concurrents, avant de nous retirer pour délibérer. Le premier et le troisième prix sont attribués à des Français, le deuxième prix va au jeune Sénégalais, qui ne s'est pourtant pas montré particulièrement brillant.

En aparté le président Wade me dit : «J'ai une bonne nouvelle pour toi. Je n'en dirai pas plus…»

Insinuerait-il qu'il s'oppose à la candidature du président Diouf?

Paris, jeudi 21 juin 2001

Les prédictions du Président macédonien semblent se réaliser. La crise entre les communautés slave et albanaise ne cesse de s'aggraver. La minorité albanaise est victime d'exactions policières, d'arrestations arbitraires, d'enlèvements. Nous courons au-devant d'une nouvelle «purification ethnique» et il est à parier que l'UCK va multiplier ses attaques victorieuses contre l'armée macédonienne.

C'est étrange. Tandis que je suis, avec un intérêt soutenu, les développements de la situation en Macédoine, j'ai l'impression d'occulter la dégradation de la situation en Algérie, et les affrontements tragiques en Kabylie. Pourquoi une telle attitude? Est-ce parce que j'ai eu à traiter du dossier macédonien et que je me suis rendu dernièrement à Skopje? Pourtant, je me sens tellement plus proche de l'Algérie. J'ai vécu avec passion les différentes étapes de son indépendance, j'ai côtoyé de près la plupart des dirigeants algériens, j'ai passé des nuits entières à tenter de trouver une solution au problème du Sahara occidental qui est, en dernière analyse, un conflit algéro-marocain…

Je crois avoir trouvé la réponse : je fais de l'« escapisme » à l'égard de l'Algérie, un évitement que je justifie en me focalisant sur la situation macédonienne, parce que je sais que la tragédie algérienne me touche au plus profond de moi-même.

(Dans l'après-midi…) Je reçois la visite de Joseph Tsang Mang Kin, un Mauricien d'origine chinoise. Il occupait les fonctions de ministre de la Culture lorsque je me suis rendu en visite officielle dans son pays, en décembre 1999. Il m'assaille de compliments de toutes sortes, me dit et me redit le respect et l'admiration qu'il me porte, avant de m'annoncer qu'il est candidat au poste de secrétaire général de la Francophonie et qu'il devrait disposer bientôt de l'appui officiel de son président qui est l'un de ses amis de jeunesse.

Je lui fais remarquer que j'ai déjà posé ma candidature et que je suis soutenu par la majorité des pays africains et des pays bailleurs de fonds. Cela ne semble pas le perturber. Au moment de prendre congé, il toussote à la manière d'un étudiant timide et ajoute avec un sourire : « Si vous changez d'avis, pensez à me soutenir… »

Coup de téléphone de Jacques Chirac. Mon interprétation de la phrase sibylline du président Wade était la bonne. Ce dernier, pour des raisons politiques, refuse de soutenir la candidature d'Abdou Diouf et consent à ne pas s'opposer à ma réélection. De son côté, Omar Bongo a accepté de s'entretenir de ma candidature avec Gnassingbé Eyadéma, lors du prochain sommet de l'OUA.

Paris, vendredi 22 juin 2001

Les forces de l'OTAN s'apprêtent à désarmer l'UCK afin d'éviter que la Macédoine ne soit démembrée. N'est-ce pas les mêmes forces de l'OTAN qui avaient armé l'UCK pour démembrer Belgrade ? Le renversement des politiques est consternant. Non, vous répondront les américanophiles. Il n'y a pas de comparaison possible entre le sort des Albanais en Macédoine, qui participent même au gouvernement, et celui des Albanais du Kosovo qui étaient persécutés du temps où Slobodan Milošević régnait à Belgrade.

Genève, dimanche 24 juin 2001

Genève est une ville qui me procure un sentiment de sécurité et de sérénité. Un climat propice à la réflexion et à l'écriture, loin des turbulences des grandes capitales. J'éprouve exactement la même sensation à La Haye. Peut-être parce que j'ai passé des années à compulser des ouvrages de droit international dans les bibliothèques de ces deux villes.

L'hôtel Intercontinental est lui aussi chargé du souvenir de rencontres et de négociations secrètes. C'est dans cet hôtel qu'a eu lieu la première rencontre entre Ezer Weizman et un chef de l'OLP. C'est aussi dans cet hôtel que j'ai tenté, sans succès, de nouer un dialogue entre le « président » de la « République sahraouie », Mohamed Abdel Aziz, et le général marocain Quadiri. C'est encore dans cet hôtel que je me suis longuement, très longuement entretenu avec le président syrien Hafez el-Assad sur le passé et l'avenir du monde arabe. Il semblait plus intéressé par l'universitaire que j'avais été que par le secrétaire général des Nations unies que j'étais.

Berne, lundi 25 juin 2001

Départ pour Berne, selon un protocole réglé et minuté avec une précision d'horlogerie suisse.

11 heures : je suis accueilli à la maison Waterwille, une magnifique demeure du siècle passé dont les jardins descendent en pente douce vers le fleuve. Entretien de quinze minutes avec Joseph Deiss, le conseiller fédéral en charge des Affaires étrangères. Il revient sur l'engagement croissant de la Suisse au sein de la Francophonie, sur sa volonté de jouer un rôle toujours plus actif. Je me permets de lui suggérer que Berne augmente sa participation financière. « Le Canada a doublé sa contribution en faveur de l'Agence universitaire », dis-je pour tenter de l'encourager dans ce sens. Joseph Deiss promet d'étudier soigneusement ma proposition.

11 heures 15 : nous entamons les entretiens officiels entre les deux délégations, composée pour la Suisse de six diplomates. Nous ne sommes, pour notre part, que trois : Xavier Michel, Jean-François Paroz et moi-même. Nous évoquons notamment la prochaine Conférence ministérielle de la Francophonie, qui doit se dérouler à Lausanne, en décembre 2002.

12 heures : je me promène avec Joseph Deiss dans le parc de la maison Waterwille. L'espace d'un bref instant, il scrute le fleuve en silence, rêveur. D'évidence, il n'est pas homme à rêver trop longtemps. Nous regagnons la maison et la salle à manger où, dis-je à mes hôtes, j'ai déjeuné en 1978. J'avais fait nommer le chef du protocole, Saad Hamza, ambassadeur à Berne. Un mois après avoir présenté ses lettres de créance, il me téléphonait pour réclamer, amicalement, ma visite dans la capitale helvétique. « Saad, je ne sais pas si tu réalises bien que je suis occupé vingt-quatre heures sur vingt-quatre par les négociations avec Israël. » Il avait insisté : « Un jour, tu auras peut-être besoin de la Suisse… comme réfugié politique. » L'argument était de poids.

Et j'effectuai, quelque temps après, ma première visite officielle en Suisse.

14 heures 30 : visite de courtoisie au président de la Confédération suisse, Moritz Lenenberger, un homme morose s'exprimant avec parcimonie, se contentant de hocher la tête et de murmurer son approbation. Il n'avait peut-être pas lu les dossiers qu'on lui avait préparés et donnait l'impression que la Francophonie appartenait à une autre planète. L'ambassadeur Vettovaglia, représentant personnel du chef de l'État, en bon diplomate, a gardé le silence durant tout l'entretien et dissimulé avec peine un sentiment de gêne. En sortant, il s'est contenté de me dire :

«Mon président était très taciturne…»

J'ai essayé, à mon tour, de me montrer discret en évitant de faire un quelconque commentaire.

15 heures 15 : rencontre avec une délégation de parlementaires, membres de la commission de Politique extérieure. Ils seront à Québec en juillet prochain pour participer à la session annuelle de l'Assemblée parlementaire de la Francophonie.

16 heures : je retrouve l'ambassadeur d'Égypte, Mohamed Nagui al-Khetreki, qui vient de présenter ses lettres de créance à Berne. Nous évoquons la situation dramatique en Palestine et, bien sûr, l'Égypte, notamment son rôle au sein de l'OMC. Je suis séduit par sa vivacité intellectuelle et touché par son émotion lorsqu'il parle de la situation économique de l'Égypte.

16 heures 30 : départ pour l'aéroport de Berne qui, contre toute attente, n'est en fait qu'un petit aérodrome de campagne. Le chef du protocole m'explique que les habitants se sont toujours opposés à la construction d'un aéroport international, trop polluant et trop bruyant. Après tout, l'aéroport de Zurich n'est qu'à une heure de route, distance habituelle qui sépare les aéroports du centre ville de la plupart des grandes capitales.

Paris, mardi 26 juin 2001

Dans *Le Figaro* de ce matin, un article du général Michel Aoun qui s'était vu confier le gouvernement par le président libanais Gemayel au terme de son mandat en septembre 1988. C'est lui qui avait, en mars 1989, proclamé la « guerre de libération » contre la Syrie.

« Comment, écrit-il, pourrait-on envisager, en octobre prochain, un sommet de la Francophonie à Beyrouth sous l'occupation syrienne sur le thème du "dialogue des civilisations" ? Comment pourrait-on choisir ce thème à débattre dans un pays qui empêche le dialogue entre ses propres fils et qui, tout en se déclarant un État de droit, ne survit que par l'arbitraire ? »

Le sommet de Beyrouth pourrait être difficile…

Paris-Charlevoix, dimanche 1er juillet 2001

Nous descendons au Manoir Richelieu, un palace ancien, au milieu de nulle part, une immense baie de terre verte, bordée de collines bleues. Je comprends mieux maintenant la peinture canadienne contemporaine. L'officier de sécurité, déchiffrant mon regard, me dit avec contentement : « Vous aimez Charlevoix, notre pays. »

Charlevoix, lundi 2 juillet 2001

Repos du guerrier vieillissant. Rencontre avec Jean Pelletier, le directeur de cabinet de Jean Chrétien : « Les nouvelles sont excellentes. Abou Diouf est hors du jeu et vous êtes assuré d'être réélu. Le Canada est toujours à vos côtés. »

Charlevoix, mardi 3 juillet 2001

Dîner en compagnie de Louise Beaudoin, ministre québécoise des Relations extérieures, et de son mari à l'auberge des Trois Canards. C'est une petite femme fluette, toute en nerfs et au regard bleu perçant. Elle sait se montrer charmante et charmeuse, mais c'est une « pasionaria » qui serait prête à faire pendre son adversaire au nom de la Cause.

Conversation animée. Louise Beaudoin est en forme. Elle a joué au golf ce matin, mangé du lion à midi et semble prête, ce soir, à conquérir la planète. Elle est impitoyable, lorsqu'il s'agit de la politique française à l'égard de la Francophonie. Comme je partage sa colère !

Elle me parle du colloque de la Fédération internationale des professeurs de français qui s'est tenu à Rio de Janeiro. Je pense, comme elle, que ces professeurs représentent une force de frappe essentielle pour la Francophonie. Il faut les associer, voire les intégrer à l'OIF. Je lui fais remarquer que les dinosaures de la maison vont hurler à l'hérésie, et qu'il faudrait, pour ce faire, modifier la Charte. Il me semble plus raisonnable, dans un premier temps, de signer un accord de coopération et d'inviter les professeurs à participer au Conseil de coopération.

Elle est en revanche enthousiasmée par la décision de Jacques Chirac de faire entrer le Haut Conseil de la Francophonie dans notre organisation.

Jeudi 5 juillet, samedi 7 juillet 2001

Long week-end dans la propriété de Paul Desmarais, l'un des mécènes qui ont contribué à la création de l'Université Senghor. Léa et moi faisons la connaissance de sa charmante épouse Jacqueline, à la joie de vivre communicative. Paul Desmarais est à la tête d'un empire financier virtuel, constitué d'un portefeuille d'actions à l'échelle planétaire.

Ce n'est pas tant l'impressionnante beauté des lieux que la simplicité et la chaleur de l'accueil de Paul Desmarais et de son épouse que nous avons découverts et aimés durant ce séjour. Il apprend avec amusement que Paul, en arabe, se dit « Boulos », et que Boutros signifie Pierre. Mais comment traduit-on Jacqueline ? Je l'ignore. Je me renseignerai.

Ottawa, mercredi 11 juillet 2001

Entretien avec le Premier ministre, Jean Chrétien, qui vient de remporter les élections. Il est en forme, rajeuni, détendu, caustique.

Nous évoquons, tels deux vieux briscards de la politique, les élections auxquelles nous nous sommes présentés. Il me rappelle son échec lorsqu'il a voulu accéder à la présidence du parti après le départ de Trudeau.

« Malgré votre appui, je ne suis pas parvenu à me faire réélire aux Nations unies.

– Il ne vous manquait qu'une voix », me répond le Premier ministre.

Je commence mon enquête pour connaître la traduction arabe de Jacqueline. Je téléphone à mon frère Wacyf à Wilton aux États-Unis, puis à mon cousin Yehia à Montréal. « Quelle est la traduction arabe de Jacques ? » « Yacoub », me répond-il. J'en déduis que Jacqueline doit se traduire par Yacouba. J'informe Paul Desmarais du résultat de mes recherches. « Yacouba, cela sonne plus comme un prénom indien que comme un prénom copte », me dit-il en partant d'un grand rire.

Ottawa, vendredi 13 juillet 2001

Le président du Niger, Mamadou Tandja, me téléphone de Lusaka où se déroule en ce moment même le sommet de l'OUA. Omar Bongo a réuni un certain nombre de chefs d'État africains afin d'obtenir leur soutien à la candidature d'Henri Lopez. Le vent a tourné. Je remercie le Président pour son coup de téléphone et pour l'amitié qu'il me témoigne en me révélant cette information.

« J'ai l'intention, dis-je, de faire campagne jusqu'au bout. On ne recule pas au milieu du gué. »

Ottawa, samedi 14 juillet 2001

Ouverture officielle des IVes Jeux de la Francophonie. Un stade comble, qui applaudit à tout rompre le défilé haut en couleur des délégations arborant, dans une ambiance de liesse, drapeaux et costumes nationaux. Presque tous les pays de la Francophonie ont fait le déplacement et ont eu à cœur d'être dignement représentés dans les compétitions sportives et artistiques qui débuteront demain. Une exception : Monaco, représentée par un porte-drapeau et un jeune homme esseulé qui a plus l'air d'un fonctionnaire fatigué que d'un sportif.

Ottawa, dimanche 15 juillet 2001

L'opération Omar Bongo se dégonfle comme un ballon de baudruche. Les chefs d'État « mobilisés » par Bongo ont refusé de signer le communiqué qu'il avait fait préparer. Quelques ministres, sous la pression, ont fini par apposer leur signature. « C'est une piteuse mascarade », me dit le président Eyadéma qui était à Lusaka, et qui n'a pas accepté de prendre part à la réunion « extraordinaire » convoquée par Omar Bongo.

Dans un autre ordre d'idées, et concernant un autre continent, j'ai appris avec intérêt, en discutant avec un diplomate canadien qui a suivi de très près le conflit gréco-macédonien, que les deux protagonistes étaient parvenus, il y a quelques mois, à un consensus sur le nom définitif de la République macédonienne : « Gorna Makadonija », ce qui, en français, pourrait se traduire par la « Haute-Macédoine ». Les derniers développements du conflit albano-macédonien ont tout remis en question.

(En début d'après-midi...) Le ministre canadien de la Francophonie, Ronald Duhamel, a demandé à me rencontrer à mon hôtel. Alors que nos collaborateurs respectifs s'apprêtent à nous rejoindre dans le salon, le ministre exige de me parler en tête à tête :

« J'ai quelque chose d'important à vous dire », me dit-il.

Une fois seuls, je le sens embarrassé :

« Je ne sais pas très bien comment vous dire cela. »

En parfait égocentrique, tout obsédé que je suis par les problèmes de ma réélection et par l'opération Bongo à Lusaka, je m'attends à ce qu'il m'annonce que le Canada, sous la pression de l'Afrique, me retire son soutien.

« Mon cancer, me dit-il d'une voix blanche, a récidivé. Je dois reprendre le traitement et je ne pourrai pas assister à la cérémonie de clôture des Jeux de la Francophonie. »

À cet instant, mon émotion n'a d'égale que ma honte. Honte de mon nombrilisme, honte de mes obsessions éphémères.

« Je vous demande, ajoute-t-il, de garder cela pour vous. Il n'y a rien de pire que les regards compatissants. »

Soulagé par cet aveu, il s'informe, comme si de rien n'était, de ma campagne électorale. Je ne suis plus en phase. Je ne peux m'empêcher de mettre en balance la futilité de cette course à l'élection et la gravité de ce que Ronald Duhamel va devoir affronter. Il poursuit :

« J'ai rencontré Charles Josselin, qui est toujours équivoque. Mais je lui ai redit avec vigueur que la Canada se battrait pour vous. »

Je raccompagne Ronald Duhamel jusqu'à l'ascenseur. Je l'étreins avec affection. Il a les larmes aux yeux et je me retiens pour ne pas pleurer. Nos collaborateurs nous observent avec inquiétude. Les supputations vont aller bon train.

Ottawa, lundi 16 juillet 2001

Séance de clôture de la réunion des ministres de la Jeunesse et des Sports. Ronald Duhamel, avec son humour et sa bonne humeur habituels, prononce un bref discours, tout en précisant qu'il s'agit là de son dernier discours. Les manifestations francophones touchent en effet à leur fin, mais moi qui croise à ce moment-là son regard, je sais que cette phrase est riche de sens, et j'aimerais lui dire, en cet instant, toute mon admiration. Je souhaite qu'il ait compris…

Paris, jeudi 19 juillet 2001

Rendez-vous avec François Hollande au siège du parti socialiste, rue de Solférino. Je revois avec plaisir mon ami Alain Chenal, un des rares militants du parti qui soit ouvertement proarabe.

Pendant les événements de Mai 68, un jour que je me promenais dans la grande cour de la Sorbonne où les principales formations politiques avaient installé des stands, je tombai sur Alain Chenal, qui était alors mon étudiant à la faculté de droit de Paris.

«Il n'y pas de stand pour la Palestine, lui avais-je fait remarquer, en aparté, d'un ton amer.

– Revenez demain après-midi, m'avait-il dit, sans plus de commentaires.»

Le lendemain, il me désignait discrètement, au fond de la cour, le stand de la Palestine.

Je m'ouvre en toute franchise à François Hollande de l'hostilité du gouvernement socialiste à l'égard de ma réélection. Il affirme avec une réelle solennité :

«Ce n'est pas le cas du parti socialiste.»

Alain Chenal me raccompagne, et déclare avec un sourire teinté d'ironie :

«Il y a beaucoup d'anti-Arabes au sein de notre parti.»

Paris, mardi 24 juillet 2001

Je suis reçu par le nouveau maire de Paris, Bertrand Delanoë.

«Vous connaissez bien ce bureau, me dit-il en souriant.

– Effectivement, lors de mes visites à Paris comme ministre égyptien, puis comme secrétaire général des Nations unies, c'est dans ce bureau que Jacques Chirac me recevait.»

C'est un bureau somptueux, bien plus luxueux que celui du président de la République à l'Élysée ou du Premier ministre à Matignon.

Le nouveau maire est un homme modeste, aimable, attentif. Nous parlons de l'Association internationale des maires francophones, dont il est devenu le président à la suite de Jean Tibéri, et qui est un des opérateurs de l'OIF.

«Je suis prêt à mettre à votre disposition toutes les capacités de la ville de Paris. Je suis sincèrement persuadé de l'importance de la Francophonie et du multilatéralisme. Je suis pour une francophonie plurielle. Le fait que le maire du Caire ne parle pas français n'est pas une raison pour ne pas instaurer une coopération étroite avec la ville du Caire. Mais il faut encore que j'apprenne comment fonctionne l'OIF. J'ai d'ailleurs l'intention de participer au sommet de Beyrouth.»

Je quitte l'Hôtel de Ville pour le Quai d'Orsay, où je retrouve Hubert Védrine, calme, étonnamment serein. Ce qui m'amène à lui demander s'il dort bien. Sa réponse est catégorique : oui. Nous connaissons parfaitement tous les deux les tribulations d'un ministre des Affaires étrangères : les déplacements incessants, les voyages en avion, le décalage horaire, la tension nerveuse des négociations difficiles.

«Mon prédécesseur, me dit-il, prenait des cachets pour s'endormir et des cachets pour se réveiller.»

Je lui avoue que je fonctionne aux somnifères depuis plus de vingt ans, en veillant à changer de marque pour éviter l'accoutumance, et à me sevrer les veilles de jours chômés.

Après cette entrée en matière, nous entons dans le vif du sujet : ma réélection, l'opposition d'Omar Bongo, l'éventualité d'un mandat réduit à une année supplémentaire. Un bonus que j'avais refusé lorsque le secrétaire d'État américain Warren Christopher me l'avait proposé en juin-juillet 1996 à l'ONU.

Au moment de nous quitter je lui dis que j'ai appris que son dernier livre venait d'être traduit en anglais.

«Effectivement, me dit-il. J'ai même ajouté, dans l'édition en anglais, une partie qui ne figurait pas dans l'édition française.»

Il m'en offre un exemplaire, agrémenté d'une belle dédicace.

Paris, mercredi 25 juillet 2001

Ahmed Maher, notre nouveau ministre des Affaires étrangères, et son frère Aly Maher, notre ambassadeur à Paris, m'informent de l'entretien qu'ils ont eu avec Jacques Chirac. Il leur a demandé de l'aider à résoudre le problème de ma réélection. Il est clair que si l'on va au vote au sommet de Beyrouth, j'obtiendrai la majorité requise, mais la tradition veut que l'on procède par consensus, sans en passer par le vote.

Jacques Chirac est parvenu à un compromis avec Omar Bongo. La prolongation de mon mandat d'une année, contre un mandat de trois ans pour Henri Lopez. Jacques Chirac les a priés d'essayer de me convaincre d'accepter ce compromis. Je refuse sans hésiter. J'avais déjà refusé l'offre du président Clinton aux Nations unies et il n'y a aucune raison que, cette fois, j'accepte pour la Francophonie.

« Réfléchissez encore », me disent les deux frères, en prenant congé.

Tunis, jeudi 26 juillet 2001

Entretien avec Habib ben Yehia, redevenu ministre des Affaires étrangères, après un passage par le ministère de la Défense. À son côté, le secrétaire d'État Sadok Fayala, qui occupait le poste de secrétaire de l'Interafricaine socialiste au moment j'étais membre du bureau politique de l'Union socialiste, dans les années 1970. Le ministère des Affaires étrangères est installé dans un immeuble magnifique, décoré dans le style tunisien, mais loin de rivaliser avec le précédent édifice, qui était l'ancien palais du bey de Tunis, un véritable musée.

J'ai une profonde admiration pour Habib ben Yehia, un diplomate fin, brillant, doué de cette patience qui est au cœur de la science diplomatique. Mais peut-on parler d'une science diplomatique ? Si la diplomatie est d'abord l'art de la négociation, alors la diplomatie est tout autant un art qu'une science.

Nous avons mené ensemble de longues et difficiles négociations lors du sommet de l'OUA d'Addis-Abeba, en 1989. Il s'agissait d'obtenir que les Sénégalais et les Mauritaniens, qui étaient pratiquement en guerre, acceptent le principe d'une médiation. Nous nous sommes souvent revus aux Nations unies. J'ai toujours beaucoup apprécié nos longues discussions, l'affinité de pensée qui nous lie.

La déclaration de Bamako est le point essentiel de notre entretien d'aujourd'hui, et particulièrement son chapitre V dans lequel est stipulé que, en cas de rupture de la démocratie ou de violations massives des Droits de l'homme, « les instances de la Francophonie se saisissent de la question afin de prendre toute initiative destinée à prévenir leur aggravation et à contribuer à leur règlement ».

« Nous avons, me dit Habib ben Yehia, un rapport intime et ambigu avec cette déclaration. Les ONG s'en servent pour nous interpeller et pour prétendre intervenir dans nos affaires internes. En fait, nous avons deux ennemis : les fondamentalistes musulmans et les pseudo-défenseurs français des Droits de l'homme. Les uns sont aussi nocifs pour notre pays que les autres. »

Se référant au texte de la déclaration, il ajoute :

« Que faut-il entendre par violation massive des Droits de l'homme ? Comment définissez-vous une rupture de la démocratie ?

– Dans le premier cas, dis-je, il s'agit d'un génocide. Dans le second cas, il s'agit d'un coup d'État militaire qui met fin à un régime démocratique. J'ajoute que cette déclaration est un document politique et que la délégation tunisienne pourra encore faire valoir son interprétation dans le projet de programme d'action qui n'a pas encore été adopté. »

Les collaborateurs du ministre interviennent à leur tour. Pour comble de malchance, ma secrétaire a mis dans mon dossier la version anglaise et la version arabe de la déclaration. Elle a oublié d'y joindre le texte en français, si bien que je suis obligé de me reporter tantôt au texte arabe, tantôt au texte anglais. Fort heureusement, la diplomatie tunisienne vient à mon secours en me fournissant un exemplaire en français. La discussion se prolongeant, Habib ben Yehia propose que nous poursuivions lors d'un dîner de travail ce soir.

De retour à l'hôtel, je relis attentivement le texte français de la déclaration avec mes collaborateurs. Au dîner, je suis en train de déguster une succulente brique tunisienne lorsque reprend notre discussion. Parmi d'autres choses, je rappelle que la déclaration a été approuvée à l'unanimité par les ministres des Affaires étrangères et par les ministres de la Justice des États membres, à l'exception du Vietnam et du Laos, qui ne veulent pas voir figurer le multipartisme comme un des fondements de la démocratie, mais plutôt comme un objectif réalisable. Je laisse également entendre que, avec ou sans déclaration de Bamako, les ONG françaises continueront à prendre pour cible le gouvernement de Tunis.

« Les ONG, rétorque Habib ben Yehia, ne sont pas porteuses d'idéaux universels. Ce sont les nouveaux instruments de la politique de puissance des grands États. »

Évoquant la politique du « deux poids, deux mesures » appliquée par les États et les ONG à l'égard des violations des Droits de l'homme, il ajoute :

« L'application sélective des interventions prouve bien qu'elles ne sont que des prétextes, déguisés sous de nobles motivations. »

Sadok Fayala renchérit :

« C'est la réincarnation du colonialisme. »

Le dîner touche à sa fin. Habib ben Yehia fait quelques pas avec moi jusqu'à la sortie du restaurant.

« Demain, me dit-il, le président de la République abordera, bien évidemment, ces problèmes avec vous. Je ne pourrai malheureusement pas assister à l'entretien. Je dois donner une conférence en province. »

Tunis, vendredi 27 juillet 2001

Le président Ben Ali, en pleine forme et d'excellente humeur, vient à ma rencontre. Nous nous donnons l'accolade.

« Il y a longtemps que vous n'êtes pas venu me voir en Tunisie... »

Nous patientons quelques instants, le temps que les photographes achèvent leur mission. Aux côtés du Président, son conseiller spécial, Abdel Aziz ben Dhia, et le secrétaire d'État Sadok Fayala.

Les premiers mots du président sont directs :

« La Tunisie appuie sans aucune hésitation votre réélection. »

Nous abordons ensuite, comme prévu, la déclaration de Bamako. Le Président est clair :

« La Tunisie et un groupe d'États comptent demander que l'on apporte des modifications importantes au texte de la déclaration, qui a certes été adoptée au niveau ministériel, mais qui doit encore recevoir l'aval des chefs d'État. Nous sommes en faveur de la démocratie, de la défense des Droits de l'homme, mais nous ne pouvons pas admettre que l'OIF intervienne dans nos affaires intérieures, ni qu'elle donne un rôle quelconque aux ONG.

– Monsieur le Président, l'OIF ne peut intervenir qu'avec l'accord de l'État membre concerné. Par ailleurs, cette intervention n'est envisagée que dans deux cas bien précis : d'une part, en cas de rupture de la démocratie, en d'autres termes de coup d'État militaire, et d'autre part en cas de violation massive des Droits de l'homme, c'est-à-dire essentiellement de génocide.

– Pourquoi, alors, ne pas le dire en ces termes précis, plutôt qu'au moyen de formulations générales et imprécises qui laissent la porte ouverte à toutes les dérives d'interprétation ?

– La Tunisie, dis-je, est un État souverain. Elle est tout à fait en droit d'interpréter comme elle l'entend les formules utilisées dans le chapitre V de la déclaration, sans pour autant exiger une modification de cette déclaration. »

Il semble que ma suggestion ait retenu l'attention du Président.

L'après-midi, Sadok Fayala, qui m'accompagne jusqu'à l'aéroport, m'annonce que le gouvernement a été sensible à mes recommandations :

« Nous comptons envoyer une lettre officielle afin de clarifier notre interprétation de certains articles du chapitre V de la déclaration de Bamako. »

Paris, lundi 30 juillet 2001

Journée suffocante. Je suis obligé de lire assis près d'un ventilateur. La chaleur, à Paris ou à Rome, ne vous laisse aucun répit, pas même la nuit. Au Caire, elle décline lentement avec le jour, et se mue en une douce nuit d'été qui exhale le parfum entêtant et subtil des jasmins et des orangers en fleur.

Paris, samedi 4 août 2001

L'ambassadeur Aly Maher au téléphone :

« Avez-vous lu l'article sur la Francophonie dans *Le Figaro* d'aujourd'hui ? » Comme par hasard, alors que nous sommes abonnés, on ne nous a pas livré *Le Figaro* ce matin.

Aly Maher a piqué ma curiosité. Je décide de descendre acheter le journal. Tous les kiosques sont fermés. Je pousse jusqu'au café de Flore. Un vrai bonheur. Voilà bien longtemps que je n'ai pas flâné sur le boulevard Saint-Germain. Les vitrines, les restaurants, les petites rues adjacentes. Tout un pan de ma jeunesse qui me revient en mémoire. J'ai une vie de superbureaucrate, réglée, compartimentée, désincarnée. Jour après jour, je quitte l'appartement pour le bureau, le bureau pour des réceptions ou des prestations médiatiques. Autant dire qu'il n'y a pas de place pour la fantaisie ou l'improvisation. Ce matin, j'ai l'impression de m'être déprogrammé. S'asseoir, tout simplement, à la terrasse d'un café, et regarder vivre la rue. Tout simplement, vivre.

Je finis quand même par acheter *Le Figaro* et par lire le fameux article, signé par Françoise Lepeltier et intitulé « Guerre en sourdine pour l'après Boutros-Ghali ». Un texte très sévère à mon égard. Le monde arabe, y compris le Liban, soutiendra le candidat qui réunira le maximum de voix. Première erreur : mon bilan se résumerait à avoir sorti la Francophonie de la confidentialité. Deuxième erreur, qui risque de m'attirer les foudres du Québec : le Canada me soutient parce que j'ai « toujours pris fait et cause pour l'unité canadienne ». Troisième erreur : la déclaration de Bamako a associé les ONG comme partenaires officiels, « conception peu goûtée par la France ». Pas un mot sur mes réalisations pendant ces quatre ans.

Léa, qui a lu l'article à son tour, est furieuse :

« Tu ne sais pas parler à la presse. Il n'y a pas une phrase qui soit bonne pour toi. Est-ce que tu connais cette journaliste ? Il faut que tu lui écrives ! »

J'ai toujours été incapable de réagir devant les médias qui m'étaient hostiles. Le président Bush père m'a dit un jour :

« Ne lisez jamais les articles qui vous sont défavorables. J'ai d'ailleurs donné instruction pour qu'on ne me les signale même pas. »

Cela étant, il n'a pas réussi à se faire réélire.

Paris, dimanche 5 août 2001

Il semble qu'on soit enfin parvenu à un accord entre Albanais et Macédoniens. La langue albanaise sera langue officielle dans les territoires où la population albanophone représente au moins 20 % de la population totale. L'usage de l'albanais sera autorisé au Parlement et les lois seront rédigées à la fois en macédonien et en albanais. C'est un premier pas, mais le véritable problème, c'est celui du désarmement de l'UCK. Un problème que l'on n'a pas réussi à résoudre en Somalie, mais que l'on a résolu au Salvador, en Haïti dans une certaine mesure, et au Mozambique. Dans le cas présent, la situation est encore plus compliquée, car au-delà des problèmes de langue et de sécurité, il y a une profonde crise de confiance entre musulmans et chrétiens, une crise qui remonte à la présence turque qui s'est prolongée jusqu'au début du siècle passé.

Biarritz, mardi 7 août 2001

Mon activité intellectuelle se résume à lire la presse et à préparer la conférence que je donnerai à Beijing. Dans le *Herald Tribune* d'aujourd'hui, justement, un article de Don Mac Kennon, le secrétaire général du Commonwealth, qui fait la promotion de son organisation : notamment, l'assistance portée aux petits États comme le Swaziland, le Lesotho et Tanga. Le Commonwealth est apparemment confronté au même problème que la Francophonie : l'indifférence de l'opinion publique.

Biarritz, mercredi 8 août 2001

Message du ministre des Affaires étrangères de Bulgarie. Il a laissé le numéro de son téléphone portable pour que je le rappelle. Ce que je fais. Je m'exprime en français, mais il me demande de bien vouloir passer à l'anglais. En bon défenseur de la Francophonie, je m'exécute. Il m'annonce que le Premier ministre – l'ancien roi Siméon de Bulgarie – soutiendra ma candidature à Beyrouth. Il espère ma visite.

Biarritz, samedi 11 août 2001

En 1975 – je ne suis pas sûr de la date – j'ai publié dans un ouvrage collectif, *The Middle East Oil Conflict and Hope*, un article intitulé « The Arab Response to the Challenge of Israel ». J'y développais notamment l'idée que l'arme suprême des Palestiniens, aux effets plus redoutables qu'une explosion atomique, serait l'explosion démographique.

Le *Herald Tribune* de ce matin expose l'analyse du professeur Arnon Sofer de l'université de Haïfa, qui prévoit qu'en 2020 les territoires d'Israël, de Gaza et de la Cisjordanie seront peuplés à 58 % par des Arabes. Plus important encore, les Arabes, citoyens israéliens, représentent 32 % de la population en âge de voter.

Lorsqu'il y a plus de vingt ans j'ai voulu soulever ce problème avec Moshe Dayan et Ezer Weizman, ils m'ont répondu à l'unisson :

« Vos pronostics sont peut-être exacts, mais ce n'est pas notre problème. C'est celui des générations à venir. Nous avons suffisamment de problèmes à gérer en ce moment sans, en plus, nous pencher sur ceux qui pourraient surgir dans cinquante ans. »

À quoi j'avais rétorqué que la politique c'était justement gérer l'avenir, l'urgence relevant de l'administration.

« On voit que vous êtes un professeur d'université », avait conclu Moshe Dayan avec une ironie hautaine.

C'est peut-être parce qu'il était conscient de la puissance de la bombe démographique palestinienne qu'Arafat a renoncé à un compromis boiteux à Camp David, il y a quelques mois, préférant laisser aux nouvelles générations meurtries, asservies, humiliées par l'occupation militaire israélienne, le soin de réaliser elles-mêmes leur destin.

Biarritz, dimanche 12 août 2001

André Salifou me téléphone de Moroni. Il y a eu un coup d'État à Anjouan. Le colonel Abeid et sa famille sont en état d'arrestation. Décidément, la crise comorienne est loin d'être résolue.

Paris, mercredi 22 août 2001

Le général Michel Aoun vient me rencontrer à mon domicile. Un homme de taille moyenne, très mince, très droit, très alerte malgré une santé chancelante. Rien de martial dans l'allure de celui que ses adversaires ont surnommé « Napoléon ».

Il entre immédiatement dans le vif du sujet :

« La situation au Liban est très grave, violation des Droits de l'homme, arrestations arbitraires... Comment la Francophonie, qui défend les valeurs de la démocratie, peut-elle tenir son sommet à Beyrouth ? »

En guise de réponse, je lui propose un whisky ou un verre d'arak libanais. Il ne boit pas d'alcool, mais accepte un verre de jus d'orange, et poursuit :

« Si vous tenez ce sommet à Beyrouth, il y aura très certainement d'importantes manifestations.

– Dans ces conditions, que proposez-vous, mon général ? Le report du sommet, son annulation, son organisation dans une autre capitale francophone ? Ce serait une profonde humiliation pour le Liban qui a déjà tant souffert.

– C'est le régime libanais que vous humilierez, pas l'État libanais, ni le peuple libanais.

– La distinction est subtile. Je ne suis pas sûr que l'opinion publique libanaise ou l'opinion publique internationale soient en mesure de faire une telle distinction. Le sommet est une chance unique pour le Liban de tourner la page et de se faire une nouvelle image. Si l'on devait annuler ce sommet, ce serait une humiliation nationale. Ce que je vous propose, c'est de contribuer au succès du sommet.

– Je suis en faveur de la réconciliation, me dit-il sur ses gardes, mais ne sous-estimez pas la gravité de la situation au Liban. »

C'est le même général Aoun qui a déclaré la « guerre de libération » à la Syrie. A-t-il conscience que sa fameuse guerre de libération a été une erreur monumentale, et que cet ultime affrontement sanglant entre chrétiens a fait bien plus de morts que toutes les années de guerre qui l'avaient précédé ? Quoi qu'il en dise, le général Aoun a cru à un soutien israélien. Là encore, il s'est lourdement trompé... Je préfère ne pas évoquer le passé avec lui. L'entretien touche à sa fin :

« Mon général, dis-je, je suis prêt à jouer un rôle de facilitateur, si on me le demande. » Et j'ajoute, en arabe : « Vous savez la place particulière qu'occupe le Liban dans mon cœur. »

C'est comme si tout à coup une immense fatigue l'enveloppait. Les traits de son visage s'affaissent. Il lâche, dans une moue lasse et désabusée :

« Merci de ce que vous faites pour le Liban. »

Paris, jeudi 23 août 2001

« Moisson essentielle » : c'est le nom de l'opération de collecte des armes de la guérilla albanaise lancée par l'OTAN.

Que de progrès accomplis en quelques années ! Quand je pense que les Américains avaient refusé que l'on collecte les armes à Mogadiscio, allant même jusqu'à interdire aux forces françaises de procéder à cette collecte, de peur d'une confrontation qui aurait mis en péril leur théorie du « zéro mort ». Un premier pas a été franchi en Haïti, où la collecte des armes s'est faite de manière tacite et discrète. On franchit, aujourd'hui, un deuxième pas : cette collecte est devenue un objectif affiché au grand jour par l'OTAN.

Paris, vendredi 24 août 2001

J'ai demandé à Alexandre Adler de lire le texte de la conférence que je vais donner à Beijing, dans quelques jours, sur la politique étrangère de la Chine. Mon texte l'a intéressé, mais il me fait remarquer que la Chine, qui s'oppose, comme je le souligne, à toute intervention humanitaire, a néanmoins envoyé des observateurs au Timor occidental. « Cette intervention, dis-je, s'est faite à la demande de l'Indonésie. Ce que la diplomatie chinoise réfute, c'est l'ingérence unilatérale. »

Nous partageons l'idée que la Chine sera la grande puissance de demain, le contre-pouvoir au superpouvoir américain. Cela dit, la Chine, contrairement à l'Union soviétique ou à la Grande-Bretagne du siècle passé, n'a pas l'ambition de jouer un rôle à l'échelle planétaire.

Échange d'impressions sur les dirigeants chinois : le président Jiang Zemin, le Premier ministre Zhu Rongji, l'ancien Premier ministre Li Peng et le dauphin du Premier ministre, Hu Jintao.

Il sait tout de leur carrière, des liens de parenté qui les unissent. Évocation de Confucius, de son amour de la justice. Alexandre Adler n'a pas fini de me surprendre. Si je parviens, aujourd'hui, à soutenir la conversation, c'est parce que j'ai lu, à Biarritz, toute une série d'ouvrages sur la Chine. Lui se contente de puiser dans sa phénoménale mémoire.

Sofia, lundi 27 août 2001

Départ pour une visite officielle de deux jours à Sofia.

Le nouvel ambassadeur de Bulgarie accrédité auprès de la Francophonie, Marin Raykov, et l'ambassadeur d'Égypte, Osama Mohamed Tewfick, nous attendent à l'aéroport de Sofia. Direction le ministère des Affaires étrangères. Le ministre Salomon Passy, un homme jeune, au regard intelligent mais inquiet, nous accueille sur le perron. Au grand dam de notre charmante interprète, la conversation débute en anglais. Soucieux de la satisfaire et de satisfaire la Francophonie, je choisis, après quelques minutes, de m'exprimer en français, ce qui permet à l'interprète de recouvrer son prestige.

Salomon Passy me redit, tout d'abord, que la Bulgarie soutient ma candidature à un second mandat de secrétaire général. Il m'informe ensuite que son pays est en lice avec la Biélorussie pour l'élection de membre non permanent au Conseil de sécurité. Et il serait heureux d'obtenir l'appui des États francophones à l'ONU. Il évoque, pour finir, le dossier des médecins et infirmiers coopérants bulgares accusés d'être responsables de la mort de centaines d'enfants suite à l'épidémie qui s'est déclarée à l'hôpital de Benghazi, en Libye.

« Vous serait-il possible d'intervenir discrètement auprès des Libyens ? »

Je lui rappelle que je suis déjà intervenu l'année dernière à la demande de Sofia et qu'il m'avait été répondu par les autorités libyennes que l'affaire était entre les mains de la justice.

Nous avons pris du retard sur l'horaire et le Premier ministre, le roi Siméon II de Saxe-Cobourg-Gotha, m'attend. Il m'accueille avec effusion. Nos collaborateurs s'étant retirés, je l'appelle « Majesté »... Il a vécu ses jeunes années à Alexandrie, a fait ses études au Victoria College, fréquenté par la jeunesse dorée d'Alexandrie et du monde arabe. Il comptait parmi ses amis de l'époque le roi Hussein de Jordanie et le roi d'Irak.

« J'ai le plus grand mal, me confie-il en toute simplicité, à réformer l'administration de mon pays. Je travaille quinze heures par jour. Mes fils me conseillent de ralentir mon rythme de travail. "Ce n'est pas un sprint, me disent-ils, mais un véritable marathon qui vous attend." »

Il aborde, à son tour, le dossier de l'élection de la Bulgarie au Conseil de sécurité et celui des médecins incarcérés en Libye. Un peu plus tard, tandis qu'il me raccompagne jusqu'à la porte de son bureau, il me dit avec une politesse royale :

« Vous allez donner tout à l'heure une conférence sur la Francophonie au Club du Pacte atlantique. J'aurais tant aimé pouvoir vous entendre. »

J'ai l'agréable surprise de retrouver dans le corridor l'ancien ministre des Affaires étrangères, Stoyan Ganev, qui avait été élu président de l'Assemblée générale durant mon mandat à l'ONU. Il hésitait, pour des raisons politiques, à rentrer dans son pays. Il m'avait alors demandé conseil. Je lui avais répondu sans hésitation : « Vous devez rentrer en Bulgarie. Votre pays a besoin de vous. »

« Vous voyez, me dit-il en faisant quelques pas avec moi, j'ai suivi vos conseils. Je suis revenu à Sofia. »

J'ai juste le temps d'arriver au Club du Pacte atlantique. Ma conférence est suivie d'un long débat passionné sur les Nations unies, le désarmement, la situation dans les pays limitrophes de la Macédoine, l'intervention armée en Yougoslavie, dont je réaffirme l'illégalité, puisqu'elle a été décidée sans l'accord du Conseil de sécurité. Cette réponse semble ravir mon auditoire.

Le président de la République Petar Stoyanov, que je rencontre immédiatement après, revient sur le dossier du Conseil de sécurité et des médecins et infirmiers bulgares détenus en Libye, déjà évoqué ce matin par son ministre des Affaires étrangères et son Premier ministre roi.

Sofia, mercredi 29 août 2001

Je passe la matinée à l'Institut francophone d'administration et de gestion, dirigé par un jeune professeur dynamique et percutant, Jean Bénéteau. Visite des classes, discours, photos avec les membres du conseil d'administration et les étudiants. Cet institut est une illustration convaincante de la francophonie institutionnelle en Bulgarie. Il accueille non seulement des étudiants bulgares, mais aussi des Roumains, des Macédoniens, des Albanais, des Serbes et des Croates. Il est en passe de faire concurrence à l'Université Senghor d'Alexandrie.

Paris, vendredi 31 août 2001

Je reçois le nouvel ambassadeur de Djibouti accrédité auprès de la France et de la Francophonie, Mohamed Goumaneh Guirreh. C'est son premier poste diplomatique. Il s'occupait auparavant des finances de la République djiboutienne. Je m'enquiers de la santé de l'ancien président Gouled.

« Il a été, me dit-il, très affecté par la disparition de son épouse. »

À la différence de nombreux souverains musulmans, le président Gouled n'avait qu'une épouse, et ce, bien qu'ils n'aient jamais pu avoir d'enfants.

Léa et moi avions reçu le couple présidentiel lors de leur visite officielle au Caire. Alors que Léa s'informait auprès de l'épouse du Président des détails de leur dernier voyage en Europe, celle-ci lui avait répondu : « Nous avons été reçus par la grande-duchesse du Luxembourg avant de passer quelques jours dans la brousse de ce beau pays. »

Le président Gouled, pour sa part, aimait bien me faire des remontrances en public : « Tu me promets toujours beaucoup de choses pour Djibouti, mais tes promesses sont sans lendemain… »

J'avais beau énumérer les promesses tenues (l'envoi de médecins, de professeurs, d'interprètes, de conseillers juridiques égyptiens), il ne gardait en mémoire que les promesses que je n'avais pas été en mesure d'honorer.

C'est un sage d'Afrique, aux paroles redoutables et redoutées. J'ai le souvenir de ses interventions remarquées lors des sommets de l'OUA, de France-Afrique ou de la Francophonie. Il était toujours prêt à en découdre avec les ténors, qui se gardaient bien de rétorquer eu égard à son âge, ou de peur d'essuyer ses cinglantes reparties.

Paris, dimanche 2 septembre 2001

Al-Ahram rapporte ce matin que soixante et un chefs palestiniens ont été assassinés, durant ces dernières semaines, par les services spéciaux israéliens. Ce qui me fait le plus souffrir, c'est le silence de la communauté internationale, de la presse, des organisations non gouvernementales face à ce terrorisme d'État. Exemple flagrant de la manière sélective qu'ont les ONG d'opérer. J'ai reçu des centaines de lettres de ces organismes dénonçant la violation des Droits de l'homme en Haïti, en Tunisie, en Côte-d'Ivoire… En revanche, jamais le moindre mot sur la répression en Palestine, sur ces centaines de morts, ces milliers d'invalides, ces maisons détruites, ces terres dévastées, sur la torture infligée à des enfants, torture que la presse israélienne elle-même mentionne. Où sont les défenseurs des Droits de l'homme ? Pourquoi n'osent-ils pas élever la voix, dénoncer ? Ont-ils peur d'être accusés d'antisémitisme ou de haine anti-israélienne ? À moins que les ONG n'agissent sur instructions de certains lobbies ou de certains États.

Contrairement à ses promesses, Ariel Sharon a été incapable de garantir la sécurité de son peuple. Contrairement à ce que pense une partie de l'opinion occidentale, les kamikazes palestiniens sont des héros aux yeux d'un milliard de musulmans. Pour autant, je suis le premier à dénoncer les attentats terroristes perpétrés par ces kamikazes qui tuent des innocents, qui projettent une image négative de la lutte palestinienne pour la liberté.

Pourrai-je encore, demain, condamner un État francophone qui a emprisonné un journaliste ou interdit une ONG quand l'État d'Israël assassine en toute impunité soixante et un chefs palestiniens devant une opinion publique mondiale muette ? Il est clair que dans la plupart des États du tiers monde, la protection des Droits de l'homme sert d'oripeaux moralisateurs au jeu des grandes puissances. Mais dans tout cela, ce qui m'humilie, ce qui m'attriste le plus, c'est l'impuissance du monde arabe. Exception faite des slogans ou des incantations, il paraît totalement paralysé, comme plongé en état de léthargie. Les Palestiniens vivent, seuls, cette funeste tragédie.

Paris, mardi 4 septembre 2001

Ce matin, je reçois Vitaly Yukhna, le ministre conseiller de l'ambassade d'Ukraine. Aux Nations unies, j'ai eu affaire à maintes reprises aux diplomates ukrainiens : ce sont des négociateurs tenaces et obstinés. La commission chargée d'examiner les demandes d'adhésion à la Francophonie a refusé le statut d'État observateur à l'Ukraine, jugée trop peu ou pas encore assez francophone. Un jugement contre lequel le ministre conseiller s'inscrit vigoureusement en faux, force arguments à l'appui. Le roi Henri Ier n'a-t-il pas épousé en 1051 la fille du grand-prince de Kiev Iaroslav le Sage, faisant d'elle une reine de France ? Le français, qui est la troisième langue étrangère en Ukraine, est enseigné par quatre mille trois cents professeurs, pour la plupart membres de la Fédération internationale des professeurs de français.

Je tente d'apaiser mon interlocuteur en lui expliquant que l'avis de la commission chargée des adhésions est consultatif et que les ministres des Affaires étrangères, mais surtout les chefs d'État et de gouvernement, peuvent passer outre à cette recommandation lors du sommet. Il semble ne pas m'entendre et poursuit avec exaltation son plaidoyer en faveur de l'Ukraine francophone. J'écoute patiemment.

Faut-il « approfondir » la Francophonie ou l'« élargir » ? Les avis des États et gouvernements sont partagés. Mais tous, sans exception, oublient ce nécessaire préalable : augmenter le budget de l'organisation pour tenir compte de ces nouveaux venus.

Paris, mercredi 5 septembre 2001

La communauté juive de France prend enfin position face à la folie d'Ariel Sharon qui se méfie d'ailleurs maladivement de tout ce qui est français. *Le Monde* publie la lettre ouverte que lui adresse Théo Klein, l'ancien responsable du Conseil représentatif des institutions juives de France, le CRIF. Le ton est sans équivoque : « Cette action est absurde parce qu'elle ne fait qu'alimenter la passion et la haine, parce qu'elle mobilise la population palestinienne autour de ceux qu'elle considère comme ses combattants, et parce qu'elle entretient la population israélienne dans l'illusion d'une fausse sécurité. »

Sur la même page un « Appel à la raison » signé par une soixantaine de scientifiques et d'intellectuels qui appellent à une partition du pays tout en précisant : « Aucune paix ne pourra être durable si les États résultant de cette partition n'ont pas tous deux de continuité territoriale... Il ne pourra pas y avoir un État palestinien stable comprenant en son sein des colonies et leurs routes d'accès. Or, l'expérience des colonies du Sinaï l'a montré : dans un climat de paix, l'abandon des colonies est possible... »

Je crois connaître la réaction d'Ariel Sharon : « Nous n'avons de leçons à recevoir de personne, surtout pas de la diaspora juive qui, si elle veut se faire entendre, n'a qu'à venir s'installer en Israël. »

Paris, samedi 8 septembre 2001

La conférence mondiale de Durban contre le racisme a démontré une fois de plus l'aggravation du fossé entre pays riches et pays pauvres. La frustration croissante, l'humiliation quotidienne, une marginalisation et une exclusion de plus en plus difficiles à vivre et à assumer : telle est la signification réelle de la conférence de Durban.

Il y a évidemment aussi la condamnation quasi unanime de l'arrogance israélienne, confortée par la superpuissance américaine : c'est une autre façon, pour les pays du tiers monde, d'exprimer leur révolte.

Ceux qui croyaient que la décolonisation de l'Afrique – dernier espace colonisé – et l'éradication de l'apartheid mettraient un terme au conflit Nord-Sud, que la fin de la guerre froide verrait l'avènement du tiers-mondisme, se sont lourdement trompés. Ces bouleversements vont renforcer l'unilatéralisme ou le néo-isolationnisme américain. Bien plus, ils vont conduire les pays nantis à verrouiller toujours mieux leurs frontières pour empêcher les déshérités du Sud, attirés par les mirages du Nord, de fouler leur sol et de profiter de leurs richesses.

Dans une heure, je m'envolerai pour Beijing, première capitale du tiers monde qui, un jour peut-être, prendra la tête d'un nouveau mouvement tiers-mondiste. Certes, l'échec du non-alignement, du mouvement afro-asiatique et de l'œcuménisme marxiste n'est pas fait pour encourager la Chine ou l'Inde à assumer un nouveau contre-pouvoir, pourtant seul susceptible d'éviter un nouveau désastre à la planète. Car, sans chef de file, les États du tiers monde resteront divisés, asservis par l'oligarchie des pays surdéveloppés, et le gouffre Nord-Sud ira en s'élargissant.

(Départ pour la Chine...) Le vol de nuit est pénible : je ne parviens pas à m'endormir. J'écoute en boucle un programme musical qui diffuse des chansons arabes « occidentalisées ». Les chanteurs actuels affectionnent en effet les chœurs et des arrangements musicaux qui n'ont plus rien d'arabe. Aucune chanson de nos grands interprètes traditionnels comme Oum Kalsoum, Abdel Wahab ou Farid el-Atrache qui, fort heureusement, occupent toujours une place de choix dans les programmes de radio du monde arabe.

Beijing, dimanche 9 septembre 2001

L'aéroport de Beijing a été refait avec un luxe digne de cette civilisation millénaire. La ville, qui se prépare à accueillir les Jeux olympiques de 2008, est elle aussi méconnaissable avec ses nouvelles tours et ses allées boisées, le maire de Beijing s'étant engagé à consacrer 40 % de la superficie aux espaces verts. Contrairement à ce que l'on observe dans toutes les grandes métropoles, les architectes sont parvenus, ici, à donner aux gratte-ciel une note typiquement chinoise. Un détail me frappe : les policiers, les chauffeurs, les serveurs portent tous des gants blancs, un luxe que l'on ne retrouve ni en Europe, ni en Amérique, ni dans le tiers monde, et à propos duquel personne n'a su me fournir une explication.

Beijing, lundi 10 septembre 2001

À neuf heures précises, ouverture de la conférence « La Chine et le monde au XXIe siècle », en présence de nombreuses stars de la politique : Zbigniew Brzezinski, avec qui j'ai négocié le traité de paix avec Israël en 1979, Hang Sung-Joo, ancien ministre des Affaires étrangères de Corée, Robert Hawke et Paul Keating, anciens Premiers ministres d'Australie, Kaifu Toshiki, ancien Premier ministre du Japon, l'amiral Jacques Lanxade, Jacques Santer, ancien président de la Commission européenne, et Helmut Kohl qui, malgré ses ennuis politiques et personnels, affiche une bonne humeur et une santé resplendissantes. Ont également été conviés tous les dignitaires du régime chinois.

(Dans l'après-midi...) Intervention des différents orateurs sur le thème « Quel rôle pour la Chine au XXIe siècle ? »

Ce thème m'inspire trois réflexions préalables :

1. La Chine dérange le monde occidental dans la mesure où elle le dépossède de sa position de centralité historique. Il est clair qu'elle perturbe la quiétude intellectuelle, la rente de situation historique et la position privilégiée de l'Occident.

2. Tout imprégnée du principe taoïste du *wuwei*, qui signifie littéralement « non-action », mais qui est plutôt l'art de savoir patienter, l'art de laisser du temps au temps, la Chine n'est aucunement pressée de jouer un rôle de premier plan à l'échelle planétaire. En d'autres termes, comme me l'ont dit à plusieurs reprises des dirigeants chinois : « Sur le plan international, la Chine n'aspire pas au leadership. »

3. Malgré sa volonté stratégique de privilégier la politique intérieure sur la politique extérieure, la Chine est de plus en plus imbriquée, impliquée, enserrée dans le système politique et économique mondial. Son siège permanent au Conseil de sécurité, sa participation à des dizaines d'organisations internationales, son entrée à l'OMC constituent autant d'obligations qui l'amènent à assumer des responsabilités sur le plan mondial.

Cela posé, on pourrait résumer, en six points, les grands principes qui guident la Chine, en matière de politique étrangère, principes qu'il faudrait mettre en œuvre à l'échelle de la planète.

Premier principe : une politique étrangère de paix et de stabilité sert le développement.

Deuxième principe : le maintien de la paix nécessite l'élaboration d'un nouveau concept de sécurité fondé sur le renoncement à l'attitude qui prévalait durant la guerre froide et la course aux armements. Mais renoncer à l'attitude qui a été de mise durant cette période n'est pas chose aisée. Car cela suppose, non seulement un changement de politique, mais surtout un changement radical de mentalité. L'état d'esprit qui s'est installé et développé durant quarante ans, et qui a même généré des institutions, des groupes de pression et de véritables lobbies, était entièrement focalisé sur l'« Ennemi », peu importait du reste qu'il fût réel ou imaginaire. En tout état de cause, c'est cet ennemi qui suscitait l'adhésion des peuples et légitimait l'effort de réarmement. Il n'est que de voir les slogans qui avaient cours à l'époque : « le grand Satan », le « péril jaune », qui n'avaient d'autre objectif que de s'assurer le soutien de l'opinion publique.

En bref, conformément à ce nouveau concept, la paix ne saurait être assimilée à un équilibre de puissances, pas plus qu'à l'idée d'une paix hégémonique, telle que la *pax romana* et la *pax britannica* d'autrefois, ou la *pax americana* d'aujourd'hui. Car l'hégémonie mène inévitablement à une remise en cause de l'équilibre des forces et à une course aux armements. Il s'agit donc plutôt d'un concept de sécurité collective mondiale, d'une *pax orbica*.

Troisième principe : la démocratisation des relations internationales sur la base de la suprématie du droit. Cela exige notamment la promotion de la multipolarité, la relance de la solidarité internationale pour éviter que le fossé Nord-Sud ne se creuse, et enfin la réforme des Nations unies, ce que j'ai préconisé durant mon mandat de secrétaire général des Nations unies.

Quatrième principe : le strict respect de la souveraineté de l'État-nation et le rejet de toute ingérence dans les affaires intérieures d'un État. À cet égard, le concept d'ingérence humanitaire est totalement étranger au droit international et constitue une violation des principes énoncés dans la Charte des Nations unies. Bien plus, cette ingérence s'applique de manière sélective et les États occidentaux ont toujours adopté deux poids, deux mesures en la matière.

Cinquième principe : la formation d'ensembles régionaux, tant dans le domaine économique que dans celui de la sécurité et de la paix.

Sixième principe : la protection des Droits de l'homme demeure une priorité. Encore faut-il au moment de leur application prendre en compte les spécificités de la culture politique chinoise.

Cela étant, ces principes importent moins que l'avenir des relations entre Beijing et Washington. Qu'en sera-t-il ? On voit s'affronter aujourd'hui deux écoles de pensée. Selon la première, une guerre froide sino-américaine est inéluctable, tant du point de vue de certains experts chinois que de celui de certains experts américains.

De l'avis des experts chinois, qui gardent en mémoire la violence historique du colonialisme, l'Europe et l'Amérique se retrouveront toujours du même côté pour s'opposer à la Chine. C'est d'ailleurs en ce sens que l'Europe actuelle reste fortement dépendante des États-Unis. Et l'Occident continue à vouloir imposer sa vision des choses et à vouloir édicter la norme internationale.

Pour ce qui est des experts américains, formés à l'école de la guerre froide, la stratégie développée par leur pays n'autorise pas qu'une autre grande puissance ait une politique de sécurité indépendante. La création d'un bouclier antimissile, l'appui militaire fourni à Taïwan sont deux mesures, parmi d'autres, pour parer ou freiner le développement de la puissance militaire chinoise.

Il est clair qu'une telle attitude ne peut qu'entraîner une course aux armements, puisque la Chine se voit dans l'obligation de multiplier ses missiles à longue portée et d'adopter une stratégie susceptible de contrer le bouclier antimissile américain. Et il faudra attendre que les deux protagonistes aient atteint l'équilibre des forces pour qu'ils puissent adopter un *modus vivendi* dans leurs relations bilatérales.

Selon la seconde école de pensée, qui trouve des partisans à Beijing comme à Washington, il est tout à fait possible de trouver ce *modus vivendi* sans en passer par la course aux armements. Et ce sont les relations économiques entre la Chine et les États-Unis qui permettront de faire taire le contentieux politique, militaire et idéologique.

La réunion pacifique de Taïwan aura lieu tôt ou tard, selon la formule « un pays, deux systèmes », une formule qui a fait ses preuves à Hong Kong et à Macao. Du reste des liens extrêmement étroits se sont déjà noués entre les deux rives du détroit de Taïwan : plus de vingt millions de Taïwanais sont passés en Chine où ils ont investi des milliards de dollars. La force persuasive de l'économie et de la diplomatie l'emportera peut-être sur la force dissuasive des armes. Il n'est que de voir les rapports commerciaux avec le Japon, premier partenaire commercial de la Chine, avec plus de 66 milliards de dollars par an, avec les États-Unis, pour plus de 62 milliards par an, et avec l'Union européenne, pour plus de 55 milliards par an. Par ailleurs, l'admission prochaine de la Chine à l'OMC, son exceptionnel développement qui cette année affiche 7 % de croissance, malgré une récession au niveau mondial, sont autant d'éléments qui peuvent laisser présager que la logique de la guerre froide sera abandonnée à moyen terme.

J'appréhende la première école et je rêve de la seconde, mais seul l'avenir nous dira laquelle de ces deux options l'emportera. Peut-être, aussi, la conjoncture internationale et la mondialisation ouvriront-elles d'autres voies que nous ne connaissons pas encore.

(Le soir…) Nous sommes conviés à un grand banquet. À mon côté, Zbigniew Brzezinski. Nous évoquons la situation israélo-palestinienne : « La politique américaine au Moyen-Orient, me dit-il, relève d'une bêtise monumentale ou d'un cynisme tout aussi énorme. Je veux dire par là qu'ils attendent que les deux protagonistes s'épuisent dans leur combat sanglant pour intervenir. »

Beijing, mardi 11 septembre 2001

Brillant discours de Brzezinski pour qui la suprématie de la superpuissance américaine, dans les vingt années à venir, ne fait aucun doute. Il se demande si la Chine sera en mesure de poursuivre sur la voie des transformations et du progrès économique, à moins de souscrire à quatre conditions : parvenir à un équilibre entre mutations économiques et mutations politiques, surmonter l'élargissement du fossé entre pays riches et pays pauvres, contrer une éventuelle coalition entre les entrepreneurs et la mafia, éviter une confrontation idéologique. De son point de vue, les relations sino-américaines sont bonnes, et la question de Taïwan se réglera pacifiquement avec le temps. Une autre manière d'exprimer ce que Qian Qichen formulait hier matin en ces termes : « Nous avons la patience nécessaire pour savoir attendre », et que je relie, pour ma part, au *Wuwei*.

Épuisé par le voyage, le décalage horaire et le rythme soutenu de la conférence je décline l'invitation à dîner de ce soir. Léa et moi décidons de prendre un frugal repas dans la chambre. Tandis que je relis le texte des interventions de la journée, Léa regarde les informations sur CNN. Je l'entends, tout à coup, s'écrier : « On a attaqué les tours du World Trade Center et le Pentagone a été bombardé ! » L'instant de stupeur passé, je me précipite vers le petit écran. J'ai le sentiment de visionner un film de science-fiction. Minute après minute, la chaîne repasse en boucle l'effondrement des Twin Towers. Il s'agirait d'un attentat terroriste islamiste.

Ma première réaction est une réaction de soulagement. Il n'y aura que très peu de victimes puisqu'il doit être 7 heures du matin à New York. Léa corrige immédiatement mon erreur : il est 9 h 30 et les tours, à cette heure-là, abritent des milliers d'hommes et de femmes…

Deuxième réaction : le bouclier antimissile a perdu une grande partie de sa raison d'être. Le territoire américain n'est pas invulnérable. Encore que certains intervenants aient expliqué, hier, que ce bouclier n'était pas une arme défensive mais qu'il était conçu pour protéger les États-Unis d'éventuelles représailles de la part d'un État victime d'une intervention militaire américaine. *A fortiori* maintenant : les partisans du bouclier antimissile ne sont pas près de renoncer.

Troisième réaction : je redoute une croisade anti-islamique, dans la mesure où l'opinion publique américaine ne fait pas de différence entre les authentiques musulmans – les musulmans modérés – et les fous de Dieu – les intégristes.

Quatrième réaction : je crains qu'Israël ne prenne prétexte de ce désastre pour occuper les territoires palestiniens et intensifier sa répression.

Tandis que je couche sur le papier quelques notes à la hâte, Léa s'insurge. Elle me reproche mon insensibilité face à la tragédie humaine qui est en train de se dérouler : « Est-ce que tu te rappelles que mon frère habite New York et que ton neveu travaille chez Stanley Morgan ? » Nous essayons de les joindre par téléphone, mais les lignes sont encombrées. Je suis d'avis que nous prenions un somnifère afin de pouvoir agir à tête reposée demain matin, d'autant plus que les informations qui nous parviennent sont encore très lacunaires. Léa ne m'entend pas. Elle a passé la nuit à regarder CNN et la BBC.

Beijing-Paris, mercredi 12 septembre 2001

Malgré les somnifères, je me réveille très tôt pour prendre connaissance des dernières nouvelles. Je relis les notes que j'ai prises hier à soir, à chaud. J'ai envie d'ajouter, ce matin, que le grand danger qui menace la paix après les attaques sur New York et Washington, c'est la recherche d'un ennemi, comme autrefois «le grand Satan» ou «le péril jaune». J'ai peur que Washington ne veuille diaboliser le terrorisme dans le monde arabe et dans le monde musulman, qui sont les premiers à payer un lourd tribut à l'intégrisme islamique : les guerres internes en Algérie, à Karachi, ou encore l'assassinat de touristes en Égypte ne sont que quelques exemples de la lutte permanente que doivent mener les gouvernements arabes et musulmans contre leurs terroristes respectifs.

Par ailleurs, contrairement à ma première impression, je suis maintenant convaincu que les tragiques événements d'hier renforcent les partisans du bouclier antimissile, qui pourront arguer du fait que les terroristes seront bientôt en possession de missiles. C'est la course au réarmement assurée. C'est la Chine contrainte à multiplier par cent ses vingt ou trente missiles intercontinentaux. C'est une nouvelle guerre froide à l'échelle planétaire.

La conférence reprend. Arrivé en retard, j'ai malheureusement manqué la brève intervention de Zbigniew Brzezinski. Il paraît pensif et accablé. Nous échangeons nos réactions au cours du déjeuner :

«Le problème, me dit-il, c'est de savoir vers qui vont être dirigées les représailles américaines, qui doivent être à la mesure de l'agression terroriste. Larguer quelques bombes sur l'Afghanistan n'aurait aucun sens.»

Je lui fais part de ma crainte d'une vague antiarabe et antimusulmane. Il partage mon inquiétude.

«Mais il y a aussi le fait que ces événements risquent de renforcer la mobilisation des intégristes. Cette "grande victoire" a dû les conforter dans l'idée qu'ils étaient en mesure de l'emporter.»

Durant l'après-midi, l'un des intervenants adresse ses condoléances à la banque Stanley Morgan qui a perdu la plupart de ses employés. Je réalise, tout à coup, que mon filleul Sadek travaille pour la Stanley Morgan. Je suis pris d'une soudaine frayeur. Je me précipite dans ma chambre pour téléphoner à New York. Mon filleul décroche, surpris, il est quatre heures du matin à New York. Lorsqu'il apprend la raison de mon coup de téléphone, il paraît surpris : « Tu sais bien que mon bureau est assez loin du World Trade Center… » Cette grande peur m'a épuisé.

(En toute fin d'après-midi…) Nous sommes reçus par Li Peng et son épouse. Il revient sur la conférence et me félicite pour mon discours « très pertinent ». Nous évoquons les attentats à New York : il condamne le terrorisme. Il me demande ensuite mon opinion sur la crise économique qui sévit aux États-Unis et en Europe.

« Je suis assez optimiste, dis-je. Je pense que nous aurons une reprise vers la fin de l'année.

– Je suis beaucoup moins optimiste que vous…

– Monsieur le Président, vous êtes un grand économiste, je ne suis qu'un petit politicien, ce qui explique sans doute notre divergence d'opinion. »

Lors du dîner offert en mon honneur par l'Association chinoise des Nations unies, l'un des convives me confie : « Si l'on fait abstraction des victimes, il faut reconnaître que l'opinion tiers-mondiste retire une certaine satisfaction des événements d'hier : l'Amérique n'est pas invincible. Ces attentats ont une valeur symbolique. Le centre du pouvoir économique à New York et celui du pouvoir militaire à Washington ont été détruits. Cette double humiliation va peut-être enfin calmer l'arrogance de la superpuissance. En tout cas elle est de nature à réconforter tous les laissés-pour-compte de la planète, persuadés qu'ils ont désormais les moyens de se faire entendre. »

Paris, vendredi 14 septembre 2001

Visite du ministre des Affaires étrangères du Togo, Koffi Panou, de passage à Paris. Il convient, avec moi, que l'emprisonnement d'Yawovi Agboyibo, président du Comité d'action pour le renouveau, un parti d'opposition, dessert l'image du pouvoir togolais. Je plaide pour sa libération.

Passionnante et fraternelle discussion avec le général malien, Amadou Toumani Touré : il est décidé à se présenter aux prochaines élections présidentielles. Dans quelques jours, il démissionnera de l'armée. J'ai la conviction qu'il sera un grand chef d'État, non seulement parce qu'il a su se constituer un solide réseau de contacts en Europe et aux États-Unis, mais aussi parce qu'il est très respecté en Afrique pour le rôle de médiateur qu'il a joué dans plusieurs conflits. Certes, il lui faut encore conquérir les partis politiques maliens et prendre la tête d'une coalition des partis d'opposition.

Paris, samedi 15 septembre 2001

Ce matin, j'ai lu avec plaisir et soulagement la lettre ouverte que Jean d'Ormesson adresse au président Bush : « Si j'osais, je vous adjurerais de ne pas être pour les masses islamiques, du Maroc à l'Indonésie, ce qu'Ariel Sharon a été pour les Palestiniens... »

Mais ce que Jean d'Ormesson omet de dire, c'est que les terroristes qui sont morts en lançant des avions civils sur les tours du World Trade Center et les bâtiments du Pentagone sont devenus des martyrs aux yeux des masses musulmanes, au même titre que les premiers martyrs de l'ère chrétienne, morts en proclamant leur foi, avant d'être canonisés. Et je crois qu'il faut tenir compte, par-delà les déclarations de solidarité avec le peuple américain qu'ont faites les gouvernements musulmans et arabes, de la satisfaction qu'ont éprouvée les masses islamiques, du Maroc à l'Indonésie, en voyant David terrasser Goliath. Il n'y a pas la moindre trace d'antiaméricanisme dans ce que j'écris.

Dîner avec Hector Gros Espiell. En bon juriste, il voit dans les attentats du 11 septembre une situation inédite que le droit international n'avait pas prévue : une déclaration de guerre à des réseaux terroristes, et non plus à des États. Une preuve supplémentaire que l'État-nation est désormais en concurrence avec de nouveaux acteurs non étatiques. C'est aussi, selon lui, le signe évident du dépérissement de l'ONU.

Beyrouth, mercredi 19 septembre 2001

Je suis reçu par le président Émile Lahoud, jovial, chaleureux et optimiste. Il est vêtu d'un costume blanc, estival. C'est encore l'été à Beyrouth. Évoquant la conférence à laquelle j'ai participé à Beijing, je reviens sur la discussion que nous avons eue à propos du bouclier antimissile, arme offensive ou arme défensive destinée à protéger le territoire des États-Unis en cas d'intervention militaire américaine. Son visage s'éclaire et se fait plus attentif. C'est le militaire qui retrouve ses centres d'intérêt premiers.

Nous abordons les préparatifs du sommet. Il s'est récemment entretenu par téléphone avec Jacques Chirac et Jean Chrétien, qui sont en faveur du maintien de cette conférence malgré d'éventuelles représailles américaines en Afghanistan ou ailleurs.

« Permettez-moi, dis-je, de vous suggérer de dépêcher des émissaires auprès des chefs d'État et de gouvernement pour les assurer que toutes les mesures de sécurité ont été prises pour leur venue. »

Le Président me rétorque, avec solennité et fierté, que l'ordre et la sécurité règnent à Beyrouth.

Rencontre avec le président de la Chambre des députés, Nabil Berry. Il m'expose longuement sa théorie sur l'intégrisme islamiste qui, selon lui, trouve essentiellement ses racines dans l'agression israélienne contre les Palestiniens, les Libanais et les Syriens.

Je visite les sites du sommet. Des travaux considérables ont été réalisés : goudronnage des routes, restauration de bâtiments, aménagement d'espaces verts. Le sommet de la Francophonie a donné lieu à une véritable mobilisation nationale. Personne n'ose émettre l'idée qu'il puisse être reporté ou annulé.

Paris, vendredi 21 septembre 2001

Je reçois le nouvel ambassadeur du Pakistan à Paris, Musa Javed Chohan. Il évoque avec gravité la situation très difficile que traverse son pays. Il m'expose en détail la conjoncture afghane avec ses différentes tribus, ses sectes chiites et sunnites, et la politique des États voisins. Par instants, je vois son expression se tendre. « Les Talibans ne livreront jamais Ousama ben Laden : il est leur hôte et les hôtes sont sacrés. » Les intégristes sont minoritaires au Pakistan, mais c'est une minorité très active.

Je me demande quelle est la raison profonde de sa visite. Il semble qu'il veuille recueillir mon analyse de la situation.

« Pour l'instant, dis-je, je ne vois que deux grandes orientations possibles. Tout d'abord, expliquer et expliquer encore qu'il serait dangereux de faire l'amalgame entre islam et terrorisme. Ensuite, je crois qu'il faut essayer de convaincre la communauté internationale que si intervention militaire il y a, elle doit être multilatérale et menée dans le cadre de l'ONU. »

Paris, samedi 22 septembre 2001

Je tente de retrouver dans ma bibliothèque la Charte des Nations unies en arabe. Je tombe, par hasard, sur l'un de mes anciens cours de droit international qui traite des guerres justes et des guerres injustes, selon la classification de Hugo Grotius.

D'après la Charte des Nations unies, les guerres sont injustes tant qu'elles n'ont pas obtenu l'aval du Conseil de sécurité. Quand George Bush nous parle d'une « croisade » – mot malencontreux – des forces du bien contre les forces du mal, c'est une autre manière de dire que sa guerre contre les terroristes est une guerre juste. Dans le même temps, le djihad prôné par Ben Laden contre les ennemis de l'Islam est, selon le Coran et la charia, une guerre juste, au sens où l'entend Grotius. Il faut à tout prix se garder de ce manichéisme langagier et rappeler que les pays qui ont le plus souffert du terrorisme islamique durant ces dernières décennies ne sont autres que des pays musulmans.

Quelles seront la nature et l'ampleur de la riposte américaine ? Que sera la politique américaine à l'égard de la Palestine ? Je sais bien que le lobby sioniste aux États-Unis s'efforce de nous convaincre que le conflit israélo-palestinien n'a que peu de rapports avec le djihad d'Ousama ben Laden et que c'est plutôt le fait que l'armée américaine soit stationnée en Arabie Saoudite – véritable sacrilège – qui attise sa volonté guerrière.

Je ne prétends pas connaître les motivations profondes de Ben Laden. Je sais en revanche que, dans l'esprit des populations arabes, l'attitude partiale des Américains à l'égard des Palestiniens et des Irakiens, mais aussi la mosquée al-Aqsa à Jérusalem sont autant de justifications pour la guerre d'Ousama ben Laden à qui ils vouent une réelle admiration. En outre, la presse internationale a soigneusement occulté que le 11 septembre était une date symbolique, puisque c'est le 11 septembre 1922 qu'est entré en vigueur le mandat britannique en Palestine, malgré l'opposition farouche des Arabes.

Genève, jeudi 27 septembre 2001

Je déjeune avec Juan Somavia et son épouse. La conservation tourne autour des événements du 11 septembre et du symbolisme de cette date. Je rappelle l'entrée en vigueur du mandat britannique en Palestine, le 11 septembre 1922, mais aussi la prise de Cordoue, capitale arabe, par Ferdinand III, le 11 septembre 1236. Ils m'apprennent que le coup d'État de Pinochet contre Allende s'est aussi déroulé un 11 septembre. Chacun a son 11 septembre... Mais ce 11 septembre 2001 est exceptionnel et récent. Il restera sans doute gravé dans les mémoires pour de longues années encore.

(En début d'après-midi...) J'inaugure en compagnie du président de la Croix-Rouge, du haut-commissaire des Nations unies aux Droits de l'homme, Mary Robinson, et d'autres personnalités le IIIe symposium de la Francophonie consacré aux problèmes humanitaires dans la région des Grands Lacs. Mary Robinson, qui revient de New York, me dit qu'il y a une véritable chasse aux sorcières dans les rues, le métro, les magasins. Les Arabes, et dans le doute « tous les basanés », sont victimes du délit de faciès. La propagande israélienne, qui distille l'idée que Ben Laden et Yasser Arafat sont deux créatures interchangeables, ne contribue pas à apaiser la situation.

Comment mettre un terme à cette hystérie collective ? Il faut que l'opinion publique comprenne que l'on ne fondera jamais une politique digne de ce nom sur la diabolisation de l'autre – en l'occurrence l'Arabe. J'entends d'ici les sceptiques : ce n'est pas à coups d'idées ou de concepts que l'on fera évoluer l'opinion publique, mais plutôt à travers une figure emblématique – acteur de cinéma ou chanteur – qui, coiffée du même keffieh que Yasser Arafat, déclarera devant des centaines de millions de spectateurs : « Nous sommes tous des Arabes unis contre les terroristes… le terrorisme international ! » Et un chœur de petits chanteurs arabes entonnera « Mort au terrorisme ! » Les gouvernements arabes sont incapables d'une telle audace médiatique, et le lobby sioniste risque de contrecarrer un tel scénario.

Ironie du sort : l'ONU a décrété 2001 « Année du dialogue des civilisations ». Cette organisation semble avoir des dons prémonitoires.

Genève, vendredi 28 septembre 2001

Je rencontre ce matin Gro Harlem Bruntland, ancien Premier ministre de Norvège, et aujourd'hui directeur général de l'Organisation mondiale de la santé.

« Je viens vous féliciter pour votre poste… avec trois ans de retard », dis-je.

Visite de courtoisie, mais aussi de promotion de la Francophonie afin de favoriser la collaboration entre nos deux institutions.

« Je m'envole demain pour Riyad, m'annonce-t-elle avec fierté, pour une réunion régionale de l'OMS. »

L'un de ses collaborateurs me confiera qu'elle appréhende en fait ce voyage au cœur du monde islamo-arabe.

Elle me remet une lettre de son époux, Arne Olav Bruntland, qui s'occupe, pour elle, de la publication de ses Mémoires. Il me demande l'autorisation de reproduire dans cet ouvrage un épisode que je relate dans *Mes années à la maison de verre* : l'intervention, en septembre 1991, du Premier ministre britannique John Major auprès de Mikhaïl Gorbatchev en faveur de la candidature de Gro Harlem Bruntland au poste de secrétaire générale des Nations unies. « Nous nous sommes déjà engagés auprès de l'Égypte », avait répondu Mikhaïl Gorbatchev.

Paris, dimanche 30 septembre 2001

Coup de téléphone du Premier ministre libanais, Rafiq Hariri, qui souhaiterait que je me mette en contact avec le président Émile Lahoud pour l'entretenir du report du sommet de la Francophonie. « Le Président reste en effet déterminé à tenir cette conférence, même si elle ne doit accueillir qu'un nombre restreint de chefs d'État et de gouvernement », me dit-il.

Je tente de convaincre le Président libanais que ce ne sont pas les conditions de sécurité à Beyrouth qui sont en cause, mais plutôt le risque que peuvent encourir les chefs d'État et de gouvernement durant leur voyage en avion, le risque aussi qu'ils soient immobilisés à Beyrouth…

Le Président réaffirme avec vigueur que l'ordre et la sécurité sont parfaitement assurés dans tout le pays. Il n'est pas enclin à reporter ce sommet, d'autant plus que Jacques Chirac et Jean Chrétien lui ont redit récemment qu'ils feraient le déplacement. « Le problème sera néanmoins débattu lors du prochain Conseil des ministres », conclut-il.

Nouvel échange téléphonique avec Rafiq Hariri pour l'informer de ma conversation avec le président. Nous décidons de rester en contact étroit.

Paris, lundi 1er octobre 2001

Les Russes, qui ont récemment créé le Conseil de la langue russe, un organisme chargé de défendre cette langue au sein des anciens États fédéraux de l'Union soviétique, ont émis le souhait de connaître le fonctionnement de notre organisation et les actions qu'elle mène en faveur de la défense et de la promotion de la langue française. Nous avons, à leur demande, organisé une réunion de travail avec un groupe de députés, de diplomates et d'académiciens russes.

En guise d'introduction, je fais une brève présentation de l'OIF, de ses objectifs et de ses missions. Je cède la parole au vice-président du Conseil de la langue russe, l'académicien Evgueni Chelychev. De toute évidence, la Francophonie n'est pour lui qu'une succursale du Quai d'Orsay. Il ne semble pas avoir saisi sa dimension d'organisation internationale. Il est vrai que le Conseil de la langue russe demeure une institution nationale.

Chacun des opérateurs de l'OIF expose ensuite les différents programmes qu'il mène.

J'invite nos hôtes à l'hôtel Nikko pour un déjeuner convivial. Le député Kaadyr-Ool Bicheldey, vice-président du comité des nationalités de la douma, prononce un discours enjoué avant de m'offrir un porte-bonheur fabriqué par un chaman. Je le remercie chaleureusement : j'ai un faible pour les talismans, et je crois en leurs vertus bénéfiques.

Paris, mardi 2 octobre 2001

Dernière séance de travail russo-francophone sur le thème de la diversité culturelle et de la mondialisation. Selon Evgueni Chelychev, la mondialisation « est une espèce de monopolisation, une orientation vers une culture imposée pour pouvoir se considérer comme une nation civilisée. Cette prétention à la monopolisation de la culture, d'une culture choisie artificiellement, est tout à fait inadmissible au sens moral et scientifique ». Il emploie une brillante formule que tous les intervenants reprendront, celle d'« écologie des langues », qui est un processus global et commun à tous les pays qui cherchent à conserver et à protéger leur richesse linguistique. En conclusion, il se propose de reprendre, au sein du Conseil de la langue russe, la stratégie de la Francophonie. Je me garde bien de lui demander ce qu'il entend par cette stratégie, je serais moi-même dans l'incapacité de la définir.

Mon ami l'académicien Alexeï Vassiliev, pour sa part, considère que l'uniformisation « n'est pas seulement amorale, mais qu'elle humilie l'homme et qu'elle est dangereuse pour l'humanité. Les États-Unis sont un grand pays, représentant une grande civilisation, une grande culture, une grande économie et ce pays mérite d'être admiré. Mais pourquoi les Égyptiens, qui ont six mille ans de civilisation, devraient-ils devenir américains ? Pourquoi le Russe, qui a au minimum mille cinq cents ans d'histoire, devrait-il aspirer à devenir américain ? [...] Je crois, ajoute-t-il, que la civilisation anglo-saxonne, à travers les États-Unis, a atteint un sommet. Après chaque sommet, il y a une descente. Peut-être qu'il y aura d'autres sommets, mais chaque sommet a sa descente. Je sais, conclut-il, que Boutros Boutros-Ghali ne partage pas mon opinion. Il pense, en effet, que la civilisation américaine a encore de belles et longues années devant elle »...

Quelle importance faut-il accorder à ce symposium russo-francophone ? Constitue-t-il le point de départ d'un grand projet, ou n'aura-t-il été qu'une brillante joute intellectuelle ? C'est la question que je me pose régulièrement au sortir de rencontres internationales.

Paris, mercredi 3 octobre 2001

Le report du sommet de Beyrouth à l'année prochaine semble définitivement acquis, mais personne n'est prêt à en assumer la décision. Les deux principaux États membres, la France et le Canada, ne veulent surtout pas laisser entendre qu'ils sont en faveur de ce report. Le Liban, qui a tellement investi politiquement et qui a mobilisé son opinion publique depuis plusieurs mois, voudrait que cette décision lui soit imposée. Par ailleurs, il ne tient pas à ce que l'on invoque des raisons de sécurité intérieure. Je rassure une fois encore les autorités libanaises : « Tout le monde sait que les chefs d'État et de gouvernement seraient en parfaite sécurité à Beyrouth. Il n'en demeure pas moins que le voyage peut être risqué, sans compter qu'en cas d'intervention américaine en Afghanistan, les chefs d'État voudront se trouver impérativement dans leurs capitales respectives. »

Paris, vendredi 5 octobre 2001

Jacques Chirac me téléphone pour me demander d'assumer l'annonce du report du sommet de Beyrouth.

« Il faut avant cela, monsieur le Président, que je puisse consulter le plus grand nombre possible de chefs d'État et de gouvernement. Je vous propose de leur adresser un télégramme dès aujourd'hui afin de connaître leur position. »

Jacques Chirac est contre cette approche : cela prendra trop de temps. Bien plus, de nombreux chefs d'État confirmeront leur présence et annuleront leur déplacement dès les premières frappes américaines en Afghanistan. Il faut les joindre par téléphone et régler le problème avant le week-end. Ni la France, ni le Canada n'assumeront la décision de ce report, même si beaucoup de choses plaident en faveur de cet ajournement. D'abord, personne ne veut d'un « demi-sommet ». On peut craindre, aussi, que cette conférence ne soit dominée par le problème israélo-palestinien. En troisième lieu, selon de récentes informations, les mouvements antimondialisation auraient l'intention d'organiser une grande manifestation à Beyrouth. Et, comme si ce dernier argument devait finir de me convaincre, il m'informe que le président Hosni Moubarak est en faveur de ce report... Puis il ajoute :

« Ce report est dans ton intérêt. Dans un an, on pourra discuter plus sereinement de la prolongation de ton mandat jusqu'au sommet de Ouagadougou, qui devrait se tenir, comme prévu, en 2003.

– Monsieur le Président, j'accepte bien sûr très volontiers la mission que vous me confiez, mais il me sera très difficile de parler aux présidents Omar Bongo et Sassou-Nguesso qui soutiennent la candidature de l'ambassadeur Henri Lopez. Ils pourraient imaginer que je pousse à l'ajournement du sommet pour gagner un an...

– C'est promis, je leur téléphonerai moi-même. Je te propose que l'on se rencontre demain matin pour faire le bilan de tes premiers contacts. »

Je passe le reste de la journée et une grande partie de la soirée à téléphoner aux princes qui nous gouvernent. Ils sont en faveur du report du sommet. Seul le Premier ministre roi de Bulgarie insiste pour connaître la position de Jacques Chirac.

Paris, samedi 6 octobre 2001

Rencontre avec Jacques Chirac et Maurice Ulrich à l'Élysée.

« Avez-vous pu joindre Omar Bongo, monsieur le Président ?

– Tu fais bien de me le rappeler, me répond-il. J'avais oublié. »

Il s'éclipse du bureau durant quelques minutes et revient en nous annonçant :

« J'ai dit à Omar Bongo que tu m'avais mandaté pour entrer en contact avec lui, dans la mesure où il est le doyen des chefs d'État francophones. Il est d'accord pour que l'on reporte le sommet. Il est aussi d'accord pour que tu continues à gérer la Francophonie durant cette année. Et tu continueras, j'en suis sûr, jusqu'au sommet de Ouagadougou. »

Maurice Ulrich se montre plus prudent.

Je me dis en moi-même que j'accepterai très volontiers de prolonger mes fonctions jusqu'en 2003, à la condition que Jacques Chirac soit réélu. Si ce n'était pas le cas, je quitterais cette galère avec joie.

(Un peu plus tard...) Conversation chaleureuse avec le président Émile Lahoud. Il accepte le report du sommet. Je lui promets que toutes les manifestations prévues en marge de la conférence seront maintenues. Je téléphone ensuite au Premier ministre Rafiq Hariri qui me remercie pour mon intervention. Mon dernier coup de téléphone est pour Jacques Chirac, qui tenait à être informé de la réaction du président Lahoud.

Paris, dimanche 7 octobre 2001

Interviewé sur France Culture par Jérôme Bouvier. Nous apprenons, en cours d'émission, que les frappes américaines ont commencé sur Kaboul. Notre entretien prend une tournure résolument politique.

« Le sommet de Beyrouth aura-t-il lieu ? me demande aussitôt Jérôme Bouvier, tandis qu'affluent les informations sur l'intensité des bombardements auxquels sont soumis les malheureux Afghans.

– Les autorités libanaises m'ont mandaté pour consulter les chefs d'État et de gouvernement sur l'éventualité d'un report. Jusqu'à présent, tous ceux avec qui j'ai pu entrer en contact sont en faveur de ce report. Une annonce officielle sera faite demain, après d'ultimes consultations. »

Paris, mardi 9 octobre 2001

Cela faisait trois ans que je n'avais pas revu Jean Friedman, depuis notre rencontre « à trois » avec Ehud Barak. Il vit le drame israélo-palestinien avec intensité. Il m'apprend qu'il avait proposé à Ehud Barak, avant que les travaillistes arrivent au pouvoir, une reconnaissance unilatérale par Israël d'un État palestinien. La délimitation des frontières définitives de cet État aurait fait l'objet des négociations à venir. Ehud Barak avait accueilli avec intérêt cette initiative, mais ses proches collaborateurs s'y étaient opposés. Cette proposition lui semble plus que jamais d'actualité. Ce serait le moyen de créer un choc psychodiplomatique, seul susceptible de mettre un terme à l'Intifada et de provoquer un nouveau processus de paix. Évidemment, il faut attendre de nouvelles élections et le départ d'Ariel Sharon.

Je ne réagis pas à ses propos. Je me demande si les Israéliens seront capables de faire un geste sans certitude de contrepartie, geste que Sadate avait eu le courage de faire en se rendant à Jérusalem.

Genève, jeudi 11 octobre 2001

Je participe à la réunion de la commission consultative sur les politiques de l'Organisation mondiale de la propriété intellectuelle (OMPI). La séance est présidée par Guido de Marco, le président de la République de Malte. De nombreuses personnalités ont fait le déplacement : Ion Iliescu, le président de la République de Roumanie, Petru Lucinschi, le président de la République de Moldavie, Petar Stoyanov, le président de la République de Bulgarie, Amara Essy, le nouveau secrétaire général de l'OUA, Gabay Mayer, le président du tribunal administratif des Nations unies, qui était membre de la délégation israélienne lorsque nous négociions, entre 1979 et 1981, l'autonomie de Gaza et de la Cisjordanie. Il y a là aussi bon nombre de ministres de la Culture ou des Affaires étrangères. Je me demande, avec une pointe d'admiration et d'envie, comment le directeur général de l'OMPI, Kamel Idriss, est parvenu à réunir cet aréopage qui a suivi, avec beaucoup d'attention, un débat très technique sur le développement du système des brevets.

L'après-midi est consacré à la propriété intellectuelle en matière de ressources génétiques et de savoirs traditionnels. C'est ce dernier thème qui m'a le plus intéressé, car ce sont les pays du tiers monde qui sont les premiers concernés par cette problématique. Le président Guido de Marco présente une courte et brillante synthèse : il doute que l'on puisse effectivement protéger les savoirs traditionnels et le folklore, dans la mesure où ils sont élaborés, transmis et partagés collectivement. C'est dire que le système de la propriété intellectuelle en vigueur ne répond pas aux besoins des communautés détentrices de savoirs traditionnels. J'interviens pour préciser que les détenteurs de savoirs traditionnels ont néanmoins des droits et que toute la difficulté consiste à les en informer pour qu'ils puissent les faire appliquer.

Paris, vendredi 12 octobre 2001

Interview sur LCI avec Vincent Hervouët, le chef du service étranger.

« Qu'avez-vous ressenti lorsque les deux tours du World Trade Center se sont écroulées ?

– Je pense que la communauté internationale a une lourde part de responsabilité car le terrorisme est devenu global et l'on continue à vouloir le combattre à l'échelle nationale. Je pense aussi que l'une des causes du terrorisme fondamentaliste musulman est à rechercher dans la situation dramatique en Palestine.

– Vous tenez le même langage que Ben Laden… »

J'évite de réagir pour ne pas envenimer le débat. Je le regrette aussitôt. J'aurais dû répondre que le cheikh d'Al-Azhar, la plus haute autorité de l'islam, est du même avis que Ben Laden, qu'un milliard de musulmans pensent comme Ben Laden, même s'ils réprouvent ses actes terroristes.

Décidément, les médias continuent d'occulter le lien entre le terrorisme fondamentaliste et le drame palestinien, comme s'il n'existait pas.

Une question récurrente à propos de la Francophonie :

« Pourquoi l'État d'Israël n'est-il pas membre de la Francophonie ? »

À quoi je réponds invariablement :

« Parce que nous n'avons jamais reçu de demande d'adhésion de la part d'Israël. »

Paris, vendredi 19 octobre 2001

Je reçois l'ambassadeur de la République dominicaine, Norman Guillermo de Castro. Son pays est candidat à un statut d'observateur au sein de l'OIF au motif qu'il partage ses frontières avec un État membre – Haïti –, que le français est enseigné dans le secondaire et que la société dominicaine est régie par le Code Napoléon !…

(Plus tard dans la journée…) Débat pour fixer la date de la prochaine Conférence ministérielle. Je fais un rapide sondage auprès des ministres des pays musulmans membres de la Francophonie : voient-ils un inconvénient à ce que cette réunion se tienne pendant la période du ramadan ? En ce moment, tout ce qui touche à

l'islam est extrêmement délicat. Tous me conseillent de renvoyer cette réunion au début de l'année prochaine.

Paris, lundi 29 octobre 2001

Dans *Le Figaro* de ce matin, une lettre de Guy Sorman à l'ambassadeur d'Égypte, Aly Maher, qui avait réagi dans les colonnes du même *Figaro* à son article, paru le 23 octobre, consacré au terrorisme.

À ma grande honte, je n'ai lu ni l'un ni l'autre de ces articles, ce que je m'empresse de faire. Je retiens surtout de la réflexion de Guy Sorman, la facilité avec laquelle il assène que « le terrorisme naît de l'incapacité du monde musulman à trouver sa voie vers la modernité... Aucune nation musulmane, et surtout arabo-musulmane, n'est parvenue à se doter d'institutions politiques stables, légitimes et efficaces ». Une analyse que l'on retrouve dans les articles de la presse américaine de ces dernières semaines. En fait, ce parti pris vise surtout à occulter le problème palestinien, qui est en réalité la cause première du terrorisme et de l'hostilité du monde arabe à l'égard des États-Unis et de l'Occident, inféodé à la superpuissance.

La théorie de l'incapacité d'assumer la modernité n'est pas nouvelle, on la trouve déjà chez les orientalistes de la période coloniale. Ils ont toujours tracé du monde musulman un portrait figé dans le passé, le portrait d'un monde immuable, incapable d'évoluer sans se trahir. C'est le professeur et écrivain Édouard Saïd qui a le mieux rendu compte des dogmes de l'orientalisme, que l'on pourrait résumer de la façon suivante :

1. Il existe une différence profonde et systématique entre l'Occident, rationnel et moderne, et l'Orient musulman, chaotique et moyenâgeux.

2. L'Orient éternel et immuable est dans l'incapacité totale de se définir et de trouver sa voie, seul. Il lui faut le secours de la science exacte de l'Occident pour mieux le comprendre, et se moderniser.

3. Il faut redouter et sans cesse surveiller l'Orient musulman.

La présence néocoloniale israélienne se trouve du même coup, aujourd'hui, justifiée de plein droit en terre musulmane.

Un certain nombre de mes collègues et amis – Anouar Abdel Malek, Abdul Latif Tibawi, Abdallah Laroui, et bien d'autres –, ont très bien analysé cette logique coloniale. Mais ce qui me frappe d'abord dans cette série d'articles qui mettent en exergue l'incapacité du monde arabo-musulman à s'adapter à la modernité, c'est la manière dont tous, sans exception, passent sous silence l'entreprise coloniale, qui a consisté bien plus en une politique de domination et d'exploitation qu'en un soutien à la modernisation. N'oublions pas que la décolonisation du monde arabe ne date que de la seconde moitié du XXe siècle, alors que l'Amérique latine, par exemple, a été décolonisée au début du XIXe siècle et qu'elle n'a véritablement assimilé la modernité que lors de ces dernières décennies. Bien plus, les fondamentalistes qui concluent à l'échec de la modernisation, tant sur le plan de la pensée que de l'action, et qui ne conçoivent d'autre salut, pour les musulmans, que dans un retour aux sources de la foi, ne constituent qu'une infime minorité. Les confondre avec la grande majorité qui, elle, aspire à la modernité, relève plus de la propagande que de l'analyse politique.

Seconde remarque : tous ces articles laisseraient à penser qu'il n'est de terrorisme que le terrorisme islamiste. Au moment même où se déroulaient les attentats du 11 septembre continuaient à sévir le terrorisme des Tigres tamouls au Sri Lanka, celui de l'ETA en Espagne ou celui des FARC en Colombie. Et l'on ne peut vraiment pas taxer ces mouvements de « terrorisme musulman » !

Dernière remarque : *quid* du silence des médias à propos du terrorisme sioniste de Menahem Begin, ancien chef de l'Irgoun, ou du terrorisme d'État d'Ariel Sharon, aujourd'hui ?

En conclusion, nous sommes confrontés à une véritable guerre médiatique, une guerre que nous allons perdre : d'abord parce que nos néo-islamologues nous répéteront à l'envie que nous sommes incapables d'intégrer la modernité ; ensuite parce que nos frères arabes occidentalisés, marxistes ou fondamentalistes rétorqueront, pour une fois à l'unisson : « Les Occidentaux ont le monopole de l'information et de la désinformation. Et il est très difficile, sinon impossible, de lutter contre ce monopole. »

Cela dit, nous sommes les seuls à pouvoir contrer le message de Ben Laden car, pour sûr, la réponse ne viendra pas de l'Occident.

Tunis, dimanche 16 décembre 2001

Thalassothérapie à Tunis. Nous étions persuadés de retrouver le soleil d'Afrique. Malheureusement nous sommes accueillis par la pluie. Il fait gris et froid. « On se croirait en Bretagne », me dit Léa. L'hôtel, bien que somptueux, manque de chaleur. Trop de marbre, pas assez de tapis. C'est un palais d'été.

Tunis, lundi 17 décembre 2001

Je suis très impressionné par le personnel de l'hôtel et du centre de thalassothérapie. Une équipe de jeunes Tunisiens qui s'expriment dans un français parfait et s'acquittent de leur tâche avec un grand professionnalisme.

À l'entrée de la cure, je suis examiné par une femme médecin. Il faut être reconnaissant à Habib Bourguiba d'avoir libéré la femme tunisienne et d'en avoir fait une citoyenne à part entière.

La jeune doctoresse me soumet à un interrogatoire serré. Elle note scrupuleusement, sur une fiche, tous mes antécédents médicaux et les médicaments que je prends, avant de me prescrire les soins appropriés. On n'est pas habitué à tant de minutie dans les pays du tiers monde.

Tunis, mardi 18 décembre 2001

Échec de la tentative de coup d'État à Port-au-Prince. Les mutins ne sont pas parvenus à s'emparer du palais présidentiel. Je téléphone au père Aristide et l'assure de toute ma sympathie. Il se dit très touché par mon geste. Nous avons toujours entretenu d'excellents rapports, même si je reconnais que c'est un dictateur impitoyable, «un tonton macoute défroqué», pour reprendre les termes d'un représentant de la diaspora haïtienne.

Tunis, vendredi 21 décembre 2001

Comment se fait-il que je n'aie pas compris plus tôt le changement de politique américaine depuis la chute du mur de Berlin, le passage d'une stratégie bipolaire à un unilatéralisme sauvage et agressif? Moi qui fus, pendant des années, professeur de relations internationales et qui enseignais la politique extérieure des États-Unis à mes étudiants!… Bien plus : l'unilatéralisme américain ne date pas de la fin de la guerre froide, ni même du 11 septembre 2001. Il remonte à 1823, date d'apparition de la doctrine de Monroe qui prétendait assujettir l'ensemble du continent latino-américain à l'influence de Washington.

Pourquoi ai-je été si long à comprendre? Ce ne sont pourtant pas les avertissements qui m'ont manqué :

16 janvier 1992 : entretien à Mexico City avec le secrétaire d'État américain James Baker, vif, rapide, caustique, et John Bolton, l'expression la plus radicale de l'unilatéralisme américain : « Nous comptons imposer des sanctions à la Libye, me dit le secrétaire d'État. Et nous préparons une résolution du Conseil de sécurité en ce sens. – Bien, mais si vous n'obtenez pas le nombre de voix nécessaire pour faire adopter cette résolution, que ferez-vous ? avais-je demandé, avec naïveté. – Dans ce cas, m'avait répondu James Baker impassible, nous appliquerons les sanctions sans l'accord du Conseil de sécurité. » Je n'avais pas encore compris.

19 novembre 1996 : quatorze des quinze États membres du Conseil de sécurité votent en faveur de ma réélection à l'ONU. Un seul État utilise son droit de veto. Je n'avais toujours pas compris la force de l'unilatéralisme américain.

Il aura fallu les tragiques événements du 11 septembre 2001 pour que je comprenne, enfin.

Comment expliquer cette erreur d'appréciation de la réalité internationale ?

Certains faits plaident à ma décharge, même s'ils n'expliquent pas tout. Il y a tout d'abord ma culture juridique, le fait que j'ai enseigné pendant plus de trente ans le droit international, le droit des organisations internationales. J'ai fait notamment, en 1960, un cours à l'Académie de droit international de La Haye, sur l'égalité des États, qui a tout naturellement pour corollaire le multilatéralisme. Pendant toutes ces années donc, j'ai appartenu à la confrérie des jurisconsultes qui croient au droit international, qui le pratiquent, qui participent à sa codification et qui finissent par se persuader que la suprématie du droit imprégnera la gestion des relations internationales.

Il y a, ensuite, le fait que la diplomatie égyptienne a voulu s'appuyer sur l'ONU et sur le multilatéralisme onusien afin de contrebalancer l'influence politique des grandes puissances. Puissance coloniale, au lendemain de la Seconde Guerre mondiale, puissance américaine et soviétique pendant la guerre froide, hyperpuissance américaine depuis la chute du mur de Berlin. En 1978, alors que nous négociions le traité de paix entre l'Égypte et Israël, Cyrus Vance m'avait dit un jour :

« Boutros, oubliez un peu le droit international et commençons à négocier. » À ce moment-là, j'ai pensé qu'il s'agissait d'une boutade dans la mesure où je me référais très souvent au droit international...

Il y a eu, enfin, ce fameux Conseil de sécurité du 31 janvier 1992, tenu pour la première fois au niveau des chefs d'État et de gouvernement. J'ai pris ce jour-là mes désirs pour des réalités, ou plutôt pour parole d'Évangile les propos des chefs d'État qui me donnaient mandat de « renforcer le rôle de l'Organisation en matière de diplomatie préventive, de maintien et de rétablissement de la paix ». J'entends encore le président du Conseil de sécurité, John Major, déclarer : « Notre nouveau secrétaire général est un homme heureux. Il est le premier, depuis de longues années, à hériter d'une Organisation des Nations unies qui a confiance en sa capacité à résoudre les problèmes... »

Dix ans ont passé et les Nations unies traversent une grave crise, ayant perdu beaucoup de leur crédibilité lorsque le Président américain a assené, au lendemain du 11 septembre : « Ceux qui ne sont pas avec nous sont contre nous. » Une formule qui sonne le glas de la concertation et du multilatéralisme. À moins qu'elle ne mette fin à leur agonie. Car il faut bien reconnaître que la diplomatie américaine, avant même l'arrivée de George Bush fils au pouvoir, avait largement ouvert la voie. Mais elle y mettait quelques formes, enveloppant son impérialisme d'un semblant de concertation. Nous savions que cette concertation n'était le plus souvent qu'un leurre, mais les débats qui se prolongeaient, les concessions de forme ou les concessions mineures lâchées par les États-Unis pouvaient nous laisser croire que la règle du droit prévalait encore.

Nous voulions, nous les partisans du droit, y croire, nous devions y croire pour légitimer notre action et surtout maintenir notre volonté d'action. Et je pense qu'aujourd'hui encore, malgré cet unilatéralisme agressif, nous devons continuer à croire parce que la superpuissance ne pourra régler seule tous les conflits, pas plus qu'elle ne pourra gérer seule tous les problèmes liés à la mondialisation. Il lui faudra, tôt ou tard, revenir au multilatéralisme dans le cadre des Nations unies ou d'une organisation internationale nouvelle, mieux à même d'intégrer une démocratie globale.

Tunis, lundi 24 décembre 2001

Le référendum qui a eu lieu, hier, aux Comores, a approuvé la nouvelle constitution de l'Union des Comores. La Francophonie a joué un rôle discret et efficace dans ce dénouement.

Tunis-Le Caire, mardi 25 décembre 2001

Nous quittons Tunis où le soleil ne s'est pas montré très généreux. « Vous allez bientôt retrouver le soleil d'Égypte », me dit l'hôtesse qui nous accueille à bord.

Le Caire illuminé s'encadre enfin dans le hublot. Je reconnais les ponts, les avenues, les quartiers. Je crois même apercevoir notre immeuble que nous atteignons après une interminable attente dans les embouteillages. Je retrouve mes livres, mes bibelots, les objets qui me sont familiers, et surtout la vue sur le Nil, mon fleuve-Dieu.

Le Caire, mercredi 26 décembre 2001

Conversation avec A.S., un intégriste cultivé, intelligent et légèrement cynique :

« J'ai lu avec beaucoup d'intérêt le compte rendu des débats que vous avez eus à l'Unesco dans le cadre de ta commission Démocratie et Développement, et notamment les propos du théoricien américain Bruce Russett, qui est convaincu que la politique de *containment* de l'après-guerre froide doit faire place à une vaste politique de démocratisation, à une affirmation péremptoire de l'universalité du modèle démocratique perçu comme le vecteur privilégié de promotion de la *pax americana*. C'est bien lui qui parle d'une corrélation initiale entre la réalisation du développement économique et celle de la démocratie, n'est-ce pas ? Et qui va jusqu'à prétendre que le franchissement de chaque étape du développement économique a tendance à se traduire par une élévation du taux de participation électorale ? Alors que toutes les statistiques prouvent que l'abstentionnisme augmente régulièrement dans les vieilles démocraties ! C'est bien le même qui affirme que les démocraties ne se font pas la guerre ?... Une autre chimère qui ne mérite même pas discussion...

– C'est effectivement le point de vue qu'a défendu le professeur Russett, mais la majorité des membres du panel ont mis en doute cette théorie.

– C'est vrai, mais la composition même de ton panel international à l'Unesco et vos conclusions relèvent d'un ethnocentrisme occidental sans complexe. Vous avez tous accepté l'hégémonie culturelle américaine. Et l'Unesco défend l'idéologie du nouvel empire : marché, démocratie, Droits de l'homme... En fait, les Droits de l'homme ont été inventés par des Occidentaux pour des Occidentaux, et ils ne sont pas transposables dans d'autres cultures. Mais je ne m'inquiète pas. À mesure que la puissance de l'Occident déclinera, sa capacité à imposer les Droits de l'homme et la démocratie aux autres civilisations diminuera. Et des civilisations non occidentales pourront alors mieux affirmer les valeurs propres à leurs cultures. Est-ce que tu crois vraiment que les milliards de musulmans, de Chinois, d'Indiens et de damnés de la Terre pensent qu'ils trouveront dans le modèle démocratique américain la solution à leurs problèmes de pauvreté et de sous-développement ? »

Je renonce à interrompre mon ayatollah et à le contredire.

« Ta Déclaration universelle des Droits de l'homme, poursuit-il, adoptée le 10 décembre 1948 à Paris, dans un contexte occidentalisé, cette déclaration que tu as tenté de renforcer en 1993 pendant la conférence de Vienne, cette déclaration qui n'a jamais vraiment abordé aux rivages des autres civilisations, a perdu beaucoup de sa force mobilisatrice depuis le 11 septembre, tant du fait de l'action téméraire des agresseurs que de la réaction hystérique des agressés. En effet, les premiers ont montré la puissance de leur force de frappe et les seconds ont immédiatement oublié les Droits de l'homme et la démocratie devant les exigences de leur sécurité.

– M'autorises-tu, dis-je, à faire état de tes remarques subversives, mais intéressantes, et à mentionner ton nom ? »

Éclat de rire de mon ayatollah :

« Surtout pas ! Tu connais le proverbe arabe : "*Al Nass Ala Dine Moulouk ihm*" (Les gens suivent la religion de leurs souverains). Je vais défendre ta démocratie. Je dois bien ça à "notre grand souverain américain". Et je compte même la défendre avec plus de vigueur que toi. Parce que pour toi, c'est un idéal commun à atteindre pour tous les peuples et toutes les nations, alors que pour moi c'est le moyen d'accéder au pouvoir. Et une fois au pouvoir, nous pourrons imposer notre système politique. Après tout, les institutions ne sont que ce qu'en font les hommes...

– Ton système politique, tu l'appelleras toujours "démocratie" ? ne puis-je m'empêcher de rétorquer avec ironie. En lui adjoignant peut-être un qualificatif nouveau comme "populaire", "prolétaire", "islamique"...

– Je ne sais pas, me répond-il avec sérieux. Il faudra y réfléchir. Ce que je sais, c'est qu'il faudra trouver un qualificatif qui prenne en compte la *Karama*, la dignité, parce que la démocratie est d'abord affaire de dignité. Et le monde occidental est incapable de respecter la dignité de nos peuples. »

Le Caire, jeudi 27 décembre 2001

Visite de courtoisie au président de l'Assemblée du peuple, Fathi Sorour. Nous évoquons différents sujets, dont la situation en Afghanistan.

« Il faudrait, dis-je, que l'Égypte envoie un contingent à Kaboul. Ce serait un geste symbolique à l'égard des États-Unis et le moyen d'améliorer nos relations qui sont pour le moins tendues en ce moment. »

Fathi Sorour n'a pas d'idées très arrêtées sur la question.

En revanche, le président de la Choura, Moustapha Helmy, que je rencontre dans la foulée, est très inquiet de la détérioration des rapports entre Le Caire et Washington.

Le Caire, vendredi 28 décembre 2001

Mon neveu Youssef vient d'essuyer un revers politique : il a perdu son portefeuille de ministre de l'Économie qui lui assurait une sorte de mainmise sur toutes les institutions financières du pays. Il devra se contenter, désormais, du poste de ministre du Commerce extérieur, aux attributions moindres. Bien qu'affecté par cette décision, il n'a rien perdu de son assurance et de sa superbe :

« Comment expliques-tu que tes rapports avec le Premier ministre et tes collègues soient si difficiles ?

– Simple conflit de générations, me répond-il. Je n'ai pas cinquante ans, alors qu'ils ont plus de soixante-dix ans. D'ailleurs, je m'entends très bien avec les ministres de mon âge.

– Comment expliques-tu alors que la plupart des journalistes te soient hostiles ?

– Parce que je leur dis toute la vérité sur la crise économique dans le pays. Ils préféreraient que je les inonde de chiffres, de statistiques et d'explications qui leur permettent de faire de beaux articles pour endormir l'opinion publique. »

Le Caire, samedi 29 décembre 2001

J'ai retrouvé, ce matin, par hasard, dans ma bibliothèque, une étude que j'avais écrite, en 1955, sur les organisations internationales. Je me rappelle qu'avant de rédiger le chapitre consacré aux précurseurs de l'organisation internationale – de Sully à Emmanuel Kant en passant par l'abbé de Saint-Pierre – j'avais effectué des recherches pour tenter de savoir si, chez nous aussi, pays du tiers monde – et du tiers monde musulman –, des penseurs, des théoriciens, des utopistes avaient partagé le même rêve. C'est à cette occasion que je découvris l'ouvrage d'Abd al Rahman al-Kawakibi : *Om el-Koura* (La Mère des villes), publié en 1894 au Caire.

Je relis, aujourd'hui, à la lumière des attentats du 11 septembre, des analyses savantes dont nous abreuve l'Occident sur les retards cumulés de l'Islam, et des théories radicales que m'a servies, il y a trois jours, mon ayatollah, l'étude que je faisais alors des écrits d'Abd al Rahman al-Kawakibi qui entrevoyait déjà, sous les événements et l'actualité de son époque, les constantes qui faisaient de l'islam, depuis près de dix siècles, une société décadente et opprimée. On n'est jamais mieux servi que par soi-même !

Al-Kawakibi imagine qu'un congrès islamique se réunit à La Mecque pour identifier les causes de la crise que traverse l'islam et pour y remédier. Vingt-trois délégués, venus de toutes les régions du monde musulman, ont été conviés à participer à cette conférence secrète afin d'élaborer le pacte constitutif d'une organisation internationale musulmane. Il y a notamment un Anglais musulman, un Chinois, un Kurde, un Indonésien, un Yéménite, un Afghan, un Persan, un Tunisien, un Tartare, un Indien, un Égyptien… Lors de la première réunion, ils élisent président le délégué de La Mecque, siège de la conférence, et le secrétaire, Farati, qui n'est autre que l'auteur sous un nom d'emprunt. C'est ainsi qu'il est amené à nous donner le compte rendu de ce congrès imaginaire et le texte du pacte constitutif de son Commonwealth musulman.

Figurent à l'ordre du jour les points suivants :

1. analyse de la situation actuelle des musulmans ;

2. exposé sur le fait que l'ignorance et l'obscurantisme sont les causes du mal ;

3. avertissement aux musulmans quant aux conséquences de leur indifférence, s'ils ne se ressaisissent pas sur-le-champ ;

4. établissement des responsabilités : les princes et les ulémas sont responsables de l'état dans lequel se trouvent les musulmans ; vote d'un blâme à leur encontre, à cause de leurs divisions et de leur manque d'unité.

Al-Kawakibi propose de circonscrire le mal en le définissant. Après de longues discussions, les congressistes classent les causes de la décadence de l'Islam en causes religieuses et politiques, eu égard notamment au régime ottoman. Ils relèvent, ainsi, la dictature et l'absolutisme, les privilèges qui ne correspondent pas au mérite, le morcellement en coteries et oligarchies, l'impossibilité d'exercer la liberté, le monopole politique des militaires, le dirigisme culturel.

Mais c'est sans doute l'analyse de la dimension religieuse de cette crise qui apparaît étonnamment moderne, lorsque Al-Kawakibi dénonce le fatalisme, le fanatisme, le rigorisme religieux, les superstitions attachées à l'islam, l'idée, aussi, selon laquelle les sciences exactes et la philosophie sont contraires à la religion. Cela m'évoque Louis Massignon qui me disait qu'il faut, pour combattre le fanatisme, enseigner l'histoire comparative des religions aux jeunes générations, parce qu'une religion qui laisse croire à ses fidèles qu'elle est la seule digne d'intérêt et de foi ne peut que produire des intégristes.

Fulgurante pensée que celle d'Al-Kawakibi, qui s'inscrit dans la tradition des réformateurs inspirés par Djamal al-Don al-Afghani et le cheikh Mohamed Abdou. Mais quelle régression depuis !

C'est Kawakibi qui m'a appris, voilà cinquante ans, qu'être en désaccord avec la réalité de son temps, qu'être insatisfait des institutions et des princes qui nous gouvernent, que définir des besoins pour l'avenir, constituent la raison d'être d'un universitaire engagé.

Om el-Koura se conclut sur une page chiffrée dont l'auteur ne nous donne pas la grille et qui, dit-il, ne sera comprise que des générations futures. J'essaie, aujourd'hui encore, de déchiffrer ce message secret, mais sans succès. Puissent nos ayatollahs lire et méditer cet ouvrage d'anticipation, mais aussi décrypter son message secret qui, peut-être, leur enseignera la tempérance et la voie de la sérénité !

Le Caire, dimanche 30 décembre 2001

Le nouveau ministre des Affaires étrangères, Ahmed Maher, est très préoccupé par la situation internationale : « Les États-Unis sont déchaînés. L'humiliation qu'ils ont subie, le 11 septembre, les a rendus enragés. Ils sont devenus incontrôlables. On peut s'attendre aux pires interventions militaires et aux réactions les plus extravagantes. Le monde arabe risque de payer très cher les agressions terroristes du 11 septembre. »

Je rends visite ensuite à Faiza Abou el-Naga qui vient d'être nommée ministre d'État aux Affaires étrangères pour la coopération économique. Elle a été ma proche collaboratrice lorsque j'étais ministre, puis à l'ONU. C'est une diplomate aguerrie. Je suis certain qu'elle réussira brillamment dans ses nouvelles fonctions.

Le Caire, lundi 31 décembre 2001

Reçu par le Premier ministre, Atef Ebeid. Je retrouve un homme vieilli, fatigué, usé par l'exercice du pouvoir. Pendant toute notre conversation, je le surprends à lutter contre le sommeil. J'ai beau élever la voix, il finit, à mon grand étonnement, par s'assoupir quelques brefs instants.

« L'image de l'Égypte, comme celle du monde arabe, est très dégradée, dis-je. Il faut que nous prenions l'initiative d'une contre-attaque. La société civile, les organisations non gouvernementales peuvent nous aider à corriger cette image. Inspirons-nous aussi du Maroc et de la Tunisie qui ont créé un ministère des Droits de l'homme. »

Atef Ebeid approuve :

« Lorsque tu verras le Président, il faut que tu lui en parles… »

Je me garde bien d'évoquer la crise économique que traverse le pays. Je sais, par avance, ce qu'il va me répondre. Il se plaint amèrement des critiques de la presse, qui est impitoyable à son égard.

« Je suis bien placé pour savoir qu'avec le temps on arrive, fort heureusement, à se caparaçonner », dis-je.

Je tente de le réconforter en lui rappelant les violentes attaques dont j'ai fait l'objet de la part des Arabes lors des négociations de Camp David, puis des Américains, notamment la dernière année de mon mandat à l'ONU. Aujourd'hui, c'est mon âge que l'on me reproche : « Le capitaine est trop vieux. » La critique et la calomnie sont le tribut quotidien qu'il faut payer pour franchir la « Sublime Porte » du pouvoir.

(Dans l'après-midi...) Je donne une longue interview à la télévision. À ma grande surprise, je trouve des locaux bien entretenus. Je gagne le studio d'enregistrement où m'attend une jolie journaliste qui met la dernière touche à sa coiffure et à son maquillage. Elle semble ne vouloir tenir aucun compte de la fiche qu'on lui a préparée. L'interview commence. Elle rate son introduction. On s'interrompt, elle se repoudre, ajuste sa coiffure, vérifie son maquillage et on recommence. Elle me pose une série de questions vagues auxquelles je tente de répondre de mon mieux, tout en l'aidant à préciser ses formulations, pour plus de clarté.

Elle m'interroge sur les événements du 11 septembre, la haine que nourrit le monde arabe à l'égard des États-Unis, leur soutien inconditionnel à Israël, la destruction par l'armée israélienne des infrastructures et des habitations palestiniennes...

« Il faut savoir surmonter les sentiments d'humiliation, d'hostilité, de vengeance et recommencer à négocier. »

Ce message de conciliation que je ne cesse de répéter depuis mon arrivée au Caire semble ne pas satisfaire la journaliste.

L'interview se termine comme elle avait commencé. La jeune femme cherche désespérément une conclusion qui ne vient pas. Ce sera donc une litanie de remerciements et de compliments. Atmosphère d'adulation. Un « encensement » qui tient aussi à cette chaude hospitalité que l'on ne trouve que dans notre monde pauvre, mais riche de locutions flatteuses et de louanges rassurantes qui vous collent à la peau comme les lourds parfums d'Arabie.

2002

Port-Saïd, jeudi 3 janvier 2002

Départ matinal pour Port-Saïd en compagnie du président du Council of Foreign Affairs, l'ambassadeur Ahmed Chaker, et du vice-président Osama el-Ghazali Harb. Ils m'ont organisé une conférence à l'université sur le thème des «relations internationales après le 11 septembre». La route est excellente et nous atteignons Port-Saïd en trois heures. Nous traversons le canal à la hauteur de Port-Fouad, qui était il y a plus de cinquante ans une banlieue française réservée aux employés de la Compagnie de Suez. Les petites villas construites à cette époque sont aujourd'hui totalement délabrées, faute d'entretien.

Arrivé à l'université – un bâtiment agréable et moderne –, la police m'informe que des dizaines de manifestants se sont regroupés dans le centre de la ville, le bruit ayant couru que le conférencier était mon neveu Youssef. Ils entendent protester contre la loi promulguée la veille et qui impose des droits de douane sur les produits importés, alors que jusqu'à maintenant les commerçants de Port-Saïd bénéficiaient du statut de port franc. On a vainement tenté de leur expliquer que ce n'était pas le neveu «Boutros le Petit», mais l'oncle «Boutros le Grand», qui est à Port-Saïd aujourd'hui. Pour les commerçants, cela ne fait aucune différence : les deux sont coupables, oncle ou neveu, c'est toujours la même famille!

La conférence se déroule sans incident, si ce n'est le mécontentement d'un étudiant qui reproche au doyen d'avoir opéré une sélection dans les questions que ses camarades ont préparées par écrit, et d'exercer par là même une forme de censure. J'interviens pour expliquer que j'ai moi-même demandé au doyen de procéder de la sorte pour écarter les questions qui feraient double emploi.

Les étudiants sont moins intéressés par les attentats de New York que par les agressions israéliennes à l'encontre des jeunes Palestiniens qui luttent pour leur liberté et leur dignité avec, pour seule arme, des pierres.

Le Caire, vendredi 4 janvier 2002

Cérémonie à la Boutrossiya, où mon frère a fait dresser un petit autel dédié à notre mère. Deux prêtres consacrent cet autel de leurs prières dans une atmosphère chargée d'encens. Le parfum de l'encens m'a toujours procuré une sensation de grand réconfort, au point que le recueillement, la méditation, la prière sont indissociables, dans mon esprit, de ses volutes et de son odeur enveloppantes.

Alexandrie, samedi 5 janvier 2002

Départ pour l'Université Senghor d'Alexandrie où je suis accueilli par le nouveau recteur Fred Constant, un Martiniquais, qui semble bien jeune et peu préparé pour un tel poste… Nous partons visiter la nouvelle bibliothèque d'Alexandrie, dirigée par

Ismaël Serageldin, ancien sous-directeur de la Banque mondiale. C'est une merveille architecturale, mais il faudra des millions de dollars pour la faire fonctionner, tout comme la bibliothèque François-Mitterrand à Paris. Pourvu qu'on en ait les moyens... J'émets l'idée d'un partenariat entre l'Université Senghor et la nouvelle bibliothèque, qui ont toutes deux pour vocation de faire d'Alexandrie un pôle dédié à l'excellence et à la culture.

De retour à l'Université, je m'adresse brièvement aux étudiants, après que nous avons observé une minute de silence en la mémoire de Léopold Sédar Senghor. « Il faut que cette université aille de l'avant, qu'elle élargisse ses activités, notamment dans les domaines des nouvelles technologies et de la formation des cadres des pays les moins avancés, qu'elle se rapproche des autres universités égyptiennes, qu'elle noue des partenariats avec les organisations internationales. »

Le Caire, lundi 7 janvier 2002

Comme à son habitude, le président Hosni Moubarak me reçoit très tôt dans la matinée. Il est souriant, de bonne humeur, en forme.

Je lui fais part d'un plan d'ensemble pour tenter de corriger l'image du monde arabe : communiquer en direction des opinions publiques européenne et américaine, engager le dialogue avec les partis politiques et les organisations non gouvernementales. Sa réponse ne me surprend pas : il est d'avis que les contacts les plus pertinents et les plus efficaces sont ceux que l'on noue avec les gouvernements.

Je lui rappelle que le Maroc et la Tunisie se sont dotés d'un ministère des Droits de l'homme et qu'ils prennent de plus en plus en compte le rôle des nouveaux acteurs non étatiques. Il ne se départ pas de sa réserve à l'égard de tout ce qui est non gouvernemental, fidèle en cela la tradition égyptienne, que l'on pourrait résumer en ces termes : hors l'administration, point de salut. Cette attitude de méfiance est d'ailleurs partagée par tous les gouvernements du tiers monde, pour lesquels les organisations non gouvernementales sont synonymes d'ingérence et de paternalisme.

Ces gouvernements n'ont toujours pas compris qu'ils ont intérêt à prendre part aux réunions ou aux conférences des ONG et qu'ils doivent avoir leurs propres ONG afin de défendre leur image et leur cause. Ils n'ont toujours pas compris que les organisations non gouvernementales sont les nouveaux acteurs des relations internationales. Je passe donc à un autre sujet :

« Monsieur le Président, je vous ai convaincu en d'autres temps d'envoyer des troupes égyptiennes en Somalie et à Sarajevo. Il serait opportun aujourd'hui, me semble-t-il, d'avoir une présence militaire symbolique en Afghanistan.

– Il n'est pas question que l'Égypte participe à une telle opération, même symboliquement. Nos troupes seraient les premières cibles des néotalibans et des Afghans. »

Puis il ajoute avec malice :

« Je te connais assez pour savoir que tu es capable d'argumenter pendant des heures. C'est la raison pour laquelle je t'ai reçu juste avant que tu prennes ton avion. D'ailleurs, si tu continues à palabrer, tu risques de le rater. »

J'ai toujours respecté l'attitude pragmatique du président Hosni Moubarak face aux problèmes que rencontre notre pays. Tout sauf l'imagination au pouvoir : ne jamais prendre le risque de franchir les limites de nos capacités, fuir les rêves séduisants et les aventures sans lendemain, ne prendre les décisions qu'après mûre réflexion et maintes consultations, savoir attendre, savoir, comme le dit un proverbe arabe, « marcher près du mur », en d'autres termes savoir se montrer discret et prudent.

Je ne partage toujours pas cette vision des choses, surtout en ces temps où l'histoire s'accélère, s'emballe. Mais je reconnais que le président Hosni Moubarak a raison d'agir comme il agit dans un pays trop enserré par la bureaucratie pour pouvoir réagir et s'adapter rapidement, dans un pays où une grande partie du peuple vit encore au rythme des caravanes et des crues du Nil, qui ont pourtant disparu depuis la construction du haut barrage.

Paris, mardi 8 janvier 2002

Traditionnelle cérémonie des vœux dans la grande salle du centre international Kléber. Tous les personnels de la Francophonie sont là, les sherpas, les ambassadeurs. Discours tourné vers l'avenir de la Francophonie, que je souhaite populaire et planétaire, un programme ambitieux et « rimé ».

Paris, vendredi 18 janvier 2002

Aly Maher et son épouse Chery fêtent leurs trente ans de mariage. Un parterre choisi. L'impératrice Farah Diba prend la parole pour rappeler qu'Aly et Chery se sont mariés à Téhéran et pour former le vœu que nous nous retrouvions tous très vite dans un Téhéran libéré.

Mascate, dimanche 20 janvier 2002

Déjeuner à l'ambassade d'Égypte avec l'ambassadeur Hany Riad et Saad Alfaragi, le représentant de la Ligue arabe à Genève, qui a été mon directeur de cabinet pendant plusieurs années. C'est un diplomate qui associe un sens profond de l'équité et une obsession quasi pathologique du laisser-aller qu'il voit partout. Il porte un regard sévère, mais juste, sur les hommes et les institutions du pouvoir.

Après le déjeuner, je demande à voir la tapisserie de Wissa Wassef que j'avais donnée à l'ambassade lors de mon séjour à Mascate, il y a une vingtaine d'années. Cette tapisserie a eu une histoire mouvementée. Je l'avais fait acheter par le ministère des Affaires étrangères afin de l'offrir à Indira Gandhi lors d'une visite de travail à New Delhi. J'étais porteur d'un message écrit du président Sadate. Je m'attendais à ce qu'Indira Gandhi, après avoir pris connaissance de ce message, me transmette une réponse pour mon président. Elle ne mentionna pas même son nom et se contenta de me demander des nouvelles de Mme Sadate. Ma visite, essentiellement destinée à améliorer les relations difficiles entre le président Sadate et Indira Gandhi, venait de se solder par un échec cuisant. Furieux de ce piètre résultat, je décidai de garder la tapisserie de Wissa Wassef, que j'offris à l'ambassade d'Égypte à Mascate, sur le chemin du retour. Je la retrouve, aujourd'hui, accrochée dans le bureau de l'ambassadeur, bien moins belle que je ne l'imaginais dans mes souvenirs, bien moins belle que ma colère ne l'avait souhaitée, il y a vingt ans.

Mascate, lundi 21 janvier 2002

La conférence organisée par l'Organisation mondiale de la propriété intellectuelle sur le thème des savoirs traditionnels s'ouvre, aujourd'hui, en présence d'éminentes personnalités : Kamal Idriss, directeur général de l'OMPI, le prince Hassan de Jordanie, l'ancien président de Colombie, Ernesto Semper Pizano, l'ancien président des Philippines, Fidel Ramos, l'ancien secrétaire général de l'OUA, Salim Ahmed Salim, Omar Zawawi, l'éminence grise du sultanat d'Oman…

Je ne me lasse pas du talent d'orateur du prince Hassan. Sa voix, surgie des profondeurs, me rappelle celle de son frère le roi Hussein, une voix d'autant plus impressionnante chez ces deux hommes de taille modeste.

Je suis le seul à prononcer mon discours en français. Je m'en excuserais presque. Et je dois dire que je repasse avec délectation à l'arabe dans les débats qui suivent.

Mascate, mardi 22 janvier 2002

Notre séance de ce matin est ouverte par le président Semper Pizano. En l'entendant prononcer son discours, une étrange substitution s'opère dans mon esprit. Je me retrouve plongé il y a quelques années. Nous sommes à New York, je suis secrétaire général des Nations unies, Ernesto Semper Pizano s'exprime devant l'Assemblée générale en tant que président du Mouvement des pays non-alignés. Nostalgie ou grande fatigue ? Je ne fais plus la différence entre le présent et le passé.

Le mot de la fin revient au ministre de l'Information du sultanat d'Oman qui me ramène à la réalité du monde arabe. Dans son allocution, de dix minutes à peine, il prononce plus de dix fois le nom de son sultan « bien-aimé ». L'information dans nos pays ne peut s'empêcher de prendre la forme d'une sempiternelle glorification des princes qui nous gouvernent.

Caen, samedi 26 janvier 2002

Je préside aujourd'hui, à l'invitation de la ville et du Mémorial de Caen, le treizième concours international de plaidoirie. Sur les quarante-huit candidats provenant de vingt-deux pays, dix ont été retenus pour la finale. Cette internationalisation est intéressante dans la mesure où elle témoigne de la diversité des situations de violation des Droits de l'homme à travers la planète. Ce qui est intéressant, aussi, c'est de voir certains de ces jeunes avocats s'emparer de dossiers concernant d'autres pays que le leur. Ce qui mérite, enfin, d'être souligné, c'est que ces violations des Droits de l'homme ne sont pas l'apanage, comme on le croit trop facilement, des pays sous-développés.

Darius Atsoo, avocat togolais, défend le cas de Mumia Abu Jamal, un Afro-Américain condamné à mort pour l'assassinat du policier Daniel Faulkner, alors qu'il est innocent.

Renaud Choinière, québécois, plaide pour la libération de Yuri Bandajevski, recteur de l'Institut étatique de médecine de Gomel, en Biélorussie, qui a été condamné pour avoir critiqué la manière dont le gouvernement de Minsk a fait face aux conséquences de la catastrophe de Tchernobyl.

Boubacar Diabira, originaire du Burundi, défend Gaëtan Segan, un Hutu condamné à mort pour « participation à des bandes armées et massacres organisés » contre ses frères tutsis.

Papa Sendembou Diop, Sénégalais, dénonce la mendicité enfantine à Dakar, et l'exploitation des enfants par les marabouts.

Kevin Hopkins, avocat à Chicago, réclame que les États-Unis versent des dommages et intérêts aux Afro-Américains au titre des injustices dont ont été victimes leurs ancêtres à l'époque de l'esclavage.

Gregroy Jones, australien, plaide pour que Ben Laden et tous ceux qui sont présumés avoir commis des crimes contre l'humanité soient jugés par un tribunal pénal international, et pour que les États-Unis ratifient le statut de Rome pour la création d'une Cour pénale internationale.

Boubacar Oumarou, nigérien, plaide pour l'abolition des mariages précoces et forcés, s'appuyant sur le cas d'une jeune collégienne de treize ans, Rami, que l'on a contrainte à épouser un commerçant de trente-cinq ans qu'elle a tenté d'empoisonner en janvier 2001.

Le Français Philippe Reulet défend Kheira Castel, fille du harki Ben Salem Hadj, victime de persécutions et de mauvais traitements, et dénonce plus largement les massacres perpétrés contre les harkis.

La seule femme, la Québécoise Dominique-Anne Roy, prend la défense des femmes du Bangladesh victimes d'agressions à l'acide, en s'appuyant sur le cas de Bulbuly Akhter, attaquée par son ex-époux dans la nuit du 8 janvier 2001.

Enfin Roger Ward, originaire de Baton Rouge en Louisiane, s'arrête sur le cas des assassins déficients mentaux, et illustre son propos par la condamnation à mort de Johnny Peury dont les facultés mentales sont celles d'un enfant de six ans.

Caen, dimanche 27 janvier 2002

Le jury, à l'unanimité, décerne le premier prix au Québécois Renaud Choinière qui a plaidé sans notes, citant de mémoire dates et textes de lois. Il n'a fait qu'une erreur : il a dit « États-Unis » au lieu de Nations unies, un lapsus somme toute révélateur, dont on ne lui a pas tenu rigueur…

Paris, mardi 29 janvier 2002

Messe à l'église Saint-Germain-des-Prés en l'honneur de Léopold Sédar Senghor. À ma droite Hubert Védrine, Charles Josselin, Abdou Diouf et son épouse, et Mme Claude Pompidou.

Discours de l'archevêque Mgr Lustiger, d'Hélène Carrère d'Encausse, de Maurice Druon et de Jacques Chirac. C'est terriblement long.

À la fin de la cérémonie, Jacques Chirac donne l'accolade, avec chaleur et naturel, aux personnalités qui ont pris place au premier rang, à l'exception des deux ministres socialistes qu'il salue plus rapidement. Lionel Jospin, mal à l'aise, timide, vient nous serrer la main à la hâte, comme s'il s'agissait d'une corvée.

Paris, jeudi 31 janvier 2002

Rencontre avec le médiateur de la République, Bernard Stasi, facilitateur pour la France dans le conflit intertogolais, et avec son collaborateur Philippe Bardiaux, en présence de Christine Desouches. Le processus de réconciliation au Togo est totalement bloqué. Le pays va au-devant d'une crise extrêmement grave, surtout si le président Eyadéma persiste à vouloir organiser des élections malgré l'absence d'observateurs étrangers et le boycott de la grande majorité des partis d'opposition. L'opposant maître Yawovi Agboyibo est toujours en prison. Tous nos efforts pour le faire libérer sont restés vains. Le Président nous a assurés que si Agboyibo demandait sa grâce il l'obtiendrait, mais ce dernier refuse de faire cette requête. Je promets à Bernard Stasi de téléphoner, une nouvelle fois, au président Eyadéma et de demander au professeur Bernard Debré, qui est un ami proche du Président, d'intervenir à son tour.

Autre latitude, autre crise : l'ambassadeur de Madagascar, un fidèle de Didier Ratsiraka, m'annonce que la Cour constitutionnelle a avalisé les résultats du premier tour de l'élection présidentielle. Le Président en titre a obtenu 41 % des voix, contre 46 %

à son adversaire, le maire de Tananarive, Marc Ravalomana. Toutefois, ce dernier refuse le verdict des urnes au motif qu'il aurait obtenu plus de 50 % des voix. Selon lui, si les résultats n'avaient pas été truqués, il aurait donc été élu dès le premier tour. Le président Ratsiraka réclame quant à lui que, conformément à la Constitution, on organise un second tour le 24 février prochain. Pour l'ambassadeur, seul Didier Ratsiraka représente la légalité. Dans ces conditions, il n'est pas envisageable que l'OIF dépêche une mission de bonne volonté, sans avoir auparavant condamné l'attitude de Marc Ravalomana.

Je l'écoute pendant près d'une heure sans protester avant de prendre la parole : « La mission de bonne volonté ne pourra émettre un avis qu'après avoir entendu les deux protagonistes. Si elle devait condamner l'un des deux avant même d'avoir commencé, elle ne serait plus en mesure d'aboutir à une conciliation. »

Ma réponse ne semble pas tout à fait du goût de l'ambassadeur. Il me tiendra informé dans l'après-midi de la décision de son président.

Paris, vendredi 1er février 2002

Sans nouvelles de l'ambassadeur de Madagascar, je téléphone au sénateur Jacques Legendre pour lui demander d'annuler le déplacement des parlementaires qui devaient se rendre en mission à Madagascar. Coup de téléphone dans le même sens à Christine Desouches.

Cette affaire est pleine de rebondissements. Je reçois, dans l'après-midi, un appel de la ministre des Affaires étrangères Lila Ratsifandrihamanana :

« La situation ne cesse de se détériorer, me dit-elle. Il faut agir.

– Madame, je ne peux agir sans l'accord de votre gouvernement.

– Je sais bien que le Président n'est pas en faveur de la médiation de l'OIF, mais je ne parle plus en son nom, je parle au nom de l'intérêt de mon pays.

– Je comprends, mais je ne peux rien faire tant que je n'aurai pas obtenu l'accord de votre gouvernement et de votre président. Laissez-moi un peu de temps pour réfléchir. »

Quelque temps plus tard, l'ambassadeur m'appelle à son tour : « Le président Ratsiraka est prêt à accepter que l'OIF dépêche une mission parlementaire, à condition que la demande en soit faite auprès des présidents de la Chambre et du Sénat malgaches. Deuxième condition : cette mission ne devra pas arriver avant mercredi prochain… »

Je téléphone au sénateur Legendre pour qu'il mobilise à nouveau les parlementaires et qu'il se mette en contact avec les présidents des deux chambres. Christine Desouches soulève des problèmes d'intendance : je lui demande de régler cela avec le sénateur Legendre, la situation étant déjà bien assez compliquée.

Paris, samedi 2 février 2002

Jour de repos. J'ai étalé sur mon lit des revues, des journaux, des livres. Je suis pris d'une boulimie de lecture. Mais tel un enfant qui a trop de jouets, je ne sais par quoi commencer. Je passe sans m'attarder de l'*Economist* à *Jeune Afrique*, que je délaisse pour le *Herald Tribune*, arrêtant finalement mon choix sur le dernier ouvrage de Henry Kissinger.

C'était sans compter sur la crise malgache… Coup de téléphone du président Didier Ratsiraka.

« *Salam alaikum* », me dit-il en arabe.

Je lui réponds par un « Salam » chaleureux.

« Je vous téléphone en ami pour vous remercier des initiatives que vous avez prises. Confier la mission "d'amitié" de la Francophonie à des parlementaires est une excellente idée. À propos, qui est chargé de la composition de la délégation ?

– C'est le sénateur Legendre, secrétaire général de l'Assemblée parlementaire de la Francophonie dans la mesure où le président, le Québécois Jean-Pierre Charbonneau, vient d'être nommé ministre. Et il faut attendre que les parlementaires québécois élisent son successeur. »

Le président Ratsiraka passe sans transition à un tout autre sujet :

« Il semble que la ministre des Affaires étrangères veuille me trahir. Elle vous a téléphoné, je crois ? ajoute-t-il soupçonneux.

– Effectivement, elle m'a téléphoné hier pour me prier d'intervenir. Et je lui ai répondu que je ne pouvais rien faire sans l'accord de votre gouvernement. »

Le président Ratsiraka doit disposer d'un système d'écoutes efficace... Sa suspicion ne s'arrête pas à la ministre des Affaires étrangères :

« Je sais que des Malgaches en France sont en train de me trahir. Je n'en dirai pas plus. La vengeance est un plat qui se mange froid. »

J'espère que la mission parlementaire pourra contribuer à trouver une solution à la crise constitutionnelle qui sévit à Madagascar.

Paris, dimanche 3 février 2002

Au menu d'aujourd'hui, la crise togolaise. Je téléphone au professeur Bernard Debré pour qu'il tente d'obtenir du président

Eyadéma la libération de Maître Yawovi Agboyibo. Il se dit prêt, s'il le faut, à se rendre à Lomé pour convaincre le Président de la nécessité de débloquer au plus vite la situation en privant l'opposition de l'argument de poids dont elle dispose avec la détention d'Agboyibo.

Paris, mardi 5 février 2002

Conférence sur la Francophonie à l'invitation du Grand Orient de France. C'est mon premier contact avec la franc-maçonnerie, interdite depuis plusieurs années dans mon pays alors que la grande majorité des membres de la classe politique égyptienne, avant la Première Guerre mondiale, étaient francs-maçons. « Anouar el-Sadate était franc-maçon », me dit mon hôte. Je m'abstiens de lui révéler que mon grand-père était grand maître au sein de la franc-maçonnerie.

La salle désuète, l'ambiance fermée me rappellent ces clubs anglais où chaque détail semble vouloir préserver un passé révolu. Après un bref exposé sur la Francophonie, le débat s'engage autour de trois thèmes, scrupuleusement minutés : la Francophonie, bien sûr, mais aussi les Nations unies et la crise au Moyen-Orient.

À l'évocation de ce dernier sujet, je perds quelque peu mon calme, critiquant la politique israélienne à l'égard de l'Intifada palestinienne et le silence complice des organisations non gouvernementales face aux violations des Droits de l'homme et des libertés fondamentales en Palestine, face aux assassinats ciblés des leaders palestiniens. J'ai conscience de choquer à nouveau mon auditoire lorsque j'affirme que Ben Laden est un héros, un martyr aux yeux des masses musulmanes livrées à la misère et à la domination.

La conclusion de mon hôte, à l'issue de cette prestation de près de deux heures, sera apaisante et consensuelle : il rappelle que les objectifs de la Francophonie – paix, démocratie, développement – sont aussi ceux de la franc-maçonnerie.

Paris, mercredi 6 février 2002

J'assiste, au château de la Muette, siège de l'OCDE, au déjeuner organisé par mon ami Jorge Braga de Macedo en l'honneur du président Abdoulaye Wade. Comment l'OCDE pourrait-elle soutenir le nouveau partenariat pour l'Afrique, le Nepad ? Tel est le thème de ce déjeuner de travail qui rassemble des hommes d'affaires et le président de la Banque africaine de développement, Omar Kabbaj.

Le président Abdoulaye Wade évoque un projet de routes interafricaines qui pourraient servir d'infrastructures au commerce interafricain. Un grand Blanc anglo-saxon expose les difficultés que rencontre son entreprise dans la promotion de ce commerce interafricain. Je reste silencieux. Je suis arrivé en retard et je tente de le faire oublier. D'ailleurs, cette discussion me paraît assez confuse et je crains fort qu'à la fin de l'année on ne découvre que la montagne Nepad a accouché d'une souris.

Paris, vendredi 8 février 2002

Entretien avec Jean-Pierre Bemba, chef de l'une des « trois rébellions » en République démocratique du Congo (MLC). C'est un colosse d'un mètre quatre-vingt-dix, terriblement impressionnant. Il a établi son quartier général à Badolité, village natal du président Mobutu, qui dispose d'un aéroport international. Il m'explique, dans un français châtié, que seule l'instauration d'un système démocratique permettra la réconciliation au Congo. Son analyse est brève. Il souhaite entendre mon point de vue.

J'évite, lors de cette première rencontre, d'aborder les tenants et les aboutissants du problème congolais, me contentant d'énoncer des généralités et de réaffirmer la disponibilité de la Francophonie pour contribuer discrètement à la réconciliation. J'évoque les liens particuliers qui unissaient le Zaïre et l'Égypte du temps où j'étais en charge de la politique africaine dans mon pays. Mon intention est de le convaincre de la relation particulière que j'entretiens avec le Congo. Il m'écoute avec politesse, tandis que je lis dans ses pensées : « Ce vieux diplomate me parle du passé, alors que c'est de l'avenir que nous nous préoccupons. » Il prend d'ailleurs très vite congé, prétextant un rendez-vous urgent.

Paris, samedi 9 février 2002

Je corrige avec Annie les épreuves de l'ouvrage *Démocratiser la mondialisation*, fruit de mes entretiens avec Yves Berthelot. Un travail impressionnant de relecture a été effectué par la maison d'édition sur le manuscrit : amendement de certaines formulations, propositions de rectification assorties de justifications, demandes de précisions, le tout porté au crayon, à l'encre rouge ou à l'encre verte, selon la nature des interventions du correcteur. Le dernier mot revient à l'auteur qui doit expliciter, entériner, rejeter, trancher.

Paris, dimanche 10 février 2002

Prépare le texte du discours que je dois prononcer à l'Académie de la paix de Monaco, qui a choisi pour thème cette année : « Le monde après le 11 septembre ».

Qu'est-ce qui a changé sur la scène internationale depuis ce jour-là ?

En premier lieu, on s'est rendu compte que la violence n'était plus l'apanage des États, mais qu'elle pouvait être le fait de n'importe quel acteur, échappant à la tutelle de contrôle des États, au nom de n'importe quel enjeu. En second lieu, le monde développé a brutalement pris conscience que la violence n'était plus limitée à certaines zones « barbares », dont il se croyait jusqu'alors exclu, mais que nous étions tous – la superpuissance comprise – égaux devant le danger. Il en est résulté l'idée, encore confuse, de notre interdépendance croissante et de notre fragilité commune. L'idée, ensuite, que nos schémas stratégiques devaient s'adapter à ces nouvelles donnes d'un monde globalisé pour le meilleur et pour le pire, et où la mondialisation profite aussi bien aux consommateurs qu'aux terroristes et aux mafieux.

En effet, la première caractéristique du terrorisme (comme pour le crime organisé et les trafics de toutes sortes), c'est qu'il a cessé d'être un phénomène local ou national pour devenir un phénomène global. Et pourtant, à ce terrorisme sans frontières la communauté internationale continue d'opposer une réponse à l'échelle nationale, au mieux à l'échelle régionale.

Deuxième caractéristique : l'utilisation d'une arme nouvelle qui a su défier les systèmes de défense les plus sophistiqués en transformant des avions pleins de civils en des missiles lancés contre des immeubles pleins de civils.

Troisième caractéristique : nous sommes en présence d'une guerre inégale, totalement asymétrique, tant du point de vue des forces engagées que des moyens déployés. D'un côté, quelques kamikazes, de l'autre la superpuissance. D'un côté une opération de destruction qui a coûté moins d'un million de dollars, de l'autre des dégâts qui se chiffrent en milliards de dollars et une guerre antiterroriste encore plus coûteuse. Et l'équilibre de la terreur, qui a dominé la seconde moitié du XXe siècle, pourrait bien être remplacé par un déséquilibre de la terreur.

Quatrième caractéristique : il est à craindre que cette arme nouvelle, qui a fait malheureusement la preuve de sa redoutable efficacité, vienne à tenter d'autres formations terroristes. Et l'on peut craindre, à l'avenir, des attaques du même type.

Toutes ces caractéristiques suffiraient à elles seules à justifier la mise en place d'une nouvelle stratégie défensive. Car il serait dangereux de prétendre gérer cette crise en lui appliquant les schémas stratégiques élaborés pendant la guerre froide, et marqués par le système interétatique. D'autant plus que ces concepts avaient déjà montré leur inaptitude à fonctionner dans la période de l'après-guerre froide.

À cet égard, comment analyser les réactions qu'ont suscitées ces attentats, dans la mesure où elles constituent autant de facteurs de transformation qui peuvent se trouver infléchis ou accélérés par le 11 septembre ?

D'abord, il faut se garder d'interpréter les réactions de certains peuples – réactions médiatisées et immédiatisées par les chaînes de télévision – comme autant de preuves d'un inévitable choc des civilisations, d'un inévitable choc entre l'Occident et l'Orient, entre le christianisme et l'islam. Ce serait faire le jeu des terroristes que d'assimiler leurs actes à la religion qu'ils ont dévoyée pour les légitimer : l'islam. Notre premier défi consiste donc à faire du dialogue des cultures une politique prioritaire, tant à l'échelle nationale qu'internationale.

Il faut savoir, par ailleurs, décrypter dans les réactions de liesse choquantes que l'on a observées, ici ou là, la révolte de tous ceux que l'on abandonne à leurs guerres, à leurs souffrances, à leur misère. Notre deuxième défi sera donc, à la lumière des dérèglements évidents et des inégalités criantes auxquels nous soumet la mondialisation, de relancer l'intérêt pour une véritable gouvernance mondiale, plus ordonnée, plus équilibrée et acceptée par tous.

Ensuite, il faut tirer toutes les conséquences de la réaction des

États-Unis qui, immédiatement après l'agression du 11 septembre, ont voulu s'appuyer sur le système multilatéral. Il y a eu, dès le 12 septembre, la résolution adoptée par le Conseil de sécurité, puis les résolutions adoptées par l'Assemblée générale de l'ONU. Mais à regarder la manière dont les États-Unis conduisent leur guerre depuis, on constate le retour en force de l'unilatéralisme. Notre troisième défi est donc la réintégration des États-Unis dans un jeu véritablement multipolaire et multilatéral qu'ils ont bloqué. À moins d'admettre que la solidarité affichée à l'égard de Washington face au terrorisme dispense les autres États de garder leur liberté d'appréciation quant à la gestion du monde. À moins d'admettre que l'hyperpuissance peut gérer, à elle seule, les relations internationales de la planète, qu'elle peut être présente sur plusieurs fronts diplomatiques ou militaires à la fois, qu'elle peut être juge et partie. À moins d'admettre qu'il n'y pas place sur l'échiquier mondial pour l'avènement de nouvelles superpuissances comme la Chine, la Russie, l'Inde ou l'Union européenne.

Tous ces éléments considérés, je suis convaincu que le 11 septembre a ouvert la voie à un monde différent. Peut-être ce monde sera-t-il plus instable et plus incohérent encore. Peut-être, tout au contraire, l'année 2001 nous aura-t-elle fait prendre conscience de l'urgence qu'il y a à instaurer le dialogue des cultures, à repenser les rapports Nord-Sud, à promouvoir un modèle de société équilibré, à vouloir étendre le multilatéralisme à l'ensemble des acteurs de la société internationale et donc à élaborer un nouveau droit international.

Paris, lundi 11 février 2002

Après-midi surchargé comme je les aime. Je reçois, dans un premier temps, les parlementaires francophones venus me rendre compte de la mission qu'ils ont menée à Madagascar.

Le chef de délégation, Louis-Philippe Tsitsol, député de l'Assemblée nationale du Cameroun, est un homme taciturne mais très au fait des problèmes africains. Saleck Ould Abdel Jelil, premier vice-président du Sénat de Mauritanie, bien que timide et réservé, livre une analyse très pertinente de la situation. Il y a là aussi Guy Penne, qui a été le «Monsieur Afrique» de François Mitterrand et qui en a gardé tout le prestige, ainsi que Louis Duvernois, farouche défenseur de la Francophonie.

Ils ont été accueillis à leur arrivée à Antananarivo par les présidents de l'Assemblée et du Sénat, qui selon le scénario établi étaient les instigateurs de l'invitation officielle faite à la Francophonie de dépêcher une mission d'amitié. Ils ont eu plusieurs entretiens avec le président Didier Ratsiraka et avec Marc Ravalomana, mais ils ne sont pas parvenus à organiser une rencontre entre les deux protagonistes.

Le compromis visé devait s'établir autour de quatre points : le report de la date du second tour des élections, la présence d'observateurs étrangers, l'élargissement du comité électoral aux membres de l'opposition, la composition d'un gouvernement provisoire de consensus comprenant des ministres de l'opposition.

Selon les membres de la mission parlementaire, Marc Ravalomana fait figure de nouveau venu en politique et il semblerait qu'il soit influencé par ses conseillers. Quant au président sortant, c'est un politicien habile et manœuvrier, décidé à garder le pouvoir, et qui n'aura de cesse de contrer les ambitions de son adversaire.

Ils me proposent d'attendre les résultats de la médiation entreprise par le secrétaire général de l'OUA, Amara Essy, et par le représentant des Nations unies, Ibrahim Fall. Encore faudrait-il que ces deux médiateurs acceptent de séjourner suffisamment longtemps sur place, ce que nos parlementaires n'ont pas eu la patience ou la volonté de faire. C'est pourtant le premier gage d'une médiation réussie.

Je rencontre dans la foulée une délégation soudanaise, conduite par le vice-ministre des Affaires étrangères. C'est la troisième fois que les Soudanais font une démarche auprès de moi pour se renseigner sur les modalités d'adhésion à la Francophonie. Je leur conseille pour la troisième fois de postuler au titre d'observateur en s'appuyant sur le fait que le Soudan a des frontières communes avec quatre de nos États membres. Notre conversation se déroule en arabe. Mes détracteurs n'ont peut-être pas tort de m'accuser de vouloir « arabiser » la Francophonie.

En toute fin d'après-midi, je reçois le nouveau ministre canadien en charge de la Francophonie, Denis Paradis. Il remplace mon ami Ronald Duhamel dont l'état de santé ne cesse de se détériorer, la chimiothérapie n'ayant pas eu les effets escomptés. Le nouveau ministre est aimable, attentionné, enthousiaste envers la Francophonie.

Lorsque je quitte enfin le bureau, il est plus de 21 heures. Je regagne, comme la plupart du temps, mon domicile à pied. L'air froid et mordant de ce début de soirée provoque en moi une poussée d'optimisme rassérénant.

Paris, mardi 12 février 2002

Idé Oumarou, cet ami fidèle qui m'a aidé, durant ces deux dernières années, à accomplir de nombreuses missions pour la Francophonie, nous a quittés. L'Afrique perd un de ses meilleurs fils et un brillant diplomate.

J'ai fait la connaissance d'Idé Oumarou lors d'une visite à Niamey. Il était alors chef de cabinet du président Seyni Kountché. Plus tard, j'ai milité en faveur de son élection au poste de secrétaire général de l'OUA et j'ai vécu de très près la lutte qu'il a menée pour tenter de réformer cette institution. Il m'avait invité à dîner à Addis-Abeba, où je fis la connaissance de ses quatre épouses et de sa fille. Je me rappelle avoir interrogé notre chef du protocole pour savoir quel cadeau offrir et à qui. Et c'est sur ses conseils que j'avais apporté à la première épouse d'Idé Oumarou une nappe brodée et six serviettes. En 1984, il est devenu ministre des Affaires étrangères. Lorsqu'il s'est présenté, en 1989, à sa propre succession à la tête de l'OUA, j'ai milité, cette fois encore, en faveur de sa réélection. Il a été battu par le Tanzanien Salim Ahmed Salim, qui obtiendra trois mandats successifs. Lorsque je suis devenu secrétaire général de la Francophonie, Idé Oumarou occupait les fonctions de directeur de cabinet du président Ibrahim Maïnassara Baré. Le coup d'État d'avril 1999 et l'assassinat du président Baré ont mis un terme à sa carrière politique. C'est alors que je lui ai proposé d'effectuer des missions pour la Francophonie. Il a accepté, au nom de notre vieille amitié, d'assumer les fonctions de facilitateur au Togo.

Nous avons passé de longues heures ensemble pour tenter de trouver une solution à la crise togolaise. Ce diplomate à la chevelure blanche, au verbe serein, au geste précis se montrait trop discret et trop poli à l'égard des facilitateurs de l'Allemagne et de l'Union européenne engagés à ses côtés au Togo. Il s'est plaint un jour auprès de moi de leur incapacité à comprendre la réalité africaine, mais il l'a fait avec tant de discrétion, tant de délicatesse, que je n'ai pu m'empêcher de réagir vivement :

« Il ne faut pas vous laisser faire, Idé. Écrivez-leur une lettre que nous publierons. »

Il s'est exécuté, sans doute pour me faire plaisir, car comme tous les grands timides il détestait les confrontations et les conflits, tant sur un plan public que privé.

Idé Oumarou s'en est allé, comme tant d'autres frères et amis avant lui : Abdoulaye Touré de Guinée, Alioune Blondin Beye du Mali, Ahmed Sidky, Ezzat Abdel Latif, Hassan Gad el-Hak d'Égypte… Tous m'ont aidé à mieux comprendre l'Afrique, à mieux la servir, à mieux l'aimer. Je me sens de plus en plus seul.

(Dans l'après-midi…) Réception à l'Élysée pour la dernière session du Haut Conseil de la Francophonie que la France a souhaité placer auprès de l'OIF, et que je suis chargé de réformer et de présider.

Jacques Chirac me reçoit en tête à tête. Je lui remets un exemplaire dédicacé de l'ouvrage que j'ai fait paraître sur l'œuvre pictural de mon oncle maternel, Chafik Charobim.

«J'ai mis beaucoup de temps, lui dis-je, à écrire cette dédicace.

– Je vois que tu es aussi poète, remarque-t-il, après l'avoir lue avec attention.

– Eh oui, monsieur le Président, lorsque l'occasion s'y prête, je deviens volontiers poète.»

Après cette entrée en matière aussi légère que lyrique, nous parlons de l'internationalisation du Haut Conseil. Jacques Chirac est d'avis qu'il faut nommer, au sein de cet organe, de hautes personnalités qui contribueront à valoriser la Francophonie. Il accepte l'idée de faire également appel à des personnalités qui n'appartiennent pas à l'espace francophone.

Genève, mercredi 13 février 2002

Signature d'un accord de coopération entre l'OIF et l'Organisation internationale du travail. Son directeur général, Juan Somavia, improvise un discours dans lequel il évoque son attachement passionnel à la langue française, avant de préciser qu'il est obligé, dans l'organisation qu'il dirige, de s'exprimer en anglais et de renoncer même à sa langue maternelle, l'espagnol.

Une organisation internationale, somme toute, semblable à tant d'autres pour ce qui est de sa soumission à l'uniformisation linguistique et à la marginalisation des autres langues de travail.

Genève, jeudi 14 février 2002

Je suis le premier à succomber aux sirènes de la langue anglaise. L'organisateur de la conférence que je dois donner devant les auditeurs du Center for International Health and Cooperation sur les opérations de maintien de la paix m'annonce que la presse genevoise fait ses choux gras de mon intervention, prévue en anglais : « Le secrétaire général de la Francophonie à Genève, bastion de la Francophonie, donnant une conférence en anglais. N'y pensez pas ! »

Pour le coup, il ne s'agit pas de snobisme ou de soumission de ma part. Il se trouve que les jeunes auditeurs devant lesquels je dois m'exprimer ne parlent pas un traître mot de français. Nous trouvons un compromis. La conférence sera en français, avec traduction simultanée en anglais, le débat avec la salle se fera en anglais. L'équilibre entre les deux langues de travail des Nations unies est donc sauf.

J'étais en forme. La preuve, je n'ai eu que des compliments de la part de Léa, habituellement très sévère : « Tu te répètes, tu as été très ennuyeux, trop technique… Tes réponses sont trop compliquées et trop longues, si bien que le public n'a plus le temps de te poser d'autres questions… » Cette fois-ci j'étais « parfait »…

Paris, samedi 16 février 2002

Réunion du bureau de la Society of International Development (SID). Je retrouve Enrique Iglesias qui m'a remplacé à la présidence de cette vénérable ONG. Je le connais depuis une quinzaine d'années. Nous nous sommes rencontrés au Caire lorsqu'il était venu, en tant que ministre des Affaires étrangères de l'Uruguay, préparer la visite officielle que devait effectuer son président, Julio María Sanguinetti Cairolo. Je me souviens qu'il avait donné une conférence au Centre diplomatique sur les problèmes économiques de l'Amérique latine. J'avais été séduit par la clarté et l'intelligence de son exposé. Depuis une dizaine d'années, il dirige la Banque de développement interaméricaine, qui dispose d'une succursale à Paris, lieu de notre réunion d'aujourd'hui. Les bureaux étant fermés le samedi, nous entrons par le garage.

Roberto Savio nous présente un excellent compte rendu de la seconde conférence qui s'est tenue à Porto Alegre, en contrepoint de la conférence de Davos. Il y avait cinquante-trois mille participants, soit deux fois plus que l'année précédente. La société civile, les représentants des partis politiques, les parlementaires, les maires, tous venus en masse, n'étaient pas là pour s'opposer à la mondialisation, mais pour proposer qu'on l'humanise, qu'on la démocratise, refusant la loi du marché comme seul critère de réglementation.

Dans ce contexte, Enrique Iglesias se demande si la SID ne devrait pas se fixer de nouveaux objectifs. Une question que l'on s'est posée à maintes reprises lors de nos conseils d'administration sans être capables d'y répondre clairement. Selon moi, nous sommes face à une alternative simple : faire de la SID un pôle d'excellence capable d'offrir des idées nouvelles dans cette période de profond désarroi, ou bien la cantonner dans son rôle d'ONG qui fournit de l'information et de la formation aux pays du tiers monde. Peut-elle assumer ces deux missions simultanément ? Je ne le pense pas. Et s'il faut choisir entre ces deux voies, je crois que nous devons être guidés par un souci d'efficacité. J'ajoute que nous devons prendre en compte les évolutions récentes. Lors de sa création, il y a plusieurs années, la SID était en situation de quasi-monopole, étant l'une des rares ONG à défendre le concept de développement. Elle est aujourd'hui en concurrence avec des centaines d'autres organisations qui disposent de moyens financiers beaucoup plus importants.

Je suis personnellement en faveur de l'approche « *Think tank* ». Nous disposons, en effet, de tous les contacts nécessaires pour réunir les plus grands spécialistes, les plus belles intelligences, et les amener à réfléchir et à débattre sur ces nouveaux problèmes inhérents à la mondialisation, réflexions dont nous pourrions faire utilement profiter nos différents centres de par le monde. En revanche, nous disposons de moyens trop limités pour prétendre fournir une assistance technique de qualité aux pays en développement.

Enrique Iglesias, qui est avant tout un banquier, est persuadé que si nous avons des idées innovantes, l'argent suivra. Le mot « argent » déclenche une discussion animée. Et Enrique Iglesias de citer, en espagnol, la phrase de sainte Thérèse d'Avila : « L'argent est l'excrément du diable ». Certes… mais c'est aussi un excellent engrais.

Paris, dimanche 17 février 2002

Dîner en l'honneur d'Enrique Iglesias, auquel j'ai convié ses amis. Michel Camdessus me rappelle sa rencontre orageuse avec le président Hosni Moubarak à Tokyo, à l'occasion des obsèques de l'empereur Hirohito. Je me souviens d'autant mieux de cet épisode que, chargé d'organiser ce rendez-vous, j'avais été tenu pour responsable de ce différend entre l'Égypte et le FMI. Roberto Savio défend avec fougue la conférence de Porto Alegre, le contre-Davos. Jean-Claude Trichet se montre, ce soir, plutôt silencieux. Enrique Iglesias nous fait partager ses préoccupations sur la situation catastrophique en Argentine, « qui risque fort de déclencher une révolution de l'ampleur de la Révolution française... »

Paris, jeudi 21 février 2002

Le candidat Marc Ravalomana vient de s'autoproclamer président de la République de Madagascar. Ce coup de force met fin aux efforts que nous avons tous déployés pour tenter d'endiguer la crise.

Aux environs de minuit, coup de téléphone de l'ambassadeur de Madagascar porteur d'un message du président Ratsiraka : « La Francophonie doit prendre position en faveur de l'État de droit ou de l'illégalité. »

Paris, vendredi 22 février 2002

La Francophonie, via son assemblée parlementaire, émet un communiqué pour demander à Marc Ravalomana de « revenir sur sa décision, de respecter l'État de droit et de se présenter au second tour de scrutin de l'élection présidentielle ». Je consulte le Quai d'Orsay et le secrétaire général de l'OUA afin de connaître leurs positions respectives. Amara Essy m'informe que l'OUA vient également de publier un communiqué dans lequel elle condamne fermement la décision de Marc Ravalomana et lui demande instamment de reprendre le dialogue avec le président Didier Ratsiraka.

En fin d'après-midi, je réunis un groupe restreint de représentants personnels des chefs d'État et de gouvernement – Belgique,

Bulgarie, Canada, France, Haïti, Madagascar, Maurice, Québec, Tunisie, Vietnam –, afin d'entendre leurs analyses et leurs recommandations sur les initiatives que devrait prendre la Francophonie. Ils sont en faveur d'une médiation de l'OIF.

Paris, samedi 2 mars 2002

Journée de grand nettoyage : courriers, revues et dossiers divers se sont, au fil des jours, accumulés sur mon bureau, formant des piles à l'équilibre instable dont la seule vision me déprime. C'est chaque fois la même chose, je mets volontairement de côté tous ces papiers, persuadé que j'aurai le temps de les parcourir pendant le week-end. Le week-end passe plus vite que prévu si bien que ces documents sont relégués dans une pile « exil temporaire », en attendant le prochain week-end et son lot de bonnes résolutions. Malheureusement, les week-ends se suivent et se ressemblent, et les dossiers arrivés pendant la semaine viennent grossir la pile « exil temporaire », jusqu'au moment où, rongé par la mauvaise conscience, je décide de m'atteler à la lecture de tous ces papiers, en commençant par les plus anciens. Le « recul historique » aidant, je m'aperçois que la plupart de ces documents ne sont pas aussi importants que je l'avais imaginé, et c'est avec un soulagement mêlé de satisfaction que je les mets à la corbeille.

C'est dans ces circonstances que j'ai retrouvé, aujourd'hui, le rapport de Mme Yvette Roudy qui avait demandé à m'auditionner, entourée d'une petite équipe fort respectueuse, en décembre 2000. Le titre de ce « document d'information de l'Assemblée nationale » donne déjà le ton : « Francophonie et droits de la personne : un lieu en déshérence ? »

Je suis en parfait accord avec Yvette Roudy lorsqu'elle déplore le fait que « mis à part quelques experts, les Français ignorent superbement les institutions de la Francophonie ». Je la rejoins également totalement lorsqu'elle dénonce la pléthore d'organismes, la superposition de structures, la multiplicité d'intervenants au niveau français, et l'absence de conditions politiques à l'adhésion à la Francophonie. Là s'arrêtent les critiques constructives. Les idées préconçues et le « politiquement correct » occidental reprennent le dessus lorsqu'elle me reproche de mentionner la pauvreté et la misère comme autant d'entraves au processus de démocratisation. « Si l'on suit jusqu'au bout, écrit-elle, le raisonnement du secrétaire général de l'Organisation internationale de la Francophonie, le développement économique doit précéder l'ouverture politique. » Une fois encore, je dis oui !

Mme Roudy semble appartenir à cette catégorie d'« ayatollahs » des Droits de l'homme aux bonnes intentions et aux certitudes redoutables. Ils sont incapables d'imaginer et d'admettre les dégâts que peuvent provoquer leurs interventions, leurs conditionnalités et leur vision eurocentrique. Quant aux États du tiers monde, accablés par la misère, ils n'ont d'autre choix que de se plier à ces « diktats » s'ils veulent obtenir l'aide parcimonieuse qu'on leur promet, comme la récompense ou le bon point au mauvais élève.

Et la commission de l'Assemblée nationale de conclure : « Les responsables de l'Agence intergouvernementale de la Francophonie ont une approche politique plus ouverte que celle de M. Boutros Boutros-Ghali, très en retrait sur ces sujets... »

Cette charmante dame a raison. Les responsables de l'Agence, eux, lui ont servi ce qu'elle avait envie d'entendre.

Cette petite anecdote est somme toute très révélatrice de l'incompréhension qu'ont la plupart des Occidentaux du problème de la démocratie en Afrique, oublieux qu'ils sont, sans doute, d'un certain nombre d'évidences qui méritent d'être rappelées.

Tout d'abord, il aura fallu deux siècles pour que la démocratie s'enracine en Europe, tout comme en Amérique latine du reste, et l'on voudrait la parachuter en Afrique avec entrée en vigueur immédiate. C'est oublier que la démocratie ne se limite pas à la création et à la mise en place d'institutions; elle est un état d'esprit, la résultante d'une culture qui se transmet sur plusieurs générations.

En second lieu, dans les pays développés, le concept de parti politique répond à une réalité bien déterminée. Il permet d'exprimer des revendications économiques et sociales, autant que des choix politiques. La réalité africaine est tout autre, si bien que les partis politiques, créés sur le modèle des colonisateurs, trouvent leur fondement dans les appartenances tribales, ethniques, religieuses. Le multipartisme à l'occidentale appliqué à l'Afrique a donc ceci de pervers qu'il divise des nations en gestation bien plus qu'il ne favorise leur démocratisation.

Cela dit, ce qui me choque le plus, c'est que les chantres des Droits de l'homme, les donneurs de leçons de démocratie sont les mêmes qui, il n'y a pas si longtemps encore, au temps de la colonisation, avaient instauré un régime féodal, pour ne pas dire dictatorial. Il reste trace de cette suzeraineté dans le droit que s'arrogent, aujourd'hui encore, les riches pays du Nord d'accorder leur aide au développement en fonction de critères subjectifs.

Bien plus, cette politique des conditionnalités traverse une crise profonde dans la mesure où elle souscrit, dans la pratique, au principe parfaitement injuste du « deux poids, deux mesures ». On a pour les plus petits États, et particulièrement les plus pauvres, les exigences les plus grandes. Pourquoi le Togo demeure-t-il soumis à des sanctions alors que, dans le même temps, l'Ouganda, qui a dissous les partis politiques, jouit des faveurs de la communauté internationale ? Pire encore : on sait pertinemment que les sanctions frappent les populations et épargnent les dirigeants, seuls coupables.

Faut-il en conclure que la diffusion de la démocratie, des droits et des libertés en Afrique est pour l'heure prématurée ? Certainement pas.

Ce qui est en cause, c'est la greffe ou plus exactement le clonage démocratique auquel s'essaient depuis plusieurs années, sans véritable succès, les pays occidentaux – notamment scandinaves –, du fait de leur méconnaissance profonde des modes de fonctionnement de l'Afrique. La démocratie n'est pas un modèle que l'on peut reproduire à l'identique au mépris des contextes socioculturels. Elle est encore moins un produit que l'on peut exporter clefs en main. Par ailleurs, la démocratisation est un processus lent, accidenté, fait d'avancées et de régressions. Je dirais même, au risque de choquer les parangons de démocratie, qu'il est parfois des coups d'État nécessaires et salutaires pour accélérer le processus démocratique.

Il faut enfin que l'on cesse de se focaliser sur l'assistance électorale et de négliger ces préalables que sont l'alphabétisation, l'indépendance de la justice, l'assainissement de la situation des fonctionnaires qui, la plupart du temps, ont plusieurs mois de retard de salaire, mais aussi la résolution des conflits et la lutte contre ces océans de pauvreté qui hypothèquent gravement tout effort en faveur de la démocratie, des droits et des libertés.

Je ne prétends pas détenir la solution idéale au problème de la démocratisation de l'Afrique, mais je suis convaincu que si l'on poursuit dans la voie préconisée, aujourd'hui encore, par le rapport de Mme Yvette Roudy, on s'exposera à de graves échecs dont les Africains seront les premiers à supporter les conséquences.

Monaco, jeudi 7 mars 2002

Discours à l'ouverture de la trente-huitième session de l'Académie de la paix sur le thème : « Le monde après le 11 septembre ».

Ma prestation est suivie par un « trilogue » entre le grand rabbin de France, Joseph Sitruk, un évêque catholique, et mon ami Aly Samane, conseiller du cheikh d'Al-Azhar. Les trois hommes de Dieu se retrouvent sur les principes et objectifs communs des trois grandes religions monothéistes, mais cette approche n'explique pas les différences fondamentales qui existent dans la vie quotidienne des croyants, et dans leur imaginaire.

Monaco, vendredi 8 mars 2002

Lancement du Club de Monaco dans la salle Empire de l'hôtel de Paris, en présence du prince Albert. Je présente brièvement les objectifs de cette structure qui se veut un centre d'excellence et de réflexion dédié aux problèmes des pays riverains du sud de la Méditerranée menacés d'oubli, du fait, notamment, de l'élargissement de l'Union européenne aux pays de l'Est. Il n'est que de voir les 5 milliards d'euros d'aide aux pays sud-méditerranéens, pour la période 2001-2006, comparés aux 40 milliards d'euros que la Commission européenne propose en vue de faciliter l'adhésion des pays est-européens, entre 2004 et 2006.

Notre club compte une vingtaine de personnalités parmi lesquelles les présidents Mário Soares du Portugal et George Vassilíou de Chypre, les anciens Premiers ministres Giulio Andreotti d'Italie, Sid Ahmed Ghazali d'Algérie, Constantin Mitsotakis de Grèce et Moustapha Khalil d'Égypte, ainsi que le prince Hassan de Jordanie. Nous ont également rejoints Leïla Chahid, ambassadrice de Palestine, André Azoulay du Maroc, Édouard Brunner de Suisse, Théo Klein, l'ancien président du CRIF et Omar Zawawi du sultanat d'Oman. Deux instituts, l'IFRI à Paris et l'IPSI à Milan, respectivement dirigés par Thierry de Montbrial et Boris Biancheri, viendront en soutien à notre club en élaborant, à la demande des membres, les études et les rapports susceptibles d'alimenter leurs réflexions et leurs recommandations. Je suis élu président du club, et Claude de Kemoularia, vice-président exécutif.

Un léger incident vient perturber notre séance de travail de l'après-midi. Alors que nous rédigeons le communiqué de presse final, Esmat Abdel Meguid, l'ancien secrétaire général de la Ligue des États arabes, insiste pour que l'on mentionne que la création de l'État de Palestine doit se faire conformément à toutes les résolutions adoptées jusqu'à ce jour par les Nations unies. Il entend par là faire référence à la résolution 181 de l'Assemblée générale qui prévoit le partage de la Palestine et la création de deux États : un État juif et un État arabe, qui occuperait 47 % du territoire, alors que la résolution 242 adoptée ultérieurement limite l'État palestinien à la bande de Gaza et à la Cisjordanie, soit 22 % seulement du territoire. Yossi Beilin, ancien ministre de la Justice d'Israël, est prêt à accepter que l'on se réfère à la résolution 242, mais certainement pas à la résolution 181. Le recteur de l'Université Al-Qods, Sari Nusseibeh, qui parle peu mais qui intervient toujours à bon escient, débloque la situation en suggérant que les deux protagonistes directement concernés par la question – Leïla Chahid et Yossi Beilin – s'isolent pour convenir d'une formulation qu'ils nous soumettront ensuite. Je m'empresse de reprendre cette sage proposition, que je déclare adoptée, et passe à la suite de l'ordre du jour.

Monaco, samedi 9 mars 2002

Le communiqué de presse que nous validons, à l'issue de nos travaux, revient, notamment, sur la création, ce jour, du Club de Monaco, « un groupe informel de personnalités des nations riveraines de la Méditerranée souhaitant apporter une contribution à la recherche de la paix et de la stabilité dans l'ensemble de l'espace méditerranéen ». S'agissant du conflit israélo-palestinien, le club affirme sa conviction que « seule une solution de deux États sur la base des frontières prévues par la résolution 242 peut assurer une paix juste et permanente pour les deux peuples… ». Annonce est faite, enfin, de la prochaine réunion, en février 2003. *Inch Allah!*

Que reste-t-il de ces deux journées ? D'abord l'intervention de Leïla Chahid, sensible, intelligente, émouvante. Si la Palestine et les Palestiniens avaient eu, durant ces quarante dernières années, une dizaine d'ambassadeurs ou de porte-parole du niveau de Leïla Chahid, leur image aurait été bien différente aux yeux de l'opinion internationale.

Il s'agit, ensuite, d'assurer le suivi de cette première réunion du Club de Monaco. Ce club ne prétend pas résoudre tous les problèmes. Mais s'il parvient à instaurer un partenariat avec d'autres institutions similaires, s'il dispose des fonds nécessaires pour faire de la sous-traitance auprès d'autres centres de recherche et de réflexion, et parvient ainsi à alerter les opinions publiques de part et d'autre de la *mare nostrum* pour que l'on ait, enfin, une véritable vision stratégique et que l'on mette en place une grande politique méditerranéenne, alors il aura déjà amplement rempli sa mission.

Paris, dimanche 17 mars 2002

Interview sur la Francophonie à Radio Nova. Je découvre des précurseurs qui contribuent à mieux faire connaître la musique africaine, la musique algérienne. Dans le même esprit, le journaliste présente à la fin de l'émission un ouvrage de photos intitulé *Paris noir* qui retrace l'histoire de la présence africaine à Paris. Les auteurs, Pascal Blancher et Éric Deroo, préparent un *Paris arabe*.

Je leur demande à qui s'adressent ces ouvrages.

« Aux nouvelles générations d'origine africaine ou arabe qui veulent connaître leur histoire, retrouver leurs racines », me répondent les deux auteurs.

Le problème colonial est toujours présent dans la politique française, il n'a fait que se déplacer. Hier, c'était l'outre-mer, aujourd'hui, ce sont les banlieues.

Bruxelles, mardi 19 mars 2002

Nous avons choisi cette année de fêter la Journée internationale de la Francophonie à Bruxelles, où nous organisons un colloque sur le thème « Le français, langue du monde ».

La séance d'ouverture se déroule en présence du prince Philippe de Belgique. Il n'a pas oublié le fameux incident de l'ascenseur à l'Université Senghor d'Alexandrie. C'était pourtant il y a plus de dix ans. Je retrouve aujourd'hui un homme plus mûr, plus sûr de lui. La présidente du parlement, Mme Françoise Schepmans, et le ministre président de la Communauté française, Hervé Hasquin, nous souhaitent tour à tour la bienvenue.

J'introduis le thème de nos travaux en précisant, d'entrée, qu'il ne s'agit pas dans notre esprit de défendre une langue au mépris des autres, mais de contribuer, plus largement, à préserver la diversité du monde.

Concernant précisément la langue française, je rappelle que l'on oublie parfois que parler français est un choix, un choix imposé, certes, lorsqu'il s'agit de la langue maternelle. Mais dans tous les autres cas – et ils sont de loin les plus nombreux –, il s'agit d'un choix volontaire, dicté par des motivations diverses. De cette réalité découlent deux conséquences. En premier lieu, il ne saurait y avoir, bien sûr, de langue française sans la France. Mais la langue française n'est pas pour autant la langue des seuls Français. Et son avenir, dès lors, se joue essentiellement hors de France. On estime d'ailleurs qu'à l'horizon 2005-2010, plus de la moitié des francophones du monde seront africains. C'est dire que la langue française doit être, aujourd'hui, conçue comme la langue d'une communauté, comme un trait d'union entre plusieurs continents. Il y a là une idée dont il faut tirer toutes les conséquences en valorisant encore plus la diffusion et la circulation des littératures, des cinémas ou de la chanson francophones.

Je rappelle, ensuite, qu'il faut entretenir et accompagner le désir, le «vouloir» de français des millions de francophones de par le monde, car une langue ne survit pas du seul charme qu'elle peut exercer. Elle survit d'abord par l'utilité qu'on en a et par la diversité des registres qu'elle offre, en d'autres termes par sa modernité.

Il faut mentionner, enfin, le recul du français dans les organisations internationales, particulièrement dans le système des Nations unies et dans les institutions de l'Union européenne. Bien que le français ait le statut de langue officielle et de langue de travail dans ces institutions, on constate qu'en 2000, 55 % des documents de la Commission européenne ont fait l'objet d'une rédaction initiale en anglais, contre 33 % seulement en français, alors qu'en 1990 le français était encore la langue source la plus utilisée. À l'Assemblée générale des Nations unies, le nombre de délégations s'exprimant en anglais est passé de 74 en 1992 à 97 en 2000, celles s'exprimant en français passant dans le même temps de 31 à 21. La plupart des fonctionnaires des Nations unies, y compris les fonctionnaires francophones, travaillent en anglais. La majorité des documents sont élaborés en anglais et ensuite traduits, souvent avec retard, sans compter que cette traduction est parfois impropre, voire inexistante.

Il s'agit là d'un phénomène extrêmement grave dans la mesure où les organisations internationales sont les seuls forums où s'élaborent et se prennent les décisions qui engagent l'avenir des États et des peuples de la planète. Et la préservation de la diversité linguistique et culturelle en leur sein constitue le premier gage de leur fonctionnement démocratique.

Catherine Lalumière, vice-présidente du Parlement européen, intervient à son tour pour faire remarquer que ce multilinguisme, que je défends avec tant d'ardeur, a eu un effet pervers : étant donné qu'il y a aujourd'hui onze langues officielles dans les institutions européennes, on a tendance, dans la pratique, à vouloir simplifier, et à choisir la langue que tout le monde connaît à peu près, c'est-à-dire l'anglais. Et elle ajoute : «Je crains que ce phénomène ne s'accentue avec l'arrivée des pays de l'Europe centrale et orientale.»

Hélène Carrère d'Encausse, secrétaire perpétuelle de l'Académie française, nous ramène à une vision tout à fait différente de la Francophonie : la défense de la pureté et de l'intégrité de la langue française…

En l'entendant, je suis de plus en plus convaincu qu'il faudra bien qu'à un moment ou un autre on dépasse cette contradiction entre une langue française que l'on voudrait – que les Français voudraient – tout à la fois préserver dans sa pureté et massivement exporter. Il faudra bien admettre, aussi, que la langue française n'est pas la France, qu'elle n'est pas une mais plurielle, et qu'elle ne se dénature pas en s'ouvrant à tous les accents, à tous les imaginaires, à tous les modes d'expression de l'espace francophone, et l'assumer. Je préfère qu'un Égyptien ou un Haïtien parle mal le français plutôt qu'il ne le parle pas du tout.

Entre l'académisme du Quai Conti et le pragmatisme du secrétaire général de l'OIF, il y a une fracture planétaire !

Bruxelles, mercredi 20 mars 2002

Notre colloque s'achève en fin de matinée. Louis Michel, vice-Premier ministre et ministre des Affaires étrangères de Belgique, a choisi de faire un discours politique où il demande à la Francophonie d'afficher sans complexe ses objectifs politiques, particulièrement dans le domaine de la prévention des conflits : « La Francophonie doit oser se politiser davantage. »

Le mot de la fin revient au ministre des Arts et des Lettres de la Communauté française de Belgique, Richard Miller. Un beau discours aux accents philosophiques : l'homme est l'être vivant doué de la parole, l'homme est un animal politique, la langue parlée est celle qui s'échange de l'un à l'autre, d'une liberté à une autre liberté. Défendre chaque langue, ce n'est pas la défendre contre les autres, mais pour les autres. Défendre chaque langue, chaque parcelle de chaque vision de la réalité, c'est lutter contre l'uniformisation et l'appauvrissement de la pensée, et donc l'appauvrissement des libertés.

Paris, dimanche 24 mars 2002

Première rencontre avec le Salon du livre de la porte de Versailles.

Une foule compacte, des ouvrages par milliers, et une angoisse soudaine : l'ouvrage que je suis venu signer, *Démocratiser la mondialisation*, n'est plus qu'une minuscule goutte d'eau dans cet océan de pages. Je m'installe derrière une petite table sur le stand des Éditions du Rocher. Devant moi, une pile de livres. J'ai l'impression d'être une marchandise exposée dans une vitrine. Certains badauds s'arrêtent, me scrutent avec curiosité, s'emparent négligemment de mon ouvrage, parcourent rapidement la quatrième de couverture, reposent le volume et repartent vers un autre stand. D'autres me demandent une dédicace – « pour mon père, pour ma fiancée, pour un anniversaire » –, sans même avoir pris la peine de feuilleter le livre. D'autres, enfin, apparemment intéressés par son contenu, engagent la conversation. Je remarque au bout d'un moment que beaucoup de mes « clients » omettent de payer leur livre après que je leur ai dédicacé. Je le signale à l'éditeur qui charge une charmante hôtesse de les diriger vers la caisse. Ce qui me frappe surtout, c'est la quantité d'illuminés qui hantent ces allées. L'un d'entre eux m'explique longuement le moyen de réaliser la paix perpétuelle, en noircissant avec application une feuille de signes cabalistiques. Un autre prétend qu'il faut chercher dans une mise en relation savante de l'âge des dirigeants de ce monde la formule magique qui nous permettra d'instaurer la paix. Un troisième, sous l'œil en alerte de mon officier de sécurité, me reproche violemment de ne pas avoir consacré mon ouvrage aux animaux utilisés aux fins d'expériences médicales ou scientifiques. Annie Dyckmans vient me délivrer fort à propos : ma prestation est terminée, mon contrat est rempli.

J'apprends que sœur Emmanuelle vient d'arriver sur le stand de son éditeur. Je décide d'aller la saluer. Je la trouve, dédicaçant son ouvrage, aux côtés de l'ancien préfet de Corse Bernard Bonnet qui vient lui aussi de sortir un livre. Je me fraie tant bien que mal un chemin dans le groupe compact de ses admirateurs.

« Je viens de travailler pour vous, chère sœur Emmanuelle. J'ai dédicacé une quarantaine d'exemplaires de mon dernier ouvrage, dont tous les droits d'auteur vous seront reversés. »

Elle me remercie en arabe, sous le regard étonné de ses « fans », avant d'ajouter en aparté :

« Il faut qu'on dîne à trois, avec Léa. J'ai quelques problèmes à vous soumettre. »

Beyrouth, mercredi 27 mars 2001

Cérémonie solennelle d'ouverture du sommet des États arabes dans la salle des fêtes de l'hôtel Phoenicia, sous la présidence du général Émile Lahoud, au côté duquel a pris place le secrétaire général de la Ligue arabe, Amr Moussa.

L'absence du président Hosni Moubarak et du jeune roi de Jordanie est abondamment commentée. Et pourtant, tout le monde sait que, depuis l'attentat auquel il a échappé lors du sommet de l'OUA, à Addis-Abeba, en 1995, Hosni Moubarak se fait rare dans les grandes conférences internationales. C'est le Premier ministre Atef Ebeid qui le représente.

J'ai pris place aux côtés des secrétaires généraux des organisations internationales, au fond de la salle. C'est la première fois que l'OIF est invitée à participer à un sommet de la Ligue arabe. Une innovation regardée avec défiance par les ayatollahs de la Francophonie. C'est oublier le réservoir de forces vives que constitue le monde arabe. Disant cela, je ne pense pas seulement à l'Afrique du Nord, au Maroc, à la Tunisie, à l'Algérie, mais aussi à l'Égypte, avec ses soixante-dix millions d'habitants, au Liban, à la Syrie. Viendra le jour proche où la Francophonie devra s'appuyer sur cette force de frappe démographique si l'on veut que le français ait quelque chance de rester une langue internationale. Disant cela, je pense aussi à l'Europe qui accueillera, à l'horizon 2015, vingt-cinq à trente millions d'immigrés venus des rives sud de la Méditerranée.

Je suis assis entre le nouveau secrétaire général de l'OUA, l'Ivoirien Amara Essy, et le secrétaire général de la Conférence islamique, Belkeziz, que j'ai connu il y a une trentaine d'années lorsqu'il était doyen de la faculté de droit de Rabat. Sur la même rangée ont pris place Kofi Annan et José Maria Aznar, dont le pays préside l'Union européenne.

Collègues et amis, au motif que les traducteurs aimeraient disposer du texte de mon discours, essaient de savoir indirectement dans quelle langue j'ai l'intention de m'exprimer, en arabe ou en français.

« Votre curiosité, dis-je, ne va pas tarder à être satisfaite. »

José María Aznar fait son allocution en espagnol, Kofi Annan en anglais. Je prends la parole en arabe. Je salue les Palestiniens et leur chef Yasser Arafat, absent aujourd'hui, mais présent dans le cœur de millions d'Arabes. Je n'oublie pas que je suis là pour parler de la Francophonie. Je mentionne les accords et les projets de coopération qui lient l'OIF à la Ligue arabe, tant sur le plan culturel que politique. J'explique clairement notre engagement, non pas seulement en faveur de la langue française, mais aussi et surtout en faveur du plurilinguisme, de la diversité culturelle et de la démocratisation des relations internationales, dans la mesure où le plurilinguisme est à la démocratie globale ce que le pluripartisme est à la démocratie nationale.

Beyrouth, jeudi 28 mars 2002

Le soleil a fait sa réapparition. De la fenêtre de ma chambre, située au quatorzième étage, je contemple avec délectation la Méditerranée, un spectacle dont je ne me lasse jamais. La sonnerie du téléphone vient interrompre ma rêverie. La séance de clôture va commencer.

Entrée solennelle des chefs d'État sous les flashes des photographes. Le prince Abdallah d'Arabie Saoudite et le vice-président irakien arrivent en se tenant par le bras avant de se donner l'accolade devant les journalistes, sous les applaudissements à tout rompre de la salle. Ce geste se veut à la fois symbolique et dissuasif. Il s'agit de témoigner, au grand jour, de la réconciliation saoudi-irakienne et d'empêcher une nouvelle intervention militaire américaine contre l'Irak. Mais je ne vois pas ce qui pourrait arrêter l'hyperpuissance si elle a décidé de mettre fin au régime de Saddam Hussein.

Paris, vendredi 5 avril 2002

Dans la pile de courrier que j'examine, comme à l'accoutumée, à mon arrivée au bureau, la lettre étrange et fort élégamment tournée d'un chercheur béninois, qui me laisse songeur :

« Au crépuscule du soir, écrit-il, d'une carrière bien remplie d'homme de savoir et d'homme de pouvoir, de professeur, d'homme d'État et de secrétaire général des Nations unies, quelle est la fonction qui vous a le plus séduit ? »

J'ai envie de me prêter au jeu en répondant que dans mes moments d'optimisme et d'exaltation, je me sens et je me veux homme d'action et de pouvoir. Mais lorsque je suis saisi par le découragement, c'est dans la réflexion et le savoir que je cherche et que je trouve refuge et réconfort. Je me laisse en effet parfois happer par la spirale du renoncement, surtout face à la réalité égyptienne. Mais très vite, la passion violente que j'éprouve à l'égard de mon pays m'incite à l'action.

Paris, samedi 6 avril 2002

Débat sur la crise du Moyen-Orient en compagnie de Jean-Marie Colombani et d'Alexandre Adler qui écrivait dernièrement, dans *Le Monde*, que Gaza pourrait devenir le Tel-Aviv d'une Palestine moderne. Il reste, durant notre discussion, sur la même ligne optimiste. Un point de vue que je ne partage pas. Je suis en effet convaincu qu'Ariel Sharon ne veut pas d'un État palestinien et qu'il est en faveur d'un Grand Israël où la Jordanie ferait office de République palestinienne. L'« option jordanienne » est d'ailleurs l'objectif ultime de la guerre menée par Ariel Sharon. Il faudra, dans ces conditions, de longues années d'efforts diplomatiques pour parvenir à une réconciliation. Pour l'heure, nous sommes revenus à la case départ, c'est-à-dire à l'état de la situation avant la visite d'Anouar el-Sadate à Jérusalem, en novembre 1977.

À la sortie du studio, Alexandre Adler me confie : « Je pense malheureusement que votre analyse pessimiste, mais réaliste de la situation, est la bonne. Je prends peut-être mes désirs pour des réalités. »

Paris, lundi 8 avril 2002

Lorsque j'ai accepté de me rendre dans les studios de i<télévision pour m'exprimer sur la crise au Moyen-Orient, on a omis de m'informer que je ne serais pas seul sur le plateau. Quelle n'est pas ma surprise de me trouver face à l'ambassadeur d'Israël à Paris, Elie Barnavi, que je rencontre pour la première fois ! L'homme est avenant, souriant, le regard vif et intelligent. Je ne laisse rien paraître de ma contrariété, même s'il est toujours désagréable de se sentir piégé. L'animatrice, qui est fort belle et en est manifestement persuadée, me demande mon point de vue sur la crise israélo-palestinienne. Je reprends l'analyse pessimiste à laquelle je

me suis livré, il y a deux jours, en compagnie d'Alexandre Adler et de Jean-Marie Colombani. Elie Barnavi abonde dans mon sens.

Je m'adresse directement à lui : « Ne pensez-vous pas qu'Ariel Sharon, en détruisant l'autorité palestinienne et toutes ses infrastructures, essaie de mettre en œuvre le projet de l'"option jordanienne", d'éliminer la dynastie hachémite et de réaliser du même coup le Grand Israël ? »

L'ambassadeur me répond, sans trop de conviction, que cela est irréalisable.

« Quelle solution, me demande la jeune femme, voyez-vous dans l'immédiat ? »

Ma réponse est claire : « Une force militaire d'interposition entre les Palestiniens et les Israéliens, comme c'est déjà le cas au Golan, à la frontière libano-israélienne et dans le Sinaï. Peu importe que ces forces soient dépêchées par les Américains, l'ONU ou l'OTAN. L'essentiel, c'est qu'il y ait une présence militaire internationale. »

Elie Barnavi rétorque que son pays y est opposé. Et il ajoute : « Je vous dirai franchement que cette présence militaire n'empêchera pas une infiltration de la guérilla palestinienne, mais elle pourrait en revanche empêcher la réponse d'une armée régulière comme celle d'Israël.

– Il est peut-être trop tôt, conclus-je, pour savoir qui porte la responsabilité de la dégradation tragique de la situation à laquelle nous assistons. Mais l'histoire jugera avec sévérité la politique absurde d'Ariel Sharon, qui n'offre aucune perspective de solution et qui a exacerbé la haine entre Israéliens et Palestiniens. »

Après que nous avons quitté le plateau, la conversation se poursuit :

« J'ai bien connu Ariel Sharon, dis-je à l'ambassadeur. C'est un militaire qui ne connaît que l'usage de la force. Et c'est le premier responsable des malheurs qui s'abattront sur l'État d'Israël.

– Vous le connaissez mieux que moi, me répond Elie Barnavi. Je ne suis pas du même bord politique que lui. »

Je me suis rappelé, à cet instant, combien il est difficile de représenter et de défendre son gouvernement quand on n'approuve pas la politique qu'il suit.

« Dans ces cas-là, il faut démissionner », me diront les puristes ou les moralistes. Peut-être, mais alors cela revient à abandonner son pays au moment où l'on pense qu'il aurait le plus besoin d'être défendu.

Paris, mercredi 10 avril 2002

Je reçois, ce matin, maître Yawovi Agboyibo, président du CAR, jusqu'alors incarcéré à Lomé. Il est venu me remercier des efforts que j'ai déployés pour obtenir sa libération. Ces mois de détention l'ont amaigri, et visiblement fatigué.

Je lui reproche gentiment son manque de maturité politique, bien qu'il ait une longue expérience de la vie publique togolaise : « Tant que vous refuserez de négocier avec les partis de la mouvance présidentielle, dis-je, vous n'obtiendrez rien. Boycotter les élections n'est pas non plus la bonne solution. Le président Eyadéma remportera alors les élections, installera un multipartisme de façade. Les partis représentés à l'Assemblée lui étant inféodés, il obtiendra sans peine le vote qui lui permettra de modifier la Constitution et de briguer un nouveau mandat.

« Par ailleurs, les conditions que vous voulez imposer au président Eyadéma avec Gilchrist Olympio, alors que vous ne disposez d'aucun levier, reviennent à exiger de lui qu'il se fasse hara-kiri ou qu'il subisse sans broncher vos diktats et la vengeance d'Olympio. Tel que je connais le Président, ni lui, ni l'armée, ni les partis qui lui sont fidèles, n'accepteront cette politique suicidaire. Pardonnez-moi d'être franc, cher maître, mais vous ne représentez pas aujourd'hui une force crédible. Vous sortez de prison et vous prétendez imposer vos conditions en échange de votre participation au prochain scrutin… On ne peut pas me taxer d'être partial. Je ne défends aucun parti. La seule chose qui m'incite à agir et à vous parler aussi crûment, c'est la détresse et la misère du peuple togolais que tout le monde semble oublier. Croyez-moi, négocier avec le pouvoir en place, c'est le seul moyen de participer au pouvoir. »

Maître Yawovi Agboyibo, malgré la dureté de mes propos, m'écoute avec attention. Je poursuis donc :

« L'Afrique en a assez de recevoir des leçons de morale des anciens colonisateurs et des ayatollahs des Droits de l'homme. La politique des conditionnalités traverse d'ailleurs une crise profonde. Regardez l'attitude de Mugabe au Zimbabwe – que je n'approuve pas, bien sûr. Mais il a donné une gifle au Commonwealth, à l'Union européenne et à la communauté internationale. N'essayez pas d'obtenir un appui extérieur pour tenter de renforcer votre opposition. Négociez entre Africains. »

Je m'aperçois de la présence du jeune collaborateur d'Agboyibo au moment où il demande à prendre la parole, alors qu'il s'était enfermé jusque-là dans un mutisme respectueux.

« En Afrique, dit-il, contrairement à ce qui se passe dans le monde occidental, nous respectons les aînés, ils représentent la sagesse, et nous vous sommes donc très reconnaissants de votre franchise, même si nous ne partageons pas votre analyse. »

Maître Yawovi Agboyibo ne fera aucun autre commentaire. Il me quitte en me donnant l'accolade et en me remerciant, une fois encore, de ce que j'ai fait pour sa libération.

Dakar, jeudi 11 avril 2002

Un soleil d'hiver africain : lumière, chaleur blanche, couleurs bigarrées. Le motard qui nous escorte jusqu'au cimetière chrétien de Dakar, où est enterré Léopold Sédar Senghor, a le plus grand mal à fendre la foule qui envahit la route.

J'ai toujours été étonné par le fait que l'on éprouve le besoin de différencier les cimetières selon les religions, comme si les défunts étaient destinés à recevoir un traitement spécifique dans l'au-delà. J'ai souvenir, en revanche, qu'en Indonésie les musulmans et les chrétiens partagent le même cimetière.

Je parcours les allées de sable jaune qui séparent les alignements de tombes appartenant pour la plupart à des « pieds-noirs » morts en terre africaine. Rien ne distingue la tombe de Léopold Sédar Senghor des sépultures qui l'entourent, si ce n'est l'amas de fleurs fraîches dont elle est recouverte. Je dépose, à mon tour, une gerbe.

« Il est enterré auprès de son fils », me chuchote un journaliste qui a tenu à m'accompagner avec un cameraman.

Moment de recueillement et d'intense émotion. J'essaie de me remémorer le visage du disparu, mais par un étrange phénomène, c'est l'image de la tombe de Nehru à New Delhi qui s'impose à moi : le même soleil, la même chaleur, la même lumière.

Je m'obstine à retrouver au fond de ma mémoire une expression, un sourire, un regard, en vain… Ce sont les mots, les paroles, les idées de Léopold Sédar Senghor qui affleurent progressivement à mon esprit : « La civilisation du XXIe siècle sera celle de l'universel » ; la langue française, « magnifique instrument d'équilibre, d'harmonie et de progrès au service de peuples qui sont faits pour s'entendre » ; la Francophonie, servant d'« exemple aux autres grandes langues de culture, pour qu'elles s'organisent dans la perspective d'une montée universelle»... Ce message est-il celui de l'homme d'État, du poète négro-africain ou de l'inspirateur visionnaire ? J'ai bien peur aujourd'hui que sa prophétie ne tienne de l'incantation.

Les journalistes manifestent des signes d'impatience. Mais je me refuse à quitter les lieux avant d'avoir retrouvé l'image de Léopold Sédar Senghor, qui continue de m'échapper. Il surgit enfin, avec son sourire intelligent et malicieux. Je le revois déclarant «Je ne suis qu'un petit nègre», et s'amusant de l'étonnement de son interlocuteur désarçonné.

(En début de soirée...) Je rencontre Lansana Kouyaté qui arrive d'Abidjan. Je le convaincs de poursuivre seul le dialogue intertogolais, sans les trois autres facilitateurs, afin de maintenir le climat favorable que nous sommes parvenus à rétablir suite à la libération de maître Yawovi Agboyibo. Confier la médiation au Togo à quatre facilitateurs est une aberration de l'Union européenne, qui montre bien à quel point cette organisation méconnaît la politique africaine. Cette structure complique, en effet, la situation, dans la mesure où le conflit entre les partis togolais se double d'un conflit entre le facilitateur de l'Union européenne – un ambassadeur autrichien à la retraite –, le facilitateur de l'Allemagne – lui aussi ambassadeur –, et le facilitateur de la France, le médiateur de la République Bernard Stasi – lequel, surchargé de travail, a délégué le dossier à un de ses proches collaborateurs. Ce dernier, comme beaucoup de jeunes technocrates, se croit encore au temps des colonies, tentant de se tailler la part du lion dans ce collège et favorisant systématiquement les relations bilatérales.

Moustapha Niasse, qui avait entamé seul cette médiation au nom de la Francophonie, en 1998, a été remplacé au moment de sa nomination comme Premier ministre du Sénégal par Idé Oumarou, ce vieux routard de la diplomatie africaine – lequel, malgré toute sa bonne volonté, avait beaucoup de difficultés à s'entendre avec les autres facilitateurs. Lansana Kouyaté, à qui j'ai demandé de prendre le relais, après la disparition brutale d'Idé Oumarou, a très vite compris que ce « quarteron diplomatique » n'obtiendrait aucun résultat.

Nous continuerons donc seuls, quitte à encourir le courroux de nos partenaires. Je m'en remets totalement à Lansana Kouyaté : c'est un Africain qui sait comment dialoguer avec des Africains, et jouit de la confiance des protagonistes du dialogue intertogolais. Il a le caractère, la droiture et l'intelligence nécessaires pour prétendre jouer un rôle de tout premier plan sur le continent africain.

Dakar, vendredi 12 avril 2002

Je participe à l'ouverture du symposium organisé par la Francophonie sur le thème de la démocratie, en marge des travaux de la conférence du Nepad. Nous avons rassemblé des personnalités venues de Tunisie, d'Égypte, d'Afrique, de Suisse, de France et de Belgique. Le discours inaugural devait être prononcé par le Premier ministre sénégalais, Mme Madior Baye. Cette dernière s'est excusée au dernier moment. Le gouvernement sénégalais est cependant amplement représenté en la personne des ministres de l'Intérieur, de la Culture et des Affaires étrangères.

Mon allocution à peine terminée, je m'éclipse afin d'être reçu par le président Abdoulaye Wade. Que de souvenirs me rattachent aux bâtiments de la présidence : souvenirs agréables de mes rencontres avec Léopold Sédar Senghor, puis avec Abdou Diouf... Mais aussi des moments plus difficiles – dans ces locaux se sont déroulés, sous l'égide du président Moubarak qui m'avait désigné comme médiateur, les pourparlers entre le Sénégal et la Mauritanie. Les courtisans zélés du président Moubarak m'avaient âprement reproché l'échec de cette médiation, qui avait mis en difficulté le raïs et terni son image. Selon eux, je n'aurais jamais dû faire appel au Président tant que la médiation n'avait pas abouti. Il se trouve que j'étais d'un avis contraire et que je comptais justement sur la présence du Président pour mener à bien le dossier.

Le président Wade est en grande forme. Il est très satisfait de l'importante délégation dépêchée par la Francophonie à l'occasion de cette conférence du Nepad. Il se montre plus amer à l'égard des Africains anglophones et de la volonté de mainmise du président Obasanjo, fort du poids économique et démographique du Nigeria, et de son homologue Thabo Mbeki, auréolé du prestige de son prédécesseur, Nelson Mandela. Dans ces conditions, le « petit » Sénégal, qui n'a à opposer que son rayonnement culturel et politique – ce qui en matière de développement économique pèse peu –, risque de se trouver marginalisé.

Selon les dernières rumeurs, le président Thabo Mbeki, occupé par le dossier congolais, et le président Obasanjo, préoccupé par la situation intérieure dans son pays, renonceraient à faire le déplacement à Dakar pour participer à la conférence du Nepad qui doit s'ouvrir demain matin.

(Dans l'après-midi...) Je retrouve avec grand plaisir le Premier ministre Jean Chrétien qui termine une tournée africaine. Il est accompagné de l'ambassadeur Claude Laverdure et du ministre de la Francophonie Denis Paradis. Tous les chefs d'État qu'il a rencontrés sont enthousiasmés par le Nepad. Il reprend, presque mot pour mot, les arguments développés par François Mitterrand dans le discours de La Baule, le 21 juin 1990 : « Plus vous démocratisez, plus votre administration est bien gérée – la fameuse "bonne gouvernance" –, plus vous recevrez une aide importante. »

Je suis sur le point de lui faire remarquer que cette politique des conditionnalités est en crise, qu'il faudrait parvenir à une définition plus pointue, et surtout contractuelle, des critères de démocratie et de bonne gouvernance, qu'il faudrait sortir de la relation bilatérale dans laquelle le bailleur de fonds est à la fois juge et partie, qu'il faudrait mettre un terme à l'arbitraire de l'octroi ou du refus de l'aide décidés selon les seuls critères des pays donateurs. Mais j'ai finalement adopté le comportement de la plupart des pays africains qui ont un besoin d'aide urgent : surtout ne pas discuter les conditionnalités, de peur de ne pas recevoir l'aide escomptée ou de voir l'aide s'arrêter. En dernier ressort, les pays donateurs comme les pays receveurs s'accommodent parfaitement, pour le moment en tout cas, de cette relation bilatérale aussi hypocrite qu'ambiguë où tout le monde trouve son compte. Les bailleurs de fonds apparaissent, notamment aux yeux de leurs opinions publiques, comme de respectables pourvoyeurs de démocratie et de libertés, tandis que les pays receveurs répercutent les déclarations d'intention que l'on exige d'eux, allant jusqu'à se doter de ministères des Droits de l'homme, à nommer des médiateurs, à annoncer la création de nouveaux partis politiques : autant d'épiphénomènes – émanations factices de la politique des conditionnalités – qui sont en total décalage avec la réalité politique, sociale et culturelle de l'Afrique.

Dakar, samedi 13 avril 2002

Je peste intérieurement : l'ambassadeur d'Égypte Mohamed Ala Eldine Nassef, qui nous invite, ce soir, a sans doute cru impressionner favorablement les Sénégalais en n'offrant à ses convives que des jus de fruits. Il ne se rend pas compte de l'image qu'il donne de l'Égypte. En rompant avec les habitudes de ses prédécesseurs qui faisaient servir de l'alcool, il donne le sentiment qu'il a reçu des instructions en ce sens du Caire, mais surtout que l'influence des intégristes musulmans va croissant en Égypte alors que le gouvernement est en lutte ouverte contre eux et entend le faire savoir à la communauté internationale. Pis, on pourrait en déduire que le gouvernement égyptien, par faiblesse, n'a d'autre alternative pour les contrer que d'adopter leurs préceptes et leurs interdictions. En bref, la révolution intégriste sans les intégristes – qui sont en prison !

Dakar, dimanche 14 avril 2002

Je prends connaissance des fax transmis par ma secrétaire Henriette Njakouo, toujours attentive : tout d'abord, les déclarations de Desmond Tutu qui a condamné, hier, la politique israélienne en Cisjordanie, la comparant à l'apartheid. Il a notamment confié que sa visite au Proche-Orient lui avait rappelé la façon dont les Noirs avaient été traités en Afrique du Sud. « J'ai vu, dit-il, l'humiliation des Palestiniens aux points de contrôle et aux barrages, et leur souffrance », et d'évoquer la manière dont les policiers blancs empêchaient les Noirs de circuler librement.

Où que j'aille, j'emporte toujours avec moi la tragédie palestinienne. J'ai demandé au président Wade de mentionner le peuple palestinien dans son discours d'ouverture du Nepad, ce qu'a fait d'ailleurs le ministre des Affaires étrangères, hier, lors de la clôture de notre symposium. Mais parler ne suffit pas, il faut agir.

Autre nouvelle : le colonel Azali Assoumani vient d'être élu président de l'Union des Comores.

Dakar, lundi 15 avril 2002

9 h 30 : séance inaugurale de la conférence sur le financement du Nepad. Dans la salle, des dizaines d'hommes d'affaires, d'entrepreneurs, de financiers auxquels le président Abdoulaye Wade entend expliquer que l'Afrique veut faire du secteur privé le moteur de son développement économique. Sur l'estrade, une trentaine de fauteuils destinés aux chefs d'État et de gouvernement. J'ai pris place au premier rang au côté de Ky Amoako, le directeur de la Commission économique pour l'Afrique et d'Ibrahim Fall, représentant du secrétaire général des Nations unies.

11 h 30 : les chefs d'État et de gouvernement font enfin leur entrée. Deux heures d'attente qui ne sont pas du meilleur effet sur les investisseurs potentiels qui se sont déplacés à Dakar. Le pire, c'est que lesdits chefs d'État n'ont sans doute même pas conscience du tort qu'ils se font à eux-mêmes et à la cause qu'ils prétendent servir. Et c'est d'un air satisfait qu'ils se dirigent vers leurs fauteuils moelleux. Les diplomates, dont je suis, n'ont d'autre choix que de savoir attendre, encore et toujours. En revanche, pour les hommes d'affaires, le temps, c'est d'abord de l'argent.

La conférence commence, présidée par Omar Bongo. Lecture est faite des messages des présidents Bush et Bouteflika. J'enrage : l'Égypte brille par son absence. La présidence aurait pu charger ma chère ministre d'État pour les Affaires étrangères Faiza Abou el-Naga de délivrer un message d'Hosni Moubarak. Ce n'est pas parce que nous sommes accaparés par les exactions de Sharon que nous devons négliger l'Afrique. Je suis tout aussi étonné de constater que le Président français n'a pas, lui non plus, envoyé de message. Les hommes d'affaires ont un sens plus aigu de la communication : le représentant de Microsoft, un Italien, trouve le moyen, dans son intervention, de faire référence à son pays et à son Premier ministre.

Les débats se déroulent sur un ton ouvert. L'un des intervenants mentionne que le montant des avoirs africains déposés dans des banques ou investis dans des entreprises à l'étranger s'élève à 360 milliards de dollars. « Si une partie de ces fonds, ajoute-t-il, réintégrait l'Afrique, cela encouragerait sûrement les investisseurs étrangers, et accélérerait du même coup le développement économique. » La grande majorité des interventions sont le fait d'hommes d'affaires américains qui se plaisent à souligner l'ampleur de leurs transactions et l'intérêt que leurs entreprises portent à l'Afrique. L'Europe et le Forum francophone des affaires sont absents. Michel Roussin, le seul représentant – sauf erreur – du monde francophone, nous donne une leçon de « bonne gouvernance » en matière économique. Quel contraste avec le réalisme et le pragmatisme des Américains et des Afro-Américains ! Je prends, dès aujourd'hui, le pari que l'Afrique économique sera anglo-saxonne dans les prochaines années. Et, avec un peu de chance, la Francophonie survivra par la culture.

Intégration régionale, nouvelles technologies, développement de l'agriculture, renforcement des secteurs de la santé et de l'éducation, lutte contre la corruption sont tour à tour évoqués. L'Américain Stephen Hayes du Corporate Council on Africa appelle les grandes agences internationales de garantie des investissements à s'impliquer en Afrique afin que les projets d'infrastructure puissent prendre forme.

Mais le ton monte quelque peu lorsqu'un investisseur américain s'étonne, pour le déplorer, que des chefs d'État africains aient apporté leur soutien à la réélection très controversée de Robert Gabriel Mugabe au Zimbabwe. Certains des dirigeants présents tentent de justifier ce soutien. D'autres contre-attaquent en dénonçant l'attitude des pays donateurs industrialisés, qui se posent en donneurs de leçons alors que le partenariat devrait être fondé sur un respect mutuel et une responsabilité partagée. Le président Wade, à son tour, fait remarquer que «chaque État partenaire est souverain sur son territoire et qu'il serait périlleux de condamner l'ensemble du continent à cause de cas isolés contraires à l'éthique du Nepad».

J'ai bien peur que le Nepad, à l'instar d'autres initiatives africaines auxquelles j'ai participé, ne finisse dans la corbeille des idées mort-nées. Je ne crois pas à un plan Marshall pour l'Afrique, parce que le reste du monde a pris progressivement, mais sûrement, l'habitude d'oublier ce continent, de «faire sans lui». Il n'en demeure pas moins que le Nepad est un formidable outil de promotion, et il faut espérer que le prochain sommet du G8 au Canada se donnera les moyens de faire écho à ses propositions.

Fribourg, mardi 16 avril 2002

Changement de décor, changement de climat. L'université de Fribourg m'a invité à venir prononcer une conférence dans le cadre de la Journée de l'Europe. Des centaines d'étudiants ont pris place dans le grand amphithéâtre. J'ignore comment mes propos seront accueillis car j'ai délibérément choisi de me poser en tiers-mondiste préoccupé, au premier chef, par les relations entre l'Europe et le sud de la Méditerranée. Je suis persuadé qu'il y a, dans la volonté et dans la capacité qu'aura l'Union européenne de développer, non pas une politique, mais une véritable stratégie méditerranéenne, un enjeu essentiel pour les années à venir. L'Europe ne pourra être l'Europe que si elle s'engage en faveur de la non-Europe.

Il semble que mon approche ait trouvé un large écho auprès des étudiants et des universitaires helvétiques : «On ne nous avait jamais présenté le problème sous cet angle. L'Europe aurait bien besoin de se libérer de son eurocentrisme.» Certes!

Paris, vendredi 19 avril 2002

Table ronde à l'Unesco sur le thème du dialogue des cultures. Le professeur Mohammed Arkoun plaide pour la laïcisation du monde musulman, pour la séparation entre l'Église – la mosquée – et l'État. Il critique vivement le concept de guerre juste, développé par saint Augustin et repris par le président Bush Junior. « Le djihad est tout autant une guerre juste aux yeux des musulmans. » Mais c'est sans doute le président du Centre de philosophie de la stratégie, Jean-Paul Charnay, qui analyse de la façon la plus percutante la difficulté qu'a le monde arabo-musulman à s'ouvrir sur l'extérieur :

« J'habite, dit-il, près du musée du Louvre et je profite de cette proximité pour aller contempler régulièrement le portrait de la Joconde qui attire des centaines de milliers d'admirateurs venus de tous les continents. Mais jamais je n'ai vu de visiteurs musulmans, ou africains… »

On pourrait discuter longuement de la pertinence du critère artistique retenu par Jean-Paul Charnay. Mais je dois dire que cette « anecdote » symbolique m'a donné à réfléchir.

Durant le dîner offert par l'ambassadeur Aly Maher à l'occasion de son départ, j'apprends de la bouche de l'ambassadeur d'Arabie Saoudite que ce sont les Britanniques qui ont déconseillé au roi Hussein de Jordanie de rencontrer Anouar el-Sadate à Rabat, après le sommet de Camp David, en septembre 1978. À croire que la diplomatie britannique, réputée au service de la diplomatie américaine, se permet parfois des prises de position autonomes… Cette information m'éclaire surtout sur le fait que l'on connaît très mal l'histoire que l'on a vécue. Je n'oublierai jamais la déconvenue du président Sadate qui espérait obtenir, à Rabat, le soutien de deux États arabes, le Maroc et la Jordanie, aux accords de paix, et qui est reparti déçu, abandonné par ses pairs, mais plus que jamais décidé à poursuivre son chemin sans se retourner.

Paris, dimanche 21 avril 2002

Premier tour des élections présidentielles françaises. C'est confortablement installé dans mon fauteuil que j'assiste au séisme politique de ce premier tour. Je ne peux m'empêcher de repenser aux événements de Mai 68 que j'ai vécus, heure après heure, jour après jour, activement plongé au cœur de la tourmente. Faut-il mettre ma sérénité tranquille d'aujourd'hui sur le compte de l'âge ? Je crois plutôt que c'est parce que j'ai traversé la révolution culturelle de 68 avec l'idée qu'elle pourrait avoir lieu dans mon pays. Ce qui se passe, ce soir, en France, n'est pas transposable à l'Égypte.

Paris, dimanche 28 avril 2002

« *Separate and unequal in France* » : un article de David Ignatius qui me conforte dans mes convictions. La France n'a pas rompu avec son passé colonial : ses nouveaux territoires ont pour nom les « banlieues chaudes » ou les « quartiers sensibles » des grandes villes françaises. Les cinq millions de musulmans de France sont des citoyens de seconde zone. Et le phénomène Le Pen s'alimente de cette crise ethnique. Le vrai problème n'est pas tant d'éliminer l'extrême droite que d'en finir avec une politique de l'autruche, qui se pare de grands principes républicains d'égalité et de fraternité. Pas un seul député musulman à l'Assemblée. Pas un seul préfet musulman. Et sur les quelque trente-six mille maires que compte la France, je serais curieux de savoir combien sont musulmans. Dans la mesure où les statistiques n'intègrent pas les différences de race et de religion, il est difficile de connaître le pourcentage de chômeurs parmi les musulmans. Mais il est à parier qu'il est élevé.

David Ignatius rappelle que les États-Unis ont eu, eux aussi, leur Jean-Marie Le Pen : George Wallace, qui avait obtenu, en 1968, 13 % des voix aux élections présidentielles. Il affirme, par ailleurs, que le problème racial a été depuis résolu. J'ai vécu suffisamment longtemps aux États-Unis pour savoir qu'on en est loin. Les Américains sont simplement parvenus à camoufler les choses à travers un certain nombre de lois qui garantissent un traitement préférentiel aux minorités, et ce malgré l'opposition d'une partie de la population qui demeure raciste, mais le cache bien – puritanisme oblige.

Paris, mercredi 1er mai 2002

« Ne sortez surtout pas de chez vous. » Les médias et la rumeur ont prédit de terribles manifestations, voire même de violents affrontements entre les militants du Front national et leurs adversaires républicains. Pourtant, tout semble calme.

Paris, mardi 14 mai 2002

Réception dans les salons Boffrand, au Sénat, à l'occasion de la parution des entretiens que j'ai réalisés avec Yves Berthelot sous le titre « Démocratiser la mondialisation ». Léa est inquiète et nerveuse : « Comment espérer que les gens se déplacent à 18 heures pour une réception ? C'est trop tôt. Et puis il y a eu des oublis dans l'envoi des invitations. Nombre de nos amis n'ont pas été prévenus. » Je tente de la rassurer. Les invités arrivent peu à peu. À 18 h 30, la salle est pratiquement remplie. L'ambassadeur Aly Maher, Yves Berthelot et Jean-Paul Bertand, patron des Éditions du Rocher, prononcent des discours aussi convenus qu'élogieux. Je me plie volontiers à ce rituel « éditorial », bien que je doute de plus en plus de l'utilité de ces réceptions.

Paris-Athènes-Mykonos, dimanche 19 mai 2002

Le ministre grec des Affaires étrangères, George Papandhréou, m'a invité à venir présider le Forum méditerranéen qui réunira les ministres des Affaires étrangères des pays riverains de la Méditerranée et un certain nombre d'intellectuels.

Dîner de gala offert par le maire de Mykonos, qui se lance dans un interminable discours en grec, repris une seconde fois par le traducteur en anglais. Je suis fort heureusement en excellente compagnie : à ma droite, la jeune et très belle épouse de George Papandhréou, à ma gauche, la rectrice Hélène Arwheiller. Ambiance festive et détendue, agrémentée de chants et de danses folkloriques qui font remonter en moi le souvenir de ma découverte de la Grèce, dans les années 1950, avec ma première épouse Lilly. Cette première soirée du Forum méditerranéen s'achève à 2 heures du matin.

La Méditerranée, la nuit, semble encore plus harmonieuse. On hésiterait presque à bouger, de peur de briser cette harmonie étoilée.

Mykonos-Délos, lundi 20 mai 2002

Départ en bateau pour l'île de Délos. Retrouvailles fraternelles avec le ministre tunisien des Affaires étrangères, Habib ben Yehia. Il me présente son homologue algérien, Abdelaziz Belkhadem. Je fais aussi la connaissance de notre hôte, George Papandhréou, plus sympathique et plus chaleureux que son père.

Nous parlons de tout, sauf des problèmes euroméditerranéens : la croisière s'amuse. Et lorsque nous arrivons en vue de Délos, le bateau est trop grand pour accoster. On nous transfère donc sur une embarcation plus modeste qui, peut-être sous l'effet d'une cargaison mal répartie, donne manifestement de la bande. Inspiré par la situation, mon compatriote, le député Moustapha el-Feki, qui est président de la commission des Affaires étrangères, laisse libre cours à son humour dans un communiqué de presse imaginaire qu'il déclame devant l'assemblée réjouie : « L'ancien secrétaire général des Nations unies, accompagné d'une brochette de ministres des Affaires étrangères et d'ambassadeurs, s'est noyé peu avant de toucher aux rivages de Mykonos. Les dieux grecs, irrités par cette incursion diplomatique sur leur territoire et plus encore par la tenue vestimentaire des plénipotentiaires, ont fait chavirer le bateau sur lequel ils s'étaient embarqués. »

Nous arrivons fort heureusement sains et saufs à Mykonos pour une visite du musée. Sept guides ont été mis à notre disposition, afin de satisfaire les différents groupes linguistiques représentés dans notre assemblée. La délégation égyptienne, au grand dam du guide arabophone, a choisi de se joindre au groupe francophone, emmenée par une charmante jeune femme tout de blanc vêtue.

« Si je me joins au groupe francophone, me dit avec malice le ministre Ahmed Maher, c'est par solidarité avec le secrétaire général de la Francophonie, mon ancien patron. »

La question, pourtant fort innocente, de l'un de mes compagnons de visite provoque, bien involontairement, mon agacement : « Comment expliquer, demande ce dernier, qu'autant de temples et de statues aient été détruits ? » À quoi notre guide répond que les chrétiens ont effacé la trace de tout ce qui évoquait le polythéisme.

À ce moment, le ministre des Affaires étrangères algérien ne peut s'empêcher de faire remarquer que l'opinion internationale s'est vivement émue lorsque les talibans ont détruit les célèbres bouddhas de Bamiyan, mais que personne n'a jamais dénoncé la destruction des temples gréco-romains par les chrétiens.

Je suis tenté de lui rétorquer qu'en quinze siècles d'islam, aucun dignitaire religieux musulman, ni aucun conquérant n'avait touché aux célèbres bouddhas et qu'il a fallu attendre l'an 2000 pour que des primitifs fondamentalistes s'en prennent à ces vestiges. Et puis, peut-on prétendre comparer ce qui s'est passé il y a deux mille ans avec les événements récents ? La chaleur écrasante me dissuade d'engager une discussion qui n'aurait pu être que vive. Il est des heures de la journée où le dialogue n'est pas souhaitable.

La visite terminée, nous regagnons notre frêle embarcation qui nous mène jusqu'au navire où doit se dérouler la première réunion du forum. Tandis que nous voguons vers l'île de Tinos, George Papandhréou déclare la séance ouverte et me cède la parole. Mon intervention en faveur du renforcement de la coopération entre les deux rives de la Méditerranée encourage des représentants des pays du Sud – l'Égypte, la Tunisie, la Turquie, Malte – à dénoncer les manquements de la politique de l'Union européenne en la matière. Le Portugal se fait le porte-parole des pays du Nord : « Il faut, aussi, que les pays du Sud se donnent les moyens d'exploiter leurs atouts et de s'unir s'ils veulent engager un vrai partenariat avec l'Union européenne. »

Il est prévu que les ministres des Affaires étrangères se réunissent à huis clos pour un dîner de travail autour du dossier israélo-palestinien. Y assisterai-je ? Si oui, à quel titre ? En tant que secrétaire général d'une organisation internationale ? En tant que négociateur des accords de Camp David ? George Papandhréou a mis un terme élégant aux discussions qu'avait suscitées ma participation, en me présentant, au début du dîner, comme un grand spécialiste de la question du Moyen-Orient.

Les dossiers les plus sérieux sont parfois à la merci des contingences les plus matérielles. C'est le cas ce soir. Nous devons lutter contre les rythmes d'une musique endiablée qui nous arrive depuis la salle voisine où se sont réunis le reste des congressistes. Mais nous devons faire face, surtout, à l'absence de traducteurs, ce qui rend, dans certains cas, nos échanges très difficiles. Dominique de Villepin, assis à ma gauche, me chuchote : « Je crois que nous devrions parler en anglais. Qu'en pensez-vous ? » Mais tous les participants ne comprennent pas ou ne parlent pas l'anglais… On finit par trouver un compromis : le ministre espagnol s'exprimera en français avec traduction anglaise. Et les interventions en anglais des autres ministres seront traduites en français à l'intention du ministre algérien qui ne parle pas l'anglais.

L'Espagne et la Grèce défendent avec ardeur la tenue d'une nouvelle conférence internationale pour gérer la crise israélo-palestinienne. En revanche, des représentants du monde arabe – Égypte, Algérie, Tunisie, Maroc – se montrent sceptiques : ils doutent de l'opportunité et de l'efficacité d'une telle conférence. Ils ont raison. Il n'y a malheureusement qu'un seul pays à pouvoir régler cette crise : les États-Unis.

Mykonos-Paris, mardi 21 mai 2002

Nous passons en revue, ce matin, les rapports préparés par les États, suite à la précédente réunion qui s'était tenue à Agadir : prévention des conflits, adoption d'un code de conduite concernant le crime organisé et le trafic de drogue. Le Maroc nous soumet un document sur les répercussions économiques des attentats du 11 septembre 2001, particulièrement en matière de tourisme.

La conférence est terminée. Nous quittons la salle pour la traditionnelle photo officielle qui sera prise sur le perron de l'hôtel, avec en toile de fond les drapeaux de tous les États participants. Nous évitons de peu le drame. La hampe du drapeau tunisien se renverse sous l'effet du vent, égratignant sérieusement dans sa chute la joue du ministre espagnol Joseph Piqué. Tandis que ce dernier, stoïque, essuie le filet de sang qui coule sur son visage, Ahmed Maher dénonce avec humour cette agression de la Tunisie contre l'Espagne. « Une agression cautionnée par le vent de Mykonos », renchérit un autre ministre. Quant au ministre tunisien, il réclame une enquête immédiate afin d'identifier la main criminelle à l'origine de ce geste. Le photographe a saisi sur le vif ce moment de franche gaieté, laissant à la petite histoire le soin de l'expliquer. Cela dit, il ne faut pas croire que ces conférences ministérielles n'ont qu'un intérêt touristique. Ces rencontres informelles, tenues dans un cadre informel, permettent l'élaboration d'accords et d'institutions qui viennent renforcer la diplomatie multilatérale.

Bamako, dimanche 26 mai 2002

Amadou Toumani Touré savoure avec humilité sa récente victoire aux élections présidentielles. Il est resté le même, chaleureux et direct.

« N'avais-je pas prédit votre victoire ? lui dis-je en le félicitant. Les marabouts égyptiens ne se trompent jamais. »

Le nouveau Président n'a rien perdu de sa lucidité. Il est conscient des difficultés qui l'attendent : la crise de l'emploi des jeunes, la mise en valeur des terres sur les rives du fleuve Niger… Le Mali reste l'un des pays les plus pauvres de la planète.

« Vous m'aiderez, ajoute-t-il, souriant et serein.

– Abdou Diouf sera sans doute le prochain secrétaire général de la Francophonie, mais soyez assuré que je serai toujours prêt à servir l'Afrique et le Mali quelles que soient mes nouvelles fonctions… »

Bamako, mardi 28 mai 2002

C'est ce matin que s'ouvre la conférence régionale africaine préparatoire au sommet mondial sur la société de l'information. Nous attendons, debout, sous un soleil mordant, l'arrivée du président Konaré, toujours en fonction tant que son successeur n'aura pas été investi, et du président Wade. Le long cortège de Mercedes noires s'annonce au bruit strident des sirènes des véhicules de police qui l'escortent. J'ai souvent remarqué que l'importance des cortèges officiels était inversement proportionnelle au produit intérieur brut des États.

Nous gagnons, à la suite des deux présidents, l'intérieur de la salle et prenons place sur le podium. Je suis assis entre le président Wade et Yoshio Utsumi, le secrétaire général de l'Union internationale des communications.

Alpha Oumar Konaré ouvre la séance par un discours optimiste, confiant en l'avenir du Nepad. Abdoulaye Wade, en brillant tribun, improvise une intervention aussi convaincante que convaincue sur les promesses des nouvelles technologies.

Je partage ses espoirs et ses ambitions. Il est faux de dire que l'on regarde avec méfiance ou que l'on refuse ce qu'on ne connaît pas ou ce qu'on ne maîtrise pas. J'avoue avoir encore quelques difficultés, malgré ma bonne volonté et ma curiosité, à me servir d'un ordinateur. Je n'en demeure pas moins persuadé que ce nouvel outil de communication, notamment à travers l'Internet, recèle des potentialités formidables.

C'est d'abord une vitrine mondiale offerte aux créateurs. C'est aussi un puissant moyen de démocratiser l'accès au savoir, à la connaissance et à l'information. C'est encore, à travers le commerce électronique, la possibilité pour le village le plus reculé du monde d'être propulsé sur l'avant-scène de cette économie qui défie l'espace et le temps. Et contrairement à ceux qui voient dans l'Internet l'instrument d'une globalisation uniformisante, je crois que nous tenons là le moyen de faciliter les retrouvailles entre des êtres que l'histoire et la géographie ont dispersés, et de recréer des affinités linguistiques et culturelles par-delà les frontières.

Mais cela ne vaut que si ces progrès sont partagés par tous et partout. Dans le cas contraire, nous prendrions le risque incalculable d'ériger un mur d'un nouveau type, plus insidieux que le mur de Berlin parce que invisible – un mur numérique –, entre les inforiches et les infopauvres, aggravant ainsi chaque jour un peu plus les disparités révoltantes qui existent déjà entre les oubliés du développement et les oublieux de la solidarité.

À l'issue de cette séance inaugurale, je rejoins la résidence présidentielle, en pleine rénovation. Alpha Oumar Konaré m'explique qu'il souhaite livrer à son successeur un palais en parfait état. Il parle haut et fort, comme s'il s'adressait à un auditoire imaginaire du haut d'une tribune. Il ponctue ses phrases de petits silences mystérieux.

« Abdou Diouf est sur les rangs pour votre succession, me dit-il. Mais laissez-moi vous dire que vous avez transformé la Francophonie, comme vous avez joué un rôle de pionnier aux Nations unies. Vous partirez avec tous les honneurs et la reconnaissance de la communauté internationale.

– Je compte bien continuer à travailler et à m'occuper de l'Afrique, monsieur le Président.

– Moi de même, me répond-il.

– Vous avez des projets particuliers ? »

Ma question ne semble pas le surprendre, mais il reste évasif : « Oui, mais je n'en dirai pas plus. »

Paris, vendredi 31 mai 2002

Séance de clôture de l'assemblée constitutive de l'Association francophone des commissions nationales des Droits de l'homme.

Il aura fallu presque dix ans pour souscrire à cette recommandation formulée dès 1993 par la conférence mondiale des Droits de l'homme de Vienne. En consultant la liste des États membres de cette association, je m'aperçois qu'ils ne sont que vingt-cinq, sur les cinquante-cinq que compte notre organisation. Je constate, surtout, que l'Égypte n'en fait pas partie.

Une conférence de presse est organisée à l'issue de la réunion. Questions attendues :

«Jusqu'à quel point cette association est-elle indépendante ?»

«A-t-elle un quelconque pouvoir sur les États membres de la Francophonie qui violent les Droits de l'homme ?»

Je fais naturellement référence à la déclaration adoptée par l'OIF à Bamako et qui permet aux instances d'intervenir en cas de violation massive des Droits de l'homme, tout en précisant – ce qui est souvent interprété comme un cautionnement de ma part – que nous avons affaire à des États indépendants et souverains.

Fort heureusement, les représentants des ONG les plus virulentes ne sont pas dans la salle. Ils auraient, une fois de plus, dénoncé l'immobilisme et la faiblesse de la Francophonie face aux sanguinaires dictateurs africains !

Paris, samedi 1er juin 2002

Roberto Savio, Martti Ahtisaari, ancien président de la Finlande, Mário Soares, ancien président du Portugal, Halle Jorn Hanssen et Mario Lubetkin, directeur de l'International Press Service (IPS), et moi-même constituons en quelque sorte un comité de sages, chargés de conseiller cette agence de presse tiers-mondiste créée voilà près de quarante ans.

Quelles sont les grandes options de politique internationale que doit défendre l'IPS ? Selon Martti Ahtisaari, le grave problème qui menace l'Europe occidentale et l'Union européenne, ce sont les Balkans, foyer de guerres et source de banditisme en Europe. Il faut donc aider et intégrer au plus vite ces soixante millions d'habitants au monde occidental. Mário Soares, qui a joué un rôle de premier plan dans le développement de l'Internationale socialiste, pronostique la mort certaine de la social-démocratie, à l'instar du parti communiste, à moins qu'elle ne parvienne à se renouveler. Contribuer à humaniser et à démocratiser la mondialisation, lutter contre le fondamentalisme néolibéral ou islamiste doit être l'un des objectifs prioritaires de l'IPS.

La dextérité avec laquelle mes compagnons manient chiffres et statistiques force mon admiration. Je ne retiens qu'un chiffre : en Italie, chaque vache coûte un dollar par jour au gouvernement sous forme de subvention. Beaucoup d'habitants des pays pauvres n'ont pas autant pour vivre ! Ce que je retiens, aussi, de ce débat, c'est que l'Europe entend bien, à coups de lois, fermer ses frontières aux barbares venus du Sud. L'IPS doit s'élever en faux contre cette politique.

« Le Forum méditerranéen, le processus de Barcelone font figure d'académies de sciences morales et politiques, coupées de la réalité », conclut, désabusé, l'un des sages.

Paris, dimanche 2 juin 2002

L'abbé Pierre m'accueille dans le hangar qui abrite le troisième Salon international Emmaüs. Je retrouve un frêle vieillard, manifestement épuisé, mais toujours capable de ce sourire sans âge qui irradie. On continue à percevoir, sous le voile de son regard, les étincelles de l'amour, de la foi et de la générosité.

Ses collaborateurs l'entourent de tous les soins et de toutes les attentions, conscients de vivre aux côtés d'un homme d'exception. On me fait l'honneur de m'autoriser à pousser le fauteuil roulant de l'abbé Pierre. Mais le détenteur de ce privilège ne semble pas disposé à y renoncer totalement. Il me cède la seule poignée gauche du fauteuil.

Les communautés d'Emmaüs sont venues du monde entier pour vendre les objets, les vêtements, les meubles qu'ils ont récupérés. Nous nous dirigeons vers le podium installé pour l'inauguration du Salon. Les messages, les discours élogieux se succèdent. L'abbé Pierre les accueille avec l'humilité et la bienveillance de ceux qui ont trop côtoyé la misère pour se délecter de mots. Je joins ma voix à celle de ses admirateurs : « Si l'espoir devait être homme, il porterait le nom de l'abbé Pierre. »

Mais je dois dire qu'à la vue de l'importance croissante que prennent les communautés d'Emmaüs, année après année, je suis partagé entre deux sentiments contradictoires : un sentiment d'admiration pour l'action que mène l'abbé Pierre, mais aussi une amère déception parce que le développement incessant de ces communautés de par le monde révèle une misère toujours plus présente. La mondialisation nous ouvre, sans doute, des perspectives prometteuses. Mais le fait est, pour le moment, qu'elle avance à marche forcée en créant, un peu plus chaque jour, des oubliés et des exclus.

Je ne peux m'empêcher, non plus, de mettre en parallèle l'action de cette organisation non gouvernementale et le désengagement progressif de la communauté interétatique. Et j'ai bien peur que l'action de centaines d'organisations du même type ne pousse peu à peu les États et les organisations internationales à se dédouaner de leur devoir d'assistance et de solidarité envers les plus démunis.

Les temps ont peu changé, malgré nos prétentions au progrès. Je repense aux activités caritatives de ma mère, dans l'Égypte des années 1930 : la préparation des kermesses annuelles, les billets de tombola, la distribution de coupons de tissu au moment des fêtes, et surtout le sacrifice d'un jeune veau. Ma mère revêtait, pour l'occasion, une blouse blanche d'infirmière. La bête dépecée, elle indiquait au boucher la taille des morceaux de viande à distribuer selon une liste de noms qu'elle avait préparée et qui devenait très vite illisible, tant le papier était maculé de sang.

Vienne, lundi 3 juin 2002

Vienne est une ville pleine de ce charme propre aux capitales des empires disparus : Istanbul, Londres, Paris... Tout, ici, évoque la nostalgie, la fin d'une époque, le crépuscule... Je suis en Autriche à l'invitation de la ministre des Affaires étrangères Benita Ferrero-Waldner, qui organise une conférence sur le dialogue des cultures.

Du temps du chancelier Kreisky, l'Autriche jouait un rôle important au Moyen-Orient. Depuis, elle n'a plus d'yeux que pour l'Europe de l'Est et les Balkans.

Convaincre aujourd'hui les Autrichiens que le sud de la Méditerranée mérite toute leur attention relève de la gageure. Imperturbable, je reprends mon plaidoyer en faveur du dialogue euro-méditerranéen.

Ce soir, Kurt Waldheim et son épouse sont les hôtes de l'ambassadeur d'Égypte, Sameh Choucry.

« Vous n'avez pas changé, lui dis-je, depuis notre première rencontre il y a vingt ans.

– J'ai pourtant quatre-vingt-trois ans », me chuchote-t-il sur le ton de la confidence.

J'ai rencontré Kurt Waldheim à maintes reprises lorsqu'il était secrétaire général de l'ONU : à New York, mais aussi lors des sommets de l'OUA ou des non-alignés de Monrovia, Freetown, La Havane. Il avait l'espoir que les Nations unies puissent jouer un rôle de premier plan dans la crise du Moyen-Orient, ce qui était aussi mon plus vif désir. Mais il s'est toujours heurté à l'opposition des États-Unis et d'Israël : encore une manifestation de l'unilatéralisme américain dont nous n'avions pas mesuré, à l'époque, toute l'ampleur.

Ce soir, le dîner se passe sans que nous évoquions une seule fois les Nations unies. Un dialogue d'octogénaires plus préoccupés par leur santé que par la santé du monde...

Paris, vendredi 7 juin 2002

Le rôle des Nations unies dans la crise yougoslave n'en finit pas de faire couler de l'encre. Les enquêtes et les rapports officiels se succèdent depuis quelques années. L'OUA, le Sénat belge, le Parlement français, les Nations unies se sont tous longuement penchés sur ce drame.

Ce matin, c'est José Kutilliero, ancien ministre des Affaires étrangères du Portugal et envoyé spécial des Nations unies pour les Droits de l'homme dans les Balkans et l'ex-Yougoslavie, qui vient m'interviewer dans le cadre de l'ouvrage qu'il prépare sur ce dossier.

Je pointe, de façon synthétique, les multiples désaccords qui se sont exprimés tout au long de cette crise : désaccord politique entre les Européens, représentés par Lord Carrington et surtout Lord David Owen, et les Américains qui agissaient dans le cadre du traité de l'Atlantique Nord. Désaccord militaire entre les forces terrestres anglo-françaises et les forces aériennes américaines. Désaccord diplomatique entre les États-

Unis et la Russie. Désaccord entre le militaire et l'humanitaire, entre les partisans de la coercition et les partisans de la négociation. Désaccord au sein du système onusien qui a servi de bouc émissaire aux États membres qui ne parvenaient pas à s'entendre sur une stratégie commune. À cet égard, il faut souligner la domination des États-Unis sur le département des opérations de maintien de la paix (DPKO) et sur les membres du Conseil de sécurité, leur situation de monopole en matière de renseignements, et leur refus d'en faire profiter les Nations unies. Cela étant, je ne veux pas minimiser la part de responsabilité qui fut la mienne et mon incapacité à régler certains de ces désaccords.

(Un peu plus tard dans l'après-midi...) Je m'entretiens avec un jeune membre de la famille Barzani, qui dirige le parti démocratique du Kurdistan (PDK). Il parle un excellent français, mais notre conversation se déroule en arabe. Il tient à me préciser d'emblée que le mouvement qu'il représente n'a pas pour but de créer un État indépendant sécessionniste en Irak, son objectif est plutôt d'obtenir une large autonomie du Kurdistan dans le cadre d'une fédération irakienne, mais tel n'est pas l'objet de sa visite. Il est là parce qu'il souhaiterait que la Francophonie puisse envoyer des professeurs de français dans les instituts de Mossoul, Erbil et Kirkouk.

Paris, samedi 8 juin 2002

On me pose très régulièrement la question : « Pensez-vous que les États-Unis vont déclarer la guerre à l'Irak ? » Je pense que personne n'est en mesure, pour le moment, de répondre avec certitude à cette question, pas même le président des États-Unis. En revanche, je dirais que si l'Amérique envahit l'Irak, elle sera soutenue et suivie par Aznar, Blair, Berlusconi, Chirac,

Poutine et Li Peng car aucun État, aussi puissant soit-il, n'osera s'opposer à l'intervention des États-Unis.

Paris, jeudi 13 juin 2002

La Francophonie doit-elle dépêcher une mission d'observation au Congo à l'occasion du second tour des élections législatives, alors que le conflit armé s'est étendu et que la capitale Brazzaville a été attaquée par les rebelles Ninja ? Je fais part à Christine Desouches de mes doutes quant à la politique à adopter dans l'envoi de missions d'observation des élections :

« Nous devons, dis-je, éviter de proposer une assistance électorale dans les pays où nous savons que les élections risquent d'être truquées. On pourrait nous accuser de légitimer des résultats tronqués. »

Christine me fait remarquer avec pertinence que les pays où les élections se déroulent dans la plus grande transparence n'ont besoin ni d'observateurs, ni d'assistance électorale.

« Il y a du vrai dans ce que vous dites, mais je crois qu'il faut nuancer. Il est important, par exemple, que nous soyons présents dans les pays où la culture démocratique est encore balbutiante, car l'on sait très bien que les perdants sont souvent tentés de remettre en cause les résultats du scrutin en prétendant que les vainqueurs ont bourré les urnes. Et nous pouvons, là, utilement contribuer à éviter ce type d'attitude antidémocratique en attestant du bon déroulement des opérations électorales. »

Dans le cas présent, j'ai bien peur que l'OIF, qui veut toujours satisfaire les gouvernements en place, ne dépêche sa mission dans le seul but de satisfaire Brazzaville.

Christine m'informe de la nouvelle manifestation qu'elle compte organiser sur le thème de la démocratie et des Droits de l'homme, à l'occasion de la prochaine visite du président Wade à Paris. J'essaie de tempérer son enthousiasme. Nous vivons une période de régression des Droits de l'homme. Une ère nouvelle s'est ouverte depuis les attentats du 11 septembre : la lutte contre le terrorisme, le maintien de l'ordre et la sécurité ont relégué au second plan la défense des libertés fondamentales. L'espace de démocratie et de liberté que l'OIF cherche à élargir et à renforcer se réduit comme peau de chagrin. En cas de rupture démocratique ou de violation flagrante des Droits de l'homme, les États pourront toujours arguer que les mesures autoritaires qu'ils ont adoptées sont destinées à lutter contre le terrorisme, convaincus par ailleurs que ces mesures répressives risquent fort de passer inaperçues ou de ne soulever que de timides protestations.

Comment, par ailleurs, condamner les abus de certains régimes ouvertement autoritaires alors que nous sommes témoins tous les jours des actes répréhensibles, voire des violations des Droits de l'homme, perpétrés impunément par des gouvernements prétendument démocratiques : images des prisonniers afghans détenus sur la base américaine de Guantánamo à Cuba, assassinats programmés des chefs palestiniens par Israël, torture de ces enfants qui n'ont pour se battre que des pierres.

Cela ne veut pas dire qu'il faille renoncer au combat pour la démocratisation et la protection des droits et des libertés. Mais il faut désormais prendre en compte la conjoncture nouvelle qui s'est installée depuis le 11 septembre 2001.

Paris, vendredi 14 juin 2002

Le président Didier Ratsiraka vient d'arriver à Paris, en compagnie de son épouse et de sa fille. Quel sens donner à ce voyage ? Abdication ? Exil ? Séjour pour raisons de santé ? Comment ses partisans vont-ils réagir ? Continueront-ils la lutte ? Parviendrat-on à éviter que la situation ne s'aggrave ? Madagascar est parmi les pays les plus pauvres de la planète. La Grande Île ne peut se permettre le luxe d'une guerre civile. Marc Ravalomana saura-t-il apporter une solution politique à ce conflit ? Un de plus…

J'ai en effet sous les yeux le rapport annuel de l'Institut de recherche sur la paix de Stockholm (SIPRI), qui a recensé cinquante-sept conflits armés depuis la fin de la Seconde Guerre mondiale, soit une moyenne de vingt-sept conflits par an. Les chercheurs se sont fondés sur deux critères : l'utilisation de la force par deux parties, dont l'une au moins est un État ou un gouvernement, et un bilan d'au moins mille morts. À cet égard, les attentats du 11 septembre rentrent dans la catégorie des conflits armés dans la mesure où ils étaient dirigés contre un État et où ils ont fait plus de mille victimes.

Certains de ces conflits durent depuis des décennies du fait, souvent, de l'incapacité de chacune des parties impliquées de l'emporter de façon décisive par la force. Les rebelles, qui bénéficient de soutiens à l'étranger, appliquent une stratégie militaire de guérilla contre laquelle les gouvernements en place ont peu de moyens de riposte. Le fait est que ces conflits s'enveniment et perdurent.

Comment sensibiliser l'opinion publique internationale ? J'ai toujours pensé que les journaux devraient publier un encart mentionnant les conflits en cours dans le monde et le nombre journalier de victimes. C'est au moins aussi digne d'intérêt que la température prévue pour la journée dans les principales capitales ou que les cours de la Bourse de New York. L'ignorance dans laquelle on continue à se réfugier hypocritement n'aurait plus de raison d'être. Resterait alors le choix assumé de l'indifférence ou peut-être la volonté de protester et d'agir.

Paris, mardi 18 juin 2002

Dîner raffiné et subtil à l'image de notre hôte, l'ambassadeur du Japon, qui me remercie avec délicatesse pour mon envoi de la version chinoise du *Chemin de Jérusalem.*

« Heureusement que je lis le chinois », ajoute-t-il avec humour.

Décontenancé, je mets spontanément cette erreur sur le compte de mon secrétariat, avant d'avancer une explication qui vaut ce qu'elle vaut :

« De toute façon, il n'existe pas encore de traduction japonaise, malgré toutes les démarches que j'ai pu faire auprès de maisons d'édition à Tokyo. »

Tout en parlant, je m'aperçois que je suis le seul responsable de cette maladresse. Fort heureusement, j'ai affaire à un authentique diplomate qui accepte, en souriant, mon explication.

Nous touchons aux sommets de la sophistication jusque dans les plus infimes détails. Le menu, rédigé en français et en japonais, est à lui seul une œuvre d'art. L'épouse de l'ambassadeur y a fait inscrire en exergue un vers de sa composition : « Avec le vent doux des premiers jardins d'été ». Chaque plat est accompagné de la description qu'en a livrée un grand auteur français : salade japonaise d'après Marcel Proust dans *Un amour de Swann*, homard à la parisienne d'après Émile Zola dans *Fécondité*, côtelette d'agneau rôtie au pain d'épice sur lit d'asperges d'après Guy de Maupassant dans *Bel-Ami*, crème au chocolat d'après Honoré de Balzac dans *Un début dans la vie.*

Je suis assis entre Didier Pineau-Valenciennes, l'invité d'honneur et l'ambassadeur, qui m'écrase littéralement tant son français est élégant, tant sa culture littéraire est vaste. Je réalise brutalement à quel point je me suis éloigné de ce monde de l'art et de la littérature qui m'était si cher et si proche dans ma jeunesse. J'ai été englouti par un univers qui ne connaît d'autres normes que le droit des gens, la religion des Droits de l'homme, la « pactomanie », les rapports indigestes et les Mémoires des chefs d'État et de gouvernement.

Paris, mercredi 19 juin 2002

Je remets au président Gnassingbé Eyadéma, de passage à Paris, la copie de la lettre que je lui ai adressée, voilà quelque temps, pour l'informer que je m'occuperais désormais personnellement du dossier togolais. J'ajoute que j'ai envoyé, au nom de la Francophonie, une lettre presque identique aux facilitateurs de l'Allemagne, de la France et de l'Union européenne dont la mission vient de prendre fin. J'ai également tenu informés les secrétaires généraux de l'ONU, de l'OUA et de l'Union européenne, avec l'idée d'éviter l'éventuelle nomination d'un nouveau facilitateur onusien ou européen qui risquerait de compliquer notre tâche.

La question de ma réélection est bien évidemment abordée :

« Le président Wade, dis-je, soutient maintenant la candidature d'Abdou Diouf. Dans ces conditions, je m'incline bien volontiers.

– J'ai rencontré récemment, me répond le Président, aussi bien Abdoulaye Wade qu'Abdou Diouf. Ni l'un ni l'autre n'ont mentionné cette candidature. Laissez-moi téléphoner à Abdou Diouf… Je vous tiendrai informé. »

Paris, mardi 25 juin 2002

Dîner chez Rifat el-Assad, frère exilé de l'ancien président syrien. Il parle avec l'assurance de ceux qui ont perdu le pouvoir et qui savent qu'ils ne le retrouveront plus : « Tous les chefs d'État du monde arabe sont des pions que le grand Satan déplace au gré de ses stratégies... Il n'y a pas de politique internationale. Il n'y a qu'une politique américaine. »

Paris, dimanche 14 juillet 2002

Après avoir assisté au défilé du 14 Juillet qui s'est déroulé, cette année, dans un froid presque automnal, je me rends dans l'après-midi au palais de l'Élysée pour y rencontrer Jacques Chirac.

Il est rayonnant, plus que jamais débordant d'énergie. Il plane dans l'air un goût de victoire, une victoire en tous points conforme aux prédictions d'un moine copte que je m'étais empressé de communiquer, par écrit, au Président.

Je lui relate aujourd'hui les détails de cette séance de voyance pour le moins troublante. Ce moine m'avait en effet annoncé que Jacques Chirac remporterait les élections avec un score d'environ 90 % : première aberration, à mon sens. « Un tel résultat, lui avais-je dit, n'est possible que dans un pays du tiers monde, mais sûrement pas en France. » Il avait insisté, ajoutant que le Président disposerait d'une large majorité au Parlement et qu'un nouveau parti politique serait créé. Deuxième aberration : « Ce parti, avait-il ajouté, s'installera dans ta maison et vous partagerez la même porte. » Ce jour-là, j'avoue avoir sérieusement douté des capacités du pauvre moine, jusqu'à ce que ses prédictions se réalisent. Non seulement Jacques Chirac a remporté le second tour des élections présidentielles avec un score jamais égalé, mais quelques semaines plus tard l'UMP s'installait dans mon immeuble, 11, rue Saint-Dominique, à l'étage en dessous du mien. Nous partagions effectivement la même porte d'entrée...

Concernant ma propre réélection, nous nous en tenons aux réalités du moment :

« Je suis très heureux, dis-je, de soutenir la candidature d'Abdou Diouf au poste de secrétaire général de la Francophonie. Mais j'aurais bien aimé pouvoir continuer à m'occuper du Haut Conseil que tu m'as chargé de réformer.

– J'ai entendu dire, en effet, me répond Jacques Chirac, que tu étais intéressé par le Haut Conseil. Je te propose d'en discuter directement avec Abdou Diouf. »

L'essentiel est dit. Le Président me raccompagne jusque sur le perron, en me chargeant de transmettre ses amitiés et celles de Bernadette à Léa.

Paris, vendredi 19 juillet 2002

Abdou Diouf m'accueille avec chaleur et amitié. Il paraît encore plus grand, plus filiforme, mais aussi plus serein que d'habitude. Il n'est pas encore sûr, de son propre aveu, d'être élu secrétaire général. Omar Bongo continue à s'opposer à sa candidature. Il ne voit aucun inconvénient à ce que je suive les activités du Haut Conseil. Il semble même envisager, pour moi, un titre de vice-président, fonction occupée par Léopold Sédar Senghor du temps où François Mitterrand présidait cette institution, puis par Émile Derlin Zinsou, du temps de la présidence de Jacques Chirac.

Monaco, mercredi 24 juillet 2002

L'hôtel de l'Ermitage a infiniment plus de charme que l'hôtel de Paris. Ces vieux établissements qui ont su, par-delà les modernisations, conserver leur charme d'antan, me procurent un sentiment de sérénité et de sécurité, peut-être parce qu'ils me rappellent mon enfance.

Je suis ici avec l'ambassadeur Claude de Kemoularia pour tenter de régler les problèmes administratifs et financiers du Club de Monaco. Les discussions sérieuses seront pour demain. Pour l'heure, place à la musique avec un concert donné dans la cour du palais princier. Et tandis que s'égrènent les notes du concerto pour guitare d'Aranjuez s'impose peu à peu le souvenir des chaudes nuits étoilées du Caire. La musique classique, particulièrement les concertos, fait presque toujours ressurgir en moi des images de bonheur intense.

Le concert est suivi d'un souper offert par le ministre d'État Patrick Leclerc et son épouse, qui lors de leur séjour au Caire avait su s'attacher toute la belle société, et continue à œuvrer avec une magnifique énergie pour l'Égypte caritative. Le soliste, Pepe Romero, qui nous a rejoints, nous parle avec passion de son ami Aranjuez qui, ayant perdu la vue très jeune, dictait sa musique à sa femme. Conversation passionnante mais très technique sur la facture des guitares, le choix du bois, la tension des cordes… Il est plus de minuit, et je me sens gagner par une douce somnolence. Mais afin de ne pas paraître trop absent j'interviens dans la conversation pour confesser combien je regrette ne pas avoir appris à jouer d'un instrument, comme la guitare…

« Il n'est jamais trop tard, me dit Pepe Romero. Je suis prêt à vous donner des leçons. »

Tandis que notre conversation se poursuit *mezza voce,* nous surprenons à la table voisine des propos *forte*. Mme Raymond Barre et Mme Antaki, épouse d'un homme d'affaires syrien, ont entamé une vive discussion sur la situation en Irak. La première est en faveur de l'élimination du régime de Saddam Hussein. La seconde prend fait et cause pour le régime et le peuple irakiens. On vient à me demander mon avis. Je prends la défense, bi évidemment, du peuple irakien qui souffre depuis de nombreuses années et qui souffrira encore plus en cas d'intervention américaine. Malheureusement, à l'exception de quelques ONG ou de certains parlementaires, personne ou presque ne s'intéresse aux femmes, aux enfants et aux hommes d'Irak qui endurent la dictature de Saddam Hussein et les sanctions des Nations unies.

Paris, lundi 29 juillet 2002

Je laisse libre cours, devant Christine Desouches, à mon pessimisme en matière de Droits de l'homme, à moins qu'il ne s'agisse de cynisme. Un monde régi par la religion des Droits de l'homme, avec ses ayatollahs, ses dictateurs, ses chasses aux sorcières, ne défend ni le droit, ni les hommes. Il défend les intérêts du plus fort. La démocratie, les droits et les libertés resteront de l'ordre de l'incantation en Afrique tant que nous n'aurons pas éliminé la misère, la maladie, la guerre.

« Ne me découragez pas, me dit-elle, je sais que vous avez raison. »

Paris, mardi 30 juillet 2002

La chapelle de l'hôpital Begin accueille avec difficulté tous ceux qui sont venus rendre un dernier hommage au professeur Jean-François Rouet. Médecins militaires et infirmières ont revêtu leur grand uniforme. La messe est dite par un prêtre africain d'un âge certain, qui s'agenouille avec difficulté. Deux anciens combattants, bardés de médailles, lèvent et baissent solennellement leur drapeau, scandant chaque étape d'une cérémonie que le respect, l'amitié et le chagrin que l'on peut lire sur les visages, rendent particulièrement émouvante.

Thierry Debord, proche collaborateur du général Rouet, rappelle, dans une brève allocution, tout ce qu'il doit à son mentor, son professeur. Je lui dois, sans doute, plus encore. En 1990, il m'avait traité pour un abcès sur le foie. En 2000, il m'a soigné pour un abcès sur le côlon. Nous avons passé de longues nuits à bavarder, à discuter des problèmes du tiers monde qu'il connaissait et qu'il aimait. Il me racontait, assis à mon chevet, ses débuts de médecin dans le sud de l'Algérie, ses recherches sur les maladies tropicales… Son humour, sa générosité, son humanisme m'ont aidé à supporter l'angoisse et la solitude de ma chambre d'hôpital.

Le général Rouet s'est noyé au large de Belle-Ile, une mort accidentelle, brutale, injuste, mais qui lui aura épargné les affres de la vieillesse et l'immobilisme de la retraite.

Paris-Tunis-Mahdia, vendredi 2 août 2002

L'ambassadeur Hassan Fodha marie sa fille demain et nous avons promis, Léa et moi, d'assister à la cérémonie. Le trajet entre Tunis et Mahdia est long, mais instructif. Nous traversons de petits villages propres, pimpants, vibrants d'animation. Des hommes en bras de chemise, attablés à la terrasse de cafés illuminés, fument le narguilé tout en discutant. Un nombre impressionnant de mobylettes, preuve supplémentaire d'un niveau de vie relativement élevé. Bourguiba aura été le chef d'État le plus progressiste du monde arabe.

Mahdia, samedi 3 août 2002

Visite de la ville de Mahdia en compagnie du maire, Amor Ammari, et du député de la circonscription, le Dr Habib Hamza. Mahdia, ancien comptoir phénicien, puis romain, prit un nouvel essor en 912 sous l'impulsion du calife Ubayd Allah al-Mahdi qui en fit un port prospère. Fondateur de la dynastie fatimide, il avait délaissé Kérouan pour Mahdia, s'identifiant au mahdi attendu. Depuis, les habitants de Mahdia se considèrent, à juste titre, comme les pères de la ville du Caire, construite par les successeurs d'Allah al-Mahdi au nord de l'ancienne capitale égyptienne el-Fostat.

Le Dr Habib Hamza est non seulement un des grands chirurgiens de Tunis, mais aussi un actif défenseur de l'environnement. Il a obtenu récemment la fermeture d'une usine polluante dans les environs et créé une ONG qui se charge de planter des palmiers dans la ville de Mahdia, un bijou de propreté et d'élégance. Même le petit musée est à l'avant-garde de la muséographie. Et la grande mosquée a été totalement restaurée. Lorsque je compare Mahdia à des villes de même importance en Égypte, je me rends compte à quel point la Tunisie a évolué.

Nous fêtons dignement le mariage de la fille de Hassan Fodha. Parmi les convives, Mohamed Masmoudi, l'ancien ministre de Habib Bourguiba, et Enrico Macias, qui m'apprend que les airs qui animent la fête ont été composés par son grand-père. De jeunes femmes sveltes, élégantes, sûres d'elles, dansent seules sur la piste. Personne, ici, ne porte le tchador. Le rêve du khédive Ismaïl de voir un jour l'Égypte intégrer l'Europe s'est réalisé, mais à quelques milliers de kilomètres de chez nous : la Tunisie fait partie de l'Europe.

Paris, mercredi 7 août 2002

Jean-Claude Mayima-Mbemba, membre de la mouvance d'opposition du président Bernard Kolélas, assis face à moi dans mon bureau, exprime sans retenue ses griefs à l'encontre du président Denis Sassou-Nguesso.

« La situation au Congo-Brazzaville, me dit-il, est très grave. Et la Francophonie reste passive… L'opinion publique et la communauté internationale ont l'impression que le président Sassou-Nguesso a rétabli la paix après avoir procédé à des élections que vous avez observées et légitimées, et que le pays s'engage sur la voie de la réconciliation. Vous savez très bien que cette image d'Épinal n'a rien à voir avec la réalité congolaise. »

J'interromps mon interlocuteur :

« Vous représentez le président Kolélas… Or ma dernière conversation téléphonique avec lui remonte à près d'un an. C'était au moment de son installation à Abidjan. Depuis, il ne m'a donné aucun signe de vie. Demandez-lui de m'écrire pour me donner son analyse de la situation. Je vous promets d'étudier ce document avec le plus grand intérêt… »

J'ai appris que Bernard Kolélas se consolait dans son exil ivoirien par le recours à la prière et à l'ésotérisme.

Château de Saan, samedi 10 août 2002

Séjour champêtre dans la propriété de Lord et Lady Hamelin dans le Lubéron en compagnie de Lord Owen et de son épouse Debbie. C'est une fervente admiratrice d'Amos Oz. Elle a fait traduire son œuvre en anglais et en français, et a édité la plupart de ses romans.

Elle m'offre un exemplaire de *Seule la mer*, paru chez Gallimard. Une étrange suite de poèmes en prose qui retrace le quotidien d'Albert Danon, veuf de Nadia, et dont le fils Rico est parti pour le Tibet. Il y a aussi Dita, la petite amie de Rico, qui couche avec Guigui. Un chassé-croisé de voix et d'histoires que le narrateur entrelace tout en nous parlant de lui. Une abondance de références bibliques – le Cantique des cantiques, l'Ecclésiaste, l'histoire du roi David. Un roman intimiste que l'on ne peut apprécier que si l'on connaît Tel-Aviv et les Israéliens : la nostalgie du bonheur perdu, l'obsession du sexe, la peur de la mort. Peinture tendre, mais sans concession, de gens ordinaires. Amos Oz me fait l'effet d'un Naguib Mahfouz israélien.

Château de Saan, dimanche 11 août 2002

Longue promenade avec David Owen dans les champs de vigne. Il est persuadé que les Américains feront la guerre en Irak un peu avant les élections au Congrès, ou au tout début de l'année 2003, conviction que partage son ami Tony Blair.

« Qu'en pensez-vous ? me dit-il

– Je crois qu'il ne sortira rien de bon de cette nouvelle guerre des “croisés” contre l'Islam. Les peuples arabes vont être une nouvelle fois humiliés, les fondamentalistes vont renforcer leur emprise. Les gouvernements arabes devront sans doute affronter des manifestations, la plupart des populations se sentant solidaires du peuple irakien. Mais les véritables problèmes surgiront dans les mois qui vont suivre l'agression américaine : risques de guérilla, d'émeutes fondamentalistes, risque de coups d'État dans les pays voisins les plus vulnérables. Et il est à parier que la situation s'aggravera aussi en Irak après la chute de Saddam Hussein, sans compter que le conflit israélo-palestinien risque de s'envenimer. »

David Owen m'interrompt :

« Le raisonnement américain est que l'on réglera au contraire plus facilement le problème palestinien une fois le régime de Saddam Hussein renversé.

– Je ne partage malheureusement pas ce point de vue. Par ailleurs, comment s'organisera l'après-Saddam Hussein ? Vous savez très bien que l'opposition irakienne en exil est trop faible pour constituer un recours, et puis elle est totalement coupée du peuple irakien. Vous savez, aussi, que les fondamentalistes chiites et sunnites vont essayer de s'emparer du pouvoir, une fois Saddam Hussein tombé.

– C'est justement la raison pour laquelle, poursuit David Owen, les Américains semblent envisager une longue période d'occupation militaire, un peu comme cela s'est passé avec les Alliés en Allemagne, en Autriche ou au Japon. Et ils comptent sur une importante participation des troupes turques. La nouvelle administration américaine n'hésitera pas, s'il le faut, à redessiner la carte du Moyen-Orient. Après tout, les États arabes du Machreq ont été créés artificiellement au lendemain de la Première Guerre mondiale.

– Vous pensez à l'"option jordanienne" ? C'est un vieux projet, soutenu aussi bien par les travaillistes israéliens que par le Likoud : le départ des Hachémites, l'établissement d'une capitale palestinienne à Amman, la possibilité de récupérer un accès à la Méditerranée à travers le territoire de Gaza... Autant de projets qui ont fait l'objet d'interminables discussions...

– C'est un plan que les Américains ont certainement dû étudier, poursuit David Owen, pensif.

– Il ne sera pas facile de ressusciter ce vieux projet alors que les États-Unis et la communauté internationale ont reconnu l'existence d'un État palestinien en Cisjordanie et à Gaza. »

Un silence s'installe. Il n'y a plus rien à ajouter. Le monde arabe va souffrir encore et encore. Le monde est triste. Je prends tout à coup conscience du soleil, de l'odeur qui s'exhale de la terre, du bruissement des arbres. Le vent se lève, laboure les arbres, il est temps de rentrer.

La conversation reprend autour, cette fois, du drame yougoslave que nous avons vécu ensemble, heure après heure, jour après jour.

« On m'a accusé d'être proserbe, au motif que je suis orthodoxe comme les Serbes, et antimusulman parce que proserbe.

Mais on vous a fait le même grief alors que vous n'êtes pas orthodoxe, dis-je en m'adressant à Lord Owen…

– Pour les Américains, les Serbes étaient les mauvais "gars", et les Bosniaques les victimes, donc les bons "gars". Toute tentative pour nuancer cette vision manichéenne et simpliste était interprétée par l'équipe Clinton comme une véritable trahison. Voilà pourquoi j'ai été accusé, comme vous, d'être proserbe. »

Évian, vendredi 16 août 2002

Je viens d'achever la lecture de l'excellent ouvrage d'Alain Joxe *L'Empire du chaos*. J'avoue avoir été intrigué par ce qu'affirme l'auteur à la page 116 : « De fait, un unilatéralisme global l'emporte clairement dans le discours de Clinton à l'ONU, le 27 septembre 1993… »

Ce jour-là, je siégeais à l'Assemblée générale et je me rappelle même avoir pris des notes durant ce premier discours du Président américain devant les Nations unies. Mon interprétation différait alors de celle d'Alain Joxe. Dans mon esprit, le président Clinton demandait aux Nations unies de prendre en charge le règlement des conflits internationaux, son pays ayant choisi la voie du néo-isolationnisme. C'est d'ailleurs fort de l'idée que la superpuissance avait décidé de réduire au minimum ses interventions que j'ai essayé d'obtenir des autres grands États qu'ils s'engagent plus activement au sein de l'ONU.

Je me suis rendu compte, quelque temps plus tard, que mon interprétation du discours de Bill Clinton et de la politique étrangère américaine n'était pas fausse, mais sans doute incomplète. En effet, l'unilatéralisme américain peut se manifester d'une manière passive ou active. Passif, il prend la forme de l'isolationnisme prôné par les pères de la République. Actif, il s'incarne dans un interventionnisme qui peut fort bien se passer de l'aval du Conseil de sécurité. Pour être plus précis encore, j'ai réalisé, lors du génocide du Rwanda, que ce néo-isolationnisme n'était pas toujours passif, mais qu'il pouvait d'une certaine façon aussi être actif. En d'autres termes, à cette occasion, les États-Unis ne jouèrent pas seulement la carte de l'immobilisme, ils empêchèrent aussi les Nations unies d'intervenir au Rwanda.

Ce néo-isolationnisme actif s'appuyait sur deux arguments :

1. Même si les États-Unis ne participent pas une intervention onusienne, ils devront quand même en assurer les frais – qui se montaient, à cette époque, à 30 % du budget de l'organisation.

2. Au cas où l'opération onusienne viendrait à mal tourner, et où l'évacuation des casques bleus nécessiterait une assistance, les États-Unis seraient contraints, en dernier ressort, d'intervenir pour sauver leurs alliés de ce guêpier.

En conclusion, je suis obligé de reconnaître que l'interprétation d'Alain Joxe est la bonne, même s'il est toujours plus facile d'interpréter les événements après coup que dans l'instant.

Évian, lundi 19 août 2002

Mohamed el-Madani, le secrétaire général de la Communauté des États sahélo-sahariens, la Cen-Sad, me téléphone à propos du conflit de frontières entre le Tchad et la Centrafrique. La Cen-Sad, créée en 1998, à l'initiative de Muammar Kadhafi, est un instrument de la politique étrangère libyenne qui associe une vingtaine d'États africains.

Mohamed el-Madani a reçu instruction du « colonel », *Al-Akid*, de collaborer étroitement avec la Francophonie – le Tchad et la Centrafrique étant deux États membres de l'OIF – et de me tenir informé des initiatives de la Cen-Sad en faveur d'un règlement pacifique de ce conflit. Je m'étais moi-même entretenu par téléphone, un peu auparavant, avec le président centrafricain Ange-Félix Patassé et le président tchadien Idriss Deby. Ils s'accusent mutuellement d'être à l'origine de ce conflit. Ange-Félix Patassé se montre véhément, Idriss Deby affiche plus de sérénité.

Sofia, mercredi 28 août 2002

Je me rends au ministère des Affaires étrangères où je dois signer, avec Salomon Passy, une convention qui assurera un certain nombre d'avantages administratifs et fiscaux à l'Institut francophone d'administration et de gestion. Je gravis péniblement le monumental escalier de marbre qui mène à son bureau. Je tente, tant bien que mal, de masquer les méfaits de mes rhumatismes, devant les journalistes, les photographes et les caméras de télévision massés sur le palier.

(Dans la soirée…) Dîner sur les hauteurs de Sofia. Mon voisin de droite, le président de la commission des Affaires étrangères au Parlement, m'apprend que la minorité musulmane représente plus de 12% de la population bulgare. Il est lui-même musulman d'origine turque. L'alliance que son parti a conclue avec le gouvernement du roi Siméon a permis à cette minorité d'obtenir un nombre important de postes dans l'armée et de portefeuilles ministériels. « Les Saoudiens ont bien tenté de rallier nos cheikhs à leurs doctrines wahhabistes, mais ils ont échoué », me confie-t-il dans un excellent français.

La Bulgarie, majoritairement orthodoxe, avec une solide représentation musulmane au gouvernement et un ministre des Affaires étrangères juif, projette l'image d'une coexistence harmonieuse entre les trois religions monothéistes, image que les pays arabes, pour leur part, n'ont pas su véhiculer.

Sofia, jeudi 29 août 2002

Première rencontre avec le nouveau président de la République, Gheorghi Parvanov, un homme prévenant, agréable, attentif. Je suis étonné de le voir prendre des notes dans un petit carnet pendant notre entretien. Les chefs d'État laissent généralement ce soin à leurs collaborateurs. Il insiste sur l'intérêt que son pays porte de longue date à la Francophonie. Il a lui-même fait ses études secondaires au lycée français de Sofia. Nous évoquons la prochaine conférence de Johannesburg où il représentera la Bulgarie. Qu'attendre de ces « grand-messes internationales » de plus en plus décriées ? Si onéreuses soient-elles, ces conférences ne coûtent pas plus cher qu'un bombardier, et elles ont l'énorme mérite de contribuer à sensibiliser l'opinion publique internationale sur les grands problèmes qui menacent l'avenir de la planète.

Paris, dimanche 1er septembre 2002

Terminé la lecture du dernier ouvrage d'Alexandre Adler : *J'ai vu finir le monde ancien*. Brillante tentative d'interprétation de l'évolution du monde, quelques mois après les attentats du 11 septembre 2001. Une exceptionnelle intuition lui permet de nous offrir de véritables fresques futuristes qu'il qualifie trop modestement d'« élucubrations ».

Paris, mercredi 4 septembre 2002

Antichambre dans le grand salon doré du ministère des Affaires étrangères. Je n'aurai pas le temps, aujourd'hui, de me livrer au petit jeu qui consiste, chaque fois que je reviens au Quai d'Orsay, à dresser la liste des ministres que j'ai rencontrés depuis plus de trente ans. Dominique de Villepin surgit au bout de quelques minutes. Figure du héros romantique, grand, mince, les cheveux en bataille, le regard ardent, le sourire entier. Élégance de la gestuelle, sans ce souci extrême, cette recherche du détail vestimentaire qui caractérisent certains hommes politiques, et que j'ai aussi trouvés chez Édouard Balladur.

Entretien cordial, propos directs.

« Oui, dit Dominique de Villepin, la France ne tire pas suffisamment parti de la Francophonie, qui est un excellent instrument de la diplomatie multilatérale. »

Et je l'entends, avec le même plaisir, convenir que les grands problèmes de demain se poseront moins dans les rapports entre l'Ouest et l'Est européens qu'entre le Nord et le Sud. Nous sortons de son bureau tout en continuant à bavarder. Je suis surpris de le voir me raccompagner jusqu'à ma voiture, ce qu'aucun de ses prédécesseurs n'avait fait avant lui, alors que j'occupais des postes bien plus importants.

Paris, jeudi 5 septembre 2002

Avant de recevoir Jean-Pierre Razafy-Andriamihaingo, le représentant personnel du nouveau chef de l'État malgache, je téléphone à Beyrouth pour savoir si le président Lahoud a invité Marc Ravalomana à participer au sommet de la Francophonie, ou si l'invitation a été adressée à Didier Ratsiraka. On me faxe immédiatement copie de la lettre d'invitation qui a été envoyée, le 4 août, à Marc Ravalomana. Jean-Pierre Razafy-Andriamihaingo, à qui je remets ce document, ignorait que son président eût été invité. Et il semblerait que les services de la présidence eux-mêmes l'ignorent. Pourtant, l'enjeu est d'importance, puisque l'OUA, lors de son dernier sommet tenu à Durban, a refusé de reconnaître le nouveau président et a exigé la tenue de nouvelles élections. Il faudra que j'informe Amara Essy que l'OIF a reconnu *de jure* Marc Ravalomana, le pays hôte du sommet de la Francophonie l'ayant convié officiellement à Beyrouth pour représenter Madagascar.

Madagascar va réintégrer la Francophonie par la grande porte, tandis que Didier Ratsiraka et ses partisans connaîtront l'exil…

Paris-Le Caire-Charm el-Cheikh, vendredi 20 septembre 2002

Fêté à l'aéroport du Caire, comme après une trop longue absence. Je ne compte plus les visites officielles que j'ai pu effectuer à travers le monde. J'ai été partout fort bien accueilli. Mais jamais je n'ai ressenti ce que je ressens lorsque je reviens chez moi, parmi les miens. Par-delà les louanges, les bénédictions, les attentions dont on me couvre à mon arrivée au Caire, et qui font partie intégrante de l'hospitalité égyptienne, il y a cette chaleur humaine incomparable, ces témoignages d'affection sincère, ce sens exigeant de la fraternité : la vraie richesse de ceux qui n'ont rien, mais qui ont su garder le don d'offrir. Un don qui vous va droit au cœur et qui vous réconforte.

Nous décollons presque aussitôt pour Charm el-Cheikh, où doit se tenir la conférence des Femmes pour la paix organisée par Suzanne Moubarak, qui est persuadée, tout comme moi, que l'émancipation des femmes, leur réhabilitation dans la vie publique et dans les fonctions de l'État constituent le meilleur des remparts contre le fondamentalisme islamique.

Dans l'avion, parmi les congressistes, une millionnaire américaine membre du parti démocrate, Mme Cooper-Smith, m'explique par le menu que c'est grâce à ses efforts que les

États-Unis ont décidé de réintégrer l'Unesco. Je suis trop fatigué, en revanche, pour lui fournir une réponse lorsqu'elle me demande mon analyse de la situation en Palestine. Elle insiste. Je résiste, misant sur notre proche atterrissage. Elle trouve néanmoins encore le temps de se livrer à des prédictions : le parti démocrate remportera la majorité lors des prochaines élections au Congrès.

Je n'étais pas revenu à Charm el-Cheikh depuis mars 1996, date du sommet des bâtisseurs de la paix qui avait réuni vingt-neuf pays, dont treize pays arabes, sur le thème de la lutte contre le terrorisme. Je me rappelle qu'Helmut Kohl avait, à cette occasion, interpellé Shimon Peres en ces termes : « Alors, ce sommet contre le terrorisme va sûrement vous aider à remporter les élections ? » Le Premier ministre israélien, quelque peu surpris par cette approche peu diplomatique, avait répondu, évasif et gêné, qu'il espérait gagner.

Charm el-Cheikh est méconnaissable ! L'aéroport a été agrandi, les hôtels de luxe ont envahi la côte, de vastes allées bordées de palmiers ont surgi du désert.

Charm el-Cheikh tiendra toujours une place particulière dans mon cœur : symbole vivant de la restitution du Sinaï à l'Égypte au lendemain des accords de Camp David.

Charm el-Cheikh, samedi 21 septembre 2002

Ouverture de la conférence des Femmes pour la paix en présence de Suzanne Moubarak, de la présidente de la République d'Irlande, de l'épouse du roi de Bahrein, des représentantes de la Palestine, de la Syrie, de la Jordanie et de la Tunisie. Je suis le seul homme à prendre la parole… et le seul à m'exprimer en français.

« Pourquoi nous fais-tu ça, Boutros, s'exclame la présidente de séance Suzanne Moubarak, je ne comprends pas le français ! » – ce qui déclenche l'hilarité de la salle. Je lui réponds sur un ton faussement sérieux que je me dois de défendre l'organisation que je représente.

J'ajouterai, en la rencontrant un peu plus tard dans la journée : « À partir du 1er janvier prochain, je ne parlerai plus qu'en arabe. »

Paris-La Haye, dimanche 29 septembre 2002

Je vais de Charybde en Scylla. J'avais décidé de prendre le train pour échapper aux désagréments de l'avion : retards sans surprises et grèves surprises. Le train a d'autres inconvénients : il m'a fallu trois heures et demie simplement pour parcourir la distance entre Bruxelles et La Haye.

Mes retrouvailles avec La Haye, où m'attendent Mário Soares et Roberto Savio, ont raison de ma mauvaise humeur. Nous sommes ici pour célébrer le trente-huitième anniversaire de l'IPS, l'occasion ce soir d'un dîner décontracté entre amis. Le restaurant que nous a recommandé le concierge de l'hôtel est fermé, nous sommes dimanche. Nous accostons un passant. Après avoir garé, contre le mur, la bicyclette qu'il poussait, il se tourne vers Mário Soares et lui dit, surpris : « Mais vous êtes le président du Portugal ! » Il me dévisage : « Et vous, le secrétaire général des Nations unies. Quel honneur ! » Roberto Savio n'échappe pas à son regard de plus en plus curieux. Il cherche manifestement à mettre un nom sur son visage. Roberto Savio vient à son secours : « Je ne suis pas aussi célèbre que ces deux messieurs. Ma seule notoriété consiste à les accompagner ce soir. » Mário Soares s'impatiente : « Nous sommes à la recherche d'un bon restaurant.

Est-ce que vous pourriez nous en conseiller un, pas trop loin ? » Il reprend sa bicyclette et se propose de nous accompagner. Arrivés devant l'établissement, il nous avoue en forme d'excuse : « Ce n'est pas le meilleur, mais c'est le seul ouvert dans le quartier... » Qu'à cela ne tienne, nous sommes fatigués et nous avons faim. Le patron ne parle que le hollandais, mais le cuisinier est marocain. Je passe commande pour notre tablée en arabe.

Roberto Savio, qui a la double nationalité italienne et argentine, revient d'Amérique latine. Il nous fait part de son désenchantement : « Le continent traverse une crise économique sans précédent, et il est complètement inféodé à la superpuissance.
– Plus encore que le monde arabe... », ajoute Mário Soares avec une note de regret. Nous sommes persuadés qu'aucun État ne s'opposera à une intervention américaine en Irak.

La Haye, lundi 30 septembre 2002

Locaux prestigieux et solennels du palais de la Paix, siège de la Cour internationale de justice qui, en temps ordinaire, accueille les quinze juges et les internationalistes chargés d'examiner les contentieux des États. Les gestionnaires de ce sanctuaire, sans doute pour des raisons de rentabilité, ont décidé d'ouvrir les salles de réunion aux organisations internationales gouvernementales ou non gouvernementales. Et c'est dans l'une de ces salles que nous tenons les assises de l'IPS.

Admiratif devant le discours passionné d'une jeune femme birmane qui dénonce avec vigueur la violation des Droits de l'homme par les États-Unis, « comportement identique à celui de la junte militaire qui asservit la Birmanie... ».
« Quel courage ! dis-je en aparté à Roberto Savio. Cette enfant intrépide risque de ne plus pouvoir rentrer dans son pays.

– Elle a épousé un Portugais et elle vit à Lisbonne», me rétorque-t-il, impassible.

Je suis tout à coup moins impressionné. Le fait d'apprendre qu'elle ne court aucun danger en se livrant à pareille critique prive ses propos de la ferveur que j'avais voulu y déceler et de l'émotion qu'ils avaient provoquée en moi. Piège de la subjectivité.

Tandis que j'attends le Thalys qui doit me ramener à Paris, je vois s'approcher deux hommes qui me saluent en arabe. Ce sont des Irakiens.

«Depuis combien de temps vivez-vous en Hollande?

– Huit ans, me répondent-ils.

– Quel est votre métier?

– Nous sommes réfugiés politiques.»

Il m'a fallu attendre jusqu'à aujourd'hui pour apprendre que c'est un métier.

«Comment exercez-vous votre métier?

– Nous publions un mensuel en arabe et en hollandais à l'intention de la diaspora irakienne qui vit en Belgique et en Hollande.»

Ils m'en remettent deux exemplaires. Une fois dans le train, je me plonge dans la lecture de *Al Beit el-Iraki* (La maison irakienne). Deux articles consacrés au droit d'asile des Irakiens, dans lesquels on reproche aux autorités hollandaises la lenteur avec laquelle elles examinent leurs demandes. Un long poème sur le thème de l'exil, et un article sur les Droits de l'homme.

Le métier de réfugié politique irakien est apparemment une profession honorable et lucrative, surtout quand elle est rétribuée en dollars américains…

Beyrouth, vendredi 11 octobre 2002

Nous nous installons à l'hôtel Phoenicia. Le sommet de la Francophonie s'ouvrira dans quelques jours. La nuit est agitée. Notre chambre donne sur la cour, d'où nous parvient le bruit assourdissant des machineries. Léa, très soucieuse des problèmes de protocole et de confort, est de méchante humeur. « Cette conférence commence mal, et elle finira mal », prédit-elle, en cherchant vainement à trouver le sommeil.

Beyrouth, samedi 12 octobre 2002

Après une première intervention à l'ouverture de l'Assemblée internationale des instituts chargés de promouvoir la démocratie, je rencontre successivement le président Lahoud, avec lequel j'examine notamment le texte de la résolution qui sera adoptée sur la situation au Proche-Orient, puis le ministre de la Culture Ghassan Salamé.

Conférence de presse : j'insiste sur l'importance de ce premier sommet tenu en terre arabe, sur la renaissance de Beyrouth réconciliée avec elle-même et avec la paix… un couplet que je vais répéter inlassablement durant les jours à venir.

Nous dormons ce soir dans une nouvelle suite, plus petite mais plus calme.

Beyrouth, dimanche 13 octobre 2002

Un débat intéressant et instructif organisé par l'amicale des anciens du Saint-Cœur Sioufi dans les locaux de la Commission économique des Nations unies. Accueil chaleureux de la directrice, l'ambassadrice Merwat al-Thalawy, qui a représenté l'Égypte avec panache à Vienne, puis à Tokyo. Sur le podium, Ghassan Salamé, Marouan Hamadé et le fils de Ghassan Tuéni. Dans la salle, de jeunes lycéens, majoritairement des jeunes filles, qui ont préparé des questions à notre intention sur le thème de la francophonie. Leurs interventions, leurs interrogations me renvoient l'image d'une francophonie étrangement désuète : une francophonie qui, jusqu'à maintenant, s'est confondue dans la perception qu'en avaient les religieuses, les frères, les jésuites, et dans l'enseignement qu'ils dispensaient, avec l'image d'une présence française protectrice du Liban chrétien.

Cela étant, la francophonie n'est plus le monopole de la minorité maronite. La minorité chiite, qui est dans l'ensemble plus pauvre, se l'est également appropriée. À cela deux explications : d'une part, les frais d'études sont beaucoup moins élevés dans les universités francophones que dans les universités américaines ou anglophones; d'autre part, beaucoup de jeunes chiites qui avaient émigré en Afrique francophone sont revenus s'installer au Liban.

Dîner avec May Joumblatt, la mère du leader druze Walid Joumblatt. Elle nous prédit une nouvelle partition du monde arabe, une « balkanisation » de la péninsule arabe... Je ne partage pas cette vision crépusculaire.

Beyrouth, lundi 14 octobre 2002

L'ambassadrice de Tunisie, que j'avais reçue la veille de mon départ pour Beyrouth, m'avait clairement laissé entendre que la participation du président Ben Ali au sommet serait liée au fait que l'on modifie ou non le texte de la déclaration de Bamako, texte que la Tunisie avait pourtant entériné en novembre 2000. Elle veut le « clarifier » avant qu'il ne soit soumis aux chefs d'État et de gouvernement. J'ai tenté de lui expliquer qu'il serait très difficile de convaincre les États de revenir sur ce texte et de leur imposer une définition – que certains considèrent comme restrictive – des notions de « violation massive des Droits de l'homme » et de « rupture de la démocratie ». La Tunisie insiste, en effet, pour que ces notions soient explicitées par les termes de « génocide » et de « coup d'État ».

Aujourd'hui, à Beyrouth, la quarante-cinquième session du Conseil permanent de la Francophonie que je préside est, comme prévu, dominée par les tentatives de la diplomatie tunisienne pour faire modifier le texte de la déclaration de Bamako. Et il est effectivement difficile de faire accepter aux représentants des chefs d'État et de gouvernement les modifications réclamées par la Tunisie. Nous sommes dans une impasse. Il faut pourtant débloquer la situation avant la réunion des ministres des Affaires étrangères, demain.

En dernier recours, je suggère que l'on insère la proposition de texte de la Tunisie, non pas dans la déclaration de Bamako, mais dans la déclaration de Beyrouth qui sera adoptée par les chefs d'État et de gouvernement à l'issue du sommet.

Beyrouth, mardi 15 octobre 2002

Les discussions reprennent, ce matin, au niveau des ministres des Affaires étrangères, sous la présidence de Ghassan Salamé. La délégation tunisienne semble prête à accepter le compromis que j'ai proposé hier. Reste à se mettre d'accord sur la formulation et l'emplacement du nouveau paragraphe qui sera inséré dans la déclaration de Beyrouth.

(Le soir...) Réception offerte par le ministre libanais des Affaires étrangères Mahmoud Hammoud au palais Sursock, ancienne demeure construite dans le style ottoman. Le bar a été installé dans une pièce légèrement en retrait afin de sauver les apparences. Concession à la dimension islamique du Liban. Je ne peux m'empêcher de penser à ces fameuses théières que l'on remplit de whisky, dans certains pays musulmans. Comble de l'hypocrisie ou trésors d'imagination tels qu'on en déployait durant la prohibition aux États-Unis !

Beyrouth, mercredi 16 octobre 2002

La Conférence ministérielle s'achève sur un consensus : le ministre tunisien des Affaires étrangères semble satisfait du compromis auquel nous sommes parvenus pour la déclaration de Beyrouth, qui mentionnera donc au paragraphe « Démocratie » la phrase suivante : « Nous réaffirmons notre condamnation de toutes les formes de génocide, crimes de guerre et crimes contre l'humanité, qui constituent autant de violations massives des Droits de l'homme, de même que celle des coups d'État et des atteintes graves à l'ordre constitutionnel en ce qu'ils rompent la démocratie. » Une manière d'expliciter, après coup, et dans le sens où le souhaitait la Tunisie, les termes de « violations massives des Droits de l'homme » et de « rupture de la démocratie » employés, sans plus de détails, dans la déclaration de Bamako.

(En fin d'après-midi...) Départ précipité pour l'aéroport, direction Alexandrie où a lieu ce soir l'inauguration de la « Bibliotheca Alexandrina ». Le Premier ministre Rafiq Hariri nous a conviés à partager son avion avec sa charmante épouse qui le représentera pour la cérémonie. Le trajet s'effectue en moins d'une heure.

Accueil par le gouverneur d'Alexandrie, Abdel Salam el-Mahgoub. Un ballet ininterrompu de voitures qui font la navette entre l'aéroport et la bibliothèque. Quelques minutes plus tard, Léa et moi pénétrons dans une petite salle où je reconnais notamment Zawawi, le conseiller du sultan Kabous d'Oman, l'Agha Khan, le gouverneur d'Australie, le président de la République de Grèce, le président de la République de Moldavie et son épouse, le président de la République des Maldives et son épouse, la reine Sophie d'Espagne, la reine Rania de Jordanie, le président de la République de Roumanie. Jacques et Bernadette Chirac font leur entrée, suivis de peu par Hosni et Suzanne Moubarak.

Photo de groupe. Cérémonie solennelle et grandiose, discours entrecoupés d'intermèdes musicaux, et enfin l'*Hymne à la joie* de Beethoven repris par une centaine d'enfants.

Après le dîner de gala, au palais de Ras el-Tine, je tente de persuader Mme Hariri qu'il est temps de repartir si nous ne voulons pas arriver trop tard à Beyrouth. Elle hésite. Elle craint de froisser ses hôtes en s'éclipsant maintenant. Nous assistons donc au spectacle donné dans les jardins du palais. Un phare en bois, réplique de l'ancien phare d'Alexandrie, a été dressé sur la scène. Je regarde s'agiter des centaines de figurants au son d'une musique assourdissante.

Autant la cérémonie de cet après-midi était réussie, autant cette prestation est décevante. « Tu vois, me dit Farouk Hosni, le ministre de la Culture, tu as bien fait de rester, c'était un beau spectacle. » Je n'ai pas le courage de le démentir. Il est tard, je suis fatigué et je dois me lever aux aurores demain pour ouvrir le séminaire du Forum francophone des affaires. Nous regagnons Beyrouth et l'hôtel Phoenicia à plus de 2 heures du matin.

Beyrouth, jeudi 17 octobre 2002

Beyrouth était déjà en état de siège depuis quelques jours. Ce matin, alors que les chefs d'État commencent à arriver, on a l'impression d'être dans un camp retranché. Les voitures prennent à peine le temps de s'arrêter pour débarquer leurs passagers devant l'hôtel Phoenicia. Des hommes en armes ont pris place derrière des barrages, des tireurs d'élite sur les toits. Les habitants semblent avoir déserté la ville. Il règne un silence étrange et inquiétant, brisé çà et là par les sirènes annonçant le passage d'un cortège officiel.

L'Association internationale des maires francophones tient son assemblée générale. On attend Jacques Chirac, qui a longtemps présidé aux destinées de cette institution quand il était maire de Paris. Tandis que nous patientons dans le hall, le président Lahoud fait son entrée. Aux dernières nouvelles, Jacques Chirac serait en entretien avec le Premier ministre Rafiq Hariri. Le président Lahoud patiente à nos côtés. Murmures, agitation soudaine : Jacques Chirac vient d'arriver. Il est salué, congratulé, assailli par les participants. Son discours est interrompu à plusieurs reprises par des salves d'applaudissements. Beyrouth aime Jacques Chirac qui le lui rend bien.

Beyrouth, vendredi 18 octobre 2002

Ouverture officielle du IXe sommet de la Francophonie. Un immense bâtiment, baptisé Centre international d'expositions et de loisirs (Biel), a été construit spécialement à cet effet par les Libanais. Le président Lahoud, son épouse, Léa et moi avons pris place à l'entrée du pavillon d'honneur afin d'accueillir un par un les chefs d'État, qui se présentent en cortège selon une chorégraphie parfaitement réglée et minutée. Les caméras de télévision et les photographes sont embusqués à quelques mètres de là.

Pendant plus d'une heure, sous un soleil impitoyable, nous allons serrer la main des chefs d'État et de leurs épouses, puis nous figer, souriants, pour que les photographes aient le temps d'immortaliser la scène. Le temps de pose est proportionnel à la notoriété ou au capital de sympathie du chef d'État. Certains s'attardent en vain, d'autres s'éloignent trop vite au goût des photographes. Bernadette et Jacques Chirac remportent la palme haut la main.

Ce cérémonial achevé, les grands de ce monde disposent de quelques minutes pour se saluer avant de faire leur entrée solennelle dans la salle de conférence. J'ai souvent assisté à ce type de rencontres au sommet. Les chefs d'État constituent indéniablement une catégorie à part. Ils incarnent une nation, son histoire, son peuple. Ils incarnent, surtout, le pouvoir suprême. Ils sont affligés d'un ego très particulier, dans la mesure où ils sont des institutions bien plus que des hommes. Et lorsque ces « monuments » se déplacent, se rencontrent et se parlent, s'installe une atmosphère de saga planétaire.

Les chefs d'État et de gouvernement ont pris place sur une estrade en gradins face au public. Légèrement en contrebas sur leur droite, quatre fauteuils dressés dans l'axe perpendiculaire à l'intention de Koïchiro Matsuura, directeur général de l'Unesco, Amr Moussa, secrétaire général de la Ligue arabe, Louise Fréchette, vice-secrétaire générale des Nations unies, et moi-même.

Le président Lahoud ouvre la séance. Sa voix semble sortir d'un mégaphone. Est-ce l'effet d'une mauvaise sonorisation ? J'en prends bonne note pour la suite, d'autant plus que j'ai volontiers tendance à forcer la voix dans mes discours. Jean Chrétien lui succède dans un texte où alternent, selon la tradition canadienne, les passages en français et en anglais. Le président du Vietnam, qui ne parle quasiment pas le français, réussit un tour de force en nous délivrant une allocution parfaitement compréhensible. Le talent d'orateur de Jacques Chirac fait à nouveau merveille : il est longuement applaudi. Amr Moussa me fait discrètement remarquer que le chef spirituel du Hezbollah est assis parmi les invités d'honneur, aux côtés des représentants des différentes religions : « L'incarnation de l'axe du mal, si l'on en croit la doctrine américaine », commente-t-il avec un sourire ironique.

C'est au tour des invités spéciaux de s'exprimer. Voilà plus d'une heure que les discours s'enchaînent et l'attention de la salle commence à faiblir. Louise Fléchette, qui lit une intervention rédigée dans un parfait style onusien, relance bien involontairement l'intérêt du public. Au moment d'entamer mon éloge, elle perd la voix. Elle termine tant bien que mal son allocution dans un murmure et revient s'asseoir près de moi. Tandis que Koïchiro Matsuura se dirige vers le pupitre, je lui glisse à l'oreille avec humour : «Je constate qu'au moment de me complimenter, la représentante des Nations unies perd sa voix. Que dois-je en conclure ? » Amr Moussa prend à son tour la parole. Je suis le dernier orateur de la matinée. Je sais que mes proches collaborateurs attendent ce discours, ce dernier discours, avec curiosité. On mettra au compte de l'humilité le ton posé que j'adopte. J'ai plus prosaïquement en mémoire les effets désastreux de l'acoustique de la salle.

Mes premiers mots sont pour ceux de Sabra et Chatila, pour ceux de Cana, pour ceux qui, à quelques vols de colombe de Beyrouth, continuent de souffrir l'humiliation, la misère, la guerre.

Certains ont voulu voir, dans ce discours, mon « testament politique ». Je reviens, certes, sur la Francophonie et la langue que nous avons en partage, une langue devenue bien plus qu'un moyen de rencontre, une langue devenue langue de coopération pour une meilleure insertion de tous dans la mondialisation, langue de médiation pour aider à dénouer les crises et les conflits, langue de dialogue au service de la démocratie et des libertés, langue de promotion de la diversité culturelle, langue de concertation et de propositions lors des grandes conférences internationales, langue d'ouverture aux autres espaces culturels, aux autres organisations internationales.

Mais, par-delà la francophonie, ce discours a aussi été pour moi l'occasion d'exprimer, une nouvelle fois, un certain nombre de convictions profondes et de préoccupations qui ne m'ont jamais quitté : la conviction que nous sommes malheureusement dans un monde où tous les conflits ne se valent pas, où un homme ne vaut pas un autre homme, où une région ne vaut pas une autre région, où un continent ne vaut pas un autre continent. Et, dès lors, l'idée que nous aurons franchi un grand pas quand nous aurons compris que les pandémies, la misère, les conflits qui sévissent ailleurs, aujourd'hui, seront nos fléaux à tous, demain. Quand nous aurons compris, aussi, qu'il ne suffit pas, face à la nouvelle pauvreté, de vouloir pratiquer l'assistance paternaliste d'antan, et ce, au moment où l'Afrique se saisit de son destin. La conviction, ensuite, que notre communauté de destin nous impose que l'agenda mondial ne soit plus confisqué par les plus puissants, mais qu'il soit défini par tous, dans une approche multilatérale, comme elle nous impose que la légalité internationale reprenne tous ses droits dans un monde véritablement multipolaire.

Je conclus sur un message de tolérance et de dialogue entre les civilisations, message qui prend une force singulière au Liban, où se sont rejointes en s'entremêlant harmonieusement les communautés, les religions et les cultures.

Les travaux débutent dès la fin du déjeuner, dans la grande salle aménagée au sous-sol de l'hôtel Phoenicia. Après une courte passation de pouvoir entre le Premier ministre du pays hôte du VIIIe sommet, Jean Chrétien, et le président du pays hôte de ce IXe sommet, Émile Lahoud, je fais rapport de mon mandat de secrétaire général, pour le coup, mon « testament francophone ».

Beyrouth, samedi 19 octobre 2002

Le Liban a décidé d'innover en organisant ce matin une séance à huis clos entre les chefs d'État et de gouvernement. Le cas des États observateurs n'a pas été prévu. Peuvent-ils rester dans la salle ? Tandis que l'on consulte les textes, Jacques Chirac en profite pour venir saluer les délégués. Il interpelle la plupart d'entre eux par leur prénom, plaisante, leur dispense d'amicales petites tapes dans le dos. C'est à mon tour d'être choyé : « J'ai un reproche à te faire, Boutros. Tu portes ta décoration sur le revers droit de ton costume, alors qu'il faudrait la porter à gauche. » Joignant le geste à la parole, il épingle, sans plus de façons, ma décoration au bon endroit !

La séance commence enfin, par une intervention de Jacques Chirac sur le terrorisme. Il insiste sur la nécessité d'une mobilisation internationale, précisant aussitôt qu'elle doit être mise en œuvre dans le cadre des Nations unies et dans le respect des Droits de l'homme. Le Vietnam, Haïti, le Vanuatu, le Canada et l'Albanie soutiennent la position française. Le ministre tunisien des Affaires étrangères Ben Yehia, qui représente le président Ben Ali, préconise trois formes de riposte : une approche globale qui allie tout à la fois lutte contre le terrorisme et lutte contre la pauvreté et le sous-développement, une approche légale fondée sur les résolutions du Conseil de sécurité, et une approche culturelle destinée à rapprocher les trois grandes religions monothéistes.

Nous en venons au dossier du Proche-Orient. Le président Lahoud condamne vigoureusement les violations, par les Israéliens, de la mer territoriale et de l'espace aérien libanais. Il mentionne les fermes de Cheba, que les Israéliens continuent d'occuper parce qu'ils considèrent qu'elles font partie du territoire syrien alors que la Syrie a officiellement reconnu ce territoire comme libanais. Les délégués des pays arabes abondent dans son sens.

La parole est aux chefs d'État africains. Les présidents Buyoya, Patassé, Wade, Sassou-Nguesso, s'expriment tour à tour sur le thème de la paix en Afrique, suivis par les Premiers ministres du Congo démocratique, de la Côte-d'Ivoire, du Rwanda et de la Guinée. Le ministre belge des Affaires étrangères Louis Michel plaide en faveur d'une relance du dialogue intercongolais.

Les travaux de l'après-midi se déroulent à nouveau en séance plénière. Le thème du dialogue des cultures, thème retenu pour ce IXe sommet, est introduit par le prince Moulay Rachid du Maroc, et par Bernard Landry, Premier ministre du Québec. Les différents orateurs se retrouvent sur l'idée qu'il faut militer en faveur du plurilinguisme, de l'interculturalisme et d'un monde multipolaire. Le roi Siméon, Premier ministre de Bulgarie, s'adresse à moi dans les termes les plus flatteurs. Plus on approche du dénouement et du moment où sera élu le nouveau secrétaire général, plus les éloges fusent. J'ai en cet instant à l'esprit ce proverbe arabe qui dit, en substance, qu'on ne découvre les vertus d'un homme qu'après sa mort…

Si cette deuxième journée de travaux s'est déroulée dans une ambiance feutrée, personne n'est dupe de la crise qui se joue en coulisse. Henri Lopez maintient sa candidature contre Abdou Diouf. Les chefs d'État africains, qui s'étaient réunis en petit comité sous la houlette du président Mathieu Kérékou, ne sont pas parvenus à trouver une solution. On parle de vote. Les partisans d'Henri Lopez souhaitent que ce vote se déroule entre Africains, persuadés qu'ils obtiendront alors la majorité. Les partisans d'Abdou Diouf veulent qu'il soit ouvert à l'ensemble des chefs d'États et de gouvernement. Les rumeurs les plus folles circulent : Abdou Diouf préférerait retirer sa candidature plutôt que d'en passer par le verdict des urnes. Il n'envisage pas d'être désigné autrement qu'à l'unanimité. On vient me chuchoter que la seule manière de sortir de cette impasse serait de prolonger mon mandat. Il n'en est absolument pas question ! J'avance d'autres engagements pour l'année qui vient. « Alors exigez un second mandat de quatre ans, et vous l'obtiendrez ! » Je sens bien que mes supporters ont l'espoir que je finirai par me laisser tenter. Mais voilà quelques mois déjà que ma décision est prise, et bien prise, définitive et sans regrets.

(Le soir...) Dîner officiel au grand sérail, siège somptueux de la présidence du Conseil. Fond sonore assourdissant qui ne permet aucune conversation suivie : échange de propos anodins et de souvenirs, ponctués de sourires convenus, en attendant que le dîner s'achève pour aller prendre un peu de repos.

Cette fois encore, le spectacle n'était pas dans la salle, mais à la sortie. La tension monte parmi nos chefs d'État, Mathieu Kérékou ayant informé Jacques Chirac que le groupe africain n'avait pu s'entendre sur la désignation d'un candidat unique, et Jacques Chirac ayant vivement reproché à Denis Sassou-Nguesso de maintenir la candidature d'Henri Lopez.

De retour à l'hôtel, téléphone de l'un de mes inconditionnels : « Ils se sont querellés à la sortie du grand sérail, et Jacques Chirac a menacé d'avoir recours à votre candidature si l'on ne parvenait pas à un accord. » Pour certains, la nuit promet d'être longue.

Beyrouth, dimanche 20 octobre 2002

Dernier jour du sommet. C'est ce matin que l'on doit désigner le nouveau secrétaire général de la Francophonie. Nous attendons tous les résultats du « match » entre Henri Lopez et Abdou Diouf.

La grande salle de conférence bruit des rumeurs les plus contradictoires. Chacun prétend détenir des informations confidentielles. Je me dirige vers mon siège, à la droite du président Lahoud, pour attendre l'ouverture des travaux. L'ambassadeur Samir Safouat s'approche de moi :

« Ils ne se sont toujours pas mis d'accord. On va vous proposer de rester jusqu'au sommet de Ouagadougou en 2004. Je vous en supplie, ne refusez pas.

– J'ai dit depuis plus de six mois que je ne demanderai pas de second mandat. Et je ne reviendrai pas sur ma décision. »

Le suspense est terminé. Henri Lopez s'est désisté. On installe un fauteuil à la gauche du président Lahoud. Abdou Diouf fait son entrée. Sa nomination est officiellement annoncée. Le président de séance me donne la parole : j'improvise quelques mots. Abdou Diouf lit son premier discours de secrétaire général de la Francophonie. À la demande du président Wade, les chefs d'État et les délégués me font une ovation debout. Mon esprit est ailleurs. J'entends, en cet instant, les applaudissements de l'Assemblée générale au moment de ma passation de pouvoirs à Kofi Annan. Je me rappelle l'émotion intense qui fut la mienne en ce jour de 1996, les larmes que je retenais à grand-peine. Rien de tel aujourd'hui. Est-ce l'âge, la fatigue ? Je ne parviens pas à être ému.

(Un peu plus tard...) Abdou Diouf et moi, surpris par le flash d'un photographe, main dans la main, les bras tendus vers le ciel

en signe de victoire. La photo sera reprise par la plupart des journaux.

(En fin d'après-midi...) Retour brutal à la réalité : je rencontre une délégation de parents libanais dont les enfants croupissent dans les geôles israéliennes.

« Vous êtes notre dernier recours. Nous n'avons pas oublié ce que vous avez fait pour les femmes et les enfants assassinés dans le camp des Nations unies à Cana. Vous devez nous aider à faire libérer nos enfants. Nous demandons l'assistance de la Francophonie. »

J'ai beau leur expliquer que mon mandat prend fin le 31 décembre, ils ne m'entendent pas. Je leur promets d'agir auprès d'ONG et de la Croix-Rouge à Genève. Je salue un par un ces chiites du Sud-Liban qui ont subi l'occupation militaire israélienne durant des années.

Beyrouth, lundi 21 octobre 2002

Le rideau est tombé. Le spectacle est terminé. Je pensais pouvoir faire la grasse matinée, mais on m'informe que le ministre togolais des Affaires étrangères, Koffi Panou, demande à me rencontrer d'urgence. Il souhaiterait que l'OIF dépêche une mission d'observation lors des élections du 27 octobre prochain. Cela m'apparaît délicat. Je m'étais certes engagé à m'occuper personnellement du dossier togolais après le départ des quatre facilitateurs, mais, entre-temps, le président Gnassingbé Eyadéma a pratiquement dénoncé l'accord-cadre de Lomé, ce qui m'a conduit à adresser une lettre aux secrétaires généraux de l'ONU et de l'OUA pour les informer de l'échec de ma mission. On comprendrait mal, dans ces conditions, que l'OIF envoie des observateurs. Cela risquerait même de déclencher de vives réactions de la part des partis d'opposition qui ont décidé de boycotter ce scrutin, mais aussi des anciens facilitateurs et de l'Union européenne. Le silence observé par l'OIF face à la non-application de l'accord-cadre de Lomé « sert » plus le Togo que l'envoi d'une mission qui sera violemment critiquée et contestée.

En diplomate aguerri, Koffi Panou ne tente pas d'argumenter. Il m'assure que la Cedeao et l'Union africaine enverront des observateurs. Il me demande de réfléchir.

Déjeuner avec Ghassan Tuéni. Il a publié un énorme volume d'entretiens avec Jean Lacouture et Gérard Khoury.

« Je ne partage pas, me dit-il, le point de vue de Jean Lacouture sur la politique de Gamel Abdel Nasser, qui reste selon moi un grand échec…

– Je suis d'accord avec toi si l'on s'en tient à la politique intérieure. Mais en matière de politique étrangère, je continue à penser qu'il a remis l'Égypte en selle, qu'il en a fait un chef de file dans le tiers monde. Décolonisation du canal de Suez, du monde arabe, de l'Afrique, politique de non-alignement… autant d'axes forts qui ont enthousiasmé et mobilisé le monde arabe.

– Peut-être, mais la défaite cuisante de l'Égypte face aux Israéliens, en 1967, la paralysie du canal de Suez montrent les limites, pour ne pas dire l'échec de cette politique. »

Il me parle d'un autre livre qu'il vient d'éditer : le testament politique que le cheikh Mohamed Mahdi el-Dine, imam de la communauté chiite au Liban, a dicté à son fils sur son lit de mort, à Paris. C'est un message de paix adressé à toutes les communautés chiites de par le monde. Ma curiosité est piquée. Ghassan Tuéni passe un coup de téléphone. Quelques minutes après, j'ai entre les mains deux exemplaires de l'ouvrage.

Paris, mardi 22 octobre 2002

Au courrier de ce matin, la lettre tant attendue de l'ambassadeur Kamen Velichkov, qui m'avait promis, lorsque je l'avais rencontré en 2000 à La Haye, de m'adresser copie de la correspondance, en français, échangée entre mon grand-père, Boutros Pacha, ministre des Affaires étrangères d'Égypte, et le ministre des Affaires étrangères de la principauté de Bulgarie, D. Stanciaff, en 1907.

La Bulgarie, qui venait d'accéder à l'indépendance, souhaitait établir des relations commerciales avec l'Égypte. Elle dépêcha un envoyé spécial, George Vernazza, qui rend compte de sa mission en ces termes : « En sortant du ministère, je suis allé chez le représentant de la Russie pour l'informer qu'un arrangement, même à titre provisoire, n'ayant pu intervenir entre Boutros Pacha et moi à propos des fonctions de notre agence commerciale, le Consulat impérial à Alexandrie continuera à s'occuper des affaires de nos ressortissants, comme nous en étions convenus. [...] L'agent diplomatique de la Russie "n'a guère été surpris des tergiversations de Boutros Pacha" qui a la réputation d'être ficelle dans sa manière de traiter les affaires avec les représentants étrangers, hormis l'Anglais bien entendu ! Toutefois cette ficelle-là, prise comme elle est entre l'enclume turque et le marteau anglais, il s'agit de la tirer à nous avec ménagement pour qu'elle ne se coupe point... »

Le mot « ficelle » a été souligné. Je consulte le *Petit Robert*. Je lis à « ficelle » : « *Vieilli.* Malin, retors. *Méfiez-vous, il est très ficelle !* »

Je me rappelle que mon oncle Wacyf, qui était peu enclin à commenter la politique menée par son père, me disait : « Il lui fallait naviguer entre la Sublime Porte, l'Empire britannique, le khédive et les nationalistes égyptiens. C'était délicat et périlleux, mais ton grand-père était un excellent navigateur. »

Paris, mercredi 24 octobre 2002

Le compte rendu des travaux de la commission Démocratie et Développement est sur le point d'être publié, sous le titre « L'interaction démocratie-développement ». Un ouvrage de quatre cents pages. Belle impression. Il ne reste plus qu'à choisir la couverture. Ce que l'on me montre est trop vif. J'aimerais quelque chose de plus sobre. La maquettiste avance un argument décisif : « La couleur fait plus jeune. »

Paris, lundi 28 octobre 2002

Dans *Le Figaro* de ce matin, un article de Maurice Druon qui écrit que mon « action a porté ses fruits : on les a récoltés en abondance à Beyrouth ». Dans la foulée de cette lecture, je prépare le texte de la conférence que je dois donner dans quelques jours sur la Francophonie après le sommet de Beyrouth.

Que s'est-il passé de remarquable durant ce sommet ?

1. Un record de participation : quarante et un chefs d'État et de gouvernement ont fait le déplacement à Beyrouth.

2. L'appellation d'Organisation internationale de la Francophonie a été définitivement adoptée. Que de batailles il aura fallu livrer ! Je me rappelle, au tout début de mon mandat, avoir fait rédiger une note pour démontrer à un petit diplomate agressif et vindicatif que l'appellation d'OIF ne violait pas la Charte adoptée lors du sommet de la Francophonie à Hanoï, en 1997. À l'appui, l'absence totale de référence à l'Organisation des Nations unies (ONU) dans la Charte des Nations unies. Je me rappelle, aussi, la résistance du ministre français de la Francophonie, Charles Josselin, qui évitait soigneusement de parler de l'OIF dans ses discours, préférant les termes de « francophonie institutionnelle ». Je pense aux intégristes de la Francophonie qui

continuent à opérer une distinction entre l'OIF – qui se confond dans leur esprit avec le cabinet du secrétaire général – et l'Agence intergouvernementale, comme s'il s'agissait d'un organe parallèle et d'égale importance, alors qu'il n'est qu'une composante de cette organisation qu'ils s'obstinent à vouloir ignorer.

3. La présence du président algérien Abdelaziz Bouteflika, assis parmi les représentants des États membres, alors que son pays n'est pas encore membre de la Francophonie. Et son remarquable discours sur les liens décomplexés de l'Algérie arabophone et berbérophone avec la Francophonie.

4. La consécration, par la quasi-totalité des chefs d'État et de gouvernement, de la dimension politique de la Francophonie qui s'est notamment traduite, depuis 1998, par l'avènement d'une véritable diplomatie francophone, en lien étroit avec les actions en faveur de la démocratie, de l'État de droit et des Droits de l'homme. Là encore, il aura fallu dépasser les réticences ou la résistance, notamment des gouvernements du Québec et de la Communauté française de Belgique qui préféraient voir la Francophonie s'en tenir à une coopération culturelle et technique. Cela s'explique, en partie, par le fait que ces gouvernements n'ont pas de représentation propre – contrairement au statut dont ils bénéficient dans la Francophonie – dans des enceintes comme l'ONU, le Commonwealth, ou l'Union européenne, ou encore dans les conférences internationales. Le renforcement de la coopération entre l'OIF et ces organisations internationales, sa participation aux grandes conférences, ne pouvaient qu'affaiblir, de leur point de vue, leur influence au sein de la Francophonie. Tel n'a pas été, bien sûr, l'argument mis en avant. Certains ont préféré dénoncer la mégalomanie du secrétaire général Boutros-Ghali qui, ayant perdu l'ONU, n'avait de cesse de recréer une «petite ONU bis». J'ai encore en mémoire la déclaration de Louise Beaudoin à Tunis, qui reprochait au

secrétaire général de l'OIF de ne s'occuper que de politique alors que la langue française était partout menacée!

Le sommet de Beyrouth a mis un terme à cette controverse stérile, en réaffirmant et en renforçant la dimension politique de l'organisation. Bien plus, la Francophonie politique est sortie de son monde pour s'inscrire au monde en délivrant un message universel, celui de l'humanisme intégral, cher à Léopold Sédar Senghor, en réponse au modèle unique véhiculé par la globalisation, en d'autres termes en réponse à une occidentalisation calquée sur le modèle américain. Servir l'humanisation et la démocratisation de la mondialisation à travers la promotion du plurilinguisme et du dialogue des cultures.

5. Le concept défensif d'exception culturelle a laissé place au concept proactif de diversité culturelle, une autre manière de dire que la Francophonie ne saurait se limiter à la seule défense de la langue française, mais qu'elle entend associer étroitement, dans ce combat, toutes les aires linguistiques et culturelles. La déclaration de Beyrouth prévoit d'ailleurs la négociation d'un instrument international, d'une convention internationale sur la diversité culturelle sous l'égide de l'Unesco, qui exclurait les cultures et les langues du champ de compétence de l'OMC.

Cela étant, le sommet de Beyrouth a laissé en suspens un certain nombre de problèmes :

1. Une meilleure intégration des différents opérateurs de la Francophonie qui protègent jalousement leur indépendance et leurs prérogatives.

2. L'insuffisance du budget : cette organisation nouvelle, dans laquelle les chefs d'État et de gouvernement placent, depuis Hanoï, de grandes ambitions, fonctionne depuis plusieurs années avec des moyens constants en personnel et sur le plan budgétaire alors que, dans le même temps, la «famille» francophone ne

cesse de s'accroître. Elle comptait vingt-neuf pays dans les années 1970, elle en accueille cinquante-six aujourd'hui.

3. Le rôle de la Francophonie dans le domaine économique reste marginal. Il ne s'agit pas bien sûr de faire ce que beaucoup d'autres organisations font déjà, et avec des moyens bien plus considérables. Il s'agit plus modestement de contribuer à l'effort de l'ensemble de la communauté internationale. Mais l'adoption du thème du développement durable pour le Xe sommet de Ouagadougou, comme l'annonce d'un effort financier en faveur de l'aide au développement ne changeront rien au fait qu'il n'existe pas d'espace économique francophone. À cela, une raison au moins : les États membres de l'OIF appartiennent tous déjà à des communautés économiques, aux spécificités et aux règles de fonctionnement très différentes.

On peut peut-être espérer créer un espace économique francophone dans le domaine des industries culturelles. La Francophonie pourrait alors contribuer à accroître la circulation des biens culturels ou à organiser leur protection.

4. Donner un véritable pouvoir de décision au secrétaire général, et surtout lui confier la gestion des finances de l'organisation.

Paris, jeudi 7 novembre 2002

Déjeuner avec Roland Dumas et son ami Jean-Marc Barreau. Une manière amicale de devancer la fête que donnera l'ambassadeur Vettovaglia à l'occasion de mon quatre-vingtième anniversaire, et à laquelle Roland Dumas ne pourra assister.

Quelle résistance morale et physique ! Quelle aisance ! Quelle assurance ! Roland Dumas parle art, musique, politique, alors que son avenir est sur le point de se jouer devant les tribunaux. Il se lève pour remplir mon verre. Il est serein, souriant, détendu. Le scandale, la trahison et les révélations fracassantes de sa maîtresse, qui ont fait la une de tous les médias, semblent ne pas l'atteindre.

J'avoue que je n'ai pas eu la même force de caractère, lorsque la presse et l'administration américaines se sont déchaînées contre moi pour empêcher ma réélection. Je me suis effondré et j'ai perdu cinq ou six kilos en l'espace de quelques mois. Il ne s'agissait pourtant que d'une campagne électorale.

L'« animal politique » n'est pas tant celui qui se bat pour gravir les échelons que celui qui sait surmonter la défaite et la chute pour repartir à la conquête du pouvoir.

Pérouges, vendredi 8 novembre 2002

Il y a des invitations que j'accepte dans un moment de faiblesse ou par pure politesse. Au moment de m'exécuter, je le regrette presque toujours, conscient, mais trop tard, d'avoir perdu mon temps. Aujourd'hui, je ne regrette pas d'avoir répondu à l'invitation de Jacques Boyon, qui m'accueille en cette fin d'après-midi d'automne à la gare de Bourg-en-Bresse.

Conférence de presse dans un petit hôtel démodé proche de la gare. On est très loin des conférences à grand spectacle et à grand budget. Mobilier des années 1960, journalistes de la presse locale, et puis un magnifique jardin presque à l'abandon qui me replonge dans mes lectures d'enfance. J'imagine que le parc du château décrit par Alain-Fournier dans *Le Grand Meaulnes* devait ressembler furieusement à ce que j'entrevois par les fenêtres de cet hôtel oublié.

Route vers Pérouges – cité des Vaugelas. Un magnifique village médiéval hors du temps. La magie se prolonge au moment où je pénètre dans l'église fortifiée où je dois prononcer ma conférence. Dîner festif et plantureux à l'auberge du village, en présence d'une centaine d'invités. Conversation chaleureuse avec Jacques Boyon, le préfet Tomasini et leurs épouses.

Paris, mardi 12 novembre 2002

L'ambassadeur Vettovaglia a organisé un somptueux dîner pour fêter mes quatre-vingts ans. La plupart de mes amis sont là. Je souffle avec application les huit bougies du gâteau qui, à mon grand étonnement, se rallument aussitôt. Je suis le seul, apparemment, à ne pas connaître l'existence de ces bougies magiques que l'on utilise habituellement pour les enfants. Tout le monde s'en amuse, moi le premier.

On m'a réservé une surprise : Samar, une très belle jeune femme qui exécute avec infiniment de charme et de grâce un numéro de danse orientale. Je fais observer à mon hôte qu'elle ne danse pas pieds nus, à la différence des Égyptiennes. « C'est une Algérienne européanisée », me répond-il en souriant.

Oxford, jeudi 5 décembre 2002

Tandis que je revois le texte de la conférence que je dois donner tout à l'heure sur la démocratisation des relations internationales, coup de téléphone de Simone Dreyfus : Lilly, ma première épouse, est morte.

Elle était internée dans un hôpital psychiatrique, en France, depuis de nombreuses années. Son état de santé s'était considérablement détérioré ces derniers mois. J'ai souvent pensé à aller la voir – elle reconnaissait encore ses visiteurs –, mais les médecins me l'ont chaque fois déconseillé : « Ce serait un choc trop brutal. Vous ne faites plus partie de sa vie... »

Nous avons divorcé à l'amiable en 1956. Par la suite, je l'ai revue souvent. Elle s'était remariée. C'est après la disparition de son second mari que sa santé mentale a commencé à décliner. Son intelligence, sa parfaite connaissance d'une demi-douzaine de langues, sa puissance de travail ont toujours forcé mon admiration. C'était une grande archéologue. C'est elle qui m'a fait découvrir la Grèce antique. Nous avons parcouru, ensemble, les sites de Thasos, Samothrace, Éphèse…

Plus d'un demi-siècle a passé. L'annonce de sa mort réveille en moi des souvenirs enfouis. Je suis profondément bouleversé… Pourtant, je me suis presque résigné ces derniers temps à voir partir, l'un après l'autre, les êtres qui me sont chers, sans doute parce que je sais que je les rejoindrai bientôt.

L'approche de notre propre mort nous aide à apprivoiser et à accepter celle des autres. « J'ai plus d'amis morts que vivants », me disait avec sérénité l'oncle Wacyf au crépuscule de sa vie.

Tel un automate programmé, je souscris à mes devoirs de conférencier et partage le déjeuner des amis qui sont venus m'écouter : Lady Hamlyn, Jean-Claude Aimé et son épouse.

Dans l'Eurostar qui me ramène à Paris, les images d'un voyage en Grèce avec Lilly s'imposent avec violence, bientôt chassées par celles du premier train que nous avons pris ensemble pour aller à Dijon où elle devait soutenir sa thèse de magister. La sagesse de l'oncle Wacyf n'opère plus : la mort, c'est quelqu'un qui s'en va et qui, plus jamais, ne vous parlera.

Lausanne, mercredi 11 décembre 2002

Ce matin, je préside pour la dernière fois le Conseil permanent de la Francophonie. Une séance comme à l'accoutumée plutôt morne, que vient pimenter une querelle de clochers. Ma proposition de former deux commissions chargées, pour la première, d'étudier les propositions de réformes de l'Agence intergouvernementale, et, pour la seconde, d'élaborer le texte d'une convention sur la diversité culturelle, provoque des remous parmi les représentants de certains États africains. Ils s'opposent à ce que l'ambassadeur suisse Vettovaglia préside la première commission et voudraient de plus que la seconde soit confiée au représentant de la Communauté française de Belgique, et non à celui du Vietnam. Ils avancent qu'il s'agit là d'une décision importante, qui mérite le temps de la réflexion et qui pourrait donc être prise par le nouveau secrétaire général. Lorsque je leur apprends qu'Abdou Diouf a d'ores et déjà été consulté, ils changent de stratégie : le problème doit être réglé aujourd'hui afin de ne pas compliquer l'entrée en fonctions du nouveau secrétaire général. Devant pareilles contradictions, je décide d'entériner les nominations des deux présidents de commission.

Lausanne, jeudi 12 décembre 2002

La Conférence ministérielle s'ouvre en présence du directeur général de la Cnuced, Rubens Ricupero, et du haut-commissaire aux Droits de l'homme, Sergio de Melo. Cette innovation était destinée, dans mon esprit, à présenter aux ministres un bilan des projets qui ont été menés avec ces deux organisations, et à envisager les axes de la coopération à venir. Sortir la Francophonie de son ghetto.

(L'après-midi...) Malgré un début de grippe j'assiste aux travaux de la conférence présidée par Ghassan Salamé. Discours du ministre algérien des Affaires étrangères, qui quitte la salle sitôt sa prestation terminée.

L'Algérie ne parvient pas encore à franchir le pas. La communauté francophone, dans son ensemble, est pourtant prête à accueillir cet État parmi les plus francophones.

Lausanne, vendredi 13 décembre 2002

Les travaux s'achèvent par un discours dithyrambique du ministre suisse des Affaires étrangères, Joseph Deiss. Oraison funèbre d'un secrétaire général sortant ! « *Standing ovation* », comme à Beyrouth, en octobre dernier, comme à New York, en décembre 1996.

Ces cérémonies de fin de règne me pèsent. Ce n'est pas tant le fait de partir, que de devoir tourner une nouvelle page et recommencer.

Paris, lundi 16 décembre 2002

Présentation du rapport « L'interaction démocratie-développement » à l'Unesco, en présence de Koïchiro Matsuura et des directeurs des différents départements. La présence de Robert Badinter vient rehausser cette séance de travail. Échanges passionnants sur les liens entre démocratie, développement, droits de l'homme, bonne gouvernance et paix. C'est un sujet inépuisable qui nécessitera encore de nombreuses années de travail.

Paris, samedi 21 décembre 2002

Passation de pouvoirs. Je fais visiter à Abdou Diouf et son épouse Élisabeth l'appartement de la rue Saint-Dominique. Je leur remets solennellement une trentaine de clefs. Nous nous rendons à pied jusqu'aux bureaux du secrétariat général, 28, rue de Bourgogne. Abdou Diouf est étrangement silencieux, laissant à son épouse le soin de poser toutes les questions. Ma mission est terminée.

Paris, lundi 23 décembre 2002

Roger Dehaybe a organisé une petite cérémonie de départ à l'Agence de la Francophonie. Il prononce un vibrant discours, insiste sur mes qualités exceptionnelles de grand homme, avant de me remettre une statuette qui veut symboliser la Francophonie en marche. Je demande l'indulgence de mes collègues et de mes collaborateurs, conscient d'avoir été parfois trop exigeant et trop agressif. Déformation professionnelle de l'ancien professeur qui oublie qu'il n'a plus affaire à des étudiants.

J'avais tenu exactement le même discours devant les sous-secrétaires généraux des Nations unies, réunis dans mon bureau pour un adieu, en décembre 1996, à New York.

Paris, mardi 24 décembre 2002

Je me rends pour la dernière fois au 28, rue de Bourgogne. Les lieux sont déserts, en ce jour de réveillon de Noël. Je suis surpris de trouver, dans mon bureau, des livres et des dossiers qu'il me faudra ramener à la maison. J'étais persuadé d'avoir emporté tout ce qui devait l'être. Mon bureau a perdu son âme. Ce qui fait l'âme d'un bureau, ce sont les papiers éparpillés, les livres sortis de leurs rayonnages, les objets familiers : la pendulette qui n'a jamais fonctionné, l'éphéméride dont on a oublié de tourner les dernières pages, un bloc-notes, des photos. Tous ces objets ont disparu, et avec eux le souvenir des jours passés.

Paris-Le Caire, mercredi 25 décembre 2002

L'ambassadeur Aly Maher a eu la délicatesse de venir m'attendre à l'aéroport du Caire. La misère et le laisser-aller de ma ville natale me sautent aux yeux, jusqu'au froid qui s'est insinué dans notre appartement trop longtemps délaissé. L'Égypte semble vouloir me faire payer mes infidélités.

Le Caire, lundi 30 décembre 2002

Durant ces trois derniers jours, je me suis entretenu avec différents membres du gouvernement et de l'opposition, et surtout avec les représentants de la jeune génération, la relève. J'ai passé plus d'une heure ce matin à débattre de l'avenir de l'Égypte avec le Premier ministre Atef Ebeid. Je ne sais si son optimisme était sincère, ou dicté par ses fonctions à la tête de l'exécutif.

Je suis sorti de toutes ces rencontres désenchanté, désabusé.

Le Caire, mardi 31 décembre 2002

Dîner de réveillon à Zamalek entre vieux complices : Josse, notre hôtesse, Chafick, Irène, Léa et moi. On se quitte un peu avant minuit, avant que la foule en liesse n'envahisse les rues du Caire.

Minuit… Le Nil Dieu que je contemple en ce moment a su dominer le temps. Le temps, pour moi, est une donnée objective, quantifiable et mesurable. Je n'ai trouvé d'autre moyen, pour me sentir exister, que de faire allégeance au temps. Je consulte très régulièrement mon agenda : celui de la journée, de la semaine, du mois. Il m'arrive même de me reporter aux engagements pris pour l'année suivante. Ne surtout pas laisser le temps au temps, aller l'amble avec lui pour mieux l'apprivoiser, pour avoir l'illusion de le maîtriser, pour oublier qu'il continuera de passer quand j'aurai passé.

Je n'ai jamais compris ceux de mes amis qui prétendent que l'on parvient, au fil des années, à se libérer de l'emprise du temps, de ses servitudes, et que le sentiment de la fuite du temps s'apaise avec l'âge, comme si la vieillesse le faisait entrer en hibernation.

Ce soir je suis désemparé. Il me reste si peu de temps pour réfléchir, agir, construire, si peu de temps pour conquérir le monde. Quelques lunes encore…

Table

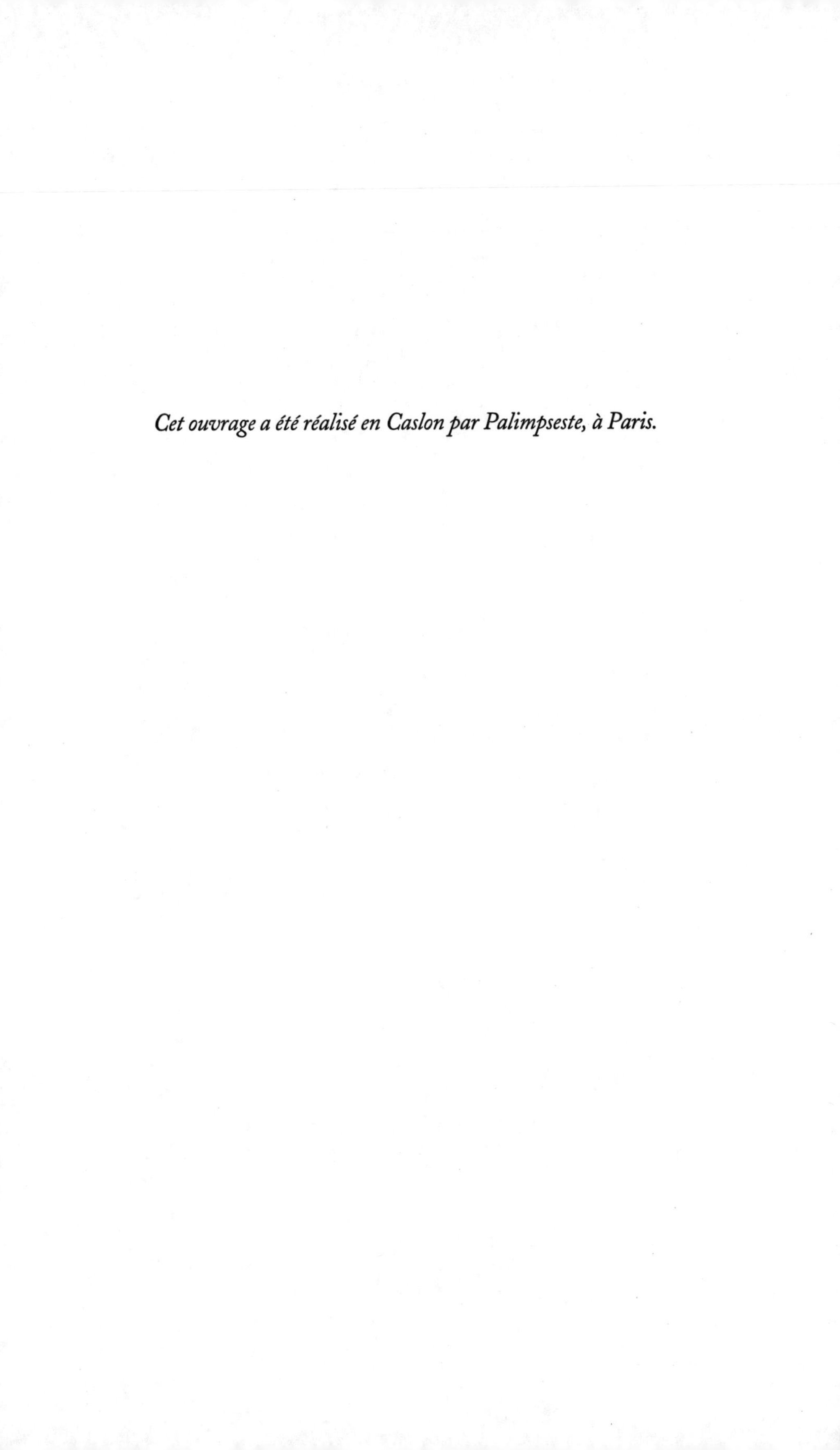

Cet ouvrage a été réalisé en Caslon par Palimpseste, à Paris.

Impression réalisée sur CAMERON par
BRODARD ET TAUPIN
La Flèche

pour le compte des Éditions Fayard
en mars 2004

Imprimé en France
Dépôt légal : mars 2004
N° d'édition : 45260 – N° d'impression : 22897
ISBN : 2-213-61907-7
35-57-2107-7/01